Elles ver

d'une Antiquité

réservée aux savants, aux pédants et aux enfants.

Fables choisies

mises en vers

B.N. Estampes

Cl. B.N.

Frontispice gravé par C.-N. Cochin d'après Oudry
pour les *Fables choisies* de La Fontaine,
Paris, Desaint et Saillant, 1755-1759

La Fontaine

Fables choisies
mises en vers

Éditions Garnier Frères
19, Rue des Plantes, 75014 Paris

Introduction, notes
et relevé de variantes
par
Georges Couton
Professeur à la Faculté des Lettres de Lyon

Édition illustrée de 32 reproductions

INTRODUCTION

« UN MIRACLE DE CULTURE », *disait Gide des* Fables. *Certes, mais lors d'un procès de canonisation, quand il s'agit de constater un miracle, intervient un personnage au rôle bien ingrat : l'avocat du diable ; au rôle bien utile aussi : sa critique, s'efforçant de mettre en lumière les faiblesses humaines, fait par cela même ressortir l'inexplicable ; il se trouve ainsi plus que personne contribuer à la gloire du saint. Devant le miracle poétique, l'historien agit en avocat du diable : en ramenant à des explications historiques tout ce qui en est justiciable, il permet au génie d'éclater dans sa singularité. A qui veut rendre compte de l'apparition des* Fables *incombe donc une première enquête : chercher dans le passé littéraire ce dont elles sont tributaires. On ne comprend leur originalité qu'à ce prix.*

I. — PRÉHISTOIRE DES *FABLES*

Que La Fontaine ait contracté une dette envers Ésope, on le sait bien, sans que pourtant ait été dit avec assez d'insistance à quel point et sous quelles formes les fables grecques étaient partout présentes.

D'abord elles se contaient. Les animaux d'Ésope avaient rejoint dans le folklore Renart, Peau-d'Ane et la fée Mélusine. Après souper, à la veillée, Robin le Clerc, charpentier à la grande doloire, « commençait un beau conte du temps que les bêtes parlaient (il n'y a pas deux heures), le conte de la cigogne, ou comme le renard dérobait le poisson aux poissonniers; comme il fit battre le loup aux lavandières lorsqu'il l'apprenait à prêcher; comme le chien et le chat allaient bien loin; du lion roi des bêtes qui fit l'âne son lieutenant et voulut être roi du tout; de la corneille qui en chantant perdit fromage; de Mélusine, du loup-garou, de Cuir d'Anette [*Peau-d'Ane*] ; du moine bourré[1] ». *Dans un monde différent, à la cour, le Page disgracié s'amuse aussi aux fables :* « J'étais le vivant répertoire des romans et des contes fabuleux; j'étais capable de charmer toutes les oreilles oisives; je tenais en réserve des entretiens pour toutes sortes de différentes personnes et des amusements pour tous les âges. Je pouvais agréablement et facilement débiter toutes les fables qui nous sont connues, depuis celles d'Homère et d'Ovide jusqu'à celles d'Ésope et de Peau-d'Ane. » *C'est les fables d'Ésope qu'il conte à un enfant malade*[2]. *Sans doute entretenait-il ses compagnons plus âgés,* « effrontés comme des pages », *de plus libres aventures, venues de Boccace et des conteurs libertins. A chaque âge conviennent ses contes. Dès les veillées de son enfance, à La Fontaine aussi avait dû être conté* Peau-d'Ane; *il en gardait la nostalgie. Dès ce moment il avait sans doute fait la connaissance de tous ces animaux qui devaient être ses héros et par cette tradition orale avait pu lui venir quelque chose du* Roman de Renart, *enfoncé dans l'oubli*[3].

---

1. Noël du Fail, *Propos rustiques et facétieux,* 1547, ch. V.
2. Tristan, *Le Page disgracié,* chap. V et VI.
3. Au reste le *Roman de Renart* avait été imprimé. La Croix du Maine signale deux livres qui content de Renart : *Maître Renart et dame Hersent, traité utile à toute personne, contenant les cautelles et finesses que faisait ledit maître Renart,* Lyon, Arnoulet, 1528, et *Reynier le Renart,*

Les fables se lisaient aussi, et dans des milieux très humbles. Le bonhomme Thénot du Coin, qui n'était qu'un manant, « faisait cuire des naveaux aux cendres, étudiant ès vieilles fables d'Ésope[1] ».

L'apologue apportait son appui à l'éloquence de la chaire, comme jadis à l'éloquence politique de Rome et d'Athènes. Les prédicateurs, dont l'influence paraît avoir été immense sur les auditoires populaires dans l'ancienne France, demandaient à Ésope des exempla *pour illustrer leurs dires.*

Mais c'est dans l'enseignement surtout que les fables tenaient une place dont on n'a pas mesuré toute l'importance[2]. « Ces fables étant sues de tout le monde », *disait La Fontaine. Un régent de la Compagnie de Jésus fait écho :* « Les fables d'Ésope sont entre toutes les mains; à tel point qu'est considéré comme tout à fait ignare qui ne les a pas apprises : Tu n'as même pas pratiqué Ésope. » *De fait, qui poussait ses études au-delà de la* « croix de par Dieu », *rencontrait, délégués par Ésope, le loup et l'agneau, la cigale et la fourmi, tout un bestiaire prêt à enseigner l'art d'écrire, les rudiments de la symbolique et la morale de surcroît. A une époque où la langue française n'était pas objet d'enseignement, Phèdre se lisait dès les débuts du latin, Ésope dès les débuts du grec, et tout au long des études leurs fables servaient de canevas aux devoirs écrits.*

Pour satisfaire cette clientèle scolaire, nombreuse et constamment renouvelée, les éditions d'Ésope avaient été multipliées depuis les débuts de l'imprimerie, à travers toute

---

histoire très joyeuse et récréative contenant soixante-dix chapitres, imprimée en deux langues français et bas-allemand en Anvers par Christophe Plantin, 1566. Qu'aient existé d'autres livrets populaires des aventures de Renart n'aurait pas de quoi surprendre; que ces livrets populaires soient perdus n'étonnerait pas non plus.

1. Noël du Fail, *Propos rustiques,* VII.

2. Cf. G. Couton. *Poétique de La Fontaine, Du pensum aux Fables.*

l'Europe, par les libraires parisiens, lyonnais, allemands ou des Pays-Bas, avec une abondance qui défie presque le bibliographe. Elles comportaient d'ordinaire, outre les fables d'Ésope, très souvent traduites en latin, beaucoup d'autres textes. Ainsi le recueil de Nevelet offrait, avec les fables d'Ésope en grec et en latin, celles d'Aphthonius, de Babrias, de Phèdre, d'Avienus, d'Abstemius. Les fables mêmes étaient précédées d'extraits concernant le genre, tirés de Platon, Denys d'Halicarnasse, Strabon, Plutarque, etc. D'autres recueils, plus copieux encore que Nevelet, ajoutaient à Ésope la Batrachomyomachie, *alors attribuée à Homère, la mystérieuse* Galéomyomachie, *des fables d'humanistes du* XVIe *siècle, les* Facéties *de Pogge, le serment d'Hippocrate à l'occasion, et bien d'autres textes encore.*

Ainsi était constitué une manière de corpus *ésopique grâce auquel la pédagogie du temps disposait des apologues et de toutes sortes d'œuvres plus ou moins moralisantes.*

Dans ce corpus, *les fables de Phèdre étaient de nouvelles venues : le Moyen Age n'en avait connu que des reflets ; leur découverte ne datait que de* 1596, *leur première édition de* 1598; *leur première traduction en prose était l'œuvre du sieur de Saint-Aubin, c'est-à-dire de M. de Sacy, qui avait composé son ouvrage pour les Petites-Écoles de Port-Royal et corrigé le texte pour qu'il pût être mis entre toutes les mains*[1]. *De traduction de Phèdre en vers, il n'en existait pas encore.*

Pour qui n'eût pu lire le texte grec d'Ésope, ou sa traduction latine, les traductions françaises ne manquaient pas. Il faut accorder une mention particulière à celle de Jean Meslier. C'est un principal de collège qui donne en 1629 *un choix de fables d'Ésope, avec le texte grec, une traduction*

---

1. Voir G. Delassault, *Le Maître de Sacy et La Fontaine traducteurs de Phèdre* (*Revue des Sciences Humaines,* 1952, pp. 281-294). Pour un exemple des corrections apportées par Le Maistre de Sacy à son auteur, voir note à La Fontaine, *Le Rat et l'Éléphant,* VIII, 15.

latine, une traduction française, une annotation copieuse à l'usage des écoliers. Jean Meslier parle encore le langage aimable, fleuri, succulent du temps d'Amyot. Ésope « prend les petits sacristains des Muses qui tirent pays par la Grèce par la main et les mène dans un bocage verdoyant qu'il a planté lui-même où les grenadiers, le plaisir de la chasse, le gazouillis des ruisseaux, les airs mignards des musiciens du Roy du Ciel contribuent à un festin qu'il leur fait ». *La Fontaine a-t-il pris part au festin du principal Jean Meslier ? On le croirait*[1] *; et par lui il a pu apprendre très jeune que dans la fable ésopique trouvaient à se glisser pittoresque, enjouement et poésie.*

Mais l'écolier qui fréquentait un collège de l'Université, des Jésuites ou des Oratoriens ne se contentait pas de lire Ésope ; il était encore invité à rivaliser avec lui. L'exercice qui tenait lieu de ce que nous appelons aujourd'hui selon les âges des écoliers, et selon les modes du vocabulaire pédagogique, rédaction, narration, dissertation, consistait à développer, en latin naturellement, un canevas plus ou moins détaillé. Ce canevas était très souvent une fable que les élèves enrichissaient à l'aide des procédés de l'amplification : amplification par les « circonstances » *(nous y reviendrons), amplification par les figures de mots ou de style*[2].

1. Meslier est réimprimé en 1641 et 1650. — Un rapprochement entre *Le Lion et le Moucheron* de Meslier et celui de La Fontaine paraît établir l'influence de l'un sur l'autre. Voir Gohin, *Art de La Fontaine*, p. 114, n. 1. — On a cité aussi la traduction d'Ésope par P. Millot. Elle est plus sèche, plus pauvre; rien n'établit que La Fontaine l'ait connue.

2. Voir G. Couton, *Poétique de La Fontaine*, 1957, pp. 23-26. Des exemples de ces « amplifications » se trouvent dans les rhétoriques scolaires. Mais nous avons conservé aussi les devoirs d'un écolier, écolier illustre, il est vrai, et très aidé par son précepteur, le duc de Bourgogne, à qui est dédié le livre XII. À son élève, Fénelon proposait comme canevas des fables de La Fontaine; par ce choix, il manifestait un esprit moderne; les pédagogues plus traditionalistes donnaient les mêmes devoirs, mais en empruntant le canevas à Ésope. (Voir les fables du jeune prince dans le ms latin 8.551 Bibliothèque nationale; les corrigés de Fénelon dans *Lettres et Opuscules inédits*, 1850.)

Les maîtres apprenaient ainsi à leurs élèves comment la fable du Loup et l'Agneau *pouvait passer du style* « simple » *ou* « rude » *au style* « orné, soigné, fleuri ». *Un collégien n'était pas seulement un lecteur des fabulistes, mais aussi un praticien de la fable. Que tels anciens élèves aient gardé de ces amplifications le souvenir d'un exercice fastidieux, on peut bien le craindre. Mais pour tels autres les fables d'Ésope enrichies d'images et de détails pittoresques ont pu provoquer ce petit choc par lequel se révèle la poésie. Il était suffisant et nécessaire que peu ou prou ils fussent poètes.* « Avant que nous ayons douze ans, tout est joué », *disait Péguy. Je soupçonne que nous ne connaîtrons jamais les sources les plus anciennes et les plus fraîches à la fois des* Fables, *quelque devoir fait au collège par La Fontaine, et à jamais perdu.*

En tout cas, l'idée de style s'associait de façon indissoluble à ce travail d'amplification exercé d'abord sur les fables. Pour nos classiques, écrire était se soumettre à cette discipline. Que La Fontaine s'y soit soumis, et avec profit, pour n'en plus douter il suffit de comparer le premier état de la fable Le Renard, les Mouches et le Hérisson, *conservé par une heureuse fortune, avec le texte définitif.*

Ajoutons encore qu'à côté, ou au-dessus — comme on voudra — de la fable pour écoliers, vit la fable pour ces éternels écoliers que sont leurs maîtres : les Anglais les appelleraient des scholars *et La Fontaine bonnement des pédants. Les gens d'étude, et les professeurs, ont écrit des fables latines aussi longtemps que le latin a été la langue internationale des lettrés*[1]. *Que cette fable latine des érudits ait eu une large audience, nous n'en jurerions pas. Au moins a-t-elle pu entretenir dans le microcosme de la* République

1. Il semble que le succès des *Fables* de La Fontaine, qui lui a valu de nombreux imitateurs, a aussi stimulé les latinistes; les fables latines se multiplient. (Voir les *Œuvres latines* du P. Commire.)

des Lettres l'idée que la fable valait plus que son destin pédagogique et méritait de s'élever à la dignité d'œuvre littéraire.

* * *

Le genre de la fable est contigu à celui de l'emblème, au point que la distinction n'est pas toujours facile. Il semble que l'ancêtre de tous les auteurs d'emblèmes soit l'humaniste Alciat. Son ouvrage, paru en 1531 *pour la première fois, a eu un succès prodigieux qu'atteste le nombre de ses éditions. Un emblème d'Alciat se présente ainsi : un titre très bref précède une gravure ; ensuite des vers latins précisent le sujet, enfin un commentaire se déroule, quelquefois sur plusieurs pages d'une typographie serrée. Après Alciat, l'emblème se répand avec une abondance qu'explique le goût très général au* XVIe *et au* XVIIe *siècle pour l'explication allégorique. Les livres d'emblèmes, devenus légion, s'orientent selon le goût des auteurs, et plus encore sans doute selon les intentions et les moyens des éditeurs, vers les subtilités du commentaire ou vers la somptuosité de l'illustration.*

Les auteurs de fables adoptent la forme de l'emblème : ces descendants des humanistes du XVIe *siècle avaient force gloses à présenter et l'emblème leur laissait plus de latitude que la fable ésopique stricte. Ainsi Baudoin, qui s'était déjà exercé à l'emblème, donne en* 1631 *des* Fables d'Ésope phrygien traduites et moralisées *destinées à un très grand succès*[1]*. Chaque fable ésopique s'accompagne d'un commentaire prolixe qui explique de quelles applications morales ou politiques elle est susceptible, quels événements historiques la justifient*[2]*.*

---

1. Ces *Fables* de Baudoin ont été rééditées en 1649, 1659, 1683, 1701, 1730 et je ne suis pas sûr de connaître toutes leurs éditions. — Les historiens de La Fontaine acceptent tous l'affirmation de d'Olivet qui veut que Baudoin ait servi de prête-nom à Boissat. Cela me paraît très improbable.

2. Tel est aussi le caractère d'Audin, *Fables héroïques comprenant les*

La fable, désormais se présente donc sous deux formes. L'apologue ésopique subsiste, avec son récit suivi d'une brève moralité introduite de façon assez mécanique par : « La fable montre que... » *Mais à côté de lui existe une fable nouvelle issue de l'emblème. Elle se compose du « mot » : une formule de caractère lapidaire qui exprime une vérité morale et sert de titre, remplaçant ou complétant les titres traditionnels faits de noms d'animaux :* La Cigale et la Fourmi, Le Corbeau et le Renard. *Ensuite est contée l'anecdote. En troisième lieu, l'auteur tire la leçon de l'aventure et l'applique à des domaines variés : c'est le* « discours moral », « *l'*application », « *l'*allusion », *la* « prosopopée ».

La Fontaine a coulé ses fables tour à tour dans le moule de l'apologue ésopique et dans celui de l'emblème. De la fable de modèle ésopique, les exemples foisonnent. Mais la fable-emblème n'est pas rare chez lui. Elle se présente sous trois états. Une forme très complète comprend le mot, l'apologue, le discours moral ; Les Frelons et les Mouches à miel *en fournissent un bon exemple, parmi bien d'autres :* « mot » *d'une sécheresse de proverbe :* « A l'œuvre on connaît l'artisan »; *récit assez bref ; application au monde contemporain avec des considérations sur la lenteur de la justice. — Une seconde forme se rencontre aussi, amputée des commentaires moraux de la fin ; ainsi* Le Vieillard et ses Enfants. — *Enfin ce peut être le* « mot » *initial qui disparaît, tandis que subsiste l'historiette elle-même et que se développe le discours moral. Ainsi, dans* L'Astrologue tombé dans un puits, *l'historiette elle-même est contée en quatre vers ; quarante-cinq vers ensuite présentent des réflexions sur le caractère chimérique de l'astrologie. Qui*

---

véritables maximes de la politique chrétienne et de la morale... avec des Discours enrichis de plusieurs histoires tant anciennes que modernes sur le sujet de chaque fable, le tout de l'invention du sieur Audin... Paris, Guignard, 1648.

B.N. Imprimés — Cl. B.N.

Page de titre des *Fables d'Ésope Phrygien traduites et moralisées par I. Baudoin*, Paris, 1631

reconnaîtrait à La Fontaine comme seuls ancêtres Ésope et Phèdre et oublierait les emblèmes et les fables moralisées pourra bien admirer comment le poète varie ingénieusement sa morale, la donne tantôt au début, tantôt à la fin, la condense en formules-proverbes ou la développe longuement ; ces considérations ne seront que des constatations[1] *et non une explication historique.*

A feuilleter les recueils d'emblèmes ou les livres de fables du XVIe *et du* XVIIe *siècle, il y a un autre profit encore à tirer : on s'avise alors que nous avons beaucoup trop oublié que ce sont d'abord des livres d'images.*

De nos jours, l'image sollicite continuellement les yeux des adultes et ceux des enfants : illustration des livres scolaires, à commencer par le premier syllabaire, journaux et albums, cinéma et télévision, l'image nous envahit, jusqu'à l'obsession, la satiété, l'indifférence. Rien de tel au XVIIe *siècle. Le seul des ouvrages pour écoliers qui ne montrât pas une austérité complète, c'était Ésope. Dans une mémoire visuelle qu'elles occupaient seules, les pauvres gravures du fablier devaient se fixer avec une force extraordinaire ; l'illustration plus soignée des traités d'emblèmes, des fables moralisées, devait frapper par sa somptuosité. Les livres de fables ouvraient ainsi le monde des formes.*

Ici je voudrais faire observer que La Fontaine aimait tous les arts : la musique, mais aussi la peinture, la sculpture, l'architecture, les jardins. Il était en rapport avec des peintres, mais encore avec des graveurs[2]. *N'aurait-il pas apprécié les estampes et les livres illustrés ? Il serait normal qu'un amateur d'art médiocrement argenté se fût tourné vers ces formes plus accessibles des arts plastiques. Son imagina-*

1. Voir Michaut, *La Fontaine,* I, 258.
2. La Fontaine était sans doute en relations personnelles avec le graveur Raymond La Fage et avec l'éditeur Van der Bruggen, marchand d'estampes rue Saint-Jacques; cela en 1689 au moins. Cf. *O.D.,* 680 et n.

tion n'aurait-elle pas souvent été mise en mouvement par une gravure, plutôt que par un texte ? Impossible, certes, d'apporter de cette idée une confirmation. Conseillons seulement aux amis de La Fontaine de feuilleter Verdizotti, ou les Figures diverses *de R.D.F., ou Baudoin, ou encore les* Fables des Animaux *de Perret*[1] *pour comprendre quelle pouvait être la vertu suggestive de leur illustration.*

* * *

On voit quelle est la situation de la fable au milieu du XVIIe *siècle. Dès l'enfance elle exerce les esprits, se grave dans les souvenirs, se fixe dans la mémoire visuelle, enseigne la morale ; et il faut donner à ce mot le sens très large qui est alors le sien. Elle constitue un des fondements de la culture ; La Fontaine n'a pas tort de dire que la première connaissance du monde se fait par elle.*

Mais si grand que soit son rôle, elle reste vouée à l'obscurité parce qu'elle n'a pas véritablement d'existence littéraire : elle n'est qu'un humble instrument au service de la morale, de l'éloquence, de la pédagogie. Le grand miracle est d'abord que La Fontaine ait su déceler les richesses poétiques cachées sous les épaisseurs des commentaires moralisants ou dans la sécheresse des apologues. Miracle de sourcier. Encore faut-il s'être rendu digne du miracle. La Fontaine l'était pour aimer les contes et la littérature populaire, pour avoir l'imagination fraîche, pour être curieux et poète. D'autre part il était passé maître dans tout ce qui en poésie relève du métier. Enfin des années de rêveries en apparence stériles, de lectures plus sérieuses et plus assidues qu'on ne pourrait le croire, de conversations sur tous sujets, d'observations aussi

---

1. *Fables des animaux, vrai miroir exemplaire...* par Estienne Perret, citoyen d'Anvers, Delft, 1621.

l'avaient enrichi d'idées, d'images, d'une vision personnelle du monde :

Ces jours qui te semblent vides,
Et perdus pour l'univers,
Ont des racines avides
Qui travaillent les déserts.

Patience, Patience.
Viendra l'heureuse surprise[1].

« L'heureuse surprise » *vint en effet. Par tant de fraîcheur, tant d'expérience et tant de science La Fontaine avait mérité que le miracle de culture se prolongeât en miracle de la création poétique.*

* * *

On aimerait dater les premières fables. Il se pourrait que Le Meunier, son Fils et l'Ane *fût antérieure à toutes les autres. Un témoignage, non irrécusable certes*[2], *veut qu'elle ait été adressée à Maucroix lorsqu'il hésitait sur le choix d'une profession ; elle serait ainsi antérieure à son engagement dans l'Église* (1647). *Nous croyons, quant à nous, que la fable date en effet de cette époque : La Fontaine et Maucroix, en âge l'un et l'autre de se fixer, hésitent sur la voie à prendre. Mais ceci ne veut pas dire que cette première fable écrite — conte humoristique, et de circonstance, plutôt que fable — La Fontaine se soit dès lors attaché à traduire des apologues ésopiques.*

D'autre part, il soumettait ses œuvres à ses amis avant de

---

1. Valery, *Palme*.
2. Sur cette fable et les problèmes qu'elle soulève, voir nos notes p. 428.

les publier. Conrart, personnage d'importance dans le monde littéraire, dut en avoir la primeur. Il en transcrivit dix dans son recueil[1]. *Il nous conservait ainsi un premier état du texte et autorisait une hypothèse intéressante : ces fables ont presque toutes pour source non Ésope, mais Phèdre ; La Fontaine aurait-il eu d'abord pour ambition d'être le premier traducteur de Phèdre en vers ? Le manuscrit Conrart permettrait-il en outre de dater les premières fables ? On l'a cru. On a observé en effet qu'il contenait* Le Renard et l'Écureuil *que La Fontaine ne devait jamais publier*[2]. Le Renard et l'Écureuil *a trait au procès Foucquet et prédit que bientôt seront déjouées les intrigues de Colbert, que le surintendant retrouvera la faveur royale. On a donc conclu que cet apologue était antérieur à la condamnation (décembre 1664). Depuis on a fait observer*[3] *que les amis de Foucquet ont espéré avec obstination, même après le jugement, qu'il serait gracié. Ainsi s'évanouit une chance de dater les premières fables.*

Il faut tenter une autre voie. Dès 1659, l'avocat Patru écrivait à une dame, Olinde, trois lettres très cérémonieuses, de celles qui n'ont rien de confidentiel mais qui courent les salons et les cercles littéraires. Il y insérait trois fables, concises comme celles d'Ésope, mais accompagnées d'un copieux commentaire moral en plusieurs points, dans le goût de ceux de Baudoin. Événement bien mince, pourrait-on croire. Non certes, car Patru était un personnage considérable. « L'homme du monde qui savait le mieux notre langue... un autre Quintilien... Tous ceux qui sont aujourd'hui nos maîtres par leurs écrits se firent

1. Arsenal, 5420, f° 533 sqq.
2. Cf. dans la présente édition p. 399.
3. A. Adam, *Littérature française au* XVIIe *siècle,* t. IV, p. 35. — Quinze fables ont été recueillies aussi dans un manuscrit de la Bibliothèque Sainte-Geneviève (Yf. 8 in-4°); mais ce manuscrit-là non plus ne peut être daté avec certitude.

B.N. Estampes — *Cl. B.N.*

Le château de Foucquet à Vaux

honneur d'être ses disciples », *dira de lui le P. Bouhours*[1]. *Considérable pour tous les lettrés, il l'était plus encore pour La Fontaine : la petite académie qui autour de* 1647 *réunissait Maucroix, Pellisson, Tallemant des Réaux, La Sablière, La Fontaine et quelques jeunes écrivains comptait Patru et Conrart parmi les aînés respectés*[2] *et il semble bien que les liens alors établis devaient durer. La tentative de Patru a dû susciter des discussions et c'est sans doute leur écho qu'on entend encore dans la* Préface *des* Fables *de* 1669. *Contre Patru, partisan de la brièveté ésopique, La Fontaine y prend la défense de la fable ornée. Dès* 1659 *n'aurait-il pas tâché de rivaliser avec l'aîné prestigieux ?*

D'un autre côté, il semble que vers 1660 *l'intérêt du public pour les fables devient plus vif. Que les fabliers scolaires se réimpriment, que Nevelet soit l'objet d'une seconde édition, n'est pas très significatif. Un peu plus révélateur que se rééditent des livres non scolaires : les* Fables d'Ésope moralisées *de Baudoin* (1659), *les* Fables héroïques *d'Audin.*

Surtout nous accorderions plus d'importance qu'on ne l'a fait à deux autres ouvrages. L'un est nouveau : sous les initiales de R.D.F.[3] *paraissent les* Figures tirées des Fables d'Ésope et autres, *Paris,* 1659. *C'est un très beau livre : sur les pages paires le texte d'Ésope traduit en français, en prose ; sur les pages impaires une morale en prose et surtout une très belle gravure sur cuivre. L'autre ouvrage est ancien* (1570) *mais il a été réédité, au moins deux fois, en* 1599 *et* 1661. *Ce sont les* Cento Favole Bellissimi dei Piu Illustri Antichi e Moderni Graeci e Latini *de Verdizotti. L'édition est très belle avec des gravures particulièrement soignées, à pleine page. Certes*

1. Le P. Bouhours, *Histoire de l'Académie française,* 1743, I, 211.
2. Clarac, *La Fontaine,* p. 13.
3. Ce serait un certain Roger Trichet sieur du Fresne. (Voir Quérard, *Supercheries littéraires.*)

sa prolixité le gâte quelque peu ; mais il est certain que La Fontaine a connu Verdizotti : trois fables du premier recueil viennent de lui et lors du XIIe *livre le poète revient à l'Italien une fois encore*[1].

Observons aussi que pendant les années 1659, 1660, 1661, *La Fontaine travaille au* Songe de Vaux. L'Aventure d'un saumon et d'un esturgeon *préfigure les fables : par ses personnages ; par sa forme : le vers libre ; par certaine réflexion désabusée également :*

Si les gros nous mangeaient, nous mangions les petits
Ainsi que l'on fait en France.

Ainsi cette enquête assez décevante ne nous apporte pas de certitude mais seulement un faisceau de présomptions qui engagent à dater les premières fables des environs de 1660. *La préhistoire des fables garde bien ses secrets. Reste à faire leur histoire.*

II. — HISTOIRE D'UN LIVRE

Au printemps de 1668 *(achevé du* 31 *mars) les fables paraissent en un très beau volume in-quarto. L'illustration — une gravure pour chaque fable, — est due au vignettiste à la mode, François Chauveau. La Fontaine le connaît déjà : c'est à lui qu'a été commandé le frontispice pour le manuscrit d'*Adonis, *calligraphié par Jarry. Chauveau avait la vogue : il a illustré notamment le* Virgile travesti *de Scarron, le* Grand Cyrus *et la* Clélie *de Mlle de Scudéry, l'*Alaric *de Scudéry, les* Fables héroïques *d'Audin. Il devait se*

1. Ces fables, venues, selon nous, de Verdizotti, sont : III, III, *Le Loup devenu Berger.* — V, XVIII, *L'Aigle et le Hibou.* — VI, XV, *Le Cochet, le Chat et le Souriceau.* — XII, XVI, *La Forêt et le Bûcheron.*

B.N. Imprimés — Cl. B.N.

Il lupo e le pecore (Le loup devenu berger)
Illustration extraite de *Cento Favole*
de Verdizotti, Venise, 1599

faire payer cher. On peut malaisément croire que le poète ait assumé les frais de l'édition et traité directement avec le graveur. Les tractations ont dû se faire entre l'éditeur Barbin et l'illustrateur. Mais les questions financières réglées, sinon en dehors de La Fontaine, du moins sans qu'il ait été seul en cause, le poète a-t-il guidé le graveur, discuté avec lui de l'interprétation du texte ? nous ne le savons pas. Quant aux rapports entre l'éditeur et l'auteur, nous ne les connaissons pas non plus[1].

On s'est demandé pourquoi l'édition était illustrée. Simplement parce que l'ouvrage s'insérait dans une certaine tradition de la librairie : une édition d'Ésope, un recueil de fables, un traité d'emblèmes pouvaient recourir à de pauvres gravures sur bois ou aux cuivres les plus fouillés, mais l'illustration était de rigueur.

Le volume est distribué en livres, à l'imitation de Phèdre. Quant aux raisons qui ont amené la répartition des fables entre les six livres et à l'intérieur de chaque livre, nous ne savons rien. Cette disposition vise-t-elle à organiser chaque livre, à lui donner une unité ? Le problème a été soulevé, mais non résolu[2].

La tentative de La Fontaine ne consistait à rien de moins qu'à introduire parmi les genres traditionnels un genre nouveau : la fable avant lui est du domaine de la rhétorique, non de la poétique ; c'est dans sa Rhétorique *qu'Aristote traite d'elle. Le poète devait justifier cette audace, donner au genre nouveau sa poétique, lui assurer sa place dans la hiérarchie littéraire.*

La nouvelle venue avait pour ennemis les partisans de la brièveté, qui pensaient que s'imposait la prose, ou au moins un vers non « égayé ». *Ainsi raisonnaient Patru,*

---

1. Sur l'inconsistance du propos de Boileau qui se vantait d'avoir décidé le libraire à publier les *Fables*, voir P. Clarac, *La Fontaine*, p. 47 et n. 6.
2. Cf. Wadsworth, *Young La Fontaine,* p. 215.

qui tenait pour la fable en prose[1] *; Boileau, qui admettait la fable en vers mais la voulait très brève*[2] *; ainsi Furetière, partisan d'un style prosaïque*[3].

Pour justifier l'emploi du vers, La Fontaine établit la liste de ceux qui l'ont utilisé avant lui et cite des noms diversement prestigieux : Socrate, qui passa ses dernières journées à mettre Ésope en vers ; Phèdre ; Avienus. Une mention dédaigneuse est faite des fabulistes français, par quoi il faut entendre sans doute ceux du XVIe *siècle.*

Pour justifier la fable « égayée », *La Fontaine assure avec modestie que la magnifique simplicité d'un Phèdre ou d'un Térence étaient hors de sa portée. Le pensait-il ? On soupçonnerait plutôt qu'il n'estimait pas que la concision fût une vertu en soi.*

Les règles du genre nouveau sont présentées sans dogmatisme, dans la Préface, *dans la dédicace au duc de Bourgogne, dans les fables qui ouvrent chacun des livres. Comme dans le courant d'une conversation familière avec son lecteur, La Fontaine affirme la dignité de la fable, telle que, même s'il avait reçu les dons du poète épique, il se consacrerait aux* « mensonges d'Ésope ». *Voilà de la sorte la fable située à son rang, à égalité avec le plus éminent des genres, l'épopée. Le poète fait valoir encore que la fable est tout aussi capable que la comédie de donner une image complète du monde, de plaire tout en instruisant*[4]. *Plaisamment il allègue sa commodité : seule elle permet de faire entendre la vérité offensante, même à une belle fille susceptible et impérieuse*[5]. *Le*

---

1. Cf. *Préface* des *Fables*, p. 5 et n. 2.
2. Boileau, qui estimait « languissante » la fable *La Mort et le Bûcheron* (Cf. L. Racine, *Mémoires* dans éd. des Grands Écrivains de J. Racine, I, 278), la refit à sa manière. La Fontaine répliqua en refaisant à son tour *L'Huître et les Plaideurs*. (Voir notes sur ces deux fables.)
3. Cf. J. Marmier, *La Fontaine et son ami Furetière* (RHL, oct.-déc. 1958).
4. Cf. V, 1.
5. Cf. IV, 1.

poète laisse discrètement transparaître une fierté de conquistador : la fiction est un pays encore plein de terres désertes[1] *; il vient d'en occuper une.*

Cette poétique mi-sérieuse mi-plaisante de la fable s'élargit jusqu'à devenir valable pour tous les genres : la poésie est à la fois fiction et harmonie, imagination et musique. Le poète revendique donc les droits de l'imagination et du rêve, symbolisés par les rimes « songe-mensonge ». *Il est un enchanteur, capable d'animer le monde entier :*

> J'ai fait parler le loup et répondre l'agneau.
> J'ai passé plus avant : les arbres et les plantes
> Sont devenus chez moi créatures parlantes;
> Qui ne prendrait ceci pour un enchantement ?

Le fabuliste ne se veut point humble versificateur reprenant des sujets cent fois traités, mais bien l'égal des plus grands poètes, l'émule d'Orphée.

La morale de ce premier recueil, humble, opportuniste, empirique engage le pot de terre à ne pas heurter le pot de fer. Elle est d'un homme qui se réfugie encore derrière la sagesse des nations et n'ose pas se confier librement, ni avouer qu'il est parti à la quête du bonheur, ou au moins qu'il cherche à dépister l'ennui.

Si La Fontaine n'essaie pas encore de propos délibéré d'être lui-même, sa personnalité transparaît plus ou moins malgré lui. Il laisse voir son goût de la vie champêtre : le livre s'anime de chiens, de chasseurs, de gibier et reflète toute une vie rurale à quoi la littérature contemporaine faisait très peu de place, mais à laquelle la génération précédente avait été habituée par la pastorale. Il apporte ainsi une bouffée de fraîcheur au siècle qui se cloître dans des décors urbains. Mais le poète réfrène sa sensibilité et sur des questions

1. Cf. III, 1.

essentielles, sur la politique, sur la philosophie, reste encore très réservé.

Cependant déjà des orientations nouvelles se marquent. La fable devient élégie avec Philomèle et Progné. L'Astrologue *adopte le ton de l'épître.* Le Jardinier et son Seigneur *est un conte, et de même* La Jeune Veuve *annonce* La Matrone d'Éphèse, *avec une légère pointe d'humour noir, juste de quoi faire prévoir les fables cruelles du second recueil. Le nouveau genre déjà s'exerce à se dépasser et s'apprête à annexer tous les tons et tous les styles.*

Deux preuves certaines attestent le succès du livre. Les fables n'existaient ni en volumes, ni dans les recueils : elles vont se multiplier. D'autre part le succès de librairie fut très prompt : dès 1668, l'édition originale in-4° est suivie d'une édition in-12 (deux parties en un volume) sans doute moins onéreuse ; puis, plus accessible encore, une édition in-12 non illustrée, et une contrefaçon. L'année suivante, trois éditions paraissent. Les Fables *devaient rester l'un des grands succès de librairie du siècle*[1].

* * *

L'Épilogue *du premier recueil ressemblait à un adieu définitif du genre ; La Fontaine croyait en avoir tiré tout l'essentiel :*

---

1. Les *Fables* étaient dédiées au Dauphin. C'était normal : les fables sont essentiellement au XVIIe siècle des auxiliaires de l'enseignement et il s'agissait de contribuer à l'éducation du premier enfant de France. Une éducation princière suscitait toujours une multitude d'ouvrages qui se mettaient sous son patronage; la gamme allait des traités de politique aux jeux instructifs plus ou moins renouvelés du jeu de l'oie. Comment la reconnaissance royale s'est-elle manifestée envers La Fontaine ? S'est-elle même manifestée ? Un seul témoignage subsiste, tardif et plus que suspect. (Cf. Clarac, *La Fontaine,* p. 87 et n. 1.)

Bornons ici cette carrière...
Loin d'épuiser une matière,
On n'en doit prendre que la fleur.

Il retournait donc à Psyché, *qui allait paraître l'année suivante, à de nouveaux contes :*

J'avais Ésope quitté
Pour être tout à Boccace.

Pourtant dès mars 1671, *était réunie la matière d'un autre volume, très composite, qui recueille avec des œuvres de circonstances quatre très belles élégies. Il s'ouvre sur huit fables inédites. Leur place à cet endroit, et le fait qu'elles imposent à l'ouvrage son titre :* Fables nouvelles et autres poésies de M. de La Fontaine, *attestent bien le succès du genre nouveau.*

Dans les années suivantes, le poète va se tourner de divers côtés et notamment vers l'opéra. Mais le grand événement de son existence dans cette période-là n'est pas, directement au moins, d'ordre littéraire : c'est le fait qu'il devient l'hôte de Mme de la Sablière[1]. *Pour comprendre la présence du poète auprès de cette jeune femme, intelligente, séduisante, riche, en situation familiale donc sociale fausse, sensible et qui ne fut pas heureuse, il faut se référer d'abord aux usages du* XVIIe *siècle. Il était normal qu'un personnage d'importance, grand seigneur, grand financier, ou qu'une grande dame marquât son intérêt pour les choses de l'esprit en prenant pour son* « homme de lettres » *un écrivain de condition modeste. La situation de* « l'homme de lettres » *variait avec la notoriété du protégé et la générosité du protecteur ; cela pouvait aller du secrétariat impliquant une pleine*

---

1. Sur Mme de la Sablière voir Roche, *Vie de J. de La Fontaine*, 236 sqq; Clarac, *La Fontaine*, ch. X; Menjot d'Elbène.

confiance jusqu'à un patronage très condescendant et ressemblant à une charité ; cela pouvait comporter que l'auteur « avait bouche » *à la table du maître et logement décent ou mangeait avec les* « officiers », *parfois même avec la livrée, et gîtait dans quelque humble mansarde d'un hôtel seigneurial*[1]. *Je croirais que La Fontaine a été* « l'homme de lettres » *de Mme de la Sablière, qui menait un grand train de vie.* « Homme de lettres » *bien traité sans aucun doute et que des liens d'amitié solides unissaient à sa maîtresse ; il ne tenait qu'à elle qu'ils dépassassent l'amitié ; elle préféra l'amitié.*

Mais l'important n'est pas tellement de définir les rapports sociaux et sentimentaux de La Fontaine et de Mme de la Sablière ; plutôt de constater qu'après 1673 le poète va se trouver dans un des salons les plus solidement brillants du XVIIe *siècle, à un carrefour où peuvent se satisfaire toutes les curiosités. Ce que nous savons par ailleurs du salon La Sablière, les hommages éclatants et multipliés rendus par le poète à son hôtesse, véritables actes d'allégeance, engagent à reconnaître dans cette situation, peut-être médiocre,* « *d'*homme de lettres » *une des chances de son œuvre, la cause d'un enrichissement intellectuel qui marquera profondément le deuxième recueil.*

Mme de la Sablière était d'une famille de banquiers-armateurs qui trafiquaient avec le Levant. Son père faisait commerce de safran, de diamants, de pierres précieuses ; il avait une part dans la « ferme » *(le monopole du commerce) du natron qui venait de l'Ouadi Natroun par Le Caire et Alexandrie sur des bateaux aux noms prestigieux : le* Saint-Pierre *et le* Roi Salomon. *Il était mort quand La*

---

1. Sur la condition d'homme de lettres, voir Furetière, *Roman bourgeois,* et aussi dans le manuscrit 19.142 fonds français de la Bibliothèque nationale (fol. 186-7) une ode très spirituelle de Benserade décrivant au comte de Noailles le grenier dans lequel le comte lui accorde l'hospitalité.

Fontaine devint l'hôte de sa fille. Mais n'était-elle pas restée curieuse de cet Orient, source de la fortune et des soucis familiaux ? L'intérêt de La Fontaine pour l'aventure et les aventuriers, les trafics maritimes et leurs aléas, les gros gains, les naufrages, les difficultés qu'il y a à traiter avec ces gens du Levant, les mirages et les réalités de l'Orient s'expliquent bien par son séjour chez Mme de la Sablière.

Mieux encore, chez elle il rencontrait des gens capables d'élargir de tous côtés son horizon : des médecins, des physiciens, des astronomes, des voyageurs, le chevalier Chardin[1] *et surtout Bernier. Ne parlons que de Bernier. Bernier avait connu personnellement Gassendi, rompu des lances en sa faveur dès sa jeunesse. Puis il était parti pour l'Orient ; il avait été le médecin du Grand Mogol et là-bas encore il avait continué à étudier l'atomisme. A son retour, il publia de très pénétrantes relations de voyage. Après quoi il s'attacha à mettre la doctrine de Gassendi à la portée du public lettré que pouvait très légitimement rebuter le massif* Syntagma *latin. A Bernier, La Fontaine doit sans doute de mieux connaître l'Orient, et c'est une ouverture élargie sur le monde des hommes. Il lui doit aussi une vue neuve sur le monde des idées : la révélation d'une philosophie*[2].

---

1. Cf. *Copie des étrennes envoyées à Mme de la Sablière par M. Bernier, Montpellier, lendemain des rois,* 1688. « Notre ami le chevalier Chardin », dit Bernier. Et dans le même texte Bernier prie Mme de la Sablière de compléter un vers latin avec l'aide de « M. de La Fontaine, le roi des vers ».

2. Les rapports personnels de Bernier et La Fontaine sont certains. D'abord Bernier connaissait déjà le père de Mme de la Sablière : il indiquait à Chapelain « M. Dessein » comme capable de lui faire parvenir des livres en Orient (*Corr. Chapelain,* lettre à Bernier, 25 avril 1662). Ce Dessein me paraît être d'Hessein, le père de Mme de la Sablière. — Bernier ne paraît plus quitter la France après 1670 (il est arrivé à Toulon avant le 25 sept. 1669). Il publie ses relations de voyage en 1670-1671. Ses traductions de Gassendi s'échelonnent ensuite; la dernière édition, la plus complète, est dédiée à Mme de la Sablière. Ses relations amicales avec elle sont établies au moins par

La marque de ces curiosités nouvelles est partout visible dans le deuxième recueil qui paraît en 1678 *et* 1679. *Un* Avertissement *le présente. Il en souligne les deux nouveautés : l'une concerne les sujets et l'autre, connexe, regarde le style.*

Quant aux sujets, La Fontaine les a renouvelés en s'adressant de divers côtés et surtout au sage indien Pilpay[1]. « Quelques autres » *lui ont fourni des sujets assez heureux. Parmi ces* « quelques autres » *que le poète ne nomme pas, il faut compter surtout le P. Poussines*[2]. *On s'est demandé comment La Fontaine avait été amené aux sujets orientaux. Tant d'influences ont pu jouer que la réponse est impossible. On n'a pas tort de noter que les Français sont alors curieux des choses d'Orient : de multiples voyageurs les en instruisent, et la propagande officielle insiste beaucoup pour qu'ils investissent leur argent dans les compagnies coloniales. On peut bien penser aussi que Bernier a parlé à La Fontaine de la littérature de ce pays du Mogol. Mais on se rappellera aussi que le poète avait toutes les curiosités, lisait tout ; il a bien pu trouver l'ouvrage de Pilpay et celui du P. Poussines sans que personne les lui signalât.*

Le Verrier, notes sur la *Satire X* de Boileau; avec elle encore et La Fontaine par la *Copie des étrennes* (cf. note ci-dessus).

La dette intellectuelle de La Fontaine envers la philosophie de Gassendi a été établie de façon indiscutable par R. Jasinski, *Sur la philosophie de La Fontaine dans les livres VII à XII des Fables.* (*Rev. d'Hist. de la Philosophie,* déc. 1933, juillet 1934) et *Encore La Fontaine et Bernier* (RHL, 1935, p. 401; 1936, p. 317.)

1. Oserons-nous dire que cet *Avertissement* n'est pas écrit avec toute la clarté familière à La Fontaine ? Veut-il dire que Pilpay a fourni la majorité des sujets nouveaux, c'est-à-dire non ésopiques ? C'est exact. — Entend-il que Pilpay a fourni la majorité des fables de ce recueil ? Cela serait inexact; et pourtant La Fontaine semble bien le dire : il sentait que les sujets orientaux, même moins nombreux que les sujets ésopiques, conféraient au recueil son originalité; et c'est la vérité. — *Le Livre des Lumières ou la conduite des rois, composé par le sage Pilpay, indien, traduit en français par David Sahib d'Ispahan,* 1644.

2. Le P. Poussines, *Specimen sapientiae Indorum veterum* en appendice au tome I de l'*Histoire de Michel Paléologue,* par Georges Pachymère, Rome, 1666, in-fol.

« L'air et le tour » *des fables ont aussi été renouvelés. On s'est beaucoup demandé en quoi consistait ce renouvellement, sans prêter assez d'attention à une phrase qui vient ensuite :* « Il a fallu que j'aie cherché d'autres enrichissements et étendu davantage les *circonstances* de ces récits. » *Il faut éclairer le mot* « circonstances ». *Le dictionnaire de Furetière, le plus admirable des instruments pour qui veut rendre à notre vocabulaire du* XVIIe *siècle son sens et son relief, nous met sur la piste : c'est une notion de la rhétorique et les traités de rhétorique permettent de bien préciser : les circonstances sont tous les détails qui font connaître complètement une personne ou un événement. Onze* « circonstances de personne » *(son nom, ses habitudes, ses goûts, ses actes, etc.), sept* « circonstances de choses » *(lieu, temps, occasion, cause) ont ainsi été cataloguées. Qui répond à ce questionnaire dit sur la personne ou sur la chose tout ce qui peut en être dit. La recherche des* « circonstances », *en permettant de préciser tous ces détails, étoffe un récit trop schématique ou une description trop sèche : elle aboutit donc à une* « amplification »; *l'amplification par les circonstances est précisément une de celles que recommandent les rhéteurs*[1].

La Fontaine a donc eu recours aux « circonstances » *pour renouveler* « l'air et le tour » *de ses fables. Mais*

---

1. Je me permettrai de renvoyer à ma *Poétique de La Fontaine*, p. 34; l'on y verra quel enseignement La Fontaine a dû recevoir de ses maîtres. — Je ferai observer que cette méthode d'amplification a été recommandée jusqu'à une époque bien proche de la nôtre par les descendants des rhéteurs du XVIIe siècle. Dans la *Rhétorique* du P. Marin de Boylesve, S. J. (7e éd., 1886) il est dit que l'amplification des pensées peut se faire « en parcourant les circonstances » d'une situation, d'un événement. « Les circonstances ne sont pas la chose même, elles l'environnent, *circumstant*. Sans elles la chose n'en subsisterait pas moins. Et toutefois, c'est au moyen des circonstances, c'est par tout ce qui précède, accompagne ou suit une action que l'on parvient à la bien connaître. » On a résumé les circonstances dans le vers suivant :

Quis, quid, ubi, per quos, quoties, cur, quomodo, quando.

si le mot « circonstances » *se commente aisément, parce qu'il appartient à un vocabulaire technique, celui de la rhétorique,* « air » *et* « tour » *se laissent moins commodément définir, parce qu'ils relèvent du langage d'une critique plus impressionniste. Entendons « style », mais en un sens très large. De fait, le résultat littéraire de cet effort pour « circonstancier » est manifeste à la lecture du second recueil : la description plus nuancée des êtres et des choses lui donne un pittoresque, un relief, une ampleur surtout à quoi le premier recueil n'atteignait que rarement.*

Le succès du premier recueil avait assuré le sort de la fable égayée en vers. Plus n'était besoin de la justifier. Aussi les premières fables des livres ne contiennent-elles plus en général de réflexions sur l'art du fabuliste. Cependant avec Le Dépositaire infidèle *et surtout avec* Le Statuaire et la Statue de Jupiter, *s'affirme et se précise le thème qui apparaissait dès* 1668 *autour des rimes* « songe-mensonge ».

Tout homme ment, dit le Sage.

Mais le mensonge des poètes, d'Homère, d'Ésope présente l'image de la vérité. Puis La Fontaine renchérit : le mensonge est créateur ; l'homme forge lui-même ses dieux et les prend pour des êtres réels ; nous « tournons en réalités » *nos propres songes et nous nous laissons prendre à notre mythologie. Le poète ne nous dissuade pas de poursuivre : le monde du rêve pourrait bien être aussi réel que l'autre ; le rêve pourrait bien être la vraie réalité. Au poète l'audace est venue : le premier recueil en faisait un enchanteur qui mettait en mouvement toute chose, l'égal d'un Orphée ; le voici maintenant créateur des dieux mêmes et du monde, démiurge.*

Ainsi s'esquisse une apologie du mythe, intéressante en soi ; intéressante aussi parce qu'elle annonce des curiosités nouvelles. Le jeune Fontenelle va bientôt composer son traité De l'origine des fables, *peut-être avant* 1680, *puis son*

Histoire des Oracles, *qui étudieront la création des mythes. Le poète reconnaît dans le mythe une faiblesse, mais une consolation ; le philosophe voit en lui la grande cause de nos aberrations et s'acharne à le traquer ; mais tous deux s'accordent pour constater que l'humanité secrète inlassablement le mythe.*

Dans ce deuxième recueil, La Fontaine donne la vie à tout un monde, beaucoup plus divers et plus complexe que dans le premier. D'abord la peinture de la société devient plus nuancée et plus mordante. En particulier un cycle de fables présente l'existence à la cour avec une férocité qui s'allie aux formes extérieures de la politesse et à un certain flegme pour faire naître l'humour noir. L'actualité politique transparaît plus souvent et des révérences obligées au souverain ne dissimulent pas toujours la suspicion que le poète entretient envers une politique de conquêtes : il ne cache guère ce que comporte de maléfique la poursuite de la gloire militaire. Des traits dispersés aboutissent à un jugement amer et désabusé du monde politique et plus généralement de la société humaine.

Une philosophie s'affirme en même temps. La réflexion philosophique n'était guère représentée dans le premier recueil que par L'Astrologue *qui discutait de l'influence des astres et du caractère imprévisible des destinées. Maintenant de multiples problèmes sont abordés ; la pensée s'enrichit et se nuance parce que La Fontaine a médité ; parce que surtout un conflit de doctrines, le gassendisme et le cartésianisme, excite son attention. Le problème de l'âme des bêtes est au centre de ses réflexions et cela pour deux raisons. D'une part les bêtes étant ses héros, le fabuliste est amené par une manière de nécessité professionnelle à prendre parti dans le débat qui oppose partisans de l'intelligence animale et tenants de la théorie des animaux-machines. D'un autre côté le problème de l'âme des bêtes et celui de l'âme des hommes s'unissent de façon indissoluble. Les bienséances ne permettent pas à un fabuliste de traiter de l'âme : le sujet appartient au domaine de la théologie plus encore qu'à celui de la philosophie, et pas du tout à celui de la poésie légère — ou présumée telle. Traitant de l'âme des bêtes, La Fontaine peut par ce biais dire quelque chose de l'âme. De la sorte le* Discours à Madame de la Sablière *constitue le centre du second recueil, l'endroit où la Fontaine atteint à l'autorité de Lucrèce, dont l'exemple lui a été une si grande tentation.*

Nouveauté encore : l'humeur du poète se manifeste plus volontiers. Il entend plus aisément toutes les voix qui viennent du monde :

Tout parle dans l'univers.

Il est plus sensible à l'infinie variété des êtres :

Tout en tout est divers.

Plus bienveillant aussi pour le monde animal et, si l'on ose dire, moins anthropocentrique : avec insistance apparaît l'idée qu'à bien y regarder les bêtes qu'on appelle sauvages le sont moins que les hommes. Sans doute parce qu'il juge plus sévèrement ses semblables, le vieil homme se tourne plus volontiers vers les bêtes et la nature : elle, au moins, n'est qu'amorale et non pas immorale.

Le poète laisse aussi parler plus librement ses voix intérieures. Il avoue ses rêves, qui vont de la grandeur (VII, X) à la retraite (XI, IV). Il confie son goût de l'amitié, le regret de l'amour qu'il ne connaîtra sans doute plus (IX, II), sa façon d'entendre la vie. Sa morale est devenue un art de vivre heureux, en exorcisant ses démons, et surtout le plus redoutable, celui de l'inquiétude, en composant avec eux ; un art de laisser vivre aussi, de trouver sa place dans un univers médiocrement bâti, sans incommoder les autres hommes, ni les autres êtres.

Que malgré les ans la lucidité et la jeunesse de l'esprit se maintiennent, cela n'est pas rare. Mais il est moins fréquent de préserver la jeunesse du cœur : il s'endurcit plus vite que l'intelligence. La Fontaine a eu le privilège d'échapper à ces deux scléroses. Le second recueil des Fables *est un journal intime dans lequel se confient une sensibilité persistante et frémissante, et une pensée agile.*

La forme s'enrichit et se diversifie pour accueillir toutes ces richesses nouvelles, pour répondre à la poussée du lyrisme. En même temps une organisation s'esquisse, les fables s'ordonnent autour de thèmes : thème de la fortune dans le livre VII ; dans le livre X, mise en accusation de l'homme par les bêtes, thème de l'aventure, thème de la condition royale. Peut-être aussi des fables ne voisinent-elles pas sans projeter les unes sur les autres des reflets malicieux.

Les Fables *sont devenues une manière de somme dans laquelle s'expriment toutes les pensées d'un homme qui cachait sous le nonchaloir un esprit d'observation aigu, toute sa sensibilité, avec les ressources d'un art rompu à tous les styles et qui en retenait le meilleur. Le poète s'épanouit avec une admirable liberté.*

* * *

En 1685 *paraissent les* Ouvrages de prose et de poésie des sieurs de Maucroix et de La Fontaine. *C'est là une manière de monument à l'amitié : La Fontaine a voulu que sa célébrité aidât à faire connaître le plus cher de ses amis. Le premier volume, qui est du seul La Fontaine, contient le* Discours à Madame de la Sablière[1], *quelques*

1. C'est le discours dont La Fontaine régala Messieurs de l'Académie le jour de sa réception. Ne pas le confondre avec le *Discours à Mme de la Sablière sur l'âme des bêtes.*

contes, Philémon et Baucis *et onze fables inédites*[1].

Pendant les années 1690 *et* 1691, *quelques fables nouvelles*[2] *s'égrènent dans le* Mercure galant, *la revue littéraire et mondaine du temps. En* 1692 *une nouvelle édition des deux premiers recueils s'imprime, toujours datée de* 1678, *sans qu'y soient incorporées les fables parues depuis : La Fontaine compte donc les réunir à part.*

Viennent ensuite les mois sombres de la maladie, la conversion, le désaveu public des Contes (12 *février* 1693). *En juin, dans le* Recueil de vers choisis *du P. Bouhours, paraît* Le Juge arbitre, l'Hospitalier et le Solitaire. *En septembre* 1693 *enfin sont imprimées les* Fables choisies par M. de La Fontaine, *notre actuel livre XII.*

Le volume a été grossi de La Matrone d'Éphèse *et de* Belphégor, *deux contes déjà publiés, d'une misogynie trop traditionnelle pour choquer même les dames. Cette publication serait-elle une manière de restriction mentale au reniement que La Fontaine vient de faire de ses* Contes ? *Sa façon d'affirmer que tous ne sont pas si coupables, que par tous n'est pas arrivé le scandale ? Deux récits mythologiques, qui ont déjà paru eux aussi, les accompagnent ; chacun édifiant à sa manière :* Philémon et Baucis *célébrant la fidélité conjugale ;* Les Filles de Minée *rappelant qu'il convient d'honorer les dieux en chômant leurs fêtes. Ces quatre pièces sont précédées par toutes les fables parues depuis* 1685 *et par dix fables encore inédites et suivies par* Le Juge arbitre, l'Hospitalier et le Solitaire; *cet encadrement atténue le caractère un peu composite du livre.*

---

1. Ces fables de 1685 sont : *L'Amour et la Folie ; Le Corbeau, la Gazelle, la Tortue et le Rat ; La Forêt et le Bûcheron ; Le Renard et les Poulets d'Inde ; Le Singe ; Le Philosophe scythe ; L'Éléphant et le Singe de Jupiter ; Un Fou et un Sage ; Le Renard, le Loup et le Cheval ; Le Renard anglois ; Daphnis et Alcimadure.*

2. Déc. 1690 : *Les Compagnons d'Ulysse.* — Février 1691 : *Les Deux Chèvres.* — Mars 1691 : *Du Thésauriseur et du Singe.*

De cette dernière fable, l'histoire et la signification sont symboliques. Empruntée à l'un des Messieurs de Port-Royal, elle peut évoquer, aussi bien que les Solitaires, la Trappe que l'abbé de Rancé a rendue si célèbre et dont la paix silencieuse pourrait bien avoir tenté le poète[1]*. Elle a été publiée d'abord — et ce ne peut pas avoir été sans le consentement de l'auteur — par un père jésuite, le grand critique de l'Ordre, le P. Bouhours ; mais une copie était aussi entre les mains d'une demi-mondaine, pour qui le poète avait soupiré, la très scandaleuse Mme Ulrich ; et ce pourrait bien être lui qui avait donné cette copie. La fable engage le chrétien soucieux de son salut à vivre en anachorète ; mais elle se réfère aussi à la règle inscrite au fronton du temple de Delphes :* « Connais toi toi-même ». *Le converti restait bien lui-même, accessible à toutes les sagesses, peut-être encore à quelques folies, mais très étranger à l'esprit de secte ; admirablement libre jusque dans la conversion.*

Les prédicateurs du XVIIe *siècle prenaient grand soin d'arriver par une transition à la fois naturelle et imprévue à l'*Ave Maria *sur lequel se terminait leur sermon ; cela s'appelait la chute à l'*Ave Maria. *La Fontaine vient de réussir une manière de chute à l'*Ave Maria. *Il devait vivre*

---

1. On notera que la gravure représente le solitaire en habit monastique; Messieurs de Port-Royal ne portaient pas un tel costume. — Rancé avait eu pour pénitente, à partir de 1687, Mme de la Sablière qui vient de mourir (6 janvier 1693). C'est elle qui écrivait au secrétaire de Rancé le 11 juin 1688 : « Je trouve le désir que LF avait de vous aller voir fort refroidi. Il m'a montré la lettre qu'on lui a écrite pour lui donner permission. Si j'étais en sa place, j'en profiterais bien vite. Les hommes prennent tout ce qui regarde leur fin pour une *fable :* il y a des esprits sur lesquels les réalités coulent sans s'arrêter ni pénétrer. » (Menjot d'Elbène, *Madame de la Sablière,* 1923, p. 185). — Nous sommes très tentés de reconnaître dans ce LF La Fontaine. Qui serait-ce d'autre ? La Fare ? Mais Mme de la Sablière a rompu avec lui. Et puis ce mot *fable ?*

un an et demi encore, jusqu'au printemps de 1695 : *lucide, actif, attaché à des traductions pieuses, mais sans plus écrire de fables. Sa vie, apparemment encombrée de préoccupations futiles, avait été une quête du bonheur, de la connaissance et de la sagesse. La quête s'était en vérité terminée avec la dernière des fables, présentée aux rois, proposée aux sages, comme un admirable testament spirituel.*

GEORGES COUTON

NOTE BIBLIOGRAPHIQUE

LES ÉDITIONS DES FABLES

Pour se retrouver dans les éditions des Fables, *démêler les contrefaçons des éditions authentiquement données par* La Fontaine, *le guide est :* ROCHAMBEAU, *Bibliographie des Œuvres de La Fontaine*, Paris, Rouquette, 1911.

Nous nous bornerons à signaler ici les éditions qui importent pour l'histoire du livre et l'établissement du texte.

[Première édition] : 1668. Fables choisies, mises en vers, par M. de La Fontaine, Paris, Barbin [ou Thierry]. — Vignettes de Chauveau.

Privilège : 6 juin 1667.
Achevé d'imprimer : 31 mars 1668.

La même année les mêmes fables reparaissent avec le même titre, le même texte, les mêmes vignettes, mais dans le format in-12. La Fontaine, ou ses libraires, ont renoncé au format in-4°. Sans doute était-il trop onéreux.

* * *

1671. *Dans le recueil* Fables nouvelles et autres poésies de M. de La Fontaine (privilège 16 février 1671, achevé d'imprimer 12 mars) *paraissent huit fables nouvelles :*

Le Lion, le Loup et le Renard. — Le Coche et la Mouche. — Le Trésor et les deux hommes. — Le Rat et l'Huître. — Le Singe et le Chat. — Du Gland et de la Citrouille. — Le Milan et le Rossignol. — L'Huître et les Plaideurs.

* * *

[2e édition] : 1678-1679. Fables choisies, mises en vers par M. de La Fontaine et par lui revues, corrigées et augmentées. Paris, Thierry et Barbin.

Privilège : 29 juillet 1677.

Quatre volumes :

Les tomes I et II contiennent les six livres parus en 1668.

Le tome III, daté au titre 1678, *contient les livres actuellement numérotés VII et VIII.*

Le tome IV, daté au titre 1679, *contient les livres actuellement numérotés IX, X et XI.*

* * *

1685. Ouvrages de prose et de poésie des Sieurs de Maucroix et de La Fontaine (achevé d'imprimer 28 juillet 1685).

Au tome Ier, dix fables nouvelles : L'Amour et la Folie. — Le Corbeau, la Gazelle, la Tortue et le Rat. — La Forêt et le Bûcheron. — Le Renard et les Poulets d'Inde. — Le Singe. — Le Philosophe Scythe. — L'Éléphant et le Singe de Jupiter. — Un Fou et un Sage. — Le Renard, le Loup et le Cheval. — Le Renard Anglais. — Daphnis et Alcimadure.

*

1690 *(décembre). Dans le* Mercure Galant, Les compagnons d'Ulysse.

*

1691 *(février).* Les Deux Chèvres.

*

1691 *(mars).* Du Thésauriseur et du Singe.

*

1693. Recueil de vers choisis *du P. Bouhours,* Le Juge Arbitre, l'Hospitalier et le Solitaire.

* * *

[3e édition] : 1692 (*datée au titre* 1678). Fables choisies, mises en vers..., 4 *vol. in*-12.
Privilège : 18 septembre 1692.
Achevé d'imprimer : 21 octobre 1692.

Ce n'est pas simplement un nouveau tirage de l'édition de 1678-1679, *mais une impression nouvelle avec des modifications de l'orthographe. En* 1694, *cette édition est complétée par un cinquième tome :*

Fables choisies, par M. de La Fontaine, Paris, Barbin, 1694.
Privilège : 28 décembre 1692.
Achevé d'imprimer : 1er septembre 1693.
Ce volume correspond à notre actuel livre XII.

* * *

Les principales éditions illustrées des Fables de La Fontaine

1° Fables choisies, mises en vers par M. de La Fontaine. — Paris, C. Barbin, 1668. *In*-4°, *pièces liminaires, fig. gravées par François Chauveau.*

2° Fables choisies, mises en vers par J. de La Fontaine [*avec la vie de La Fontaine par M. de Montenault*]. — Paris, Desaint et Saillant, 1755-1759. 4 *vol. in-fol., portrait de J.-B. Oudry, gravé par Tardieu, frontispices, titre et planches gravés d'après les dessins de Oudry.*

3° Fables choisies, mises en vers par J. de La Fontaine. Nouvelle édition gravée en taille-douce par le Sr Fessard. Le texte par le Sr Montulay, dédié aux enfants de France. — Paris, chez l'auteur, 1765-1775, 6 *vol. in*-8°, *frontispices, titres et planches gravés.*

4° Fables de La Fontaine avec figures gravées par

MM. Simon et Coiny, Paris, de l'imprimerie de Didot l'aîné, 1789, 6 *vol. in-18, frontispices et planches gravés.*

5° Fables de La Fontaine... — Paris, impr. de P. Didot l'aîné, An X 1802, 2 *vol. in-fol., figures gravées d'après les dessins de Percier.*

6° Fables choisies de La Fontaine, ornées de figures lithographiques de MM. Carle Vernet, Horace Vernet et Hippolyte Lecomte. — Paris, Engelmann, 1818, 2 *vol. in-fol. oblong, pl. grav.*

7° Fables de La Fontaine. — Paris, H. Fournier, Perrotin, 1838, 2 *vol. in-8°, frontispices et planches gravés d'après J.-J. Grandville.*
Fables, t. III. — Paris, H. Fournier aîné, 1840, *in-8°.*

8° Fables de La Fontaine avec les dessins de Gustave Doré. — Paris, L. Hachette, 1868. *In-fol.*, LX-864 *p., portrait de La Fontaine et planches gravés.*

NOTRE ÉDITION

La dernière édition revue par La Fontaine est l'édition en 5 *volumes* (4 *en* 1692, 1 *en* 1694). *C'est le texte que nous reproduisons.*

La Fontaine ne donnait rien au public que d'achevé. Nous n'avons donc la possibilité de suivre l'élaboration du texte et le travail du style que d'une façon très fragmentaire et dans quelques cas privilégiés. Les variantes sont ainsi d'autant plus précieuses et nous les recueillons toutes. Elles appartiennent à deux catégories.

1° *Peu de corrections sont effectuées entre les éditions originales et le texte définitif.*

2° *Pour un petit nombre de fables nous possédons un état du texte plus ancien que celui que La Fontaine a publié. Il est conservé :*

a) *Par de rares manuscrits que les éditeurs anciens considéraient comme autographes* (*I*, 19 - *XII*, 13).

b) *Par des recueils manuscrits anciens constitués par des amateurs : le recueil Conrart, le recueil de Sainte-Geneviève (cf.* Introduction, *p.* XII *et n.* 3).

c) *Par des imprimés : le* Recueil de vers *du P. Bouhours, les* Œuvres Posthumes, *le* Mercure Galant *(voir notes aux fables du livre XII). — Pour* Le Curé et le Mort, *la plaquette collationnée par M. P. Clarac,* La Fontaine, *p.* 179.

Nous avons adopté la numérotation des livres de I à XII quoiqu'elle date seulement de l'édition Charpentier (1705).

* * *

L'orthographe a été modernisée. Mais la ponctuation a été conservée, même là où elle n'est pas conforme aux habitudes modernes ; elle nous paraît refléter la diction du poète. Pas plus que La Fontaine, nous n'utilisons les guillemets : certes ils apportent de la clarté, mais ils masquent à l'occasion ce glissement du discours indirect au discours direct qui est si remarquable chez le fabuliste.

L'ANNOTATION

Le problème le plus difficile auquel se heurte l'éditeur des Fables *est celui des sources. Des positions diverses ont été prises.*

L'édition des Grands Écrivains, dont les mérites ne sont plus à signaler, fait précéder chaque fable d'une notice copieuse, qui indique tous les ouvrages dans lesquels le sujet de la fable a été traité. Dix, quinze, vingt références sont ainsi données. Encore faut-il dire que cette liste, si impressionnante qu'elle soit, reste incomplète : Baudouin n'est pas cité dans toutes les occasions où il aurait dû l'être ; Jacques Perret et R. D. F. *ne le sont pas du tout. L'éditeur a ainsi proposé au lecteur non des solutions, mais des recherches. On croirait qu'il lui adresse l'invitation :* « Devine si tu peux et choisis si tu l'oses. »

Les autres éditeurs, poussés à la fois par le désir d'être plus clairs et l'obligation d'être plus brefs, ont donné seulement les sources qu'ils ont jugé certaines ou au moins probables. Nous avons adopté aussi cette position. Des sources peuvent bien nous avoir échappé ; au moins toutes celles que nous indiquons sont-elles des sources véritables et vérifiées.

Restait à mettre à la disposition du lecteur le moyen de confronter les Fables *et leurs modèles. Pour Ésope et pour Phèdre nous renvoyons aux éditions de l'Association Guillaume Budé (Chambry et Brenot), les plus récentes et les plus accessibles. — Nous avons renoncé à donner les références à Nevelet pour deux raisons. D'abord, s'il est possible que La Fontaine l'ait utilisé, cela n'est ni démontré, ni, je crois bien, démontrable : dix éditions d'Ésope lui fournissaient les mêmes textes. Importe-t-il d'ailleurs tellement qu'il ait connu Ésope par telle ou telle édition ? Ensuite, combien de lecteurs modernes peuvent-ils disposer de Nevelet ?*

Pour les auteurs moins accessibles, nous donnons des analyses ou des extraits aussi complets que possible, ainsi pour Abstemius, qui n'est pas négligeable. On ne pouvait transcrire in extenso *des textes aussi longs, et parfois aussi diffus, que ceux de Pilpay ou du P. Poussines. — Nous attirons l'attention sur Verdizotti dont l'importance a été sous-estimée. Au reste, l'étude des sources italiennes de La Fontaine est à reprendre : les articles de P. Toldo,* Fonti e propaggini italiane delle favole del La Fontaine (Giornale storico della letteratura italiana, 1912, *p.* 1 *et p.* 249) *restent beaucoup trop imprécis.*

Quant à l'annotation du texte lui-même, nous avons essayé d'enregistrer les résultats acquis et on reconnaîtra sans peine ce que nous devons aux éditions antérieures et aux recherches que nous mentionnons dans la note bibliographique. Mais nous avons aussi essayé d'ajouter quelques interprétations et quelques précisions nouvelles.

INDICATIONS BIBLIOGRAPHIQUES

A. — Pour une connaissance générale de La Fontaine, les ouvrages de P. Clarac :

LA FONTAINE, *Hatier, nouvelle édition,* 1959.

Œuvres diverses de La Fontaine. *Bibliothèque de la Pléiade,* 2e *éd.,* 1958. — *Nous renvoyons à cette édition par le sigle O.D.*

B. — Pour un commentaire des Fables :

Les éditions de :

RÉGNIER, Œuvres de La Fontaine *(Grands Écrivains de la France),* 1883.

GOHIN, *édition des Belles Lettres,* 1934.

RADOUANT, *édition classique Hachette.*

Des études dont les plus importantes ou les plus récentes sont :

H. BUSSON, Sur deux fables orientales de La Fontaine (Revue d'Alger, 1944, *p.* 69 *sqq.*).

— Trois fables anglaises de La Fontaine (Europe, *mai-juin* 1959).

BUSSON et GOHIN, *édition du* Discours à Madame de la Sablière, 1938.

G. COUTON, Poétique de La Fontaine, *Presses Universitaires de France,* 1957.

— La politique de La Fontaine, *Les Belles Lettres,* 1959.

J. FABRE, L'aventure et la fortune dans les Fables de La Fontaine (Bulletin de la Faculté des lettres de Strasbourg, 1950, *pp.* 313-327).

GOHIN, L'art de La Fontaine dans ses Fables, *Garnier,* 1929.

R. JASINSKI, Sur la philosophie de La Fontaine dans les livres VII à XII des Fables (Rev. Hist. de la Philosophie, *déc.* 1933, *juil.* 1934).

— Encore La Fontaine et Bernier (R.H.L.F., 1935, *p.* 401 *sqq.*, 1936, *p.* 317 *sqq.*).

SOMMAIRE BIOGRAPHIQUE

1621. 8 JUILLET. *Baptême de Jehan fils de Charles de La Fontaine, conseiller du roi et maître des eaux et forêts de la duché de Chaûry (Château-Thierry) et de Françoise Pidoux.*

La Fontaine « fit ses études jusqu'en troisième au collège de Château-Thierry » (Hébert, Mémoires *— manuscrits —* pour servir à l'histoire de Château-Thierry; *composés entre 1804 et 1806). — [La Fontaine] « étudia sous des maîtres de campagne qui ne lui enseignèrent que du latin » (d'Olivet,* Histoire de l'Académie française, *1729). — Études poursuivies peut-être dans un collège parisien, lorsque La Fontaine eut 15 ans environ. (Furetière dit en 1652 qu'il a étudié avec lui et le connaît depuis seize ans et plus.)*

1641. 27 AVRIL. *Entrée à l'Oratoire (maison de Paris, rue Saint-Honoré). Probablement retraite à Juilly. Puis séjour à Saint-Magloire pour étudier la théologie. En 1642, après cet essai de dix-huit mois, La Fontaine quitte l'Oratoire.*

1645-1647. *Études de droit à Paris. Maucroix, Furetière, Charpentier, Cassandre, La Sablière, Pellisson et son frère, Tallemant des Réaux, constituent l'académie des Palatins, ou des Jeudis. Ils s'appellent encore les chevaliers de la Table Ronde. Ils sont soucieux de littérature mais aussi de politique.*

La fable le Meunier, son fils et l'âne *est peut-être de cette époque, écrite pour Maucroix avant qu'il ne se fasse d'Église (cf. note 2 à cette fable).*

1647. 10 Novembre. *Contrat de mariage entre Jean de La Fontaine et Marie Héricart.*

1652. 20 Mars. *La Fontaine prend possession de la charge qu'il a achetée de maître des eaux et forêts.*

1653. 30 Octobre. *Baptême de Charles, le seul enfant qu'aura La Fontaine.*

1654. 17 Août. *Achevé d'imprimer de la traduction-adaptation de* l'Eunuque *de Térence.*

Vers 1657. *La Fontaine entre en contact avec Fouquet.*

1658. *Il lui présente le manuscrit d'*Adonis. *Il va travailler pour Fouquet, qui le pensionne, jusqu'à son arrestation (5 septembre 1661), composant pour lui de petites pièces de vers, mais surtout* le Songe de Vaux.

1658. Mars-Avril. *Mort du père de La Fontaine; ouverture d'une succession très compliquée par des dettes. Les deux charges du père dans les eaux et forêts reviennent à son fils Jean qui les exercera, conjointement avec la maîtrise dont il est déjà titulaire, jusqu'en 1670. — Difficultés de La Fontaine avec son frère. — La Fontaine, pour liquider la situation, vend en décembre des terres et sa maison de Château-Thierry à l'oncle de sa femme, Jannart. Est-ce une vente fictive pour soustraire ces propriétés aux entreprises de créanciers? On le croirait en voyant que la maison natale sera de nouveau vendue par La Fontaine en 1676. — Par mesure de précaution aussi sans doute, La Fontaine et sa femme se séparent de biens.*

1658. après Juin. *La Fontaine présente à Fouquet le poème d'*Adonis.

Début 1659. *La Fontaine entreprend* le Songe de Vaux *qui doit célébrer les merveilles du château et du parc de Fouquet à Vaux-le-Vicomte. Il devient le « pensionnaire » du surintendant à qui il adresse de nombreuses petites pièces. — Années heureuses pour La Fontaine qui acquiert l'expérience du monde, et des amis.*

1659 ou **1660.** *A Château-Thierry des amis de La Fontaine représentent* les Rieurs du Beau-Richard.

1661. 5 Septembre. *Fouquet arrêté. La clientèle se disperse. La Fontaine reste un des rares fidèles.*

1662. Mars (?). *Il publie, mais anonyme, l'élégie* Aux nymphes de Vaux, *qui appelle la clémence royale.*

1663. 30 Janvier. *La Fontaine a composé en faveur de Fouquet une* Ode au Roi. *Il réussit à la faire parvenir à Fouquet qui est à la Bastille.*

Août. *L'oncle de Mademoiselle de La Fontaine, Jannart, qui était substitut de Fouquet tant que celui-ci exerçait la charge de procureur général du roi auprès du Parlement de Paris, est exilé à Limoges. La Fontaine est touché par le même ordre ou par un ordre analogue : « La fantaisie de voyager m'était entrée quelque temps auparavant dans l'esprit, comme si j'eusse eu un pressentiment de l'*ordre *du roi. »*

Les amis de Fouquet avaient réussi à établir une liaison avec le surintendant. Ils organisaient sa défense. Jannart paraît avoir eu la direction de cette campagne. Il paraît très vraisemblable que La Fontaine a été frappé pour avoir participé à cette activité clandestine.

1663. Août-Septembre. *En six lettres, La Fontaine fait la* Relation d'un voyage en Limousin. — *Ce fut son plus long voyage.*

1664. 14 Juillet. *La Fontaine, revenu de Limoges on ne sait quand, devient gentilhomme de Madame, duchesse douairière d'Orléans. Fonction de domesticité honorable, qui rapporte un petit traitement, donne un logement et la nourriture à Paris, comporte l'exemption de la taille, mais ne confère en aucune façon la noblesse.*

Nouvelles en vers tirées de Boccace et de l'Arioste *(un tout petit volume contenant* Le Cocu battu et content *et* Joconde.*) Privilège : 14 janvier, achevé 10 décembre.*

1665. 10 JANVIER. *Achevé d'imprimer des* Contes et Nouvelles en vers de M. de La Fontaine. *Le volume reprend* Joconde *et* Le Cocu *et ajoute huit contes nouveaux.*

1666. 21 JANVIER. *Achevé d'imprimer de la* Deuxième partie des Contes et Nouvelles en vers de M. de La Fontaine. *Treize contes nouveaux.*

1667. *Parution dans un recueil imprimé à Cologne de trois contes plus audacieux qui mettent en scène des moines et des religieuses :* Les Cordeliers de Catalogne, l'Ermite, Mazet de Lamporechio.

1668. 31 MARS. *Achevé d'imprimer des* Fables choisies mises en vers par M. de La Fontaine. *Six livres, 124 fables.*

1669. 31 JANVIER. *Achevé d'imprimer d'un volume contenant* Les Amours de Psyché et de Cupidon *et* Adonis *présenté autrefois en manuscrit à Fouquet.*

1670. *La Fontaine cesse d'être maître des eaux et forêts.*

1671. 27 JANVIER. *Achevé d'imprimer des* Contes et Nouvelles en vers de M. de La Fontaine, troisième partie.
12 MARS. *Achevé d'imprimer des* Fables nouvelles et autres poésies; *contient beaucoup de petites pièces, quatre* Elégies *et huit fables nouvelles (voir la liste dans la Note bibliographique).*

1672. 3 FÉVRIER. *La mort de la duchesse d'Orléans libère La Fontaine de sa dernière charge.*

Vers 1673. *La Fontaine vient résider chez Mme de la Sablière dont il est sans doute « l'homme de lettres ». (Voir* Introduction *p.* XIX.*)*

1673. Poème de la captivité de saint Malc.

1674. Nouveaux Contes de M. de La Fontaine. A Mons, chez Gaspard Migeon. *Ces contes ont pour héros des gens d'Église.*

1675. 5 AVRIL. *Interdiction de la vente des* Nouveaux Contes *par le lieutenant-général de police.*

1676. 2 JANVIER. *La Fontaine vend sa maison de Château-Thierry.*

1677. 29 JUILLET. *Privilège pour une nouvelle édition de l'ensemble des* Fables.

1678-1679. *Parution de ce qu'on appelle ordinairement le 2e recueil des* Fables.
3 MAI 1678. *Achevé d'imprimer des six premiers Livres (déjà parus en 1668).*
1678. Deux Livres de fables inédites (numérotés VII et VIII dans les éditions actuelles).
1679. (Achevé d'imprimer 15 juin), trois nouveaux Livres, (numérotés IX, X, et XI dans les éditions actuelles).

1683. 6 MAI. *Première représentation du* Rendez-vous *par les Comédiens-Français. Pas de succès.*

1683-1684. *Élection de La Fontaine à l'Académie française.*
15 NOVEMBRE 1683. *Vote en sa faveur.*
16 NOVEMBRE 1683. *Le roi refuse d'entériner l'élection.*
AVRIL 1684. *Le roi accepte (2 mai 1684), après que Boileau eut été élu. La Fontaine vient prendre séance, prononce son remerciement et donne lecture du* Discours à Mme de la Sablière *(« Désormais que ma Muse... »)* [*Ne pas confondre avec le* Discours à Mme de La Sablière *qui a paru dans le Livre IX des* Fables *: « Iris, je vous louerais...»*]

1685. 28 JUILLET. *Achevé d'imprimer des* Ouvrages de prose et de poésie des Srs. de Maucroix et de La Fontaine. *Contient dix fables nouvelles. (Voir liste dans la Note bibliographique.)*

1687. *Par l'épître* A Monseigneur l'Évêque de Soissons [*Épître à Huet*] *La Fontaine prend position dans la querelle des Anciens et des Modernes.*

1690-1691. *Publication, dans le* Mercure Galant, *des* Compagnons d'Ulysse *des* Deux Chèvres, *du* Thésauriseur et le Singe.

1691. 28 Novembre. *Première représentation d'*Astrée, *tragédie lyrique.*

1692-1693. *La Fontaine est malade; il fait sa confession générale; jette au feu sur l'ordre de son confesseur une pièce de théâtre non encore jouée. Le 12 février 1693, devant une délégation de l'Académie et de nombreux curieux, avant de recevoir le viatique, La Fontaine fait une déclaration à son confesseur par laquelle il abjure ses* Contes.

1693. 1er Juin. *Dans le* Recueil de vers choisis *(édité par le P. Bouhours), paraît la fable* Le Juge arbitre, l'Hospitalier et le Solitaire.
15 Juin. *La Fontaine fait lire à l'Académie sa paraphrase du* Dies irae.
1er Septembre. *Achevé d'imprimer des* Fables choisies par M. de La Fontaine à Paris, chez C. Barbin, 1694. *Cette édition ajoute aux Livres précédemment publiés celui que les éditions modernes numérotent XII.*

1695. 13 Avril. *Mort de La Fontaine. « J'ai vu entre les mains de son ami, M. Maucroix, le cilice dont il se trouva couvert lorsqu'on le déshabilla pour le mettre au lit de la mort. » (D'Olivet,* Histoire de l'Académie française.*) Il est inhumé le lendemain au cimetière des Saints-Innocents.*

FABLES CHOISIES
MISES EN VERS

A MONSEIGNEUR LE DAUPHIN[1]

MONSEIGNEUR,

S'IL y a quelque chose d'ingénieux dans la République des Lettres, on peut dire que c'est la manière dont Ésope a débité[2] sa morale. Il serait véritablement à souhaiter que d'autres mains que les miennes y eussent ajouté les ornements de la poésie, puisque le plus sage des Anciens[3] a jugé qu'ils n'y étaient pas inutiles. J'ose, MONSEIGNEUR, vous en présenter quelques Essais. C'est un Entretien convenable à vos premières années. Vous êtes en un âge où l'amusement et les jeux sont permis aux Princes; mais en même temps vous devez donner quelques-unes de vos pensées à des réflexions sérieuses. Tout cela se rencontre aux fables que nous devons à Ésope. L'apparence en est puérile, je le confesse; mais ces puérilités servent d'enveloppe à des vérités importantes.

Je ne doute point, MONSEIGNEUR, que vous ne regardiez favorablement des inventions si utiles et tout ensemble si agréables : car que peut-on souhaiter davantage que ces deux points ? Ce sont eux qui ont introduit les Sciences parmi les hommes. Ésope a trouvé un art singulier de les joindre l'un avec l'autre. La lecture de son Ouvrage répand insensiblement dans une âme les semences de la vertu, et lui apprend à se connaître sans qu'elle s'aperçoive de cette étude, et tandis qu'elle croit faire toute autre chose.

C'est une adresse dont s'est servi très heureusement celui[4] sur lequel Sa Majesté a jeté les yeux pour vous donner des instructions. Il fait en sorte que vous apprenez sans peine, ou, pour mieux parler, avec plaisir, tout ce qu'il est nécessaire qu'un Prince sache. Nous espérons beaucoup de cette conduite. Mais, à dire la vérité, il y a des choses dont nous espérons infiniment davantage : ce sont, MONSEIGNEUR, les qualités que notre invincible Monarque vous a données avec la Naissance; c'est l'Exemple que tous les jours il vous donne. Quand vous le voyez former de si grands Desseins; quand vous le considérez qui regarde sans s'étonner l'agitation de l'Europe et les machines qu'elle remue pour le détourner de son entreprise; quand il pénètre dès sa première démarche jusque dans le cœur d'une Province[5] où l'on trouve à chaque pas des barrières insurmontables, et qu'il en subjugue une autre[6] en huit jours, pendant la saison la plus ennemie de la guerre, lorsque le repos et les plaisirs règnent dans les Cours des autres Princes; quand, non content de dompter les hommes, il veut triompher aussi des Éléments[7] et quand au retour de cette expédition, où il a vaincu comme un Alexandre, vous le voyez gouverner ses peuples comme un Auguste[8]; avouez le vrai, MONSEIGNEUR, vous soupirez pour la gloire aussi bien que lui, malgré l'impuissance de vos années; vous attendez avec impatience le temps où vous pourrez vous déclarer son Rival dans l'amour de cette divine Maîtresse. Vous ne l'attendez pas, MONSEIGNEUR : vous le prévenez. Je n'en veux pour témoignage que ces nobles inquiétudes, cette vivacité, cette ardeur, ces marques d'esprit, de courage, et de grandeur d'âme, que vous faites paraître à tous les moments. Certainement c'est une joie bien sensible à notre Monarque; mais c'est un spectacle bien agréable pour l'Univers que de voir ainsi croître une jeune Plante qui couvrira un jour de son ombre tant de Peuples et de Nations. Je devrais m'étendre sur ce sujet; mais, comme le dessein que j'ai de vous divertir est plus proportionné à mes forces que celui de vous louer, je me hâte de venir aux Fables, et n'ajouterai aux vérités que je vous ai dites que celle-ci : c'est, MONSEIGNEUR, que je suis, avec un zèle respectueux,

Votre très humble, très obéissant,
et très fidèle serviteur,

DE LA FONTAINE.

PRÉFACE

L'INDULGENCE que l'on a eue pour quelques-unes de mes Fables me donne lieu d'espérer la même grâce pour ce Recueil[1]. Ce n'est pas qu'un des Maîtres de notre Éloquence[2] n'ait désapprouvé le dessein de les mettre en vers. Il a cru que leur principal ornement est de n'en avoir aucun; que d'ailleurs la contrainte de la Poésie, jointe à la sévérité de notre langue, m'embarrasseraient en beaucoup d'endroits, et banniraient de la plupart de ces Récits la brèveté[3], qu'on peut fort bien appeler l'âme du Conte, puisque sans elle il faut nécessairement qu'il languisse. Cette opinion ne saurait partir que d'un homme d'excellent goût; je demanderais seulement qu'il en relâchât quelque peu, et qu'il crût que les Grâces lacédémoniennes[4] ne sont pas tellement ennemies des Muses Françaises, que l'on ne puisse souvent les faire marcher de compagnie.

Après tout, je n'ai entrepris la chose que sur l'exemple, je ne veux pas dire des Anciens, qui ne tire point à conséquence pour moi[a], mais sur celui des Modernes. C'est de tout temps, et chez tous les peuples qui font profession de poésie, que le Parnasse a jugé ceci de son apanage. A peine les Fables qu'on attribue à Ésope virent le jour, que

---

a. Tel est le texte de toutes les éditions. Mais on a fait observer (Cons, *La Préface des Fables* dans *Modern Language Notes*, 1922, pp. 246-248) l'incohérence des idées. La Fontaine rejetterait l'exemple des Anciens, se recommanderait de celui des Modernes ? Non seulement cela est contraire à toute sa poétique, mais encore il se réfère tout de suite à Socrate, Phèdre, Avienus et n'a pour les Modernes que quelques mots. Il prétend même un peu plus loin à la gloire d'avoir ouvert la

Socrate trouva à propos de les habiller des livrées[5] des Muses. Ce que Platon en rapporte[6] est si agréable, que je ne puis m'empêcher d'en faire un des ornements de cette Préface. Il dit que, Socrate étant condamné au dernier supplice, l'on remit l'exécution de l'Arrêt, à cause de certaines Fêtes. Cébès[7] l'alla voir le jour de sa mort. Socrate lui dit que les Dieux l'avaient averti plusieurs fois pendant son sommeil, qu'il devait s'appliquer à la Musique[8] avant qu'il mourût. Il n'avait pas entendu d'abord ce que ce songe signifiait; car, comme la Musique ne rend pas l'homme meilleur, à quoi bon s'y attacher ? Il fallait qu'il y eût du mystère là-dessous : d'autant plus que les Dieux ne se lassaient point de lui envoyer la même inspiration. Elle lui était encore venue une de ces Fêtes. Si bien qu'en songeant aux choses que le Ciel pouvait exiger de lui, il s'était avisé que la Musique et la Poésie ont tant de rapport, que possible était-ce de la dernière qu'il s'agissait. Il n'y a point de bonne Poésie sans Harmonie; mais il n'y en a point non plus sans fiction[a]; et Socrate ne savait que dire la vérité[9]. Enfin il avait trouvé un tempérament[10] : c'était de choisir des Fables qui continssent quelque chose de véritable, telles que sont celles d'Ésope. Il employa donc à les mettre en Vers les derniers moments de sa vie.

Socrate n'est pas le seul qui ait considéré comme sœurs la Poésie et nos Fables. Phèdre[11] a témoigné qu'il était de ce sentiment; et par l'excellence de son ouvrage, nous pouvons juger de celui du Prince des Philosophes. Après Phèdre, Avienus[12] a traité le même sujet. Enfin les Modernes les ont suivis : nous en avons des exemples, non seulement chez les Étrangers, mais chez nous. Il est vrai que lorsque nos gens[13] y ont travaillé, la Langue était si différente de ce qu'elle est, qu'on ne les doit considérer que comme Étrangers. Cela ne m'a point détourné de mon

---

carrière qui consiste à traduire les fables en vers. Cons a donc pensé qu'un lapsus du poète s'était transmis à travers toutes les éditions; et il propose une correction, que je crois certaine : *sur l'exemple, je ne veux pas dire des Modernes, qui ne tire pas à conséquence pour moi, mais des Anciens.*

a. 1668 : *fictions*

entreprise : au contraire, je me suis flatté de l'espérance que si je ne courais dans cette carrière avec succès, on me donnerait au moins la gloire de l'avoir ouverte.

Il arrivera possible que mon travail fera naître à d'autres personnes l'envie de porter la chose plus loin. Tant s'en faut que cette matière soit épuisée, qu'il reste encore plus de Fables à mettre en vers que je n'en ai mis. J'ai choisi véritablement les meilleures, c'est-à-dire celles qui m'ont semblé telles; mais outre que je puis m'être trompé dans mon choix, il ne sera pas difficile[a] de donner un autre tour à celles-là même que j'ai choisies; et si ce tour est moins long, il sera sans doute plus approuvé. Quoi qu'il en arrive, on m'aura toujours obligation; soit que ma témérité ait été heureuse, et que je ne me sois point trop écarté du chemin qu'il fallait tenir, soit que j'aie seulement excité les autres à mieux faire.

Je pense avoir justifié suffisamment mon dessein : quant à l'exécution, le Public en sera juge. On ne trouvera pas ici l'élégance ni l'extrême brèveté qui rendent Phèdre recommandable : ce sont qualités au-dessus de ma portée. Comme il m'était impossible de l'imiter en cela, j'ai cru qu'il fallait en récompense[14] égayer[15] l'Ouvrage plus qu'il n'a fait. Non que je le blâme d'en être demeuré dans ces termes : la Langue Latine n'en demandait pas davantage; et si l'on y veut prendre garde, on reconnaîtra dans cet Auteur le vrai caractère et le vrai génie de Térence. La simplicité est magnifique chez ces grands Hommes; moi, qui n'ai pas les perfections du langage comme ils les ont eues, je ne la puis élever à un si haut point. Il a donc fallu se récompenser d'ailleurs : c'est ce que j'ai fait avec d'autant plus de hardiesse, que Quintilien dit qu'on ne saurait trop égayer les Narrations. Il ne s'agit pas ici d'en apporter une raison; c'est assez que Quintilien l'ait dit. J'ai pourtant considéré que, ces Fables étant sues de tout le monde, je ne ferais rien si je ne les rendais nouvelles par quelques traits qui en relevassent le goût. C'est ce qu'on demande aujourd'hui : on veut de la nouveauté et de la gaieté. Je n'appelle

a. 1668 : pas *bien* difficile

pas gaieté ce qui excite le rire; mais un certain charme, un air agréable qu'on peut donner à toutes sortes de sujets, même les plus sérieux.

Mais ce n'est pas tant par la forme que j'ai donnée à cet Ouvrage qu'on en doit mesurer le prix, que par son utilité et par sa matière; car qu'y a-t-il de recommandable dans les productions de l'esprit, qui ne se rencontre dans l'Apologue ? C'est quelque chose de si divin, que plusieurs personnages de l'Antiquité ont attribué la plus grande partie de ces Fables à Socrate, choisissant pour leur servir de père celui des mortels qui avait le plus de communication avec les Dieux. Je ne sais comme ils n'ont point fait descendre du ciel ces mêmes Fables, et comme ils ne leur ont point assigné un Dieu qui en eût la direction, ainsi qu'à la Poésie et à l'Éloquence. Ce que je dis n'est pas tout à fait sans fondement, puisque, s'il m'est permis de mêler ce que nous avons de plus sacré parmi les erreurs du paganisme, nous voyons que la Vérité a parlé aux hommes par paraboles; et la parabole est-elle autre chose que l'Apologue[16], c'est-à-dire un exemple fabuleux, et qui s'insinue avec d'autant plus de facilité et d'effet, qu'il est plus commun et plus familier ? Qui ne nous proposerait à imiter que les Maîtres de la Sagesse nous fournirait un sujet d'excuse : il n'y en a point quand des Abeilles et des Fourmis sont capables de cela même qu'on nous demande.

C'est pour ces raisons que Platon, ayant banni Homère de sa République[17], y a donné à Ésope une place très honorable. Il souhaite que les enfants sucent ces Fables avec le lait; il recommande aux Nourrices de les leur apprendre : car on ne saurait s'accoutumer de trop bonne heure à la sagesse et à la vertu; plutôt que d'être réduits à corriger nos habitudes, il faut travailler à les rendre bonnes pendant qu'elles sont encore indifférentes au bien ou au mal. Or, quelle méthode y peut contribuer plus utilement que ces Fables ? Dites à un enfant que Crassus, allant contre les Parthes, s'engagea dans leur pays sans considérer comment il en sortirait; que cela le fit périr, lui et son Armée, quelque effort qu'il fît pour se retirer. Dites au même enfant que le Renard et le Bouc descendirent au fond d'un puits pour y éteindre leur soif; que le Renard en sortit s'étant servi des épaules et des cornes de son camarade comme d'une échelle; au contraire le Bouc y demeura pour n'avoir pas eu tant de prévoyance; et par conséquent il faut considérer en toute chose la fin. Je demande lequel de ces deux exemples fera le plus d'impression sur cet enfant. Ne s'arrêtera-t-il pas au dernier, comme plus conforme et moins disproportionné que l'autre à la petitesse de son esprit ? Il ne faut pas m'alléguer que les pensées de l'enfance sont d'elles-mêmes assez enfantines, sans y joindre encore de nouvelles badineries. Ces badineries ne sont telles qu'en apparence; car dans le fond elles portent un sens très solide. Et comme, par la définition du Point, de la Ligne, de la Surface, et par d'autres principes très familiers, nous parvenons à des connaissances qui mesurent enfin le Ciel et la Terre, de même aussi, par les raisonnements et conséquences[a] que l'on peut tirer de ces Fables, on se forme le jugement et les mœurs, on se rend capable des grandes choses.

Elles ne sont pas seulement Morales, elles donnent encore d'autres connaissances. Les propriétés des Animaux et leurs divers caractères y sont exprimés; par conséquent les nôtres aussi, puisque nous sommes l'abrégé de ce qu'il y a de bon et de mauvais dans les créatures irraisonnables. Quand Prométhée voulut former l'homme, il prit la qualité dominante de chaque bête : de ces pièces si différentes il composa notre espèce; il fit cet ouvrage qu'on appelle *le petit Monde*[18]. Ainsi ces fables sont un tableau où chacun de nous se trouve dépeint. Ce qu'elles nous représentent confirme les personnes d'âge avancé dans les connaissances que l'usage leur a données, et apprend aux enfants ce qu'il faut qu'ils sachent. Comme ces derniers sont nouveaux venus dans le monde, ils n'en connaissent pas encore les habitants, ils ne se connaissent pas eux-mêmes. On ne les doit laisser dans cette ignorance que le moins qu'on peut : il leur faut apprendre ce que c'est qu'un Lion, un Renard, ainsi du reste; et pourquoi l'on compare quelquefois un homme à ce renard ou à ce lion. C'est à quoi les Fables travaillent :

a. 1668, 1669, 1679 : *les* conséquenses

les premières Notions de ces choses proviennent d'elles.

J'ai déjà passé la longueur ordinaire des Préfaces; cependant je n'ai pas encore rendu raison de la conduite de mon Ouvrage. L'Apologue est composé de deux parties, dont on peut appeler l'une le Corps, l'autre l'Ame. Le Corps est la Fable; l'Ame, la Moralité. Aristote n'admet dans la fable que les animaux; il en exclut les Hommes et les Plantes[19]. Cette règle est moins de nécessité que de bienséance, puisque ni Ésope, ni Phèdre, ni aucun des Fabulistes, ne l'a gardée : tout au contraire de la Moralité, dont aucun ne se dispense. Que s'il m'est arrivé de le faire, ce n'a été que dans les endroits où elle n'a pu entrer avec grâce, et où il est aisé au lecteur de la suppléer. On ne considère en France que ce qui plaît : c'est la grande règle, et pour ainsi dire la seule. Je n'ai donc pas cru que ce fût un crime de passer par-dessus les anciennes Coutumes lorsque je ne pouvais les mettre en usage sans leur faire tort. Du temps d'Ésope la fable était contée simplement; la moralité séparée, et toujours en suite. Phèdre est venu, qui ne s'est pas assujetti à cet ordre : il embellit la Narration, et transporte quelquefois la Moralité de la fin au commencement. Quand il serait nécessaire de lui trouver place, je ne manque à ce précepte que pour en observer un qui n'est pas moins important : c'est Horace qui nous le donne. Cet Auteur ne veut pas qu'un Écrivain s'opiniâtre contre l'incapacité de son esprit, ni contre celle de sa matière. Jamais, à ce qu'il prétend, un homme qui veut réussir n'en vient jusque-là; il abandonne les choses dont il voit bien qu'il ne saurait rien faire de bon :

Et quæ
Desperat tractata nitescere posse relinquit[20].

C'est ce que j'ai fait à l'égard de quelques Moralités du succès desquelles je n'ai pas bien espéré.

Il ne reste plus qu'à parler de la vie d'Ésope. Je ne vois presque personne qui ne tienne pour fabuleuse celle que Planude[21] nous a laissée. On s'imagine que cet Auteur a voulu donner à son Héros un caractère et des aventures qui répondissent à ses Fables. Cela m'a paru d'abord spécieux[22]; mais j'ai trouvé à la fin peu de certitude en cette critique. Elle est en partie fondée sur ce qui se passe entre Xantus et Ésope : on y trouve trop de niaiserie; et[23] qui est le sage à qui de pareilles choses n'arrivent point ? Toute la vie de Socrate n'a pas été sérieuse. Ce qui me confirme en mon sentiment, c'est que le caractère que Planude donne à Ésope est semblable à celui que Plutarque lui a donné dans son *Banquet des sept Sages,* c'est-à-dire d'un homme subtil, et qui ne laisse rien passer. On me dira que le Banquet des sept Sages est aussi une invention. Il est aisé de douter de tout; quant à moi, je ne vois pas bien pourquoi Plutarque aurait voulu imposer à la postérité dans ce traité-là, lui qui fait profession d'être véritable partout ailleurs, et de conserver à chacun son caractère. Quand cela serait, je ne saurais que mentir sur la foi d'autrui : me croira-t-on moins que si je m'arrête à la mienne ? Car ce que je puis est de composer un tissu de mes conjectures, lequel j'intitulerai : *Vie d'Ésope*. Quelque vraisemblable que je le rende, on ne s'y assurera pas; et Fable pour Fable, le lecteur préférera toujours celle de Planude à la mienne.

CRITIQUES

(1) Le brun 'La gaieté est située au principe'

(2) P Dandrey : In every adult there is always the child that was ∴ (for both)

immediate pleasures of fables leaves absent overall satisfaction despite the intellectual moral side.

(3) Jean Claude Margolin 'The type of morality that emerges in the fables is identifiable to popular wisdom.
The moral tales are not based on heroism but on daily life practice.

M. Fumaroli.

- Sees fables as 'eudémonique'
  The moral attitude in fables
  teaching mankind art of
  living happily + preaching
  useful wisdom.

- The pardox of the 'fabuliste-poète'
  The fables writer insists on moral
  aspect whereas poet places
  aesthetic success before
  necessity of moral instruction.

- Fabuliste-Poète adjusts
  trad balance of fable to
  include both moral
  instruction + a story.

LA VIE D'ÉSOPE LE PHRYGIEN

Nous n'avons rien d'assuré touchant la naissance d'Homère et d'Ésope. A peine même sait-on ce qui leur est arrivé de plus remarquable. C'est de quoi il y a lieu[a] de s'étonner, vu que l'Histoire ne rejette pas des choses moins agréables et moins nécessaires que celle-là. Tant de destructeurs de nations, tant de princes sans mérite, ont trouvé des gens qui nous ont appris jusqu'aux moindres particularités de leur vie; et nous ignorons les plus importantes de celles[b] d'Ésope et d'Homère, c'est-à-dire des deux personnages qui ont le mieux mérité des siècles suivants. Car Homère n'est pas seulement le Père des Dieux, c'est aussi celui des bons Poètes. Quant à Ésope il me semble qu'on le devait mettre au nombre des Sages dont la Grèce s'est vantée, lui qui enseignait la véritable sagesse, et qui l'enseignait avec bien plus d'art que ceux qui en donnent des Définitions et des Règles. On a véritablement recueilli les vies de ces deux grands Hommes; mais la plupart des savants les tiennent toutes deux fabuleuses, particulièrement celle que Planude a écrite. Pour moi, je n'ai pas voulu m'engager dans cette critique. Comme Planude vivait dans un siècle où la mémoire des choses arrivées à Ésope ne devait pas être encore éteinte, j'ai cru qu'il savait par tradition ce qu'il a laissé[1]. Dans cette croyance, je l'ai suivi sans retrancher de ce qu'il a dit d'Ésope que ce qui m'a semblé trop puérile[2], ou qui s'écartait en quelque façon de la bienséance.

---

a. 1668, 1669, *c'est dont* il y a lieu
b. 1668 : de *celle*

Ésope était Phrygien, d'un Bourg appelé Amorium. Il naquit vers la cinquante-septième olympiade[3], quelque deux cents ans après la fondation de Rome. On ne saurait dire s'il eut sujet de remercier la nature, ou bien de se plaindre d'elle : car en le douant d'un très bel esprit, elle le fit naître difforme et laid de visage, ayant à peine figure d'homme, jusqu'à lui refuser presque entièrement l'usage de la parole. Avec ces défauts, quand il n'aurait pas été de condition à être Esclave, il ne pouvait manquer de le devenir. Au reste, son âme se maintint toujours libre et indépendante de la fortune.

Le premier Maître qu'il eut l'envoya aux champs labourer la terre; soit qu'il le jugeât incapable de toute autre chose, soit pour s'ôter de devant les yeux un objet si désagréable. Or il arriva que ce Maître étant allé voir sa maison des champs, un Paysan lui donna des figues : il les trouva belles, et les fit serrer fort soigneusement, donnant ordre à son sommelier, appelé Agathopus, de les lui apporter au sortir du bain. Le hasard voulut qu'Ésope eut[a] affaire dans le logis. Aussitôt qu'il y fut entré, Agathopus se servit de l'occasion, et mangea les Figues avec quelques-uns de ses Camarades; puis ils rejetèrent cette friponnerie sur Ésope, ne croyant pas qu'il se pût jamais justifier, tant il était bègue, et paraissait idiot. Les châtiments dont les Anciens usaient envers leurs esclaves étaient fort cruels, et cette faute très punissable. Le pauvre Ésope se jeta aux pieds de son maître; et se faisant entendre du mieux qu'il put, il témoigna qu'il demandait pour toute grâce qu'on sursît de quelques moments sa punition. Cette grâce lui ayant été accordée, il alla querir de l'eau tiède, la but en présence de son Seigneur, se mit les doigts dans la bouche, et ce qui s'ensuit, sans rendre autre chose que cette eau seule. Après s'être ainsi justifié, il fit signe qu'on obligeât les autres d'en faire autant. Chacun demeura surpris : on n'aurait pas cru qu'une telle invention pût partir d'Ésope. Agathopus et ses Camarades ne parurent point étonnés. Ils burent de l'eau comme le Phrygien avait fait,

---

a. 1669 : *eût*

et se mirent les doigts dans la bouche; mais ils se gardèrent bien de les enfoncer trop avant. L'eau ne laissa pas d'agir, et de mettre en évidence les Figues toutes crues encore et toutes vermeilles. Par ce moyen Ésope se garantit : ses accusateurs furent punis doublement, pour leur gourmandise et pour leur méchanceté.

Le lendemain, après que leur Maître fut parti, et le Phrygien étant à son travail ordinaire, quelques Voyageurs égarés (aucuns disent que c'étaient des Prêtres de Diane) le prièrent, au nom de Jupiter Hospitalier, qu'il leur enseignât le chemin qui conduisait à la Ville. Ésope les obligea premièrement de se reposer à l'ombre; puis leur ayant présenté une légère collation, il voulut être leur guide, et ne les quitta qu'après qu'il les eut remis dans leur chemin. Les bonnes gens levèrent les mains au Ciel, et prièrent Jupiter de ne pas laisser cette action charitable sans récompense. A peine Ésope les eut quittés, que le chaud et la lassitude le contraignirent de s'endormir. Pendant son sommeil, il s'imagina que la Fortune était debout devant lui, qui lui déliait la langue, et par même moyen lui faisait présent de cet Art dont on peut dire qu'il est l'Auteur. Réjoui de cette aventure, il s'éveilla en sursaut; et en s'éveillant : Qu'est ceci ? dit-il; ma voix est devenue libre; je prononce bien un râteau, une charrue, tout ce que je veux.

Cette merveille fut cause qu'il changea de maître. Car, comme un certain Zénas, qui était là en qualité d'Œconome et qui avait l'œil sur les Esclaves, en eut battu un outrageusement pour une faute qui ne le méritait pas, Ésope ne put s'empêcher de le reprendre, et le menaça que ses mauvais traitements seraient sus : Zénas, pour le prévenir[4] et pour se venger de lui, alla dire au maître qu'il était arrivé un prodige dans sa maison, que le Phrygien avait recouvré la parole, mais que le méchant ne s'en servait qu'à blasphémer, et à médire de leur Seigneur. Le Maître le crut, et passa bien plus avant; car il lui donna Ésope, avec liberté d'en faire ce qu'il voudrait. Zénas de retour aux champs, un Marchand l'alla trouver, et lui demanda si pour de l'argent il le voulait accommoder de quelque bête de somme. Non pas cela, dit Zénas : je n'en ai pas le pouvoir; mais je te vendrai, si tu veux, un de nos Esclaves. Là-dessus ayant fait venir Ésope, le Marchand dit : Est-ce afin de te moquer que tu me proposes l'achat de ce personnage? On le prendrait pour un Outre[a]. Dès que le marchand eut ainsi parlé, il prit congé d'eux, partie murmurant, partie riant de ce bel objet. Ésope le rappela, et lui dit : Achète-moi hardiment : je ne te serai pas inutile. Si tu as des enfants qui crient et qui soient méchants, ma mine les fera taire : on les menacera de moi comme de la Bête[5]. Cette raillerie plut au marchand. Il acheta notre Phrygien trois oboles, et dit en riant : Les Dieux soient loués; je n'ai pas fait grande acquisition, à la vérité; aussi n'ai-je pas déboursé grand argent.

Entre autres denrées, ce marchand trafiquait d'esclaves; si bien qu'allant à Éphèse pour se défaire de ceux qu'il avait, ce que chacun d'eux devait porter pour la commodité du voyage fut departi selon leur emploi et selon leurs forces. Ésope pria que l'on eût égard à sa taille; qu'il était nouveau venu, et devait être traité doucement. Tu ne porteras rien, si tu veux, lui repartirent ses Camarades. Ésope se piqua d'honneur, et voulut avoir sa charge comme les autres. On le laissa donc choisir. Il prit le Panier au pain : c'était le fardeau le plus pesant. Chacun crut qu'il l'avait fait par bêtise; mais dès la dînée le panier fut entamé, et le Phrygien déchargé d'autant; ainsi le soir, et de même le lendemain; de façon qu'au bout de deux jours il marchait à vide. Le bon sens et le raisonnement du personnage furent admirés.

Quant au Marchand, il se défit de tous ses Esclaves, à la réserve d'un Grammairien, d'un Chantre et d'Ésope, lesquels il alla exposer en vente à Samos. Avant que de les mener sur la place, il fit habiller les deux premiers le plus proprement qu'il put, comme chacun farde sa marchandise. Ésope, au contraire, ne fut vêtu que d'un sac, et placé entre ses deux Compagnons, afin de leur donner lustre.[b]

---

a. 1668 : *une* outre.
b. 1668, in-4° : donner *le* lustre.

B.N. Imprimés

Cl. B.N.

Ésope portant la hotte au pain
Nevelet, *Mythologia Æsopica,* Francfort, 1610

Quelques acheteurs se présentèrent, entre autres un philosophe appelé Xantus. Il demanda au Grammairien et au Chantre ce qu'ils savaient faire : Tout, reprirent-ils. Cela fit rire le Phrygien, on peut s'imaginer de quel air. Planude rapporte qu'il s'en fallut peu qu'on ne prît la fuite, tant il fit une effroyable grimace. Le Marchand fit son Chantre mille oboles, son Grammairien trois mille; et en cas que l'on achetât l'un des deux, il devait donner Ésope par-dessus le marché. La cherté du Grammairien et du Chantre dégoûta Xantus. Mais, pour ne pas retourner chez soi sans avoir fait quelque emplette, ses disciples lui conseillèrent d'acheter ce petit bout d'homme qui avait ri de si bonne grâce : on en ferait un épouvantail; il divertirait les gens par sa mine. Xantus se laissa persuader, et fit prix d'Ésope à soixante oboles. Il lui demanda, devant que de l'acheter, à quoi il lui serait propre, comme il l'avait demandé à ses camarades. Ésope répondit : A rien, puisque les deux autres avaient tout retenu pour eux. Les commis de la douane remirent généreusement à Xantus le sou pour livre, et lui en donnèrent quittance sans rien payer.

Xantus avait une femme de goût assez délicat, et à qui toutes sortes de gens ne plaisaient pas : si bien que de lui aller présenter sérieusement son nouvel Esclave, il n'y avait pas d'apparence, à moins qu'il ne la voulût mettre en colère et se faire moquer de lui. Il jugea plus à propos d'en faire un sujet de plaisanterie, et alla dire au logis qu'il venait d'acheter un jeune Esclave le plus beau du monde et le mieux fait. Sur cette nouvelle, les filles qui servaient sa femme se pensèrent battre à qui l'aurait pour son serviteur; mais elles furent bien étonnées quand le Personnage parut. L'une se mit la main devant les yeux, l'autre s'enfuit, l'autre fit un cri. La Maîtresse du logis dit que c'était pour la chasser qu'on lui amenait un tel monstre; qu'il y avait longtemps que le Philosophe se lassait d'elle. De parole en parole, le différend s'échauffa jusqu'à tel point que la femme demanda son bien et voulut se retirer chez ses parents. Xantus fit tant par sa patience, et Ésope par son esprit, que les choses s'accommodèrent. On ne parla plus de s'en aller, et peut-être que l'accoutumance effaça à la fin une partie de la laideur du nouvel Esclave.

Je laisserai beaucoup de petites choses où il fit paraître la vivacité de son esprit : car quoiqu'on puisse juger par là de son caractère, elles sont de trop peu de conséquence pour en informer la postérité. Voici seulement un échantillon de son bon sens et de l'ignorance de son Maître. Celui-ci alla chez un Jardinier se choisir lui-même une salade. Les herbes cueillies, le Jardinier le pria de lui satisfaire l'esprit sur une difficulté qui regardait la Philosophie aussi bien que le Jardinage. C'est que les herbes qu'il plantait et qu'il cultivait avec un grand soin ne profitaient point, tout au contraire de celles que la terre produisait d'elle-même, sans culture ni amendement. Xantus rapporta le tout à la Providence, comme on a coutume de faire quand on est court : Ésope se mit à rire, et ayant tiré son Maître à part, il lui conseilla de dire à ce Jardinier qu'il lui avait fait une réponse ainsi générale, parce que la question n'était pas digne de lui : il le laissait donc avec son garçon, qui assurément le satisferait. Xantus s'étant allé promener d'un autre côté du jardin, Ésope compara la terre à une femme qui, ayant des enfants d'un premier mari, en épouserait un second qui aurait aussi des enfants d'une autre femme. Sa nouvelle épouse ne manquerait pas de concevoir de l'aversion pour ceux-ci, et leur ôterait la nourriture, afin que les siens en profitassent. Il en était ainsi de la terre, qui n'adoptait qu'avec peine les productions du travail et de la culture, et qui réservait toute sa tendresse et tous ses bienfaits pour les siennes seules : elle était marâtre des unes, et mère passionnée des autres. Le Jardinier parut si content de cette raison, qu'il offrit à Ésope tout ce qui était dans son jardin.

Il arriva quelque temps après un grand différend entre le Philosophe et sa femme. Le Philosophe, étant de festin, mit à part quelques friandises, et dit à Ésope : Va porter ceci à ma bonne Amie. Ésope l'alla donner à une petite Chienne qui était les délices de son Maître. Xantus de retour ne manqua pas de demander des nouvelles de son présent, et si on l'avait trouvé bon. Sa femme ne comprenait rien à ce langage: on fit venir Ésope pour l'éclaircir. Xantus, qui ne cherchait qu'un prétexte pour le faire battre, lui demanda s'il ne lui avait pas dit expressément : Va-t'en porter de ma part ces friandises à ma bonne Amie. Ésope répondit là-dessus que la bonne Amie n'était pas la femme, qui pour la moindre parole menaçait de faire un divorce : c'était la Chienne qui endurait tout, et qui revenait faire caresses après qu'on l'avait battue. Le Philosophe demeura court; mais sa femme entra dans une telle colère qu'elle se retira d'avec lui. Il n'y eut parent ni ami par qui Xantus ne lui fît parler, sans que les raisons ni les prières y gagnassent rien. Ésope s'avisa d'un stratagème. Il acheta force gibier, comme pour une noce considérable, et fit tant qu'il fut rencontré par un des domestiques de sa Maîtresse. Celui-ci lui demanda pourquoi tant d'apprêts. Ésope lui dit que son Maître, ne pouvant obliger sa femme de revenir, en allait épouser une autre. Aussitôt que la Dame sut cette nouvelle, elle retourna chez son Mari, par esprit de contradiction ou par jalousie. Ce ne fut pas sans la garder bonne à Ésope, qui tous les jours faisait de nouvelles pièces[6] à son Maître, et tous les jours se sauvait du châtiment par quelque trait de subtilité. Il n'était pas possible au Philosophe de le confondre.

Un certain jour de marché, Xantus qui avait dessein de régaler quelques-uns de ses Amis, lui commanda d'acheter ce qu'il y aurait de meilleur, et rien autre chose. Je t'apprendrai, dit en soi-même le Phrygien, à spécifier ce que tu souhaites, sans t'en remettre à la discrétion d'un esclave. Il n'acheta que des langues, lesquelles il fit accommoder à toutes les sauces, l'Entrée, le Second[7], l'Entremets, tout ne fut que langues. Les Conviés louèrent d'abord le choix de ces mets; à la fin ils s'en dégoûtèrent. Ne t'ai-je pas commandé, dit Xantus, d'acheter ce qu'il y aurait de meilleur ? — Et qu'y a-t-il de meilleur que la langue ? reprit Ésope. C'est le lien de la vie civile, la Clef des Sciences, l'Organe de la Vérité et de la Raison. Par elle on bâtit les Villes et on les police; on instruit; on persuade; on règne dans les Assemblées; on s'acquitte du premier de tous les devoirs, qui est de louer les Dieux. — Et bien (dit Xantus, qui prétendait l'attraper), achète-moi demain ce qui est de pire : ces mêmes personnes viendront chez moi; et je veux diversifier. Le lendemain Ésope ne fit servir[a] que le même mets, disant que la Langue est la pire chose qui soit au monde. C'est la Mère de tous débats, la Nourrice des procès, la source des divisions et des guerres. Si l'on dit qu'elle est l'organe de la Vérité, c'est aussi celui de l'erreur, et qui pis est, de la Calomnie. Par elle on détruit les Villes, on persuade de méchantes choses. Si d'un côté elle loue les Dieux, de l'autre elle profère des blasphèmes contre leur puissance. Quelqu'un de la compagnie dit à Xantus que véritablement ce Valet lui était fort nécessaire; car il savait le mieux du monde exercer la patience d'un Philosophe. « De quoi vous mettez-vous en peine ? » reprit Ésope. — Et trouve-moi, dit Xantus, un homme qui ne se mette en peine de rien.

Ésope alla le lendemain sur la Place, et voyant un Paysan qui regardait toutes choses avec la froideur et l'indifférence d'une statue, il amena ce Paysan au logis. Voilà, dit-il à Xantus, l'homme sans souci que vous demandez. Xantus commanda à sa femme de faire chauffer de l'eau, de la mettre dans un bassin, puis de laver elle-même les pieds de son nouvel Hôte. Le Paysan la laissa faire, quoiqu'il sût fort bien qu'il ne méritait pas cet honneur; mais il disait en lui-même : C'est peut-être la coutume d'en user ainsi. On le fit asseoir au haut bout : il prit sa place sans cérémonie. Pendant le repas, Xantus ne fit autre chose que blâmer son Cuisinier; rien ne lui plaisait : ce qui était doux, il le trouvait trop salé, et ce qui était trop salé, il le trouvait doux. L'homme sans souci le laissait dire, et mangeait de toutes ses dents. Au Dessert on mit sur la table un Gâteau que la femme du Philosophe avait fait : Xantus le trouva mauvais, quoiqu'il fût très bon. Voilà, dit-il, la pâtisserie la plus méchante que j'aie jamais mangée; il faut brûler l'Ouvrière; car elle ne fera de sa vie rien qui vaille : qu'on apporte des fagots. — Attendez, dit le paysan; je m'en vais querir ma femme : on ne fera qu'un bûcher pour

---

a. 1668, in-4° : ne fit *encore* servir.

toutes les deux. Ce dernier trait désarçonna le Philosophe, et lui ôta l'espérance de jamais attraper le Phrygien.

Or ce n'était pas seulement avec son Maître qu'Ésope trouvait occasion de rire et de dire de bons mots. Xantus l'avait envoyé en certain endroit; il rencontra en chemin le Magistrat, qui lui demanda où il allait. Soit qu'Ésope fût distrait, ou par une autre raison, il répondit qu'il n'en savait rien. Le Magistrat, tenant à mépris et irrévérence cette réponse, le fit mener en prison. Comme les Huissiers le conduisaient : Ne voyez-vous pas, dit-il, que j'ai très bien répondu ? Savais-je qu'on me ferait aller où je vas ? Le Magistrat le fit relâcher, et trouva Xantus heureux d'avoir un Esclave si plein d'esprit.

Xantus, de sa part, voyait par là de quelle importance il lui était de ne point affranchir Ésope, et combien la possession d'un tel Esclave lui faisait d'honneur. Même un jour, faisant la débauche avec ses disciples, Ésope, qui les servait, vit que les fumées leur échauffaient déjà la cervelle, aussi bien au Maître qu'aux Écoliers. La débauche de vin, leur dit-il, a trois degrés : le premier de volupté, le second, d'ivrognerie, le troisième, de fureur. On se moqua de son observation et on continua de vider les pots. Xantus s'en donna jusqu'à perdre la raison et à se vanter qu'il boirait la Mer. Cela fit rire la Compagnie. Xantus soutint ce qu'il avait dit, gagea sa maison qu'il boirait la Mer toute entière; et pour assurance de la gageure, il déposa l'Anneau qu'il avait au doigt. Le jour suivant, que les vapeurs de Bacchus furent dissipées, Xantus fut extrêmement surpris de ne plus trouver son anneau, lequel il tenait fort cher. Ésope lui dit qu'il était perdu, et que sa maison l'était aussi par la gageure qu'il avait faite. Voilà le Philosophe bien alarmé. Il pria Ésope de lui enseigner une défaite. Ésope s'avisa de celle-ci.

Quand le jour que l'on avait pris pour l'exécution de la gageure fut arrivé, tout le peuple de Samos accourut au rivage de la Mer pour être témoin de la honte du Philosophe. Celui de ses Disciples qui avait gagé contre lui triomphait déjà. Xantus dit à l'Assemblée : Messieurs, j'ai gagé véritablement que je boirais toute la Mer, mais non pas les Fleuves qui entrent dedans. C'est pourquoi que celui qui a gagé contre moi détourne leurs cours, et puis je ferai ce que je me suis vanté de faire. Chacun admira l'expédient que Xantus avait trouvé pour sortir à son honneur d'un si mauvais pas. Le Disciple confessa qu'il était vaincu, et demanda pardon à son Maître. Xantus fut reconduit jusqu'en son logis avec acclamations.

Pour récompense, Ésope lui demanda la liberté. Xantus la lui refusa, et dit que le temps de l'affranchir n'était pas encore venu : si toutefois les Dieux l'ordonnaient ainsi, il y consentait : partant, qu'il prît garde au premier présage qu'il aurait étant sorti du logis : s'il était heureux, et que, par exemple, deux Corneilles se présentassent à sa vue, la liberté lui serait donnée; s'il n'en voyait qu'une, qu'il ne se lassât point d'être Esclave. Ésope sortit aussitôt. Son Maître était logé à l'écart, et apparemment vers un lieu couvert de grands arbres. A peine notre Phrygien fut hors qu'il aperçut deux Corneilles qui s'abattirent sur le plus haut. Il en alla avertir son Maître, qui voulut voir lui-même s'il disait vrai. Tandis que Xantus venait, l'une des Corneilles s'envola. Me tromperas-tu toujours ? dit-il à Ésope. Qu'on lui donne les étrivières. L'ordre fut exécuté. Pendant le supplice du pauvre Ésope, on vint inviter Xantus à un repas : il promit qu'il s'y trouverait. Hélas ! s'écria Ésope, les présages sont bien menteurs ! Moi, qui ai vu deux Corneilles, je suis battu; mon Maître, qui n'en a vu qu'une, est prié de noces[a]. Ce mot plut tellement à Xantus, qu'il commanda qu'on cessât de fouetter Ésope; mais quant à la liberté, il ne se pouvait résoudre à la lui donner, encore qu'il la lui promît en diverses occasions.

Un jour ils se promenaient tous deux parmi de vieux monuments, considérant avec beaucoup de plaisir les Inscriptions qu'on y avait mises. Xantus en aperçut une qu'il ne put entendre, quoiqu'il demeurât longtemps à en chercher l'explication. Elle était composée des premières lettres de certains mots. Le Philosophe avoua ingénument que cela passait son esprit. Si je vous fais trouver un

---

a. 1668, in-4° et in-12 : de *noce*

Trésor par le moyen de ces lettres, lui dit Ésope, quelle récompense aurai-je ? Xantus lui promit la liberté, et la moitié du Trésor. Elles signifient, poursuivit Ésope, qu'à quatre pas de cette Colonne nous en rencontrerons un. En effet, ils le trouvèrent, après avoir creusé quelque peu dans la terre. Le Philosophe fut sommé de tenir parole; mais il reculait toujours. Les Dieux me gardent de t'affranchir, dit-il à Ésope, que tu ne m'aies donné avant cela l'intelligence de ces lettres; ce me sera un autre trésor plus précieux que celui lequel nous avons trouvé. — On les a ici gravées, poursuivit Ésope, comme étant les premières lettres de ces mots : 'Αποϐὰς βήματα, etc.; c'est-à-dire : *Si vous reculez quatre pas, et que vous creusiez, vous trouverez un trésor.* — Puisque tu es si subtil, repartit Xantus, j'aurais tort de me défaire de toi : n'espère donc pas que je t'affranchisse. — Et moi, répliqua Ésope, je vous dénoncerai au Roi Denys; car c'est à lui que le trésor appartient, et ces mêmes lettres commencent d'autres mots qui le signifient. Le Philosophe intimidé dit au Phrygien qu'il prît sa part de l'argent, et qu'il n'en dît mot; de quoi Ésope déclara ne lui avoir aucune obligation, ces lettres ayant été choisies de telle manière qu'elles enfermaient un triple sens, et signifiaient encore : *En vous en allant, vous partagerez le trésor que vous aurez rencontré.* Dès qu'ils furent de retour, Xantus commanda que l'on enfermât le Phrygien, et que l'on lui mît les fers aux pieds, de crainte qu'il n'allât publier cette aventure. Hélas ! s'écria Ésope, est-ce ainsi que les Philosophes s'acquittent de leurs promesses ? Mais faites ce que vous voudrez, il faudra que vous m'affranchissiez malgré vous. Sa prédiction se trouva vraie.

Il arriva un prodige qui mit fort en peine les Samiens. Un Aigle enleva l'Anneau public (c'était apparemment quelque Sceau que l'on apposait aux délibérations du Conseil), et le fit tomber au sein d'un Esclave. Le Philosophe fut consulté là-dessus, et comme étant Philosophe, et comme étant un des premiers de la République. Il demanda temps, et eut recours à son Oracle ordinaire : c'était Ésope. Celui-ci lui conseilla de le produire en public, parce que, s'il rencontrait bien, l'honneur en serait toujours son Maître; sinon, il n'y aurait que l'Esclave de blâmé. Xantus approuva la chose, et le fit monter à la Tribune aux Harangues. Dès qu'on le vit, chacun s'éclata de rire; personne ne s'imagina qu'il pût rien partir de raisonnable d'un homme fait de cette manière. Ésope leur dit qu'il ne fallait pas considérer la forme du vase, mais la liqueur qui y était enfermée. Les Samiens lui crièrent qu'il dît donc sans crainte ce qu'il jugeait de ce Prodige. Ésope s'en excusa sur ce qu'il n'osait le faire. La fortune, disait-il, avait mis un débat de gloire entre le Maître et l'Esclave : si l'Esclave disait mal, il serait battu; s'il disait mieux que le Maître, il serait battu encore. Aussitôt on pressa Xantus de l'affranchir. Le Philosophe résista longtemps. A la fin le Prévôt de Ville le menaça de le faire de son office, et en vertu du pouvoir qu'il en avait comme Magistrat : de façon que le Philosophe fut obligé de donner les mains[8]. Cela fait, Ésope dit que les Samiens étaient menacés de servitude par ce Prodige; et que l'Aigle enlevant leur Sceau ne signifiait autre chose qu'un Roi puissant, qui voulait les assujettir.

Peu de temps après, Crésus, Roi des Lydiens, fit dénoncer[9] à ceux de Samos qu'ils eussent à se rendre ses tributaires : sinon, qu'il les y forcerait par les armes. La plupart étaient d'avis qu'on lui obéît. Ésope leur dit que la Fortune présentait deux chemins aux hommes : l'un, de liberté, rude et épineux au commencement, mais dans la suite très agréable; l'autre, d'Esclavage, dont les commencements étaient plus aisés, mais la suite laborieuse. C'était conseiller assez intelligiblement aux Samiens de défendre leur liberté. Ils renvoyèrent l'ambassadeur de Crésus avec peu de satisfaction. Crésus se mit en état de les attaquer. L'Ambassadeur lui dit que tant qu'ils auraient Ésope avec eux, il aurait peine à les réduire à ses volontés, vu la confiance qu'ils avaient au bon sens du Personnage. Crésus le leur envoya demander, avec la promesse de leur laisser la liberté s'ils le lui livraient. Les Principaux de la Ville trouvèrent ces conditions avantageuses, et ne crurent pas que leur repos leur coûtât trop cher quand ils l'achèteraient aux dépens d'Ésope. Le Phrygien leur fit changer de sentiment en leur contant que les Loups et les Brebis ayant fait un traité de paix, celles-ci donnèrent leurs Chiens pour otages. Quand elles n'eurent plus de défenseurs, les Loups les étranglèrent avec moins de peine qu'ils ne faisaient. Cet Apologue fit son effet : les Samiens prirent une délibération toute contraire à celle qu'ils avaient prise.

Ésope voulut toutefois aller vers Crésus, et dit qu'il les servirait plus utilement étant près du Roi, que s'il demeurait à Samos. Quand Crésus le vit, il s'étonna qu'une si chétive créature lui eût été un si grand obstacle. Quoi ! voilà celui qui fait qu'on s'oppose à mes volontés ! s'écria-t-il. Ésope se prosterna à ses pieds. Un homme prenait des Sauterelles, dit-il; une Cigale lui tomba aussi sous la main. Il s'en allait la tuer comme il avait fait les sauterelles. Que vous ai-je fait ? dit-elle à cet homme : je ne ronge point vos blés; je ne vous procure aucun dommage; vous ne trouverez en moi que la voix, dont je me sers fort innocemment. Grand Roi, je ressemble à cette cigale : je n'ai que la voix, et ne m'en suis point servi pour vous offenser[10]. Crésus, touché d'admiration et de pitié, non seulement lui pardonna, mais il laissa en repos les Samiens à sa considération.

En ce temps-là, le Phrygien composa ses Fables, lesquelles il laissa au Roi de Lydie, et fut envoyé par lui vers les Samiens, qui décernèrent à Ésope de grands honneurs. Il lui prit aussi envie de voyager, et d'aller par le monde, s'entretenant de diverses choses avec ceux que l'on appelait Philosophes. Enfin il se mit en grand crédit près de Lycérus, Roi de Babylone. Les rois d'alors s'envoyaient les uns aux autres des problèmes à soudre[11] sur toutes sortes de matières, à condition de se payer une espèce de tribut ou d'amende, selon qu'ils répondraient bien ou mal aux questions proposées : en quoi Lycérus, assisté d'Ésope, avait toujours l'avantage et se rendait illustre parmi les autres, soit à résoudre, soit à proposer.

Cependant notre Phrygien se maria; et, ne pouvant avoir d'enfants, il adopta un jeune homme d'extraction noble, appelé Ennus. Celui-ci le paya d'ingratitude, et fut si méchant que d'oser souiller le lit de son bien-facteur. Cela étant venu à la connaissance d'Ésope, il le chassa.

L'autre, afin de s'en venger, contrefit des lettres par lesquelles il semblait qu'Ésope eût intelligence avec les Rois qui étaient émules de Lycérus. Lycérus, persuadé par le cachet et par la signature de ces lettres, commanda à un de ses officiers nommé Hermippus, que sans[a] chercher de plus grandes preuves, il fît mourir promptement le traître Ésope. Cet Hermippus, étant ami du Phrygien, lui sauva la vie, et à l'insu de tout le monde, le nourrit longtemps dans un Sépulcre, jusqu'à ce que Necténabo, roi d'Égypte, sur le bruit de la mort d'Ésope crut à l'avenir rendre Lycérus son tributaire. Il osa le provoquer, et le défia de lui envoyer des Architectes qui sussent bâtir une Tour en l'air, et par un même moyen, un homme prêt à répondre à toutes sortes de questions. Lycérus ayant lu les lettres et les ayant communiquées aux plus habiles de son État, chacun d'eux demeura court; ce qui fit que le Roi regretta Ésope, quand Hermippus lui dit qu'il n'était pas mort, et le fit venir. Le Phrygien fut très bien reçu, se justifia, et pardonna à Ennus. Quant à la Lettre du Roi d'Égypte, il n'en fit que rire, et manda qu'il envoirait au printemps les Architectes et le Répondant à toutes sortes de questions.

Lycérus remit Ésope en possession de tous ses biens, et lui fit livrer Ennus pour en faire ce qu'il voudrait. Ésope le reçut comme son enfant, et pour toute punition, lui recommanda d'honorer les Dieux et son prince; se rendre terrible à ses ennemis, facile, et commode aux autres; bien traiter sa femme, sans pourtant lui confier son secret; parler peu et chasser de chez soi les babillards; ne se point laisser abattre aux malheurs; avoir soin du lendemain, car il vaut mieux enrichir ses ennemis par sa mort que d'être importun à ses amis pendant son vivant; surtout n'être point envieux du bonheur ni de la vertu d'autrui, d'autant que c'est se faire du mal à soi-même. Ennus, touché de ces avertissements et de la bonté d'Ésope, comme d'un trait qui lui aurait pénétré le cœur, mourut peu de temps après.

---

a. 1668 : sans *autre enquête*

Pour revenir au défi de Necténabo, Ésope choisit des Aiglons, et les fit instruire (chose difficile à croire), il les fit, dis-je, instruire à porter en l'air chacun un panier, dans lequel était un jeune enfant. Le printemps venu, il s'en alla en Égypte avec tout cet équipage, non sans tenir en grande admiration et en attente de son dessein les peuples chez qui il passait. Necténabo, qui, sur le bruit de sa mort, avait envoyé l'énigme, fut extrêmement surpris de son arrivée. Il ne s'y attendait pas, et ne se fût jamais engagé dans un tel défi contre Lycérus, s'il eût cru Ésope vivant. Il lui demanda s'il avait amené les Architectes et le Répondant. Ésope dit que le Répondant était lui-même, et qu'il ferait voir les Architectes quand il serait sur le lieu. On sortit en pleine campagne, où les Aigles enlevèrent les paniers avec les petits enfants, qui criaient qu'on leur donnât du mortier, des pierres, et du bois. Vous voyez, dit Ésope à Necténabo, je vous ai trouvé les Ouvriers; fournissez-leur des matériaux. Necténabo avoua que Lycérus était le vainqueur[a]. Il proposa toutefois ceci à Ésope. J'ai des cavales en Égypte qui conçoivent au hannissement[b][12] des chevaux qui sont devers[13] Babylone. Qu'avez-vous à répondre là-dessus ? Le Phrygien remit sa réponse au lendemain, et retourné qu'il fut au logis, il commanda à des enfants de prendre un Chat, et de le mener fouettant par les rues. Les Égyptiens, qui adorent cet animal, se trouvèrent extrêmement scandalisés du traitement que l'on lui faisait. Ils l'arrachèrent des mains des enfants, et allèrent se plaindre au Roi. On fit venir en sa présence le Phrygien. Ne savez-vous pas, lui dit le Roi, que cet Animal est un de nos dieux ? Pourquoi donc le faites-vous traiter de la sorte ? — C'est pour l'offense qu'il a commise envers Lycérus, reprit Ésope : car, la nuit dernière, il lui a étranglé un Coq extrêmement courageux et qui chantait à toutes les heures. — Vous êtes un menteur, repartit le Roi; comment serait-il possible que ce chat eût fait en si peu de temps un si long

---

a. 1668, in-4° : que Lycérus *l'emportait*. A partir de 1668, in-12 : que Lycérus *était le vainqueur*.

b. 1668, in-4° : *sur le seul* hannissement

voyage ? — Et comment est-il possible, reprit Ésope, que vos juments entendent de si loin nos chevaux hannir, et conçoivent pour les entendre ?

En suite de cela le Roi fit venir d'Héliopolis certains personnages d'esprit subtil, et savants en questions énigmatiques. Il leur fit un grand régal où le Phrygien fut invité. Pendant le repas, ils proposèrent à Ésope diverses choses, celle-ci entre autres. Il y a un grand Temple qui est appuyé sur une Colonne entourée de douze Villes, chacune desquelles à trente arcboutants; et autour de ces arcboutants se promènent, l'une après l'autre, deux femmes, l'une blanche, l'autre noire. Il faut renvoyer, dit Ésope, cette question aux petits enfants de notre pays. Le Temple est le Monde; la Colonne, l'An; les Villes, ce sont les Mois; et les Arcboutants, les Jours, autour desquels se promènent alternativement le Jour et la Nuit.

Le lendemain, Necténabo assembla tous ses amis. Souffrirez-vous, leur dit-il, qu'une moitié d'homme, qu'un avorton soit la cause que Lycérus remporte le prix, et que j'aie la confusion pour mon partage ? Un d'eux s'avisa de demander à Ésope qu'il leur fît des questions de choses dont ils n'eussent jamais entendu parler. Ésope écrivit une cédule[14] par laquelle Necténabo confessait devoir deux mille talents à Lycérus. La cédule fut mise entre les mains de Necténabo toute cachetée. Avant qu'on l'ouvrît, les amis du Prince soutinrent que la chose contenue dans cet Écrit était de leur connaissance. Quand on l'eut ouverte, Necténabo s'écria : Voilà la plus grande fausseté du monde; je vous en prends à témoin tous tant que vous êtes. — Il est vrai, repartirent-ils, que nous n'en avons jamais entendu parler. — J'ai donc satisfait à votre demande, reprit Ésope.

Necténabo le renvoya comblé de présents, tant pour lui que pour son maître. Le séjour qu'il fit en Égypte est peut-être cause que quelques-uns ont écrit qu'il fut Esclave avec Rhodopé, celle-là qui, des libéralités de ses amants, fit élever une des trois Pyramides qui subsistent encore, et qu'on voit avec admiration : c'est la plus petite, mais celle qui est bâtie avec le plus d'art[15].

Ésope, à son retour dans Babylone, fut reçu de Lycérus avec de grandes démonstrations de joie et de bienveillance. Ce Roi lui fit ériger une statue. L'envie de voir et d'apprendre le fit renoncer à tous ces honneurs. Il quitta la cour de Lycérus, où il avait tous les avantages qu'on peut souhaiter, et prit congé de ce prince pour voir la Grèce encore une fois. Lycérus ne le laissa point partir sans embrassements et sans larmes, et sans faire promettre sur les autels qu'il reviendrait achever ses jours auprès de lui.

Entre les Villes où il s'arrêta, Delphes fut une des principales. Les Delphiens l'écoutèrent fort volontiers, mais ils ne lui rendirent point d'honneurs. Ésope, piqué de ce mépris, les compara aux bâtons qui flottent sur l'onde. On s'imagine de loin que c'est quelque chose de considérable; de près, on trouve que ce n'est rien[16]. La comparaison lui coûta cher. Les Delphiens en conçurent une telle haine et un si violent désir de vengeance (outre qu'ils craignaient d'être décriés par lui), qu'ils résolurent de l'ôter du monde. Pour y parvenir, ils cachèrent parmi ses hardes un de leurs vases sacrés, prétendant que par ce moyen ils convaincraient Ésope de vol et de sacrilège, et qu'ils le condamneraient à la mort. Comme il fut sorti de Delphes, et qu'il eut pris le chemin de la Phocide, les Delphiens accoururent comme gens qui étaient en peine. Ils l'accusèrent d'avoir dérobé leur vase. Ésope le nia avec des serments : on chercha dans son équipage, et il fut trouvé. Tout ce qu'Ésope put dire n'empêcha point qu'on ne le traitât comme un criminel infâme. Il fut ramené à Delphes chargé de fers, mis dans les cachots, puis condamné à être précipité[17]. Rien ne lui servit de se défendre avec ses armes ordinaires, et de raconter des apologues; les Delphiens s'en moquèrent. La Grenouille, leur dit-il, avait invité le Rat à la venir voir; afin de lui faire traverser l'onde, elle l'attacha à son pied. Dès qu'il fut sur l'eau, elle voulut le tirer au fond, dans le dessein de le noyer, et d'en faire ensuite un repas. Le malheureux Rat résista quelque peu de temps. Pendant qu'il se débattait sur l'eau, un Oiseau de proie l'aperçut, fondit sur lui, et l'ayant enlevé avec la Grenouille, qui ne se put détacher, il se reput de l'un et de l'autre[18]. C'est ainsi, Delphiens abominables, qu'un plus puissant que nous me vengera : je périrai; mais vous périrez aussi. Comme on le conduisait au supplice, il trouva moyen de s'échapper, et entra dans une petite Chapelle dédiée à Apollon. Les Delphiens l'en arrachèrent. Vous violez cet Asile, leur dit-il, parce que ce n'est qu'une petite Chapelle, mais un jour viendra que votre méchanceté ne trouvera point de retraite sûre, non pas même dans les Temples[a]. Il vous arrivera la même chose qu'à l'Aigle, laquelle, nonobstant les prières de l'Escarbot, enleva un Lièvre qui s'était réfugié chez lui; la génération de l'Aigle en fut punie jusque dans le giron de Jupiter[19]. Les Delphiens peu touchés de tous ces exemples, le précipitèrent.

Peu de temps après sa mort, une peste très violente exerça sur eux ses ravages. Ils demandèrent à l'Oracle par quels moyens ils pourraient apaiser le courroux des Dieux. L'oracle leur répondit qu'il n'y en avait point d'autre que d'expier leur forfait, et satisfaire aux Mânes d'Ésope. Aussitôt une Pyramide fut élevée. Les Dieux ne témoignèrent pas seuls combien ce crime leur déplaisait : les hommes vengèrent aussi la mort de leur Sage. La Grèce envoya des Commissaires pour en informer, et en fit une punition rigoureuse.

---

a. 1668 in-4° : *dedans* les Temples.

A MONSEIGNEUR LE DAUPHIN

Je chante les Héros dont Ésope est le Père,
Troupe de qui l'Histoire, encor que mensongère,
Contient des vérités qui servent de leçons.
Tout parle en mon Ouvrage, et même les Poissons :
Ce qu'ils disent s'adresse à tous tant que nous sommes. 5
Je me sers d'Animaux pour instruire les Hommes.
Illustre rejeton d'un prince aimé des Cieux,
Sur qui le Monde entier a maintenant les yeux,
Et qui, faisant fléchir les plus superbes Têtes,
Comptera désormais ses jours par ses conquêtes, 10
Quelque autre te dira d'une plus forte voix
Les faits de tes Aïeux et les vertus des Rois.
Je vais t'entretenir de moindres Aventures,
Te tracer en ces vers de légères peintures.
Et, si de t'agréer je n'emporte le prix, 15
J'aurai du moins l'honneur de l'avoir entrepris.

LIVRE PREMIER

FABLES CHOISIES,

MISES EN VERS

Par M. de la Fontaine.

A PARIS,

Chez CLAUDE BARBIN, au Palais ſur le Perron de la ſainte Chapelle.

M. DC. LXVIII.

AVEC PRIVILEGE DU ROY.

Page de titre de l'édition originale, 1668

LIVRE PREMIER.

FABLE PREMIERE.

La Cigale & la Fourmy.

LA Cigale ayant chanté
Tout l'Esté,
Se trouva fort dépourveuë
Quand la Bize fut venuë.
Pas un seul petit morceau
De mouche ou de vermisseau.
Elle alla crier famine
Chez la Fourmy sa voisine;
La priant de luy prêter

Première page de l'édition originale, 1668
Gravure par François Chauveau

LIVRE PREMIER

FABLE I

LA CIGALE ET LA FOURMI[1]

LA Cigale, ayant chanté
Tout l'Été,
Se trouva fort dépourvue
Quand la bise fut venue.
Pas un seul petit morceau
De mouche ou de vermisseau.
Elle alla crier famine
Chez la Fourmi sa voisine,
La priant de lui prêter
Quelque grain pour subsister
Jusqu'à la saison nouvelle.
Je vous paierai, lui dit-elle,
Avant l'Oût[2], foi d'animal,
Intérêt et principal.
La Fourmi n'est pas prêteuse;
C'est là son moindre défaut.
« Que faisiez-vous au temps chaud ?
Dit-elle à cette emprunteuse.
— Nuit et jour à tout venant
Je chantais, ne vous déplaise.
— Vous chantiez ? j'en suis fort aise.
Eh bien ! dansez maintenant. »

FABLE II

LE CORBEAU ET LE RENARD[1]

MAITRE Corbeau, sur un arbre perché,
Tenait en son bec un fromage.
Maître Renard, par l'odeur alléché,
Lui tint à peu près ce langage :
Et bonjour, Monsieur du Corbeau.
Que vous êtes joli ! que vous me semblez beau !
Sans mentir, si votre ramage
Se rapporte à votre plumage,
Vous êtes le Phénix des hôtes de ces bois.
A ces mots, le Corbeau ne se sent pas de joie;
Et pour montrer sa belle voix,
Il ouvre un large bec, laisse tomber sa proie.
Le Renard s'en saisit, et dit : Mon bon Monsieur,
Apprenez que tout flatteur
Vit aux dépens de celui qui l'écoute.
Cette leçon vaut bien un fromage, sans doute.
Le Corbeau honteux et confus[a]
Jura, mais un peu tard, qu'on ne l'y prendrait plus.

FABLE III

LA GRENOUILLE QUI SE VEUT FAIRE AUSSI GROSSE QUE LE BŒUF[b][1]

UNE Grenouille vit un bœuf
Qui lui sembla de belle taille.
Elle qui n'était pas grosse en tout comme un œuf,
Envieuse s'étend, et s'enfle, et se travaille[c]

---

a. Ms. Sainte-Geneviève : *Le Corbeau, tout piqué, tout honteux, tout confus*
b. Ms. Conrart : *La Grenouille qui veut ressembler au Bœuf.* — Ms. Sainte-Geneviève : *La Grenouille tâchant de devenir aussi grosse que le Bœuf.*
c. Ms. Conrart omet *Envieuse* et écrit : *S'enfle, s'étend et se travaille.*

Musée de Reims

Cl. *Archives photographiques*

Le corbeau et le renard : taque de cheminée

Pour égaler l'animal en grosseur, 5
Disant : Regardez bien, ma sœur;
Est-ce assez ? dites-moi; n'y suis-je point encore ?
— Nenni[a]. — M'y voici donc ? — Point du tout. — M'y
[voilà ?
— Vous n'en approchez point. La chétive pécore[2]
S'enfla si bien qu'elle creva. 10
Le monde est plein de gens qui ne sont pas plus sages :
Tout Bourgeois veut bâtir comme les grands Seigneurs,
Tout petit Prince a des Ambassadeurs,
Tout Marquis veut avoir des Pages.

FABLE IV

LES DEUX MULETS[1]

Deux Mulets cheminaient : l'un d'avoine chargé,
L'autre portant l'argent de la Gabelle.
Celui-ci, glorieux d'une charge si belle,
N'eût voulu pour beaucoup en être soulagé.
Il marchait d'un pas relevé, 5
Et faisait sonner sa sonnette :
Quand, l'ennemi se présentant,
Comme il en voulait à l'argent,
Sur le Mulet du fisc une troupe se jette,
Le saisit au frein et l'arrête. 10
Le Mulet en se défendant
Se sent percer de coups : il gémit, il soupire.
Est-ce donc là, dit-il, ce qu'on m'avait promis ?
Ce Mulet qui me suit du danger se retire,
Et moi j'y tombe, et je péris. 15
— Ami, lui dit son camarade,
Il n'est pas toujours bon d'avoir un haut Emploi :
Si tu n'avais servi qu'un Meunier, comme moi,
Tu ne serais pas si malade.

---

a. Ms. Conrart et Sainte-Geneviève: *Non point* (à la place de *Nenni*)

FABLE V

LE LOUP ET LE CHIEN[1]

Un Loup n'avait que les os et la peau;
Tant les Chiens faisaient bonne garde.
Ce Loup rencontre un Dogue[2] aussi puissant[3] que beau,
Gras, poli, qui s'était fourvoyé par mégarde.
L'attaquer, le mettre en quartiers,
Sire Loup l'eût fait volontiers.
Mais il fallait livrer bataille,
Et le Mâtin était de taille
A se défendre hardiment.
Le Loup donc l'aborde humblement,
Entre en propos, et lui fait compliment
Sur son embonpoint, qu'il admire.
Il ne tiendra qu'à vous, beau Sire,
D'être aussi gras que moi, lui repartit le Chien.
Quittez les bois, vous ferez bien :
Vos pareils y sont misérables,
Cancres[4], haires[5], et pauvres diables,
Dont la condition est de mourir de faim.
Car quoi ? Rien d'assuré : point de franche lippée[6] :
Tout à la pointe de l'épée.
Suivez-moi : vous aurez un bien meilleur destin.
Le Loup reprit : Que me faudra-t-il faire ?
Presque rien, dit le Chien, donner la chasse aux gens
Portants bâtons, et mendiants[7];
Flatter ceux du logis, à son Maître complaire;
Moyennant quoi votre salaire
Sera force reliefs de toutes les façons :
Os de poulets, os de pigeons :
Sans parler de mainte caresse.
Le Loup déjà se forge une félicité
Qui le fait pleurer de tendresse.
Chemin faisant, il vit le col du Chien pelé. [de chose.
Qu'est-ce là ? lui dit-il. — Rien. — Quoi ? rien ? — Peu
— Mais encor ? — Le collier dont je suis attaché
De ce que vous voyez est peut-être la cause.

— Attaché ? dit le Loup : vous ne courez donc pas
Où vous voulez ? — Pas toujours, mais qu'importe ?
— Il importe si bien, que de tous vos repas
Je ne veux en aucune sorte,
Et ne voudrais pas même à ce prix un trésor. 40
Cela dit, maître Loup s'enfuit, et court encor.

FABLE VI

LA GÉNISSE, LA CHÈVRE ET LA BREBIS, EN SOCIÉTÉ AVEC LE LION[1]

La Génisse, la Chèvre et leur sœur la Brebis,
Avec un fier Lion, Seigneur du voisinage,
Firent société, dit-on, au temps jadis,
Et mirent en commun le gain et le dommage.
Dans les lacs de la Chèvre un Cerf se trouva pris. 5
Vers ses associés aussitôt elle envoie.
Eux venus, le Lion par ses ongles[2] compta,
Et dit : Nous sommes quatre à partager la proie;
Puis en autant de parts le Cerf il dépeça;
Prit pour lui la première en qualité de Sire : 10
Elle doit être à moi, dit-il; et la raison,
C'est que je m'appelle Lion :
A cela l'on n'a rien à dire.
La seconde, par droit, me doit échoir encor :
Ce droit, vous le savez, c'est le droit du plus fort. 15
Comme le plus vaillant je prétends la troisième.
Si quelqu'une de vous touche à la quatrième
Je l'étranglerai tout d'abord.

FABLE VII

LA BESACE[1]

JUPITER dit un jour : Que tout ce qui respire
S'en vienne comparaître aux pieds de ma grandeur.
Si dans son composé quelqu'un trouve à redire,
Il peut le déclarer sans peur :
Je mettrai remède à la chose. 5
Venez, Singe; parlez le premier, et pour cause[2].
Voyez ces animaux, faites comparaison
De leurs beautés avec les vôtres.
Êtes-vous satisfait ? — Moi, dit-il, pourquoi non ?
N'ai-je pas quatre pieds aussi bien que les autres ? 10
Mon portrait jusqu'ici ne m'a rien reproché;
Mais pour mon frère l'Ours, on ne l'a qu'ébauché :
Jamais, s'il me veut croire, il ne se fera peindre.
L'Ours venant là-dessus, on crut qu'il s'allait plaindre.
Tant s'en faut : de sa forme il se loua très fort 15
Glosa sur l'Éléphant; dit qu'on pourrait encor
Ajouter à sa queue, ôter à ses oreilles;
Que c'était une masse informe et sans beauté.
L'Éléphant étant écouté,
Tout sage qu'il était, dit des choses pareilles. 20
Il jugea qu'à son appétit
Dame Baleine était trop grosse.
Dame Fourmi trouva le Ciron trop petit,
Se croyant, pour elle, un colosse.
Jupin les renvoya s'étant censurés tous, 25
Du reste, contents[a] d'eux; mais parmi les plus fous
Notre espèce excella; car tout ce que nous sommes,
Lynx envers nos pareils, et Taupes envers nous,
Nous nous pardonnons tout, et rien aux autres hommes.
On se voit d'un autre œil qu'on ne voit son prochain. 30
Le Fabricateur souverain
Nous créa Besaciers tous de même manière,
Tant ceux du temps passé que du temps d'aujourd'hui.
Il fit pour nos défauts la poche de derrière
Et celle de devant pour les défauts d'autrui. 35

---

a. 1668 : *content,* corrigé dans l'*Errata* de 1678 et déjà dans 1668 in-12.

FABLE VIII

L'HIRONDELLE ET LES PETITS OISEAUX[1]

UNE Hirondelle en ses voyages
Avait beaucoup appris. Quiconque a beaucoup vu
Peut avoir beaucoup retenu.
Celle-ci prévoyait jusqu'aux moindres orages,
Et devant qu'ils fussent éclos, 5
Les annonçait aux Matelots.
Il arriva qu'au temps que le chanvre se sème,
Elle vit un Manant en couvrir maints sillons.
Ceci ne me plaît pas, dit-elle aux Oisillons.
Je vous plains : car pour moi, dans ce péril extrême, 10
Je saurai m'éloigner, ou vivre en quelque coin[2].
Voyez-vous cette main qui par les airs[a] chemine ?
Un jour viendra, qui n'est pas loin,
Que ce qu'elle répand sera votre ruine.
De là naîtront engins à vous envelopper, 15
Et lacets pour vous attraper,
Enfin mainte et mainte machine
Qui causera dans la saison
Votre mort ou votre prison.
Gare la cage ou le chaudron. 20
C'est pourquoi, leur dit l'Hirondelle,
Mangez ce grain; et croyez-moi.
Les Oiseaux se moquèrent d'elle :
Ils trouvaient aux champs trop de quoi.
Quand la chènevière fut verte, 25
L'Hirondelle leur dit : Arrachez brin à brin
Ce qu'a produit ce maudit grain,
Ou soyez sûrs de votre perte.
— Prophète de malheur, babillarde, dit-on,
Le bel emploi que tu nous donnes ! 30
Il nous faudrait mille personnes
Pour éplucher tout ce canton.
La chanvre étant tout à fait crue,

---

a. Un manuscrit, que l'éditeur Walckenaer estimait autographe, portait : *dans* les airs

L'Hirondelle ajouta : Ceci ne va pas bien;
Mauvaise graine est tôt venue. 35
Mais puisque jusqu'ici l'on ne m'a crue en rien,
Dès que vous verrez que la terre
Sera couverte[3], et qu'à leurs blés
Les gens n'étant plus occupés
Feront aux Oisillons la guerre; 40
Quand reginglettes et réseaux[4]
Attraperont petits Oiseaux,
Ne volez plus de place en place,
Demeurez au logis, ou changez de climat :
Imitez le Canard, la Grue, et la Bécasse. 45
Mais vous n'êtes pas en état
De passer comme nous les déserts et les ondes,
Ni d'aller chercher d'autres mondes.
C'est pourquoi vous n'avez qu'un parti qui soit sûr :
C'est de vous renfermer aux trous de quelque mur. 50
Les Oisillons, las de l'entendre,
Se mirent à jaser aussi confusément
Que faisaient les Troyens quand la pauvre Cassandre[5]
Ouvrait la bouche seulement.
Il en prit[6] aux uns comme aux autres : 55
Maint oisillon se vit esclave retenu.
Nous n'écoutons d'instincts que ceux qui sont les nôtres,
Et ne croyons le mal que quand il est venu.

FABLE IX

LE RAT DE VILLE ET LE RAT DES CHAMPS[1]

AUTREFOIS le Rat de ville
Invita le Rat des champs,
D'une façon fort civile,
A des reliefs d'Ortolans.

Sur un Tapis de Turquie 5
Le couvert se trouva mis.
Je laisse à penser la vie
Que firent ces deux amis.

Le régal fut fort honnête,
Rien ne manquait au festin;
Mais quelqu'un troubla la fête
Pendant qu'ils étaient en train.

A la porte de la salle
Ils entendirent du bruit :
Le Rat de ville détale;
Son camarade le suit.

Le bruit cesse, on se retire :
Rats en campagne aussitôt;
Et le citadin de dire :
Achevons tout notre rôt.

— C'est assez, dit le rustique;
Demain vous viendrez chez moi :
Ce n'est pas que je me pique
De tous vos festins de Roi;

Mais rien ne vient m'interrompre :
Je mange tout à loisir.
Adieu donc; fi du plaisir
Que la crainte peut corrompre.

FABLE X

LE LOUP ET L'AGNEAU[1]

La raison du plus fort est toujours la meilleure :
Nous l'allons montrer tout à l'heure[a 2].
Un Agneau se désaltérait
Dans le courant d'une onde pure.
Un Loup survient[b] à jeun qui cherchait aventure,
Et que la faim en ces lieux attirait.
Qui te rend si hardi de troubler mon breuvage ?

a. Ms Sainte-Geneviève ne contient pas les vers 1-2.
b. Ms Sainte-Geneviève : *survint*

Dit cet animal plein de rage :
Tu seras châtié de ta témérité.
— Sire, répond l'Agneau, que votre Majesté 10
Ne se mette pas en colère[a];
Mais plutôt qu'elle considère
Que je me vas[b][3] désaltérant
Dans le courant,
Plus de vingt pas au-dessous d'Elle, 15
Et que par conséquent, en aucune façon,
Je ne puis troubler sa boisson.
— Tu la troubles, reprit cette bête cruelle,
Et je sais que de moi tu médis l'an passé.
— Comment l'aurais-je fait si je n'étais pas né ? 20
Reprit l'Agneau, je tette encor ma mère.
— Si ce n'est toi, c'est donc ton frère.
— Je n'en ai point. — C'est donc quelqu'un des tiens :
Car vous ne m'épargnez guère,
Vous, vos bergers, et vos chiens. 25
On me l'a dit : il faut que je me venge.
Là-dessus[c], au fond des forêts
Le Loup l'emporte, et puis le mange,
Sans autre forme de procès.

FABLE XI

L'HOMME ET SON IMAGE[1]

POUR M. L. D. D. L. R.[2]

Un homme qui s'aimait sans avoir de rivaux
Passait dans son esprit pour le plus beau du monde.
Il accusait toujours les miroirs d'être faux,
Vivant plus que content dans son erreur profonde.

---

a. Ms. Sainte-Geneviève : *point* en colère
b. Ms. Sainte-Geneviève et Ms. Conrart : Je me *vais*
c. Ms. Conrart : Tu la troubles, reprit cette bête cruelle.
Ne me cherche point de raison
Car tout à l'heure il faut que je me venge.
Là-dessus...

Cl. B.N.

B.N. Estampes

Le loup et l'agneau
Dessin de Loutherbourg pour les *Fables choisies...*
Nouvelle édition gravée en taille douce
par le Sr Fessard, Paris, chez l'auteur, 1765-1775

Afin de le guérir, le sort officieux 5
Présentait partout à ses yeux
Les Conseillers[3] muets dont se servent nos Dames :
Miroirs dans les logis, miroirs chez les Marchands,
Miroirs aux poches des galands,
Miroirs aux ceintures des femmes[4]. 10
Que fait notre Narcisse ? Il va se confiner
Aux lieux les plus cachés qu'il peut s'imaginer
N'osant plus des miroirs éprouver l'aventure.
Mais un canal[5], formé par une source pure,
Se trouve en ces lieux écartés; 15
Il s'y voit; il se fâche; et ses yeux irrités
Pensent apercevoir une chimère vaine.
Il fait tout ce qu'il peut pour éviter cette eau;
Mais quoi, le canal est si beau
Qu'il ne le quitte qu'avec peine. 20
On voit bien où je veux venir.
Je parle à tous; et cette erreur extrême
Est un mal que chacun se plaît d'entretenir.
Notre âme, c'est cet Homme amoureux de lui-même;
Tant de Miroirs, ce sont les sottises d'autrui, 25
Miroirs, de nos défauts les Peintres légitimes;
Et quant au Canal, c'est celui
Que chacun sait, le Livre des *Maximes*.

FABLE XII

LE DRAGON A PLUSIEURS TÊTES, ET LE DRAGON A PLUSIEURS QUEUES[1]

Un Envoyé du Grand Seigneur[2]
Préférait, dit l'Histoire, un jour chez l'Empereur[3],
Les forces de son Maître à celles de l'Empire.
Un Allemand se mit à dire :
Notre prince a des dépendants 5
Qui de leur chef sont si puissants
Que chacun d'eux pourrait soudoyer une armée.
Le Chiaoux[4], homme de sens,
Lui dit : Je sais par renommée

Ce que chaque Électeur peut de monde fournir; 10
Et cela me fait souvenir
D'une aventure étrange, et qui pourtant est vraie.
J'étais en un lieu sûr, lorsque je vis passer
Les cent têtes d'une Hydre au travers d'une haie.
Mon sang commence à se glacer; 15
Et je crois qu'à moins on s'effraie.
Je n'en eus toutefois que la peur sans le mal.
Jamais le corps de l'animal
Ne put venir vers moi, ni trouver d'ouverture.
Je rêvais à cette aventure, 20
Quand un autre Dragon, qui n'avait qu'un seul chef
Et bien plus d'une queue, à passer se présente.
Me voilà saisi derechef
D'étonnement et d'épouvante.
Ce chef passe, et le corps, et chaque queue aussi. 25
Rien ne les empêcha; l'un fit chemin à l'autre.
Je soutiens qu'il en est ainsi
De votre Empereur et du nôtre.

FABLE XIII

LES VOLEURS ET L'ANE[1]

Pour un Ane enlevé deux Voleurs se battaient :
L'un voulait le garder; l'autre le voulait vendre.
Tandis que coups de poing trottaient,
Et que nos champions songeaient à se défendre,
Arrive un troisième larron 5
Qui saisit maître Aliboron.
L'Ane, c'est quelquefois une pauvre province.
Les voleurs sont tel ou tel prince,
Comme le Transylvain, le Turc, et le Hongrois.
Au lieu de deux, j'en ai rencontré trois : 10
Il est assez de cette marchandise.
De nul d'eux n'est souvent la Province conquise :
Un quart Voleur survient, qui les accorde net
En se saisissant du Baudet.

FABLE XIV

SIMONIDE PRÉSERVÉ PAR LES DIEUX[1]

On ne peut trop louer trois sortes de personnes :
Les Dieux, sa Maîtresse, et son Roi.
Malherbe[2] le disait; j'y souscris quant à moi :
Ce sont maximes toujours bonnes.
La louange chatouille et gagne les esprits; 5
Les faveurs d'une belle en sont souvent le prix.
Voyons comme les Dieux l'ont quelquefois[3] payée.
Simonide[4] avait entrepris
L'éloge d'un Athlète, et, la chose essayée,
Il trouva son sujet plein de récits tout nus[5]. 10
Les parents de l'Athlète étaient gens inconnus,
Son père, un bon Bourgeois, lui sans autre mérite :
Matière infertile et petite.
Le Poète d'abord parla de son Héros.
Après en avoir dit ce qu'il en pouvait dire, 15
Il se jette à côté, se met sur le propos
De Castor et Pollux[6], ne manque pas d'écrire
Que leur exemple était aux lutteurs glorieux,
Élève leurs combats, spécifiant les lieux
Où ces frères s'étaient signalés davantage. 20
Enfin l'éloge de ces Dieux
Faisait les deux tiers de l'ouvrage.
L'Athlète avait promis d'en payer un talent[7];
Mais quand il le vit, le galand
N'en donna que le tiers, et dit fort franchement 25
Que Castor et Pollux acquitassent le reste.
Faites-vous contenter par ce couple céleste.
Je vous veux traiter cependant :
Venez souper chez moi, nous ferons bonne vie.
Les conviés sont gens choisis, 30
Mes parents, mes meilleurs amis.
Soyez donc de la compagnie.
Simonide promit. Peut-être qu'il eut peur
De perdre, outre son dû, le gré[8] de sa louange.
Il vient, l'on festine, l'on mange. 35
Chacun étant en belle humeur,

Un domestique accourt, l'avertit qu'à la porte
Deux hommes demandaient à le voir promptement.
    Il sort de table, et la cohorte[9]
    N'en perd pas un seul coup de dent. 4
Ces deux hommes étaient les gémeaux de l'éloge.
Tous deux lui rendent grâce; et pour prix de ses vers,
    Ils l'avertissent qu'il déloge,
Et que cette maison va tomber à l'envers.
    La prédiction en fut vraie[a]; 4
    Un pilier manque; et le plafonds,
    Ne trouvant plus rien qui l'étaie,
Tombe sur le festin, brise plats et flacons,
    N'en fait pas moins aux Échansons.
Ce ne fut pas le pis; car, pour rendre complète 5
    La vengeance due au Poète,
Une poutre cassa les jambes à l'Athlète,
    Et renvoya les conviés
    Pour la plupart estropiés.
La renommée eut soin de publier l'affaire. 5
Chacun cria miracle. On doubla le salaire
Que méritaient les vers d'un homme aimé des Dieux.
    Il n'était fils de bonne mère[10]
    Qui, les payant à qui mieux mieux,
    Pour ses ancêtres n'en fît faire. 6
Je reviens à mon texte[11] et dis premièrement
Qu'on ne saurait manquer[12] de louer largement
Les Dieux et leurs pareils; de plus, que Melpomène[13]
Souvent sans déroger trafique de sa peine[14];
Enfin qu'on doit tenir notre art en quelque prix. 6
Les grands se font honneur dès lors qu'ils nous font grâce[15] :
    Jadis l'Olympe et le Parnasse[16]
    Étaient frères et bons amis.

---

a. 1678 : La prédiction fut vraie.

FABLE XV

LA MORT ET LE MALHEUREUX[1]

XVI

LA MORT ET LE BUCHERON[1]

UN Malheureux appelait tous les jours
La mort à son secours.
O mort, lui disait-il[a], que tu me sembles belle !
Viens vite, viens finir ma fortune cruelle.
La Mort crut, en venant, l'obliger en effet. 5
Elle frappe à sa porte, elle entre, elle se montre.
Que vois-je ! cria-t-il, ôtez-moi cet objet;
Qu'il est hideux ! que sa rencontre
Me cause d'horreur et d'effroi !
N'approche pas, ô mort; ô mort, retire-toi. 10
Mécénas fut un galant homme :
Il a dit quelque part : Qu'on me rende impotent,
Cul-de-jatte, goutteux, manchot, pourvu qu'en somme
Je vive, c'est assez, je suis plus que content.
Ne viens jamais, ô mort; on t'en dit tout autant[b]. 15

Ce sujet a été traité d'une autre façon par Ésope, comme la Fable suivante le fera voir. Je composai celle-ci pour une raison qui me contraignait de rendre la chose ainsi générale[2]. *Mais quelqu'un*[3] *me fit connaître que j'eusse beaucoup mieux fait de suivre mon original, et que je laissais passer un des plus beaux traits*[4] *qui fût dans Ésope. Cela m'obligea d'y avoir recours. Nous ne saurions aller plus avant que les Anciens: ils ne nous ont laissé pour notre part que la gloire de les bien suivre. Je joins toutefois ma Fable à celle d'Ésope, non que la mienne le mérite, mais à cause du mot de Mécénas que j'y fais entrer, et qui est si beau et si à propos que je n'ai pas cru le devoir omettre.*

---

a. Mss Conrart et Sainte-Geneviève : *ce* disait-il.
b. Ms. Conrart : *Va-t'en de grâce, ô Mort ; car je t'en dis autant.*
Ms. Sainte Geneviève : *Va-t'en de grâce, ô Mort ; je t'en dis tout autant.*

Un pauvre Bûcheron tout couvert de ramée,
Sous le faix du fagot aussi bien que des ans
Gémissant et courbé marchait à pas pesants,
Et tâchait de gagner sa chaumine[2] enfumée.
Enfin, n'en pouvant plus d'effort et de douleur,
Il met bas son fagot, il songe à son malheur.
Quel plaisir a-t-il eu depuis qu'il est au monde ?
En est-il un plus pauvre en la machine ronde ?
Point de pain quelquefois, et jamais de repos.
Sa femme, ses enfants, les soldats[3], les impôts,
Le créancier, et la corvée
Lui font d'un malheureux la peinture achevée.
Il appelle la mort, elle vient sans tarder,
Lui demande ce qu'il faut faire
C'est, dit-il, afin de m'aider
A recharger ce bois; tu ne tarderas guère.
Le trépas vient tout guérir;
Mais ne bougeons d'où nous sommes.
Plutôt souffrir que mourir,
C'est la devise des hommes.

FABLE XVII

L'HOMME ENTRE DEUX AGES, ET SES DEUX MAITRESSES[1]

Un homme de moyen âge,
Et tirant sur le grison,
Jugea qu'il était saison
De songer au mariage.
Il avait du comptant,
Et partant
De quoi choisir. Toutes voulaient lui plaire;
En quoi notre amoureux ne se pressait pas tant;
Bien adresser[2] n'est pas petite affaire.
Deux veuves sur son cœur eurent le plus de part :
L'une encor verte, et l'autre un peu bien mûre,
Mais qui réparait par son art

B.N. Estampes — *Cl. B.N.*

La mort et le bûcheron
Gravure de Hédouin d'après J.-F. Millet

Thematic anticlosure.

non resolution of all issues.

eg) Rhetorical question

Fit-il pas mieux que de se plaindre? (v8) at the end of "Le Renard et les raisins" (3.11)

may(not) invite +ve reply condemning the fox's devaluation of the unattainable.

Preparation for unresolved finale appears in 1st verse "certain renard Gascon, d'autres disent normand."

∴ Creates uncertainty about the protagonists mind-set.

Dawid Lee Rubin:

The total context of the Fables clearly opts not only for survival + freedom from pain, but for variety + beauty as well, ~~the total~~ which the poet sees as satisfying genuine needs of their own.

wisdom consists NOT in choosing 1 set of views over the other but in a hierarchical synthesis of values.

Ce qu'avait détruit la nature.
Ces deux Veuves, en badinant, 15
En riant, en lui faisant fête,
L'allaient quelquefois testonnant[3],
C'est-à-dire ajustant sa tête.
La Vieille à tous moments de sa part emportait
Un peu du poil noir qui restait, 20
Afin que son amant en fût plus à sa guise.
La Jeune saccageait les poils blancs à son tour.
Toutes deux firent tant, que notre tête grise
Demeura sans cheveux, et se douta du tour.
Je vous rends, leur dit-il, mille grâces, les Belles, 25
Qui m'avez si bien tondu;
J'ai plus gagné que perdu :
Car d'Hymen point de nouvelles.
Celle que je prendrais voudrait qu'à sa façon
Je vécusse, et non à la mienne. 30
Il n'est tête chauve qui tienne,
Je vous suis obligé, Belles, de la leçon[4].

FABLE XVIII

LE RENARD ET LA CIGOGNE[1]

COMPÈRE le Renard se mit un jour en frais,
Et retint à dîner commère la Cigogne.
Le régal fut petit, et sans beaucoup d'apprêts;
Le galand pour toute besogne[2] 5
Avait un brouet[3] clair (il vivait chichement).
Ce brouet fut par lui servi sur une assiette :
La Cigogne au long bec n'en put attraper miette;
Et le drôle eut lapé le tout en un moment.
Pour se venger de cette tromperie, 10
A quelque temps de là, la Cigogne le prie.
Volontiers, lui dit-il, car avec mes amis
Je ne fais point cérémonie.
A l'heure dite il courut au logis
De la Cigogne son hôtesse,

Loua très fort la politesse[a], 15
Trouva le dîner cuit à point.
Bon appétit surtout; Renards n'en manquent point.
Il se réjouissait à l'odeur de la viande
Mise en menus morceaux, et qu'il croyait friande.
On servit, pour l'embarrasser, 20
En un vase à long col et d'étroite embouchure.
Le bec de la Cigogne y pouvait bien passer,
Mais le museau du Sire était d'autre mesure.
Il lui fallut à jeun retourner au logis,
Honteux comme un Renard qu'une Poule aurait pris, 25
Serrant la queue, et portant bas l'oreille.
Trompeurs, c'est pour vous que j'écris :
Attendez-vous à la pareille.

FABLE XIX

L'ENFANT ET LE MAITRE D'ÉCOLE[1]

Dans ce récit je prétends faire voir
D'un certain sot la remontrance vaine.
Un jeune enfant dans l'eau se laissa choir,
En badinant sur les bords de la Seine.
Le Ciel permit qu'un saule se trouva 5
Dont le branchage, après Dieu, le sauva.
S'étant pris, dis-je, aux branches de ce saule,
Par cet endroit passe un Maître d'école.
L'Enfant lui crie : Au secours, je péris !
Le Magister, se tournant à ses cris, 10
D'un ton fort grave à contre-temps s'avise
De le tancer : Ah ! le petit babouin !
Voyez, dit-il, où l'a mis sa sottise !
Et puis, prenez de tels fripons le soin.
Que les parents sont malheureux, qu'il faille 15
Toujours veiller à semblable canaille !
Qu'ils ont de maux ! et que je plains leur sort !
Ayant tout dit, il mit l'enfant à bord.

---

a. 1668, 1669, 1679 : *sa* politesse

Je blâme ici plus de gens qu'on ne pense. 20
Tout babillard, tout censeur, tout pédant,
Se peut connaître au discours que j'avance :
Chacun des trois fait un peuple fort grand;
Le Créateur en a béni l'engeance.
En toute affaire ils ne font que songer 25
Aux moyens d'exercer leur langue.
Hé mon ami, tire-moi de danger :
Tu feras après ta harangue.

FABLE XX

LE COQ ET LA PERLE[1]

Un jour un Coq détourna[2]
Une Perle qu'il donna
Au beau premier Lapidaire.
Je la crois fine, dit-il; 5
Mais le moindre grain de mil
Serait bien mieux mon affaire.

Un ignorant hérita
D'un manuscrit qu'il porta
Chez son voisin le Libraire. 10
Je crois, dit-il, qu'il est bon;
Mais le moindre ducaton
Serait bien mieux mon affaire.

FABLE XXI

LES FRELONS ET LES MOUCHES A MIEL[1]

A l'œuvre on connaît l'Artisan.
Quelques rayons de miel sans maître se trouvèrent,
Des Frelons les réclamèrent.
Des Abeilles s'opposant[2],

Devant certaine Guêpe on traduisit[3] la cause. 5
Il était malaisé de décider la chose.
Les témoins déposaient qu'autour de ces rayons
Des animaux ailés, bourdonnants, un peu longs,
De couleur fort tannée[4] et tels que les Abeilles,
Avaient longtemps paru. Mais quoi ! dans les Frelons 10
Ces enseignes[5] étaient pareilles.
La Guêpe, ne sachant que dire à ces raisons,
Fit enquête nouvelle, et pour plus de lumière
Entendit une fourmilière.
Le point[6] n'en put être éclairci. 15
De grâce, à quoi bon tout ceci ?
Dit une Abeille fort prudente,
Depuis tantôt six mois que la cause est pendante,
Nous voici comme aux premiers jours.
Pendant cela le miel se gâte. 20
Il est temps désormais que le juge se hâte :
N'a-t-il point assez léché l'Ours[7] ?
Sans tant de contredits et d'interlocutoires[8],
Et de fatras, et de grimoires,
Travaillons, les Frelons et nous : 25
On verra qui sait faire, avec un suc si doux,
Des cellules si bien bâties.
Le refus des Frelons fit voir
Que cet art passait leur savoir;
Et la Guêpe adjugea le miel à leurs parties. 30
Plût à Dieu qu'on réglât ainsi tous les procès !
Que des Turcs en cela l'on suivît la méthode[9] !
Le simple sens commun nous tiendrait lieu de Code;
Il ne faudrait point tant de frais;
Au lieu qu'on nous mange, on nous gruge, 35
On nous mine par des longueurs;
On fait tant, à la fin, que l'huître est pour le juge,
Les écailles pour les plaideurs[10].

Musée de la Manufacture *Cl. Archives photographiques*

Le coq et la perle

Carton de tapisserie de Oudry pour la Manufacture de Beauvais

Considered 2 b one of LAF Masterpieces -
Symbolism is clear: oak king of forest.
reed - fragility / flexibility.
Presentation = direct w/out preamble
or moral.

The tragedy of the fall of the
powerful + survival of the weak.
[trad theme in western thought + lit]

complexity, richness of lang,
images, rhythmic + phonic
patterns analysed by
commentators - shown supreme
artistry of the poet.

tragic irony in oaks statement
and an implicit comparison -
irony = oak = victim of force of Nature.
The periphrastic structures give
amplitude + majesty to the natural
phenomenon, the storm. *

Reversal = brutal, complete but
sumptuously / hauntingly described -

FABLE XXII

LE CHÊNE ET LE ROSEAU[1]

LE Chêne un jour dit au Roseau :
Vous avez bien sujet d'accuser la Nature;
Un Roitelet pour vous est un pesant fardeau.
Le moindre vent qui d'aventure
Fait rider la face de l'eau, 5
Vous oblige à baisser la tête :
Cependant que mon front, au Caucase pareil,
Non content d'arrêter les rayons du Soleil,
Brave l'effort de la tempête.
Tout vous est Aquilon, tout me semble Zéphir[2]. 10
Encor si vous naissiez à l'abri du feuillage
Dont je couvre le voisinage,
Vous n'auriez pas tant à souffrir :
Je vous défendrais de l'orage;
Mais vous naissez le plus souvent 15
Sur les humides bords des Royaumes du vent.
La nature envers vous me semble bien injuste.
— Votre compassion, lui répondit l'Arbuste[a],
Part d'un bon naturel; mais quittez ce souci.
Les vents me sont moins qu'à vous redoutables. 20
Je plie, et ne romps pas. Vous avez jusqu'ici
Contre leurs coups épouvantables
Résisté sans courber le dos;
Mais attendons la fin. Comme il disait ces mots
Du bout de l'horizon accourt avec furie 25
Le plus terrible des enfants
Que le Nord eût porté jusques-là dans ses flancs.
L'Arbre tient bon; le Roseau plie.
Le vent redouble ses efforts,
Et fait si bien qu'il déracine 30
Celui de qui la tête au Ciel était voisine,
Et dont les pieds touchaient à l'Empire des Morts[3].

---

a. Un ms. autographe, possédé par « un amateur de la Nièvre » lorsque Régnier établissait l'édition des Grands Écrivains, donnait cette variante :

La nature envers vous *ne fut pas indulgente.*
— Votre compassion lui répondit *la plante*,

raised to mythical level of a grand.

Thundering finale creates a lasting, cosmic, apocalyptic impression in the reader.

LIVRE DEUXIÈME

LIVRE DEUXIÈME

FABLE I

CONTRE CEUX QUI ONT LE GOUT DIFFICILE[1]

QUAND j'aurais, en naissant, reçu de Calliope[2]
Les dons qu'à ses Amants cette Muse a promis,
Je les consacrerais aux mensonges[3] d'Ésope :
Le mensonge et les vers de tout temps sont amis.
Mais je ne me crois pas si chéri du Parnasse 5
Que de savoir orner toutes ces fictions.
On peut donner du lustre[4] à leurs inventions;
On le peut, je l'essaie; un plus savant le fasse.
Cependant jusqu'ici d'un langage nouveau
J'ai fait parler le Loup et répondre l'Agneau. 10
J'ai passé plus avant : les Arbres et les Plantes
Sont devenus chez moi créatures parlantes.
Qui ne prendrait ceci pour un enchantement[5] ?
Vraiment, me diront nos Critiques,
Vous parlez magnifiquement 15
De cinq ou six contes d'enfant.
— Censeurs, en voulez-vous qui soient plus authentiques[6]
Et d'un style plus haut ? En voici. Les Troyens,
Après dix ans de guerre autour de leurs murailles,
Avaient lassé les Grecs qui, par mille moyens, 20
Par mille assauts, par cent batailles,
N'avaient pu mettre à bout cette fière Cité;

Quand un cheval de bois par Minerve inventé
D'un rare et nouvel artifice,
Dans ses énormes flancs reçut le sage Ulysse,
Le vaillant Diomède, Ajax l'impétueux,
Que ce Colosse monstrueux
Avec leurs escadrons devait porter dans Troie,
Livrant à leur fureur ses Dieux mêmes en proie.
Stratagème inouï, qui des fabricateurs
Paya la constance et la peine[7].
— C'est assez, me dira quelqu'un de nos Auteurs;
La période est longue, il faut reprendre haleine;
Et puis votre Cheval de bois,
Vos Héros avec leurs Phalanges, 35
Ce sont des contes plus étranges
Qu'un Renard qui cajole un Corbeau sur sa voix.
De plus, il vous sied mal d'écrire en si haut style.
— Et bien, baissons d'un ton. La jalouse Amarylle
Songeait à son Alcippe[8], et croyait de ses soins 40
N'avoir que ses Moutons et son Chien pour témoins.
Tircis, qui l'aperçut, se glisse entre des Saules;
Il entend la bergère adressant ces paroles
Au doux Zéphire, et le priant
De les porter à son Amant. 45
— Je vous arrête à cette rime,
Dira mon censeur à l'instant,
Je ne la tiens pas légitime,
Ni d'une assez grande vertu.
Remettez, pour le mieux, ces deux vers à la fonte. 50
— Maudit censeur, te tairas-tu ?
Ne saurais-je achever mon conte ?
C'est un dessein très dangereux
Que d'entreprendre de te plaire.
Les délicats sont malheureux : 55
Rien ne saurait les satisfaire.

FABLE II

CONSEIL TENU PAR LES RATS[1]

Un Chat, nommé Rodilardus[2]
Faisait de Rats telle déconfiture
Que l'on n'en voyait presque plus,
Tant il en avait mis dedans la sépulture.
Le peu qu'il en restait, n'osant quitter son trou, 5
Ne trouvait à manger que le quart de son sou;
Et Rodilard passait, chez la gent misérable,
Non pour un Chat, mais pour un Diable.
Or un jour qu'au haut et au loin
Le galand alla chercher femme, 10
Pendant tout le sabbat qu'il fit avec sa Dame,
Le demeurant des Rats tint Chapitre en un coin
Sur la nécessité[3] présente.
Dès l'abord leur Doyen, personne fort prudente,
Opina qu'il fallait, et plus tôt que plus tard, 15
Attacher un grelot au cou de Rodilard;
Qu'ainsi, quand il irait[a] en guerre,
De sa marche avertis, ils s'enfuiraient sous terre;
Qu'il n'y savait que ce moyen.
Chacun fut de l'avis de Monsieur le Doyen, 20
Chose ne leur parut à tous plus salutaire.
La difficulté fut d'attacher le grelot.
L'un dit : Je n'y vas point, je ne suis pas si sot;
L'autre : Je ne saurais. Si bien que sans rien faire
On se quitta. J'ai maints Chapitres vus, 25
Qui pour néant se sont ainsi tenus :
Chapitres non de Rats, mais Chapitres de Moines,
Voire Chapitres de Chanoines.

Ne faut-il que délibérer,
La Cour en Conseillers foisonne; 30
Est-il besoin d'exécuter,
L'on ne rencontre plus personne.

---

a. Ms. Sainte-Geneviève : *ils s'en iroient*

FABLE III

LE LOUP PLAIDANT CONTRE LE RENARD PAR-DEVANT LE SINGE[a][1]

Un Loup disait que l'on l'avait volé :
Un Renard, son voisin, d'assez mauvaise vie,
Pour ce prétendu vol par lui fut appelé[2].
Devant le Singe il fut plaidé,
Non point par Avocats, mais par chaque Partie. 5
Thémis n'avait point travaillé,
De mémoire de Singe, à fait plus embrouillé[b].
Le Magistrat suait en son lit de Justice[3].
Après qu'on eut bien contesté,
Répliqué, crié, tempêté, 10
Le Juge, instruit de leur malice,
Leur dit : Je vous connais de longtemps, mes amis;
Et tous deux vous[c] paierez l'amende :
Car toi, Loup, tu te plains, quoiqu'on ne t'ait rien pris;
Et toi, Renard, as pris ce que l'on te demande. 15
Le Juge prétendait qu'à tort et à travers
On ne saurait manquer condamnant[4] un pervers[d].

Quelques personnes de bon sens ont cru que l'impossibilité et la contradiction qui est dans le Jugement de ce Singe était une chose à censurer ; mais je ne m'en suis servi qu'après Phèdre ; et c'est en cela que consiste le bon mot, selon mon avis.

---

a. Ms. Sainte-Geneviève : *Le Loup et le Renard plaidant devant le Singe.*

b. Ms. Sainte-Geneviève :

Il ne s'était point présenté,
De mémoire de Singe, *un* fait plus embrouillé.

c. Ms. Sainte-Geneviève : Tous deux vous... (non : *Et* tous deux).

d. Les deux derniers vers manquent dans Sainte-Geneviève.

Musée de la Manufacture — *Cl. Archives photographiques*

Conseil tenu par les rats

Carton de tapisserie de Oudry pour la Manufacture de Beauvais

FABLE IV

LES DEUX TAUREAUX ET UNE GRENOUILLE[1]

DEUX Taureaux combattaient à qui posséderait
Une Génisse avec l'empire.
Une Grenouille en soupirait.
Qu'avez-vous ? se mit à lui dire
Quelqu'un du peuple croassant[2]. 5
— Et ne voyez-vous pas, dit-elle,
Que la fin de cette querelle
Sera l'exil de l'un; que l'autre, le chassant,
Le fera renoncer aux campagnes fleuries ?
Il ne régnera plus sur l'herbe des prairies, 10
Viendra dans nos marais régner sur les roseaux,
Et nous foulant aux pieds jusques au fond des eaux,
Tantôt l'une, et puis l'autre, il faudra qu'on pâtisse
Du combat qu'a causé Madame la Génisse.

Cette crainte était de bon sens. 15
L'un des Taureaux en leur demeure
S'alla cacher à leurs dépens :
Il en écrasait vingt par heure.
Hélas ! on voit que de tout temps
Les petits ont pâti des sottises des grands[3]. 20

FABLE V

LA CHAUVE-SOURIS ET LES DEUX BELETTES[1]

UNE Chauve-souris donna tête baissée
Dans un nid de Belette; et sitôt qu'elle y fut,
L'autre, envers les souris de longtemps courroucée,
Pour la dévorer accourut.

Quoi ! vous osez, dit-elle, à mes yeux vous produire,
Après que votre race a tâché de me nuire !
N'êtes-vous pas Souris ? Parlez sans fiction[2].
Oui, vous l'êtes, ou bien je ne suis pas Belette.
— Pardonnez-moi, dit la pauvrette,
Ce n'est pas ma profession.
Moi, Souris ! Des méchants vous ont dit ces nouvelles.
Grâce à l'Auteur de l'Univers,
Je suis Oiseau : voyez mes ailes :
Vive la gent qui fend les airs !
Sa raison plut, et sembla bonne.
Elle fait si bien qu'on lui donne
Liberté de se retirer.
Deux jours après, notre étourdie
Aveuglément va se fourrer
Chez une autre Belette aux Oiseaux ennemie.
La voilà derechef en danger de sa vie.
La Dame du logis avec son long museau
S'en allait la croquer en qualité d'Oiseau,
Quand elle protesta qu'on lui faisait outrage :
Moi, pour telle passer ? Vous n'y regardez pas.
Qui[3] fait l'Oiseau ? c'est le plumage.
Je suis Souris : vivent les Rats !
Jupiter confonde les Chats !
Par cette adroite repartie
Elle sauva deux fois sa vie.

Plusieurs se sont trouvés qui d'écharpe[4] changeants
Aux dangers, ainsi qu'elle, ont souvent fait la figue.
Le Sage dit, selon les gens :
Vive le Roi, vive la Ligue.

FABLE VI

L'OISEAU BLESSÉ D'UNE FLÈCHE[1]

MORTELLEMENT atteint d'une flèche empennée[2],
Un Oiseau déplorait sa triste destinée,
Et disait, en souffrant un surcroît de douleur :
Faut-il contribuer à son propre malheur ?

Cruels humains, vous tirez de nos ailes 5
De quoi faire voler ces machines mortelles;
Mais ne vous moquez point, engeance sans pitié :
Souvent il vous arrive un sort comme le nôtre.
Des enfants de Japet[3] toujours une moitié
Fournira des armes à l'autre. 10

FABLE VII

LA LICE ET SA COMPAGNE[1]

Une Lice[2] étant sur son terme,
Et ne sachant où mettre un fardeau si pressant,
Fait si bien qu'à la fin sa Compagne consent
De lui prêter sa hutte, où la Lice s'enferme.
Au bout de quelque temps sa Compagne revient. 5
La Lice lui demande encore une quinzaine.
Ses petits ne marchaient, disait-elle, qu'à peine.
Pour faire court, elle l'obtient.
Ce second terme échu, l'autre lui redemande
Sa maison, sa chambre, son lit. 10
La Lice cette fois montre les dents, et dit :
Je suis prête à sortir avec toute ma bande,
Si vous pouvez nous mettre hors.
Ses enfants étaient déjà forts.

Ce qu'on donne aux méchants, toujours on le regrette. 15
Pour tirer d'eux ce qu'on leur prête,
Il faut que l'on en vienne aux coups;
Il faut plaider, il faut combattre.
Laissez-leur prendre un pied chez vous,
Ils en auront bientôt pris quatre. 20

FABLE VIII

L'AIGLE ET L'ESCARBOT[1]

L'Aigle donnait la chasse à Maître Jean Lapin,
Qui droit à son terrier s'enfuyait au plus vite.
Le trou de l'Escarbot[2] se rencontre en chemin.
Je laisse à penser si ce gîte
Était sûr; mais où mieux ? Jean Lapin s'y blottit.
L'Aigle fondant sur lui nonobstant cet asile,
L'Escarbot intercède, et dit :
Princesse des Oiseaux, il vous est fort facile
D'enlever malgré moi ce pauvre malheureux;
Mais ne me faites pas cet affront, je vous prie;
Et puisque Jean Lapin vous demande la vie,
Donnez-la-lui, de grâce, ou l'ôtez à tous deux :
C'est mon voisin, c'est mon compère.
L'oiseau de Jupiter, sans répondre un seul mot,
Choque de l'aile l'Escarbot,
L'étourdit, l'oblige à se taire,
Enlève Jean Lapin. L'Escarbot indigné
Vole au nid de l'oieau, fracasse en son absence
Ses œufs, ses tendres œufs, sa plus douce espérance :
Pas un seul ne fut épargné.
L'Aigle étant de retour et voyant ce ménage[3],
Remplit le ciel de cris, et pour comble de rage,
Ne sait sur qui venger le tort qu'elle a souffert.
Elle gémit en vain, sa plainte au vent se perd.
Il fallut pour cet an vivre en mère affligée.
L'an suivant, elle mit son nid en lieu plus haut.
L'Escarbot prend son temps, fait faire aux œufs le saut :
La mort de Jean Lapin derechef est vengée.
Ce second deuil fut tel que l'écho de ces bois
N'en dormit de plus de six mois.
L'Oiseau qui porte Ganymède[4]
Du monarque des Dieux enfin implore l'aide,
Dépose en son giron ses œufs, et croit qu'en paix
Ils seront dans ce lieu, que pour ses intérêts
Jupiter se verra contraint de les défendre :
Hardi qui les irait là prendre.

Aussi ne les y prit-on pas.
Leur ennemi changea de note,
Sur la robe du Dieu fit tomber une crotte :
Le dieu la secouant jeta les œufs à bas. 40
Quand l'Aigle sut l'inadvertance,
Elle menaça Jupiter
D'abandonner sa Cour, d'aller vivre au désert,
Avec mainte autre extravagance[a].
Le pauvre Jupiter se tut : 45
Devant son tribunal l'Escarbot comparut,
Fit sa plainte, et conta l'affaire.
On fit entendre à l'Aigle enfin qu'elle avait tort.
Mais les deux ennemis ne voulant point d'accord,
Le Monarque des Dieux s'avisa, pour bien faire, 50
De transporter le temps où l'Aigle fait l'amour
En une autre saison, quand la race Escarbote
Est en quartier d'hiver, et comme la Marmotte,
Se cache et ne voit point le jour.

FABLE IX

LE LION ET LE MOUCHERON[1]

VA-T'EN, chétif insecte, excrément de la terre[2].
C'est en ces mots que le Lion
Parlait un jour au Moucheron.
L'autre lui déclara la guerre.
Penses-tu, lui dit-il, que ton titre de Roi 5
Me fasse peur ni me soucie ?
Un bœuf est plus puissant[3] que toi,
Je le mène à ma fantaisie.
A peine il achevait ces mots

---

a. Les éditions de 1668, 1669, 1679 (Amsterdam), 1682 (Barbin) comportaient entre les vers 43 et 44 celui-ci : *De quitter toute dépendance*. Il disparaît dans l'édition définitive que nous reproduisons. Pourquoi cette disparition ? Erreur à l'impression ? Ou bien La Fontaine a-t-il voulu atténuer ce que la conduite de l'aigle avait de plus scandaleux : il niait le lien qui l'attachait au roi son suzerain ?

Que lui-même il sonna la charge,
Fut le Trompette et le Héros.
Dans l'abord[4] il se met au large,
Puis prend son temps[5], fond sur le cou
Du Lion, qu'il rend presque fou.
Le quadrupède écume, et son œil étincelle;
Il rugit, on se cache, on tremble à l'environ;
Et cette alarme universelle
Est l'ouvrage d'un Moucheron.
Un avorton de Mouche en cent lieux le harcelle,
Tantôt pique l'échine, et tantôt le museau,
Tantôt entre au fond du naseau.
La rage alors se trouve à son faîte montée.
L'invisible ennemi triomphe, et rit de voir
Qu'il n'est griffe ni dent en la bête irritée
Qui de la mettre en sang ne fasse son devoir.
Le malheureux Lion se déchire lui-même,
Fait résonner sa queue à l'entour de ses flancs,
Bat l'air, qui n'en peut mais; et sa fureur extrême
Le fatigue, l'abat; le voilà sur les dents[6].
L'insecte du combat se retire avec gloire :
Comme il sonna la charge, il sonne la victoire,
Va partout l'annoncer, et rencontre en chemin
L'embuscade d'une araignée :
Il y rencontre aussi sa fin.

Quelle chose par là nous peut être enseignée ?
J'en vois deux, dont l'une est qu'entre nos ennemis
Les plus à craindre sont souvent les plus petits;
L'autre, qu'aux grands périls tel a pu se soustraire,
Qui périt pour la moindre affaire.

FABLE X

L'ANE CHARGÉ D'ÉPONGES, ET L'ANE CHARGÉ DE SEL[1]

Un Anier, son Sceptre à la main,
Menait, en Empereur Romain,
Deux Coursiers à longues oreilles[2].
L'un d'éponges chargé marchait comme un Courrier[3]; 5
Et l'autre se faisant prier
Portait, comme on dit, les bouteilles :
Sa charge était de sel. Nos gaillards pèlerins[4],
Par monts, par vaux et par chemins,
Au gué d'une rivière à la fin arrivèrent, 10
Et fort empêchés se trouvèrent.
L'Anier, qui tous les jours traversait ce gué-là,
Sur l'Ane à l'éponge monta,
Chassant devant lui l'autre bête,
Qui voulant en faire à sa tête, 15
Dans un trou se précipita,
Revint sur l'eau, puis échappa;
Car au bout de quelques nagées,
Tout son sel se fondit si bien
Que le Baudet ne sentit rien 20
Sur ses épaules soulagées.
Camarade Épongier prit exemple sur lui,
Comme un Mouton qui va dessus la foi d'autrui[5].
Voilà mon Ane à l'eau : jusqu'au col il se plonge,
Lui, le Conducteur et l'Éponge. 25
Tous trois burent d'autant[6] : l'Anier et le Grison[7]
Firent à l'éponge raison[8].
Celle-ci devint si pesante,
Et de tant d'eau s'emplit d'abord,
Que l'Ane succombant ne put gagner le bord. 30
L'Anier l'embrassait dans l'attente
D'une prompte et certaine mort.
Quelqu'un vint au secours : qui ce fut, il n'importe;

C'est assez qu'on ait vu par là qu'il ne faut point
Agir chacun de même sorte. 35
J'en voulais venir à ce point.

FABLE XI

LE LION ET LE RAT[1]

FABLE XII

LA COLOMBE ET LA FOURMI[1]

IL faut, autant qu'on peut, obliger tout le monde :
On a souvent besoin d'un plus petit que soi.
De cette vérité deux Fables feront foi,
Tant la chose en preuves abonde.

Entre les pattes d'un Lion 5
Un Rat sortit de terre assez à l'étourdie.
Le Roi des animaux, en cette occasion,
Montra ce qu'il était, et lui donna la vie.
Ce bienfait ne fut pas perdu.
Quelqu'un aurait-il jamais cru 10
Qu'un Lion d'un Rat eût affaire ?
Cependant il avint qu'au sortir des forêts
Ce Lion[a] fut pris dans des rets
Dont ses rugissements ne le purent défaire.
Sire Rat accourut, et fit tant par ses dents 15
Qu'une maille rongée emporta tout l'ouvrage,
Patience et longueur de temps
Font plus que force ni que rage.

L'autre exemple est tiré d'animaux plus petits.
Le long d'un clair ruisseau buvait une Colombe, 20
Quand sur l'eau se penchant une Fourmy[b] y tombe;
Et dans cet Océan l'on eût vu la Fourmy
S'efforcer, mais en vain, de regagner la rive.
La Colombe aussitôt usa de charité :
Un brin d'herbe dans l'eau par elle étant jeté, 25
Ce fut un promontoire où la Fourmy arrive.

---

a. 1668 : *Le Lion*
b. 1668. *Fourmis* (ainsi qu'aux vers 22, 26, 33).

Elle se sauve; et là-dessus
Passe un certain Croquant[2] qui marchait les pieds nus.
Ce Croquant par hasard avait une arbalète. 30
Dès qu'il voit l'Oiseau de Vénus,
Il le croit en son pot, et déjà lui fait fête.
Tandis qu'à le tuer mon Villageois s'apprête,
La Fourmy le pique au talon.
Le Vilain[3] retourne la tête. 35
La Colombe l'entend, part, et tire de long[4].
Le soupé du Croquant avec elle s'envole :
Point de Pigeon pour une obole.

FABLE XIII

L'ASTROLOGUE QUI SE LAISSE TOMBER DANS UN PUITS[1]

Un Astrologue un jour se laissa choir
Au fond d'un puits. On lui dit : Pauvre bête,
Tandis qu'à peine à tes pieds tu peux voir,
Penses-tu lire au-dessus de ta tête ?

Cette aventure en soi, sans aller plus avant, 5
Peut servir de leçon à la plupart des hommes.
Parmi ce que de gens sur la terre nous sommes,
Il en est peu qui fort souvent
Ne se plaisent d'entendre dire
Qu'au Livre du Destin les mortels peuvent lire. 10
Mais ce Livre qu'Homère et les siens[2] ont chanté,
Qu'est-ce que[3] le hasard parmi l'Antiquité,
Et parmi nous la Providence ?
Or du hasard il n'est point de science :
S'il en était, on aurait tort 15
De l'appeler hasard, ni fortune, ni sort,
Toutes choses très incertaines.
Quant aux volontés souveraines
De celui qui fait tout, et rien qu'avec dessein,
Qui les sait, que lui seul ? Comment lire en son sein ? 20

Aurait-il imprimé sur le front des étoiles
Ce que la nuit des temps enferme dans ses voiles ?
A quelle utilité ? Pour exercer l'esprit
De ceux qui de la Sphère et du Globe[4] ont écrit ?
Pour nous faire éviter des maux inévitables ? 25
Nous rendre dans les biens de plaisir[a] incapables ?
Et causant du dégoût pour ces biens prévenus[5],
Les convertir en maux devant qu'ils soient venus ?
C'est erreur, ou plutôt c'est crime de le croire.
Le Firmament se meut; les Astres[6] font leur cours, 30
Le Soleil nous luit tous les jours,
Tous les jours sa clarté succède à l'ombre noire,
Sans que nous en puissions autre chose inférer
Que la nécessité de luire et d'éclairer,
D'amener les saisons, de mûrir les semences, 35
De verser sur les corps certaines influences[7].
Du reste, en quoi répond au sort toujours divers
Ce train toujours égal dont marche l'Univers ?
Charlatans, faiseurs d'horoscope,
Quittez les Cours des Princes de l'Europe; 40
Emmenez avec vous les souffleurs[8] tout d'un temps.
Vous ne méritez pas plus de foi que ces gens.
Je m'emporte un peu trop : revenons à l'histoire
De ce Spéculateur[9] qui fut contraint de boire.
Outre la vanité de son art mensonger, 45
C'est l'image de ceux qui bâillent aux chimères,
Cependant qu'ils sont en danger,
Soit pour eux, soit pour leurs affaires.

FABLE XIV

LE LIÈVRE ET LES GRENOUILLES[1]

Un Lièvre en son gîte songeait
(Car que faire en un gîte, à moins que l'on ne songe ?);
Dans un profond ennui ce Lièvre se plongeait :
Cet animal est triste, et la crainte le ronge.
Les gens de naturel peureux 5

---

a. 1668 : *plaisirs*.

Sont, disait-il, bien malheureux;
Ils ne sauraient manger morceau qui leur profite.
Jamais un plaisir pur, toujours assauts[2] divers :
Voilà comme je vis : cette crainte maudite
M'empêche de dormir, sinon les yeux ouverts. 10
Corrigez-vous, dira quelque sage cervelle.
Et la peur se corrige-t-elle ?
Je crois même qu'en bonne foi
Les hommes ont peur comme moi.
Ainsi raisonnait notre Lièvre 15
Et cependant faisait le guet.
Il était douteux[3], inquiet :
Un souffle, une ombre, un rien, tout lui donnait la fièvre.
Le mélancolique[4] animal,
En rêvant à cette matière, 20
Entend un léger bruit : ce lui fut un signal
Pour s'enfuir devers sa tanière.
Il s'en alla passer sur le bord d'un Étang.
Grenouilles aussitôt de sauter dans les ondes,
Grenouilles de rentrer en leurs grottes profondes. 25
Oh ! dit-il, j'en fais faire autant
Qu'on m'en fait faire ! Ma présence
Effraie aussi les gens, je mets l'alarme au camp !
Et d'où me vient cette vaillance ?
Comment ! des animaux qui tremblent devant moi ! 30
Je suis donc un foudre de guerre ?
Il n'est, je le vois bien, si poltron sur la terre
Qui ne puisse trouver un plus poltron que soi.

FABLE XV

LE COQ ET LE RENARD[1]

Sur la branche d'un arbre était en sentinelle
Un vieux Coq adroit et matois[2].
Frère, dit un Renard, adoucissant sa voix,
Nous ne sommes plus en querelle :
Paix générale cette fois. 5
Je viens te l'annoncer; descends que je t'embrasse.
Ne me retarde point, de grâce :

Je dois faire aujourd'hui vingt postes[3] sans manquer.
Les tiens et toi pouvez vaquer
Sans nulle crainte à vos affaires; 10
Nous vous y servirons en frères.
Faites-en les feux[4] dès ce soir.
Et cependant viens recevoir
Le baiser d'amour fraternelle[5].
— Ami, reprit le Coq, je ne pouvais jamais 15
Apprendre une plus douce et meilleure nouvelle
Que celle
De cette paix;
Et ce m'est une double joie
De la tenir de toi. Je vois deux Lévriers, 20
Qui, je m'assure[6], sont courriers
Que pour ce sujet on envoie.
Ils vont vite, et seront dans un moment à nous.
Je descends; nous pourrons nous entre-baiser tous.
— Adieu, dit le Renard, ma traite est longue à faire : 25
Nous nous réjouirons du succès de l'affaire
Une autre fois. Le galand aussitôt
Tire ses grègues[7], gagne au haut[8],
Mal content de son stratagème;
Et notre vieux Coq en soi-même 30
Se mit à rire de sa peur;
Car c'est double plaisir de tromper le trompeur.

FABLE XVI

LE CORBEAU VOULANT IMITER L'AIGLE[1]

L'Oiseau de Jupiter enlevant un mouton,
Un Corbeau témoin de l'affaire,
Et plus faible de reins, mais non pas moins glouton,
En voulut sur l'heure autant faire.
Il tourne à l'entour du troupeau, 5
Marque entre cent Moutons le plus gras, le plus beau,
Un vrai Mouton de sacrifice :

B.N. Imprimés — Cl. B.N.

Le corbeau voulant imiter l'aigle
Planche extraite des *Fables de La Fontaine avec figures gravées par MM. Simon et Coiny*, Paris, Didot, 1789

On l'avait réservé pour la bouche des Dieux.
Gaillard[2] Corbeau disait, en le couvant[a] des yeux : 10
Je ne sais qui fut ta nourrice;
Mais ton corps me paraît en merveilleux état :
Tu me serviras de pâture.
Sur l'animal bêlant à ces mots il s'abat.
La Moutonnière[3] créature 15
Pesait plus qu'un fromage[4], outre que sa toison
Était d'une épaisseur extrême,
Et mêlée à peu près de la même façon
Que la barbe de Polyphème[5].
Elle empêtra si bien les serres du Corbeau 20
Que le pauvre animal ne put faire retraite.
Le Berger vient, le prend, l'encage bien et beau,
Le donne à ses enfants pour servir d'amusette.
Il faut se mesurer, la conséquence est nette :
Mal prend aux Volereaux[6] de faire les Voleurs. 25
L'exemple est un dangereux leurre :
Tous les mangeurs de gens ne sont pas grands Seigneurs;
Où la Guêpe a passé, le Moucheron demeure[7].

FABLE XVII

LE PAON SE PLAIGNANT A JUNON[1]

Le Paon se plaignait à Junon[2] :
Déesse, disait-il, ce n'est pas sans raison
Que je me plains, que je murmure :
Le chant dont vous m'avez fait don 5
Déplaît à toute la Nature;
Au lieu qu'un Rossignol, chétive créature,
Forme des sons[b] aussi doux qu'éclatants,
Est lui seul l'honneur du Printemps.
Junon répondit en colère : 10
Oiseau jaloux, et qui devrais te taire,

---

[a]. *couvrant* (1678 et 1688) paraît être une faute d'impression.
[b]. Ms. Sainte-Geneviève : des *tons*

Est-ce à toi d'envier la voix du Rossignol,
Toi que l'on voit porter à l'entour de ton col
Un arc-en-ciel nué[3] de cent sortes de soies;
Qui te panades[4], qui déploies
Une si riche queue, et qui semble à nos yeux 15
La Boutique d'un Lapidaire ?
Est-il quelque oiseau[a] sous les Cieux
Plus que toi capable de plaire ?
Tout animal n'a pas toutes propriétés.
Nous vous avons donné diverses qualités : 20
Les uns ont la grandeur et la force en partage;
Le Faucon est léger, l'Aigle plein de courage;
Le Corbeau sert pour le présage,
La Corneille avertit des malheurs à venir;
Tous sont contents de leur ramage. 25
Cesse donc de te plaindre, ou bien, pour te punir,
Je t'ôterai ton plumage.

FABLE XVIII

LA CHATTE MÉTAMORPHOSÉE EN FEMME[1]

Un Homme chérissait éperdument sa Chatte;
Il la trouvait mignonne, et belle, et délicate,
Qui miaulait d'un ton fort doux.
Il était plus fou que les fous.
Cet Homme donc, par prières, par larmes, 5
Par sortilèges et par charmes[2],
Fait tant qu'il obtient du destin
Que sa Chatte en un beau matin
Devient femme, et le matin même,
Maître sot en fait sa moitié. 10
Le voilà fou d'amour extrême,
De fou qu'il était d'amitié.
Jamais la Dame la plus belle

---

a. Ms. Sainte-Geneviève : *Dis-moi quelque oiseau...*

Ne charma tant son Favori
Que fait cette épouse nouvelle 15
Son hypocondre[3] de mari.
Il l'amadoue[4], elle le flatte;
Il n'y trouve plus rien de Chatte,
Et poussant l'erreur jusqu'au bout,
La croit femme en tout et partout, 20
Lorsque quelques Souris qui rongeaient de la natte[5]
Troublèrent le plaisir des nouveaux mariés.
Aussitôt la femme est sur pieds :
Elle manqua son aventure[6].
Souris de revenir, femme d'être en posture[7]. 25
Pour cette fois elle accourut à point :
Car ayant changé de figure,
Les souris ne la craignaient point.
Ce lui fut toujours une amorce[8],
Tant le naturel a de force. 30
Il se moque de tout, certain âge accompli :
Le vase est imbibé, l'étoffe a pris son pli.
En vain de son train ordinaire
On le veut désaccoutumer.
Quelque chose qu'on puisse faire, 35
On ne saurait le réformer.
Coups de fourche ni d'étrivières[9]
Ne lui font changer de manières;
Et, fussiez-vous embâtonnés[10],
Jamais vous n'en serez les maîtres. 40
Qu'on lui ferme la porte au nez,
Il reviendra par les fenêtres.

FABLE XIX

LE LION ET L'ANE CHASSANT[a1]

Le roi des animaux se mit un jour en tête
De giboyer[2]. Il célébrait sa fête.
Le gibier du Lion, ce ne sont pas moineaux,
Mais beaux et bons Sangliers, Daims et Cerfs bons et beaux.

---

a. 1668 : *chassans*.

Pour réussir dans cette affaire, 5
Il se servit du ministère
De l'Ane à la voix de Stentor[3].
L'Ane à Messer[4] Lion fit office de Cor.
Le Lion le posta, le couvrit de ramée,
Lui commanda de braire, assuré qu'à ce son 10
Les moins intimidés fuiraient de leur maison.
Leur troupe n'était pas encore accoutumée
A la tempête de sa voix;
L'air en retentissait d'un bruit épouvantable;
La frayeur saisissait les hôtes de ces bois. 15
Tous fuyaient, tous tombaient au piège inévitable
Où les attendait le Lion.
N'ai-je pas bien servi dans cette occasion ?
Dit l'Ane, en se donnant tout l'honneur de la chasse.
— Oui, reprit le Lion, c'est bravement[5] crié : 20
Si je ne connaissais ta personne et ta race,
J'en serais moi-même effrayé.
L'Ane, s'il eût osé, se fût mis en colère,
Encor qu'on le raillât avec juste raison :
Car qui pourrait souffrir un Ane fanfaron ? 25
Ce n'est pas là leur caractère[6].

FABLE XX

TESTAMENT EXPLIQUÉ PAR ÉSOPE[1]

Si ce qu'on dit d'Ésope est vrai,
C'était l'Oracle de la Grèce :
Lui seul avait plus de sagesse
Que tout l'Aréopage[2]. En voici pour essai[3]
Une histoire des plus gentilles, 5
Et qui pourra plaire au Lecteur.

Un certain homme avait trois filles,
Toutes trois de contraire humeur :
Une buveuse, une coquette,
La troisième avare parfaite. 10
Cet homme, par son Testament,

B.N. Estampes

Testament expliqué par Ésope

Gravure par Chauveau pour les *Fables choisies... de La Fontaine*, Paris, C. Barbin, 1668

Cl. B.N.

Selon les Lois municipales[4],
Leur laissa tout son bien par portions égales,
En donnant à leur Mère tant, 15
Payable quand chacune d'elles
Ne posséderait plus sa contingente[5] part.
Le Père mort, les trois femelles[6]
Courent au Testament sans attendre plus tard.
On le lit; on tâche d'entendre 20
La volonté du Testateur;
Mais en vain : car comment comprendre
Qu'aussitôt que chacune[7] sœur
Ne possédera plus sa part héréditaire,
Il lui faudra payer sa Mère ? 25
Ce n'est pas un fort bon moyen
Pour payer, que d'être sans bien.
Que voulait donc dire le Père ?
L'affaire est consultée[8], et tous les Avocats,
Après avoir tourné le cas 30
En cent et cent mille manières,
Y jettent leur bonnet[9], se confessent vaincus,
Et conseillent aux héritières
De partager le bien sans songer au surplus.
Quant à la somme de la veuve, 35
Voici, leur dirent-ils, ce que le conseil treuve[10] :
Il faut que chaque sœur se charge par traité[11]
Du tiers, payable à volonté[12],
Si mieux n'aime la Mère en créer une rente,
Dès le décès du mort courante. 40
La chose ainsi réglée, on composa[a] trois lots :
En l'un, les maisons de bouteille[13],
Les buffets dressés sous la treille,
La vaisselle d'argent, les cuvettes, les brocs[14],
Les magasins de malvoisie[15], 45
Les esclaves de bouche[16], et, pour dire en deux mots,
L'attirail de la goinfrerie;
Dans un autre celui de la coquetterie :
La maison de la Ville et les meubles exquis[17],
Les Eunuques et les Coiffeuses, 50
Et les Brodeuses,
Les joyaux, les robes de prix;

---

a. 1668, 1679, 1682 : on *compose*

Dans le troisième lot, les fermes, le ménage,
Les troupeaux et le pâturage,
Valets et bêtes de labeur.
Ces lots faits, on jugea que le sort pourrait faire 55
Que peut-être pas une sœur
N'aurait ce qui lui pourrait plaire.
Ainsi chacune prit son inclination[18];
Le tout à l'estimation[19].
Ce fut dans la ville d'Athènes 60
Que cette rencontre[20] arriva.
Petits et grands, tout approuva
Le partage et le choix. Ésope seul trouva
Qu'après bien du temps et des peines
Les gens avaient pris justement 65
Le contre-pied du Testament.
Si le défunt vivait, disait-il, que l'Attique
Aurait de reproches de lui !
Comment ! ce peuple qui se pique
D'être le plus subtil des peuples d'aujourd'hui 70
A si mal entendu la volonté suprême
D'un testateur ! Ayant ainsi parlé,
Il fait le partage lui-même,
Et donne à chaque sœur un lot contre son gré,
Rien qui pût être convenable, 75
Partant rien aux sœurs d'agréable :
A la Coquette, l'attirail
Qui suit les personnes buveuses;
La Biberonne eut le bétail;
La Ménagère[21] eut les coiffeuses. 80
Tel fut l'avis du Phrygien,
Alléguant qu'il n'était moyen
Plus sûr pour obliger ces filles
A se défaire de leur bien,
Qu'elles se marieraient dans les bonnes familles, 85
Quand on leur verrait de l'argent;
Paieraient leur Mère tout comptant;
Ne posséderaient plus les effets de leur Père,
Ce que disait le Testament.
Le peuple s'étonna comme il se pouvait faire 90
Qu'un homme seul eût plus de sens
Qu'une multitude de gens.

LIVRE TROISIÈME

B.N. Estampes — Cl. B.N.

Le meunier, son fils et l'âne
Toile de Jouy par J.-B. Huet

LIVRE TROISIÈME

FABLE I

LE MEUNIER, SON FILS ET L'ANE[a1]

A M. D. M.[b2]

L'INVENTION des Arts étant un droit d'aînesse,
Nous devons l'Apologue à l'ancienne Grèce.
Mais ce champ ne se peut tellement moissonner
Que les derniers venus n'y trouvent à glaner[3].
La feinte[4] est un pays plein de terres désertes. 5
Tous les jours nos Auteurs y font des découvertes.
Je t'en veux dire un trait assez bien inventé;
Autrefois à Racan Malherbe l'a conté.
Ces deux rivaux d'Horace, héritiers de sa Lyre,
Disciples d'Apollon, nos Maîtres[5], pour mieux dire, 10
Se rencontrant un jour tout seuls et sans témoins
(Comme ils se confiaient leurs pensers et leurs soins),
Racan commence ainsi : Dites-moi, je vous prie,
Vous qui devez savoir les choses de la vie,
Qui par tous ses degrés avez déjà passé, 15
Et que rien ne doit fuir en cet âge avancé,
A quoi me résoudrai-je ? Il est temps que j'y pense.
Vous connaissez mon bien, mon talent[6], ma naissance.
Dois-je dans la Province établir mon séjour,

---

a. 1668 : Le Meunier, son Fils *et leur* Ane.

b. Un manuscrit autographe, vu par l'éditeur Walckenaer, portait : *A mon amy M. de Maucroix.*

Prendre emploi dans l'Armée, ou bien charge à la Cour ?
Tout au monde est mêlé d'amertume et de charmes.
La guerre a ses douceurs, l'Hymen a ses alarmes.
Si je suivais mon goût, je saurais où buter[7];
Mais j'ai les miens, la cour, le peuple à contenter.
Malherbe là-dessus : Contenter tout le monde !
Écoutez ce récit avant que je réponde.

J'ai lu dans quelque endroit qu'un Meunier et son fils,
L'un vieillard, l'autre enfant, non pas des plus petits,
Mais garçon de quinze ans, si j'ai bonne mémoire,
Allaient vendre leur Ane, un certain jour de foire.
Afin qu'il fût plus frais et de meilleur débit,
On lui lia les pieds, on vous le suspendit;
Puis cet homme et son fils le portent comme un lustre.
Pauvres gens, idiots, couple ignorant et rustre.
Le premier qui les vit de rire s'éclata.
Quelle farce, dit-il, vont jouer ces gens-là ?
Le plus âne des trois n'est pas celui qu'on pense.
Le Meunier à ces mots connaît son ignorance;
Il met sur pieds sa bête, et la fait détaler.
L'Ane, qui goûtait fort l'autre façon d'aller,
Se plaint en son patois. Le Meunier n'en a cure.
Il fait monter son fils, il suit, et d'aventure
Passent trois bons Marchands. Cet objet[8] leur déplut.
Le plus vieux au garçon s'écria tant qu'il put :
Oh là ! oh ! descendez, que l'on ne vous le dise,
Jeune homme, qui menez Laquais à barbe grise.
C'était à vous de suivre, au vieillard de monter.
— Messieurs, dit le Meunier, il vous faut contenter.
L'enfant met pied à terre, et puis le vieillard monte,
Quand trois filles passant, l'une dit : C'est grand'honte
Qu'il faille voir ainsi clocher ce jeune fils,
Tandis que ce nigaud, comme un Évêque assis,
Fait le veau sur son Ane, et pense être bien sage.
— Il n'est, dit le Meunier, plus de Veaux à mon âge :
Passez votre chemin, la fille, et m'en croyez. 55
Après maints quolibets coup sur coup renvoyés,
L'homme crut avoir tort, et mit son fils en croupe.
Au bout de trente pas, une troisième troupe
Trouve encore à gloser. L'un dit : Ces gens sont fous,
Le Baudet n'en peut plus; il mourra sous leurs coups. 60
Hé quoi ! charger ainsi cette pauvre bourrique !

N'ont-ils point de pitié de leur vieux domestique ?
Sans doute qu'à la Foire ils vont vendre sa peau.
— Parbieu, dit le Meunier, est bien fou du cerveau
Qui prétend contenter tout le monde et son père. 65
Essayons toutefois, si par quelque manière
Nous en viendrons à bout. Ils descendent tous deux.
L'Ane, se prélassant, marche seul devant eux.
Un quidam les rencontre, et dit : Est-ce la mode
Que Baudet aille à l'aise, et Meunier s'incommode ? 70
Qui de l'âne ou du maître est fait pour se lasser ?
Je conseille à ces gens de le faire enchâsser.
Ils usent leurs souliers, et conservent leur Ane.
Nicolas au rebours, car, quand il va voir Jeanne,
Il monte sur sa bête; et la chanson[9] le dit. 75
Beau trio de Baudets ! Le Meunier repartit :
Je suis Ane, il est vrai, j'en conviens, je l'avoue;
Mais que dorénavant on me blâme, on me loue;
Qu'on dise quelque chose ou qu'on ne dise rien;
J'en veux faire à ma tête. Il le fit, et fit bien. 80

Quant à vous, suivez Mars, ou l'Amour, ou le Prince;
Allez, venez, courez; demeurez en Province;
Prenez femme, Abbaye, Emploi, Gouvernement :
Les gens en parleront, n'en doutez nullement.

FABLE II

LES MEMBRES ET L'ESTOMAC[1]

Je devais[2] par la Royauté
Avoir commencé mon Ouvrage.
A la voir d'un certain côté,
Messer Gaster* en est l'image. 5
S'il a quelque besoin[3], tout le corps s'en ressent.
De travailler pour lui les membres se lassant,
Chacun d'eux résolut de vivre en Gentilhomme,

---

* « L'Estomach. » *(Note de La Fontaine).*

Sans rien faire, alléguant l'exemple de Gaster.
Il faudrait, disaient-ils, sans nous qu'il vécût d'air.
Nous suons, nous peinons, comme bêtes de somme.
Et pour qui ? Pour lui seul; nous n'en profitons pas :
Notre soin n'aboutit qu'à fournir ses repas.
Chommons, c'est un métier qu'il veut nous faire apprendre.
Ainsi dit, ainsi fait. Les mains cessent de prendre,
Les bras d'agir, les jambes de marcher.
Tous dirent à Gaster qu'il en[4] allât chercher.
Ce leur fut une erreur dont ils se repentirent.
Bientôt les pauvres gens tombèrent en langueur;
Il ne se forma plus de nouveau sang au cœur :
Chaque membre en souffrit, les forces se perdirent.
Par ce moyen, les mutins virent
Que celui qu'ils croyaient oisif et paresseux,
A l'intérêt commun contribuait plus qu'eux.
Ceci peut s'appliquer à la grandeur Royale.
Elle reçoit et donne, et la chose est égale.
Tout travaille pour elle, et réciproquement
Tout tire d'elle l'aliment.
Elle fait subsister l'artisan de ses peines,
Enrichit le Marchand, gage le Magistrat,
Maintient[5] le Laboureur, donne paie au soldat,
Distribue en cent lieux ses grâces souveraines[6],
Entretient seule tout l'État.
Ménénius[7] le sut bien dire.
La Commune s'allait séparer du Sénat.
Les mécontents disaient qu'il avait tout l'Empire,
Le pouvoir, les trésors, l'honneur, la dignité;
Au lieu que tout le mal était de leur côté,
Les tributs, les impôts[8], les fatigues de guerre.
Le peuple hors des murs était déjà posté,
La plupart s'en allaient chercher une autre terre,
Quand Ménénius leur fit voir
Qu'ils étaient aux membres semblables,
Et par cet apologue, insigne[9] entre les Fables,
Les ramena dans leur devoir.

Musée de la Manufacture

Cl. Archives photographiques

Le loup devenu berger
Carton de tapisserie de Oudry pour
la Manufacture de Beauvais

FABLE III

LE LOUP DEVENU BERGER[1]

Un Loup qui commençait d'avoir petite part
Aux Brebis de son voisinage,
Crut qu'il fallait s'aider de la peau du Renard[2]
Et faire un nouveau personnage.
Il s'habille en Berger, endosse un hoqueton[3], 5
Fait sa houlette d'un bâton,
Sans oublier la Cornemuse.
Pour pousser jusqu'au bout la ruse,
Il aurait volontiers écrit sur son chapeau :
C'est moi qui suis Guillot, berger de ce troupeau. 10
Sa personne étant ainsi faite
Et ses pieds de devant posés sur sa houlette,
Guillot le sycophante* approche doucement.
Guillot le vrai Guillot étendu sur l'herbette,
Dormait alors profondément. 15
Son chien dormait aussi, comme aussi sa musette.
La plupart des Brebis dormaient pareillement.
L'hypocrite les laissa faire,
Et pour pouvoir mener vers son fort[4] les Brebis
Il voulut ajouter la parole aux habits, 20
Chose qu'il croyait nécessaire.
Mais cela gâta son affaire,
Il ne put du Pasteur contrefaire la voix.
Le ton dont il parla fit retentir les bois,
Et découvrit tout le mystère. 25
Chacun se réveille à ce son,
Les Brebis, le Chien, le Garçon.
Le pauvre Loup, dans cet esclandre[5],
Empêché par son hoqueton,
Ne put ni fuir ni se défendre. 30

Toujours par quelque endroit fourbes se laissent prendre.
Quiconque est Loup agisse en Loup :
C'est le plus certain de beaucoup.

---

*. "Trompeur." *(Note de La Fontaine).*

FABLE IV

LES GRENOUILLES QUI DEMANDENT UN ROI[a1]

LES Grenouilles, se lassant
De l'état Démocratique,
Par leurs clameurs firent tant
Que Jupin les soumit au pouvoir Monarchique.
Il leur tomba du Ciel un Roi tout pacifique :
Ce Roi fit toutefois un tel bruit en tombant
Que la gent marécageuse,
Gent fort sotte et fort peureuse,
S'alla cacher sous les eaux,
Dans les joncs, dans les roseaux,
Dans les trous du marécage,
Sans oser de longtemps regarder au visage
Celui qu'elles croyaient être un géant nouveau;
Or c'était un Soliveau[2],
De qui la gravité fit peur à la première
Qui de le voir s'aventurant
Osa bien quitter sa tanière.
Elle approcha, mais en tremblant.
Une autre la suivit, une autre en fit autant,
Il en vint une fourmilière;
Et leur troupe à la fin se rendit familière
Jusqu'à sauter sur l'épaule du Roi[b].
Le bon Sire le souffre, et se tient toujours coi.
Jupin en a bientôt la cervelle rompue.
Donnez-nous, dit ce peuple, un Roi qui se remue.
Le Monarque des Dieux leur envoie une Grue,
Qui les croque, qui les tue,
Qui les gobe à son plaisir,
Et Grenouilles de se plaindre;
Et Jupin de leur dire : Eh quoi ! votre désir

a. Ms. Conrart : *Les Grenouilles demandant un* Roy.
b. Ibid. : Jusqu'à sauter *dessus le dos du* Roi.

A ses lois croit-il nous astreindre ?
Vous avez dû[3] premièrement[a]
Garder votre Gouvernement;
Mais, ne l'ayant pas fait, il vous devait suffire
Que votre premier roi fût débonnaire et doux : 35
De celui-ci contentez-vous,
De peur d'en rencontrer un pire.

FABLE V

LE RENARD ET LE BOUC[1]

Capitaine Renard allait de compagnie
Avec son ami Bouc des plus haut encornés.
Celui-ci ne voyait pas plus loin que son nez;
L'autre était passé maître en fait de tromperie.
La soif les obligea de descendre en un puits. 5
Là chacun d'eux se désaltère.
Après qu'abondamment tous deux en[2] eurent pris,
Le Renard dit au Bouc : Que ferons-nous, compère ?
Ce n'est pas tout de boire, il faut sortir d'ici.
Lève tes pieds en haut, et tes cornes aussi : 10
Mets-les contre le mur. Le long de ton échine
Je grimperai premièrement;
Puis sur tes cornes m'élevant,
A l'aide de cette machine,
De ce lieu-ci je sortirai, 15
Après quoi je t'en tirerai.
— Par ma barbe[3], dit l'autre, il[4] est bon; et je loue
Les gens bien sensés comme toi.
Je n'aurais jamais, quant à moi,
Trouvé ce secret, je l'avoue. 20
Le Renard sort du puits, laisse son compagnon,
Et vous lui fait un beau sermon
Pour l'exhorter à patience.
Si le ciel t'eût, dit-il, donné par excellence[5]

---

a. Ibid. : Vous *deviez tout* premièrement

Autant de jugement que de barbe au menton,
Tu n'aurais pas, à la légère,
Descendu dans ce puits. Or, adieu, j'en suis hors.
Tâche de t'en tirer, et fais tous tes efforts :
Car pour moi, j'ai certaine affaire
Qui ne me permet pas d'arrêter en chemin.
En toute chose il faut considérer la fin.

FABLE VI

L'AIGLE, LA LAIE, ET LA CHATTE[1]

L'Aigle avait ses petits au haut d'un arbre creux,
La Laie au pied, la Chatte entre les deux;
Et sans s'incommoder, moyennant ce partage,
Mères et nourrissons faisaient leur tripotage[2].
La Chatte détruisit par sa fourbe l'accord.
Elle grimpa chez l'Aigle, et lui dit : Notre mort
(Au moins de nos enfants, car c'est tout un aux mères)
Ne tardera possible[3] guères.
Voyez-vous à nos pieds fouir incessamment
Cette maudite Laie, et creuser une mine ?
C'est pour déraciner le chêne assurément,
Et de nos nourrissons attirer la ruine.
L'arbre tombant, ils seront dévorés :
Qu'ils s'en tiennent pour assurés.
S'il m'en restait un seul, j'adoucirais ma plainte.
Au partir de ce lieu, qu'elle remplit de crainte,
La perfide descend tout droit
A l'endroit
Où la Laie était en gésine[4].
Ma bonne amie et ma voisine,
Lui dit-elle tout bas, je vous donne un avis.
L'aigle, si vous sortez, fondra sur vos petits :
Obligez-moi de n'en rien dire :
Son courroux tomberait sur moi.
Dans cette autre famille ayant semé l'effroi,
La Chatte en son trou se retire.
L'Aigle n'ose sortir, ni pourvoir aux besoins

De ses petits; la Laie encore moins :
Sottes de ne pas voir que le plus grand des soins,
Ce doit être celui d'éviter la famine. 30
A demeurer chez soi l'une et l'autre s'obstine
Pour secourir les siens dedans l'occasion :
L'Oiseau Royal, en cas de mine,
La Laie, en cas d'irruption.
La faim détruisit tout : il ne resta personne 35
De la gent Marcassine et de la gent Aiglonne,
Qui n'allât de vie à trépas :
Grand renfort[5] pour Messieurs les Chats.

Que ne sait point ourdir une langue traîtresse
Par sa pernicieuse adresse ? 40
Des malheurs qui sont sortis
De la boîte de Pandore[6],
Celui qu'à meilleur droit tout l'Univers abhorre,
C'est la fourbe, à mon avis.

FABLE VII

L'IVROGNE ET SA FEMME[1]

Chacun a son défaut où toujours il revient :
Honte ni peur n'y remédie.
Sur ce propos, d'un conte il me souvient :
Je ne dis rien que je n'appuie
De quelque exemple. Un suppôt[2] de Bacchus 5
Altérait sa santé, son esprit et sa bourse.
Telles gens n'ont pas fait la moitié de leur course
Qu'ils sont au bout de leurs écus.
Un jour que celui-ci plein du jus de la treille,
Avait laissé ses sens au fond d'une bouteille, 10
Sa femme l'enferma dans un certain tombeau.
Là les vapeurs du vin nouveau
Cuvèrent à loisir. A son réveil il treuve
L'attirail de la mort à l'entour de son corps :
Un luminaire, un drap des morts. 15
Oh ! dit-il, qu'est ceci ? Ma femme est-elle veuve ?

Là-dessus, son épouse, en habit d'Alecton[3],
Masquée et de sa voix contrefaisant le ton,
Vient au prétendu mort, approche de sa bière,
Lui présente un chaudeau[4] propre pour Lucifer.
L'Époux alors ne doute en aucune manière
Qu'il ne soit citoyen d'enfer.
Quelle personne es-tu ? dit-il à ce fantôme.
— La cellerière[5] du royaume
De Satan, reprit-elle; et je porte à manger
A ceux qu'enclôt la tombe noire.
Le Mari repart sans songer :
Tu ne leur portes point à boire ?

FABLE VIII

LA GOUTTE ET L'ARAIGNÉE[1]

QUAND l'Enfer eut produit la Goutte et l'Araignée :
Mes filles, leur dit-il, vous pouvez vous vanter
D'être pour l'humaine lignée
Également à redouter.
Or, avisons aux lieux qu'il vous faut habiter.
Voyez-vous ces cases[2] étrètes[3],
Et ces Palais si grands, si beaux, si bien dorés ?
Je me suis proposé d'en faire vos retraites.
Tenez donc, voici deux bûchettes :
Accommodez-vous, ou tirez[4].
— Il n'est rien, dit l'Aragne, aux cases qui me plaise.
L'autre, tout au rebours, voyant les Palais pleins
De ces gens nommés Médecins,
Ne crut pas y pouvoir demeurer à son aise.
Elle prend l'autre lot, y plante le piquet[5],
S'étend à son plaisir sur l'orteil d'un pauvre homme,
Disant : Je ne crois pas qu'en ce poste je chomme,
Ni que d'en déloger et faire mon paquet
Jamais Hippocrate[6] me somme.
L'Aragne cependant se campe en un lambris,
Comme si de ces lieux elle eût fait bail à vie;
Travaille à demeurer[7] : voilà sa toile ourdie;

Voilà des moucherons de pris.
Une servante vient balayer tout l'ouvrage.
Autre toile tissue, autre coup de balai : 25
Le pauvre Bestion[8] tous les jours déménage.
Enfin après un vain essai,
Il va trouver la Goutte. Elle était en campagne,
Plus malheureuse mille fois
Que la plus malheureuse Aragne. 30
Son hôte la menait tantôt fendre du bois,
Tantôt fouir, houer[9]. Goutte bien tracassée
Est, dit-on, à demi pansée.
Oh ! je ne saurais plus, dit-elle, y résister.
Changeons, ma sœur l'Aragne. Et l'autre d'écouter. 35
Elle la prend au mot, se glisse en la cabane :
Point de coup de balai qui l'oblige à changer.
La Goutte d'autre part, va tout droit se loger
Chez un Prélat qu'elle condamne
A jamais du lit ne bouger. 40
Cataplasmes, Dieu sait. Les gens n'ont point de honte
De faire aller le mal toujours de pis en pis.
L'une et l'autre trouva de la sorte son conte;
Et fit très sagement de changer de logis.

FABLE IX

LE LOUP ET LA CIGOGNE[1]

Les Loups mangent gloutonnement.
Un Loup donc étant de frairie[2],
Se pressa, dit-on, tellement
Qu'il en pensa perdre la vie.
Un os lui demeura bien avant au gosier. 5
De bonheur pour ce Loup, qui ne pouvait crier,
Près de là passe une Cigogne.
Il lui fait signe, elle accourt.
Voilà l'Opératrice[3] aussitôt en besogne.
Elle retira l'os; puis pour un si bon tour 10
Elle demanda son salaire.

Votre salaire ? dit le Loup :
Vous riez, ma bonne commère.
Quoi ! ce n'est pas encor beaucoup
D'avoir de mon gosier retiré votre cou ?
Allez, vous êtes une ingrate;
Ne tombez jamais sous ma patte.

FABLE X

LE LION ABATTU PAR L'HOMME[1]

On exposait une peinture
Où l'Artisan[2] avait tracé
Un Lion d'immense stature
Par un seul homme terrassé.
Les regardants en tiraient gloire,
Un Lion en passant rabattit leur caquet.
Je vois bien, dit-il, qu'en effet
On vous donne ici la victoire;
Mais l'Ouvrier[3] vous a déçus :
Il avait liberté de feindre.
Avec plus de raison nous aurions le dessus,
Si mes confrères savaient peindre.

FABLE XI

LE RENARD ET LES RAISINS[1]

Certain Renard Gascon, d'autres disent Normand,
Mourant presque de faim, vit au haut d'une treille
Des Raisins mûrs apparemment[2]
Et couverts d'une peau vermeille.
Le galand en eût fait volontiers un repas;
Mais comme il n'y pouvait atteindre :
Ils sont trop verts, dit-il, et bons pour des goujats[3].
Fit-il pas mieux que de se plaindre ?

FABLE XII

LE CYGNE ET LE CUISINIER[1]

DANS une ménagerie[2]
De volatiles remplie
Vivaient le Cygne et l'Oison :
Celui-là destiné pour les regards du Maître, 5
Celui-ci pour son goût; l'un qui se piquait d'être
Commensal du jardin, l'autre, de la maison.
Des fossés du Château faisant leurs galeries[3],
Tantôt on les eût vus côte à côte nager,
Tantôt courir sur l'onde, et tantôt se plonger, 10
Sans pouvoir satisfaire à leurs vaines envies[4].
Un jour le Cuisinier, ayant trop bu d'un coup[5],
Prit pour Oison le Cygne, et le tenant au cou,
Il allait l'égorger, puis le mettre en potage.
L'oiseau, prêt à mourir[6], se plaint en son ramage. 15
Le Cuisinier fut fort surpris,
Et vit bien qu'il s'était mépris.
Quoi ? je mettrais, dit-il, un tel chanteur[7] en soupe !
Non, non, ne plaise aux Dieux que jamais ma main coupe
La gorge à qui s'en sert si bien. 20

Ainsi dans les dangers qui nous suivent en croupe[8]
Le doux parler ne nuit de rien.

FABLE XIII

LES LOUPS ET LES BREBIS[1]

APRÈS mille ans et plus de guerre déclarée,
Les Loups firent la paix avecque les Brebis.
C'était apparemment[2] le bien des deux partis :
Car si les Loups mangeaient mainte bête égarée, 5
Les Bergers de leur peau se faisaient maints habits.

Jamais de liberté, ni pour les pâturages,
Ni d'autre part pour les carnages.
Ils ne pouvaient jouir qu'en tremblant de leurs biens.
La paix se conclut donc; on donne des otages :
Les Loups leurs Louveteaux, et les Brebis leurs Chiens. 10
L'échange en étant fait aux formes ordinaires,
Et réglé par des Commissaires,
Au bout de quelque temps que Messieurs les Louvats[3]
Se virent Loups parfaits et friands de tuerie,
Ils vous prennent le temps que dans la Bergerie 15
Messieurs les Bergers n'étaient pas,
Étranglent la moitié des Agneaux les plus gras,
Les emportent aux dents, dans les bois se retirent.
Ils avaient averti leurs gens secrètement.
Les Chiens, qui, sur leur foi[4], reposaient sûrement, 20
Furent étranglés en dormant :
Cela fut sitôt fait qu'à peine ils le sentirent.
Tout fut mis en morceaux; un seul n'en échappa.
Nous pouvons conclure de là
Qu'il faut faire aux méchants guerre continuelle. 25
La paix est fort bonne de soi,
J'en conviens; mais de quoi sert-elle
Avec des ennemis sans foi ?

FABLE XIV

LE LION DEVENU VIEUX[a1]

Le Lion, terreur des forêts,
Chargé d'ans, et pleurant son antique prouesse[2],
Fut enfin attaqué par ses propres sujets,
Devenus forts par sa faiblesse.
Le Cheval s'approchant lui donne un coup de pied, 5
Le Loup un coup de dent, le Bœuf un coup de corne.
Le malheureux Lion, languissant, triste, et morne,
Peut à peine rugir, par l'âge estropié.

---

a. Ms. Conrart : *Le Lion accablé de vieillesse.*

Il attend son destin, sans faire aucunes plaintes,
Quand voyant l'Ane même à son antre accourir : 10
Ah ! c'est trop, lui dit-il : je voulais bien mourir;
Mais c'est mourir deux fois que souffrir tes atteintes.

FABLE XV

PHILOMÈLE ET PROGNÉ[1]

Autrefois Progné l'hirondelle
De sa demeure s'écarta,
Et loin des Villes s'emporta
Dans un Bois où chantait la pauvre Philomèle.
Ma sœur, lui dit Progné, comment vous portez-vous ? 5
Voici tantôt mille ans que l'on ne vous a vue :
Je ne me souviens point que vous soyez venue
Depuis le temps de Thrace[2] habiter parmi nous.
Dites-moi, que pensez-vous faire ?
Ne quitterez-vous point ce séjour solitaire ? 10
— Ah ! reprit Philomèle, en est-il de plus doux ?
Progné lui repartit : Eh quoi, cette musique,
Pour ne chanter qu'aux animaux,
Tout au plus à quelque rustique[3] ?
Le désert est-il fait pour des talents si beaux ? 15
Venez faire aux cités éclater leurs merveilles.
Aussi bien, en voyant les bois,
Sans cesse il vous souvient que Térée autrefois
Parmi des demeures pareilles
Exerça sa fureur sur vos divins appas. 20
— Et c'est le souvenir d'un si cruel outrage
Qui fait, reprit sa sœur, que je ne vous suis pas :
En voyant les hommes, hélas !
Il m'en souvient bien davantage.

FABLE XVI

LA FEMME NOYÉE[1]

Je ne suis pas de ceux qui disent : Ce n'est rien :
C'est une femme qui se noie.
Je dis que c'est beaucoup; et ce sexe vaut bien
Que nous le regrettions, puisqu'il fait notre joie.
Ce que j'avance ici n'est point hors de propos, 5
Puisqu'il s'agit dans cette Fable[a],
D'une femme qui dans les flots
Avait fini ses jours par un sort déplorable.
Son Epoux en cherchait le corps,
Pour lui rendre en cette aventure 10
Les honneurs de la sépulture.
Il arriva que sur les bords
Du fleuve auteur de sa disgrâce[2]
Des gens se promenaient ignorant l'accident.
Ce mari donc leur demandant 15
S'ils n'avaient de sa femme aperçu nulle trace :
Nulle, reprit l'un d'eux; mais cherchez-la plus bas;
Suivez le fil de la rivière.
Un autre repartit : Non, ne le suivez pas;
Rebroussez plutôt en arrière. 20
Quelle que soit la pente et l'inclination
Dont l'eau par sa course l'emporte,
L'esprit de contradiction
L'aura fait flotter d'autre sorte.
Cet homme se raillait assez hors de saison. 25
Quant à l'humeur contredisante,
Je ne sais s'il avait raison;
Mais que cette humeur soit, ou non,
Le défaut du sexe et sa pente,
Quiconque avec elle naîtra
Sans faute avec elle mourra,
Et jusqu'au bout contredira,
Et, s'il peut, encor par-delà.

---

a. 1668 : *en* cette Fable.

FABLE XVII

LA BELETTE ENTRÉE DANS UN GRENIER[1]

DAMOISELLE[2] Belette, au corps long et floüet[3],
Entra dans un Grenier par un trou fort étroit :
Elle sortait de maladie.
Là, vivant à discrétion,
La galande fit chère lie[4], 5
Mangea, rongea : Dieu sait la vie,
Et le lard qui périt en cette occasion.
La voilà pour conclusion
Grasse, maflue[5], et rebondie.
Au bout de la semaine, ayant dîné son soû, 10
Elle entend quelque bruit, veut sortir par le trou,
Ne peut plus repasser, et croit s'être méprise.
Après avoir fait quelques tours,
C'est, dit-elle, l'endroit : me voilà bien surprise;
J'ai passé par ici depuis cinq ou six jours. 15
Un Rat qui la voyait en peine
Lui dit : Vous aviez lors la panse un peu moins pleine.
Vous êtes maigre entrée, il faut maigre sortir.
Ce que je vous dis là, l'on le dit à bien d'autres[6].
Mais ne confondons point, par trop approfondir, 20
Leurs affaires avec les vôtres.

FABLE XVIII

LE CHAT ET UN VIEUX RAT[1]

J'AI lu chez un conteur de Fables,
Qu'un second Rodilard[2], l'Alexandre des Chats,
L'Attila, le fléau des Rats,
Rendait ces derniers misérables :

J'ai lu, dis-je, en certain Auteur,
Que ce Chat exterminateur,
Vrai Cerbère[3], était craint une lieue à la ronde :
Il voulait de Souris dépeupler tout le monde.
Les planches qu'on suspend sur un léger appui,
La mort aux Rats, les Souricières,
N'étaient que jeux au prix de lui.
Comme il voit que dans leurs tanières
Les Souris étaient prisonnières,
Qu'elles n'osaient sortir, qu'il avait beau chercher,
Le galand fait le mort, et du haut d'un plancher[4]
Se pend la tête en bas. La bête scélérate
A de certains cordons se tenait par la patte.
Le peuple des Souris croit que c'est châtiment,
Qu'il a fait un larcin de rôt ou de fromage,
Égratigné quelqu'un, causé quelque dommage, 20
Enfin qu'on a pendu le mauvais garnement.
Toutes, dis-je, unanimement
Se promettent de rire à son enterrement,
Mettent le nez à l'air, montrent un peu la tête,
Puis rentrent dans leurs nids à rats, 25
Puis, ressortant, font quatre pas,
Puis enfin se mettent en quête.
Mais voici bien une autre fête :
Le pendu ressuscite, et sur ses pieds tombant,
Attrape les plus paresseuses. 30
Nous en savons plus d'un[5], dit-il en les gobant :
C'est tour de vieille guerre[6], et vos cavernes creuses
Ne vous sauveront pas, je vous en avertis;
Vous viendrez toutes au logis.
Il prophétisait vrai : notre maître Mitis[7] 35
Pour la seconde fois les trompe et les affine[8],
Blanchit sa robe et s'enfarine,
Et de la sorte déguisé,
Se niche et se blottit dans une huche ouverte.
Ce fut à lui bien avisé : 40
La gent trotte-menu s'en vient chercher sa perte.
Un Rat sans plus s'abstient d'aller flairer autour :
C'était un vieux routier[9] : il savait plus d'un tour;
Même il avait perdu sa queue à la bataille.
Ce bloc enfariné ne me dit rien qui vaille, 45
S'écria-t-il de loin au Général des Chats.
Je soupçonne dessous encor quelque machine.

Rien ne te sert d'être farine;
Car quand tu serais sac, je n'approcherais pas.
C'était bien dit à lui; j'approuve sa prudence : 50
Il était expérimenté,
Et savait que la méfiance
Est mère de la sûreté.

LIVRE QUATRIÈME

LIVRE QUATRIÈME

FABLE I

LE LION AMOUREUX[1]

A MADEMOISELLE DE SÉVIGNÉ[2]

SÉVIGNÉ, de qui les attraits
Servent aux grâces de modèle,
Et qui naquîtes toute belle,
A votre indifférence près,
Pourriez-vous être favorable 5
Aux jeux innocents d'une Fable,
Et voir sans vous épouvanter
Un Lion qu'Amour sut dompter ?
Amour est un étrange maître.
Heureux qui peut ne le connaître 10
Que par récit, lui ni ses coups !
Quand on en parle devant vous,
Si la vérité vous offense,
La Fable au moins se peut souffrir :
Celle-ci prend bien l'assurance 15
De venir à vos pieds s'offrir,
Par zèle et par reconnaissance.

Du temps que les bêtes parlaient,
Les Lions, entre autres, voulaient
Être admis dans notre alliance. 20
Pourquoi non ? puisque leur engeance

Valait la nôtre en ce temps-là,
Ayant courage, intelligence,
Et belle hure[3] outre cela.
Voici comment il en alla. 25
Un Lion de haut parentage,
En passant par un certain pré,
Rencontra Bergère à son gré :
Il la demande en mariage.
Le père aurait fort souhaité 30
Quelque gendre un peu moins terrible.
La donner lui semblait bien dur;
La refuser n'était pas sûr;
Même un refus eût fait possible
Qu'on eût vu quelque beau matin 35
Un mariage clandestin.
Car outre qu'en toute manière
La belle était pour les gens fiers,
Fille se coiffe volontiers
D'amoureux à longue crinière. 40
Le Père donc ouvertement
N'osant renvoyer notre amant,
Lui dit : Ma fille est délicate;
Vos griffes la pourront blesser
Quand vous voudrez la caresser. 45
Permettez donc qu'à chaque patte
On vous les rogne, et pour les dents,
Qu'on vous les lime en même temps.
Vos baisers en seront moins rudes,
Et pour vous plus délicieux; 50
Car ma fille y répondra mieux,
Étant sans ces inquiétudes.
Le Lion consent à cela,
Tant son âme était aveuglée !
Sans dents ni griffes le voilà, 55
Comme place démantelée.
On lâcha sur lui quelques chiens :
Il fit fort peu de résistance.
Amour, amour, quand tu nous tiens
On peut bien dire : Adieu prudence[a]. 60

---

a. L'édition de 1668 ajoute six vers, supprimés en 1679 :
Par tes conseils ensorcelants
Ce Lion crut son adversaire :

FABLE II

LE BERGER ET LA MER[1]

Du rapport d'un troupeau dont il vivait sans soins
Se contenta longtemps un voisin d'Amphitrite[2].
Si sa fortune était petite,
Elle était sûre tout au moins. 5
A la fin les trésors déchargés sur la plage
Le tentèrent si bien qu'il vendit son troupeau,
Trafiqua de l'argent, le mit entier sur l'eau;
Cet argent périt par naufrage.
Son maître fut réduit à garder les Brebis, 10
Non plus Berger en chef comme il était jadis,
Quand ses propres Moutons paissaient sur le rivage;
Celui qui s'était vu Coridon ou Tircis
Fut Pierrot, et rien davantage[3].
Au bout de quelque temps il fit quelques profits, 15
Racheta des bêtes à laine;
Et comme un jour les vents retenant leur haleine
Laissaient paisiblement aborder les vaisseaux :
Vous voulez de l'argent, ô Mesdames les Eaux,
Dit-il; adressez-vous, je vous prie, à quelque autre : 20
Ma foi, vous n'aurez pas le nôtre.

Ceci n'est pas un conte à plaisir inventé.
Je me sers de la vérité
Pour montrer, par expérience,
Qu'un sou, quand il est assuré, 25
Vaut mieux que cinq en espérance;
Qu'il se faut contenter de sa condition;
Qu'aux conseils de la Mer et de l'Ambition
Nous devons fermer les oreilles.
Pour un qui s'en louera, dix mille s'en plaindront. 30
La Mer promet monts et merveilles;
Fiez-vous-y, les vents et les voleurs viendront.

Hélas ! comment pourrais-tu faire
Que les bêtes devinssent gens,
Si tu nuis aux plus sages têtes
Et fais les gens devenir bêtes ?

FABLE III

LA MOUCHE ET LA FOURMI[1]

LA Mouche et la Fourmi contestaient de leur prix.
O Jupiter ! dit la première,
Faut-il que l'amour propre aveugle les esprits
D'une si terrible manière,
Qu'un vil et rampant animal 5
A la fille de l'air ose se dire égal ?
Je hante les Palais, je m'assieds à ta table :
Si l'on t'immole un bœuf, j'en goûte devant toi[2];
Pendant que celle-ci, chétive et misérable,
Vit trois jours d'un fétu qu'elle a traîné chez soi. 10
Mais, ma mignonne, dites-moi,
Vous campez-vous jamais sur la tête d'un Roi,
D'un Empereur, ou d'une Belle ?
Je le fais; et je baise un beau sein quand je veux :
Je me joue entre des cheveux; 15
Je rehausse d'un teint la blancheur naturelle;
Et la dernière main que met à sa beauté
Une femme allant en conquête,
C'est un ajustement des Mouches[3] emprunté.
Puis allez-moi rompre la tête 20
De vos greniers. — Avez-vous dit ?
Lui répliqua la ménagère.
Vous hantez les Palais; mais on vous y maudit.
Et quant à goûter la première
De ce qu'on sert devant les Dieux, 25
Croyez-vous qu'il en vaille mieux ?
Si vous entrez partout, aussi font les profanes.
Sur la tête des Rois et sur celle des Anes
Vous allez vous planter; je n'en disconviens pas;
Et je sais que d'un prompt trépas 30
Cette importunité bien souvent est punie.
Certain ajustement, dites-vous, rend jolie.
J'en conviens : il est noir ainsi que vous et moi.
Je veux qu'il ait nom Mouche : est-ce un sujet pourquoi
Vous fassiez sonner vos mérites ? 35
Nomme-t-on pas aussi Mouches les parasites[4] ?

Cessez donc de tenir un langage si vain :
N'ayez plus ces hautes pensées.
Les Mouches[5] de cour sont chassées;
Les Mouchards[6] sont pendus; et vous mourrez de faim, 40
De froid, de langueur, de misère,
Quand Phébus régnera sur un autre hémisphère.
Alors je jouirai du fruit de mes travaux.
Je n'irai, par monts ni par vaux,
M'exposer au vent, à la pluie; 45
Je vivrai sans mélancolie.
Le soin que j'aurai pris, de soin m'exemptera.
Je vous enseignerai par là
Ce que c'est qu'une fausse ou véritable gloire.
Adieu : je perds le temps : laissez-moi travailler; 50
Ni mon grenier, ni mon armoire
Ne se remplit à babiller.

FABLE IV

LE JARDINIER ET SON SEIGNEUR[1]

Un amateur du jardinage,
Demi Bourgeois, demi manant[2],
Possédait en certain Village
Un jardin assez propre, et le clos attenant.
Il avait de plant vif fermé cette étendue. 5
Là croissait à plaisir l'oseille et la laitue,
De quoi faire à Margot pour sa fête un bouquet,
Peu de jasmin d'Espagne[3], et force serpolet[4].
Cette félicité par un Lièvre troublée
Fit qu'au Seigneur[5] du Bourg notre homme se plaignit. 10
Ce maudit animal vient prendre sa goulée[6]
Soir et matin, dit-il, et des pièges se rit;
Les pierres, les bâtons y perdent leur crédit.
Il est Sorcier, je crois. — Sorcier ? je l'en défie,
Repartit le Seigneur. Fût-il diable, Miraut, 15
En dépit de ses tours, l'attrapera bientôt.
Je vous en déferai, bon homme, sur ma vie.
— Et quand ? — Et dès demain, sans tarder plus longtemps.
La partie ainsi faite, il vient avec ses gens.

Çà, déjeunons, dit-il : vos poulets sont-ils tendres ? 20
La fille du logis, qu'on vous voie, approchez.
Quand la marierons-nous ? quand aurons-nous des gendres ?
Bon homme, c'est ce coup qu'il faut, vous m'entendez,
Qu'il faut fouiller à l'escarcelle.
Disant ces mots, il fait connaissance avec elle, 25
Auprès de lui la fait asseoir,
Prend une main, un bras, lève un coin du mouchoir[7],
Toutes sottises dont la Belle
Se défend avec grand respect;
Tant qu'au père à la fin cela devient suspect. 30
Cependant on fricasse, on se rue en cuisine[8].
De quand sont vos jambons ? ils ont fort bonne mine.
— Monsieur, ils sont à vous. — Vraiment ! dit le Seigneur,
Je les reçois, et de bon cœur.
Il déjeune très bien; aussi fait sa famille[9], 35
Chiens, chevaux, et valets, tous gens bien endentés :
Il commande chez l'hôte, y prend des libertés,
Boit son vin, caresse sa fille.
L'embarras des chasseurs succède au déjeuné.
Chacun s'anime et se prépare : 40
Les trompes et les cors font un tel tintamarre
Que le bon homme est étonné[10].
Le pis fut que l'on mit en piteux équipage
Le pauvre potager; adieu planches, carreaux;
Adieu chicorée et porreaux; 45
Adieu de quoi mettre au potage.
Le Lièvre était gîté dessous un maître chou.
On le quête; on le lance, il s'enfuit par un trou,
Non pas trou, mais trouée, horrible et large plaie
Que l'on fit à la pauvre haie 50
Par ordre du Seigneur; car il eût été mal
Qu'on n'eût pu du jardin sortir tout à cheval.
Le bon homme disait : Ce sont là jeux de Prince[11].
Mais on le laissait dire; et les chiens et les gens
Firent plus de dégât en une heure de temps 55
Que n'en auraient fait en cent ans
Tous les lièvres de la Province.

Petits Princes, videz vos débats entre vous :
De recourir aux rois vous seriez de grands fous.
Il ne les faut jamais engager dans vos guerres, 60
Ni les faire entrer sur vos terres.

.N. Estampes

Cl. B.N.

Le jardinier et son seigneur
Gravure par François Chauveau pour les *Fables choisies... de La Fontaine,* Paris, C. Barbin, 1668

FABLE V

L'ANE ET LE PETIT CHIEN[1]

Ne forçons point notre talent,
Nous ne ferions rien avec grâce :
Jamais un lourdaud, quoi qu'il fasse,
Ne saurait passer pour galant.
Peu de gens que le Ciel chérit et gratifie 5
Ont le don d'agréer infus avec la vie.
C'est un point qu'il leur faut laisser,
Et ne pas ressembler à l'Ane de la Fable,
Qui pour se rendre plus aimable
Et plus cher à son Maître, alla le caresser. 10
Comment ! disait-il en son âme,
Ce Chien, parce qu'il est mignon,
Vivra de pair à compagnon
Avec Monsieur, avec Madame,
Et j'aurai des coups de bâton ? 15
Que fait-il ? Il donne la patte;
Puis aussitôt il est baisé :
S'il en faut faire autant afin que l'on me flatte,
Cela n'est pas bien malaisé.
Dans cette admirable pensée, 20
Voyant son Maître en joie, il s'en vient lourdement,
Lève une corne toute usée,
La lui porte au menton fort amoureusement,
Non sans accompagner pour plus grand ornement
De son chant gracieux cette action hardie. 25
Oh ! oh ! quelle caresse, et quelle mélodie !
Dit le Maître aussitôt. Holà, Martin bâton[2] !
Martin bâton accourt; l'Ane change de ton.
Ainsi finit la Comédie.

FABLE VI

LE COMBAT DES RATS ET DES BELETTES[1]

La nation des Belettes,
Non plus que celle des Chats,
Ne veut aucun bien aux Rats;
Et sans les portes étrètes[2]
De leurs habitations,
L'animal à longue échine
En ferait, je m'imagine,
De grandes destructions.
Or une certaine année
Qu'il en était à foison 1
Leur Roi nommé Ratapon,
Mit en campagne une armée.
Les Belettes de leur part
Déployèrent l'étendard[3].
Si l'on croit la Renommée, 1
La Victoire balança :
Plus d'un Guéret s'engraissa
Du sang de plus d'une bande.
Mais la perte la plus grande
Tomba presque en tous endroits 2
Sur le peuple Souriquois.
Sa déroute fut entière,
Quoi que pût faire Artapax,
Psicarpax, Méridarpax[4],
Qui, tout couverts de poussière, 2
Soutinrent assez longtemps
Les efforts des combattants.
Leur résistance fut vaine :
Il fallut céder au sort :
Chacun s'enfuit au plus fort[5], 30
Tant Soldat que Capitaine.
Les Princes périrent tous.
La racaille, dans des trous
Trouvant sa retraite prête,
Se sauva sans grand travail. 35
Mais les Seigneurs sur leur tête

Ayant chacun un plumail,
Des cornes ou des aigrettes,
Soit comme marques d'honneur,
Soit afin que les Belettes 40
En conçussent plus de peur :
Cela causa leur malheur.
Trou, ni fente, ni crevasse
Ne fut large assez pour eux,
Au lieu que la populace 45
Entrait dans les moindres creux.
La principale jonchée[6]
Fut donc des principaux Rats.
Une tête empanachée
N'est pas petit embarras. 50
Le trop superbe équipage
Peut souvent en un passage
Causer du retardement.
Les petits en toute affaire
Esquivent fort aisément; 55
Les grands ne le peuvent faire.

FABLE VII

LE SINGE ET LE DAUPHIN[1]

C'ÉTAIT chez les Grecs un usage
Que sur la mer tous voyageurs
Menaient avec eux en voyage
Singes et Chiens de Bateleurs.
Un Navire en cet équipage 5
Non loin d'Athènes fit naufrage,
Sans les Dauphins tout eût péri.
Cet animal est fort ami
De notre espèce : en son Histoire
Pline[2] le dit, il le faut croire. 10
Il sauva donc tout ce qu'il put.
Même un Singe en cette occurrence,
Profitant de la ressemblance,
Lui pensa devoir son salut.

Un Dauphin le prit pour un homme,
Et sur son dos le fit asseoir
Si gravement qu'on eût cru voir
Ce chanteur que tant on renomme[3].
Le Dauphin l'allait mettre à bord,
Quand par hasard il lui demande :
Êtes-vous d'Athènes la grande ?
— Oui, dit l'autre, on m'y connaît fort;
S'il vous y survient quelque affaire,
Employez-moi; car mes parents
Y tiennent tous les premiers rangs :
Un mien cousin est Juge-Maire[4].
Le Dauphin dit : Bien grand merci :
Et le Pirée a part aussi
A l'honneur de votre présence ?
Vous le voyez souvent ? je pense.
— Tous les jours : il est mon ami,
C'est une vieille connaissance.
Notre Magot prit pour ce coup
Le nom d'un port pour un nom d'homme.
De telles gens il est beaucoup
Qui prendraient Vaugirard[5] pour Rome,
Et qui, caquetants au plus dru[6],
Parlent de tout et n'ont rien vu.
Le Dauphin rit, tourne la tête,
Et, le Magot considéré,
Il s'aperçoit qu'il n'a tiré
Du fond des eaux rien qu'une bête.
Il l'y replonge, et va trouver
Quelque homme afin de le sauver.

FABLE VIII

L'HOMME ET L'IDOLE DE BOIS[1]

CERTAIN Païen chez lui gardait un Dieu de bois,
De ces Dieux qui sont sourds, bien qu'ayants des oreilles[2].
Le Païen cependant s'en promettait merveilles.
Il lui coûtait autant que trois.
Ce n'étaient que vœux et qu'offrandes,

Sacrifices de bœufs couronnés de guirlandes.
Jamais Idole, quel qu'il[3] fût,
N'avait eu cuisine si grasse,
Sans que pour tout ce culte à son hôte il échût
Succession, trésor, gain au jeu, nulle grâce. 10
Bien plus, si pour un sou d'orage en quelque endroit
S'amassait d'une ou d'autre sorte,
L'homme en avait sa part, et sa bourse en souffrait.
La pitance[4] du Dieu n'en était pas moins forte.
A la fin, se fâchant de n'en obtenir rien, 15
Il vous prend un levier, met en pièces l'Idole,
Le trouve rempli d'or : Quand je t'ai fait du bien,
M'as-tu valu, dit-il, seulement une obole ?
Va, sors de mon logis : cherche d'autres autels.
Tu ressembles aux naturels 20
Malheureux, grossiers et stupides :
On n'en peut rien tirer qu'avecque[a] le bâton.
Plus je te remplissais, plus mes mains étaient vides :
J'ai bien fait de changer de ton.

FABLE IX

LE GEAI PARÉ DES PLUMES DU PAON[1]

Un Paon muait; un Geai prit son plumage;
Puis après se l'accommoda;
Puis parmi d'autres Paons tout fier se panada,
Croyant être un beau personnage.
Quelqu'un le reconnut : il se vit bafoué, 5
Berné, sifflé, moqué, joué,
Et par Messieurs les Paons plumé d'étrange sorte;
Même vers ses pareils s'étant réfugié,
Il fut par eux mis à la porte.
Il est assez de geais à deux pieds comme lui, 10
Qui se parent souvent des dépouilles d'autrui,
Et que l'on nomme plagiaires.
Je m'en tais; et ne veux leur causer nul ennui :
Ce ne sont pas là mes affaires.

---

a. 1668 : *avec*

FABLE X

LE CHAMEAU ET LES BATONS FLOTTANTS[1]

Le premier qui vit un Chameau
S'enfuit à cet objet[2] nouveau;
Le second approcha; le troisième osa faire
Un licou pour le Dromadaire[3].
L'accoutumance ainsi nous rend tout familier. 5
Ce qui nous paraissait terrible et singulier
S'apprivoise avec[4] notre vue,
Quand ce vient à la continue[5].
Et puisque nous voici tombés sur ce sujet,
On avait mis des gens au guet, 10
Qui voyant sur les eaux de loin certain objet,
Ne purent s'empêcher de dire
Que c'était un puissant navire.
Quelques moments après, l'objet devient brûlot[6],
Et puis nacelle, et puis ballot, 15
Enfin bâtons flottants sur l'onde.
J'en sais beaucoup de par le monde
A qui ceci conviendrait bien :
De loin c'est quelque chose, et de près ce n'est rien.

FABLE XI

LA GRENOUILLE ET LE RAT[1]

Tel, comme dit Merlin, cuide engeigner autrui,
Qui souvent s'engeigne soi-même[2].
J'ai regret que ce mot soit trop vieux aujourd'hui :
Il m'a toujours semblé d'une énergie extrême.
Mais afin d'en venir au dessein que j'ai pris, 5
Un rat plein d'embonpoint, gras, et des mieux nourris,

Et qui ne connaissait l'Avent ni le Carême[3],
Sur le bord d'un marais égayait ses esprits[4].
Une Grenouille approche, et lui dit en sa langue :
Venez me voir chez moi, je vous ferai festin. 10
Messire Rat promit soudain :
Il n'était pas besoin de plus longue harangue.
Elle allégua pourtant les délices du bain,
La curiosité, le plaisir du voyage,
Cent raretés à voir le long du marécage : 15
Un jour il conterait à ses petits-enfants
Les beautés de ces lieux, les mœurs des habitants,
Et le gouvernement de la chose publique
Aquatique.
Un point[5] sans plus tenait le galand empêché : 20
Il nageait quelque peu; mais il fallait de l'aide.
La Grenouille à cela trouve un très bon remède :
Le Rat fut à son pied par la patte attaché;
Un brinc de jonc en fit l'affaire.
Dans le marais entrés, notre bonne commère 25
S'efforce de tirer son hôte au fond de l'eau,
Contre le droit des gens, contre la foi jurée;
Prétend qu'elle en fera gorge-chaude et curée[6];
(C'était, à son avis, un excellent morceau.)
Déjà dans son esprit la galande le croque. 30
Il atteste les Dieux; la perfide s'en moque.
Il résiste; elle tire. En ce combat nouveau,
Un Milan qui dans l'air planait, faisait la ronde,
Voit d'en haut le pauvret se débattant sur l'onde.
Il fond dessus, l'enlève, et, par même moyen 35
La Grenouille et le lien.
Tout en fut; tant et si bien,
Que de cette double proie
L'oiseau se donne au cœur joie,
Ayant de cette façon 40
A souper chair et poisson.

La ruse la mieux ourdie
Peut nuire à son inventeur;
Et souvent la perfidie
Retourne sur son auteur. 45

FABLE XII

TRIBUT ENVOYÉ PAR LES ANIMAUX A ALEXANDRE[1]

Une Fable avait cours parmi l'antiquité,
Et la raison ne m'en est pas connue.
Que le Lecteur en tire une moralité.
Voici la Fable toute nue.

La Renommée ayant dit en cent lieux 5
Qu'un fils de Jupiter[2], un certain Alexandre,
Ne voulant rien laisser de libre sous les Cieux,
Commandait que sans plus attendre,
Tout peuple à ses pieds s'allât rendre,
Quadrupèdes, Humains, Éléphants, Vermisseaux, 10
Les Républiques[a] des Oiseaux;
La Déesse aux cent bouches[3], dis-je,
Ayant mis partout la terreur
En publiant l'Édit du nouvel Empereur,
Les Animaux, et toute espèce lige[4] 15
De son seul appétit, crurent que cette fois
Il fallait subir d'autres lois.
On s'assemble au désert. Tous quittent leur tanière.
Après divers avis, on résout, on conclut
D'envoyer hommage et tribut. 20
Pour l'hommage et pour la manière,
Le Singe en fut chargé : l'on lui mit par écrit
Ce que l'on voulait qui fût dit.
Le seul tribut les tint en peine.
Car que donner ? il fallait de l'argent. 25
On en prit d'un Prince obligeant,
Qui possédant dans son domaine
Des mines d'or fournit ce qu'on voulut.
Comme il fut question de porter ce tribut,
Le Mulet et l'Ane s'offrirent, 30
Assistés du Cheval ainsi que du Chameau.

---

a. 1668, 1678 : *La République*

Tous quatre en chemin ils se mirent,
Avec le Singe, Ambassadeur nouveau.
La Caravane enfin rencontre en un passage
Monseigneur le Lion. Cela ne leur plut point. 35
Nous nous rencontrons tout à point,
Dit-il, et nous voici compagnons de voyage.
J'allais offrir mon fait[5] à part;
Mais bien qu'il soit léger, tout fardeau m'embarrasse.
Obligez-moi de me faire la grâce 40
Que d'en porter chacun un quart.
Ce ne vous sera pas une charge trop grande,
Et j'en serai plus libre[a], et bien plus en état,
En cas que les Voleurs attaquent notre bande,
Et que l'on en vienne au combat. 45
Éconduire un Lion rarement se pratique.
Le voilà donc admis, soulagé, bien reçu,
Et, malgré le Héros de Jupiter issu,
Faisant chère et vivant sur la bourse publique[6].
Ils arrivèrent dans un pré 50
Tout bordé de ruisseaux, de fleurs tout diapré,
Où maint Mouton cherchait sa vie :
Séjour du frais, véritable patrie
Des Zéphirs. Le Lion n'y fut pas, qu'à ces gens
Il se plaignit d'être malade. 55
Continuez votre Ambassade,
Dit-il; je sens un feu qui me brûle au dedans,
Et veux chercher ici quelque herbe salutaire.
Pour vous, ne perdez point de temps :
Rendez-moi mon argent, j'en puis avoir affaire. 60
On déballe; et d'abord le Lion s'écria,
D'un ton qui témoignait sa joie :
Que de filles, ô Dieux, mes pièces de monnoie
Ont produites ! Voyez; la plupart sont déjà
Aussi grandes que leurs mères. 65
Le croît[7] m'en appartient. Il prit tout là-dessus;
Ou bien s'il ne prit tout, il n'en demeura guères.
Le Singe et les sommiers[8] confus,
Sans oser répliquer, en chemin se remirent.
Au fils de Jupiter on dit qu'ils se plaignirent, 70

---

a. 1668, in-4° : Et j'en serai *bien* plus libre, corrigé dès la même année dans l'édition in-12.

Et n'en eurent point de raison.
Qu'eût-il fait ? C'eût été Lion contre Lion;
Et le proverbe dit : Corsaires à Corsaires,
L'un l'autre s'attaquant, ne font pas leurs affaires[9].

FABLE XIII

LE CHEVAL S'ÉTANT VOULU VENGER DU CERF[1]

De tout temps les Chevaux ne sont nés pour les hommes.
Lorsque le genre humain de gland se contentait,
Ane, Cheval, et Mule, aux forêts habitait;
Et l'on ne voyait point, comme au siècle où nous sommes,
Tant de selles et tant de bâts, 5
Tant de harnois pour les combats,
Tant de chaises[a][2], tant de carrosses,
Comme aussi ne voyait-on pas
Tant de festins et tant de noces.
Or un Cheval eut alors différent 10
Avec un Cerf plein de vitesse,
Et ne pouvant l'attraper en courant,
Il eut recours à l'Homme, implora son adresse.
L'Homme lui mit un frein, lui sauta sur le dos,
Ne lui donna point de repos 15
Que le Cerf ne fût pris, et n'y laissât la vie;
Et cela fait, le Cheval remercie
L'Homme son bienfaiteur, disant : Je suis à vous;
Adieu. Je m'en retourne en mon séjour sauvage.
— Non pas cela, dit l'Homme; il fait meilleur chez nous : 20
Je vois trop quel est votre usage[3].
Demeurez donc; vous serez bien traité,
Et jusqu'au ventre en la litière.

Hélas ! que sert la bonne chère
Quand on n'a pas la liberté ? 25

---

a. Ms. Sainte-Geneviève : *chariots*

Le Cheval s'aperçut qu'il avait fait folie;
Mais il n'était plus temps : déjà son écurie
Était prête et toute bâtie.
Il y mourut en traînant son lien.
Sage s'il eût remis une légère offense. 30
Quel que soit le plaisir que cause la vengeance,
C'est l'acheter trop cher, que l'acheter d'un bien
Sans qui les autres ne sont rien.

FABLE XIV

LE RENARD ET LE BUSTE[1]

Les Grands, pour la plupart, sont masques[2] de théâtre;
Leur apparence impose au vulgaire idolâtre.
L'Ane n'en sait juger que par ce qu'il en voit.
Le Renard au contraire à fond les examine,
Les tourne de tout sens; et quand il s'aperçoit 5
Que leur fait n'est que bonne mine,
Il leur applique un mot qu'un Buste de Héros
Lui fit dire fort à propos.
C'était un Buste creux, et plus grand que nature.
Le Renard, en louant l'effort de la sculpture : 10
Belle tête, dit-il ; mais de cervelle point.
Combien de grands Seigneurs sont Bustes en ce point ?

FABLE XV

LE LOUP, LA CHÈVRE, ET LE CHEVREAU

XVI

LE LOUP, LA MÈRE ET L'ENFANT[1]

La Bique allant remplir sa traînante mamelle
Et paître l'herbe nouvelle,
Ferma sa porte au loquet,
Non sans dire à son Biquet :

Gardez-vous sur votre vie 5
D'ouvrir que l'on ne vous die[2],
Pour enseigne[3] et mot du guet :
Foin[4] du Loup et de sa race !
Comme elle disait ces mots,
Le Loup de fortune[5] passe; 10
Il les recueille à propos,
Et les garde en sa mémoire.
La Bique, comme on peut croire,
N'avait pas vu le glouton.
Dès qu'il la voit partie, il contrefait son ton, 15
Et d'une voix papelarde[6]
Il demande qu'on ouvre, en disant Foin du Loup,
Et croyant entrer tout d'un coup[7].
Le Biquet soupçonneux par la fente regarde.
Montrez-moi patte blanche, ou je n'ouvrirai point, 20
S'écria-t-il d'abord. (Patte blanche est un point
Chez les loups, comme on sait, rarement en usage.)
Celui-ci, fort surpris d'entendre ce langage,
Comme il était venu s'en retourna chez soi.
Où serait le Biquet s'il eût ajouté foi 25
Au mot du guet, que de fortune
Notre Loup avait entendu ?
Deux sûretés valent mieux qu'une,
Et le trop en cela ne fut jamais perdu.

Ce Loup me remet en mémoire 30
Un de ses compagnons qui fut encor mieux pris.
Il y périt; voici l'histoire.
Un Villageois avait à l'écart son logis.
Messer Loup attendait chape-chute[8] à la porte.
Il avait vu sortir gibier de toute sorte : 35
Veaux de lait, Agneaux et Brebis,
Régiments de Dindons, enfin bonne Provende[9].
Le larron commençait pourtant à s'ennuyer.
Il entend un enfant crier.
La mère aussitôt le gourmande, 40
Le menace, s'il ne se tait,
De le donner au Loup. L'Animal se tient prêt,
Remerciant les Dieux d'une telle aventure,
Quand la Mère, apaisant sa chère géniture[10],
Lui dit : Ne criez point; s'il vient, nous le tuerons. 45
— Qu'est ceci ? s'écria le mangeur de Moutons.

Dire d'un, puis d'un autre ? Est-ce ainsi que l'on traite
Les gens faits comme moi ? me prend-on pour un sot ?
Que quelque jour ce beau marmot
Vienne au bois cueillir la noisette ! 50
Comme il disait ces mots, on sort de la maison :
Un chien de cour l'arrête. Épieux et fourches-fières[11]
L'ajustent[12] de toutes manières.
Que veniez-vous chercher en ce lieu ? lui dit-on.
Aussitôt il conta l'affaire. 55
Merci[13] de moi, lui dit la Mère,
Tu mangeras mon Fils ! L'ai-je fait à dessein
Qu'il assouvisse un jour ta faim ?
On assomma la pauvre bête.
Un manant lui coupa le pied droit et la tête : 60
Le Seigneur du Village à sa porte les mit,
Et ce dicton picard à l'entour fut écrit :
Biaux chires Leups, n'écoutez mie
Mère tenchent chen fieux qui crie[14].

FABLE XVII

PAROLE DE SOCRATE[1]

SOCRATE un jour faisant bâtir,
Chacun censurait son ouvrage :
L'un trouvait les dedans, pour ne lui point mentir,
Indignes d'un tel personnage;
L'autre blâmait la face[2], et tous étaient d'avis 5
Que les appartements[3] en étaient trop petits.
Quelle maison pour lui ! L'on y tournait à peine.
Plût au ciel que de vrais amis,
Telle qu'elle est, dit-il, elle pût être pleine !
Le bon Socrate avait raison 10
De trouver pour ceux-là trop grande sa maison.
Chacun se dit ami; mais fol qui s'y repose :
Rien n'est plus commun que ce nom,
Rien n'est plus rare que la chose.

FABLE XVIII

LE VIEILLARD ET SES ENFANTS[1]

Toute puissance est faible, à moins que d'être unie.
Écoutez là-dessus l'esclave de Phrygie[2].
Si j'ajoute du mien à son invention,
C'est pour peindre nos mœurs, et non point par envie;
Je suis trop au-dessous de cette ambition. 5
Phèdre enchérit souvent par un motif de gloire;
Pour moi, de tels pensers me seraient malséants.
Mais venons à la Fable, ou plutôt à l'Histoire[3]
De celui qui tâcha d'unir tous ses enfants.

Un Vieillard prêt d'aller où la mort l'appelait : 10
Mes chers enfants, dit-il (à ses fils, il parlait),
Voyez si vous romprez ces dards liés ensemble;
Je vous expliquerai le nœud[4] qui les assemble.
L'aîné les ayant pris, et fait tous ses efforts,
Les rendit, en disant : Je le donne aux plus forts. 15
Un second lui succède, et se met en posture;
Mais en vain. Un cadet tente aussi l'aventure.
Tous perdirent leur temps, le faisceau résista;
De ces dards joints ensemble un seul ne s'éclata[5].
Faibles gens ! dit le père, il faut que je vous montre 20
Ce que ma force peut en semblable rencontre.
On crut qu'il se moquait; on sourit, mais à tort.
Il sépare les dards, et les rompt sans effort.
Vous voyez, reprit-il, l'effet de la concorde.
Soyez joints, mes enfants, que l'amour vous accorde[a]. 25
Tant que dura son mal, il n'eut autre discours.
Enfin se sentant prêt de terminer ses jours :
Mes chers enfants, dit-il, je vais où sont nos pères.
Adieu, promettez-moi de vivre comme frères;
Que j'obtienne de vous cette grâce en mourant. 30
Chacun de ses trois fils[b] l'en assure en pleurant.

---

a. Ms. Sainte-Geneviève : *qu'entre vous on s'accorde.*
b. Ibid. : Chacun de ses *enfants*

Il prend[a] à tous les mains; il meurt; et les trois frères
Trouvent un bien fort grand, mais fort mêlé d'affaires[6].
Un créancier saisit, un voisin fait procès.
D'abord notre Trio s'en tire[b] avec succès. 35
Leur amitié fut courte autant qu'elle était rare.
Le sang les avait joints, l'intérêt les sépare.
L'ambition, l'envie, avec les consultants[7],
Dans la succession entrent en même temps.
On en vient au partage, on conteste, on chicane. 40
Le Juge sur cent points tour à tour les condamne.
Créanciers et voisins reviennent[8] aussitôt;
Ceux-là sur une erreur, ceux-ci sur un défaut.
Les frères désunis sont tous d'avis contraire :
L'un veut s'accommoder, l'autre n'en veut rien faire. 45
Tous perdirent leur bien, et voulurent trop tard
Profiter de ces dards unis et pris à part.

FABLE XIX

L'ORACLE ET L'IMPIE[1]

Vouloir tromper le Ciel, c'est folie à la Terre[2];
Le Dédale des cœurs en ses détours n'enserre[3]
Rien qui ne soit d'abord[4] éclairé par les Dieux.
Tout ce que l'homme fait, il le fait à leurs yeux
Même les actions que dans l'ombre il croit faire. 5
Un Païen qui sentait quelque peu le fagot,
Et qui croyait en Dieu, pour user de ce mot,
  Par bénéfice d'inventaire[5],
  Alla consulter Apollon.
  Dès qu'il fut en son sanctuaire : 10
Ce que je tiens, dit-il, est-il en vie ou non ?
  Il tenait un moineau, dit-on,
  Prêt d'étouffer la pauvre bête,
  Ou de la lâcher aussitôt,

a. Ibid. : Il *tient*
b. Ibid. : *Et le triumvirat* s'en tire

Pour mettre Apollon en défaut. 15
Apollon reconnut ce qu'il avait en tête :
Mort ou vif, lui dit-il, montre-nous ton moineau,
Et ne me tends plus de panneau;
Tu te trouverais mal d'un pareil stratagème.
Je vois de loin, j'atteins de même[6]. 20

FABLE XX

L'AVARE QUI A PERDU SON TRÉSOR[1]

L'Usage seulement fait la possession.
Je demande à ces gens de qui la passion
Est d'entasser toujours, mettre somme sur somme,
Quel avantage ils ont que n'ait pas un autre homme.
Diogène là-bas[2] est aussi riche qu'eux, 5
Et l'avare ici-haut[3] comme lui vit en gueux.
L'homme au trésor caché qu'Ésope nous propose,
Servira d'exemple à la chose.
Ce malheureux attendait
Pour jouir de son bien une seconde vie; 10
Ne possédait pas l'or, mais l'or le possédait.
Il avait dans la terre une somme enfouie,
Son cœur avec, n'ayant autre déduit[4]
Que d'y ruminer jour et nuit,
Et rendre sa chevance[5] à lui-même sacrée. 15
Qu'il allât ou qu'il vînt, qu'il bût ou qu'il mangeât,
On l'eût pris de bien court[6], à moins qu'il ne songeât
A l'endroit où gisait cette somme enterrée.
Il y fit tant de tours qu'un Fossoyeur le vit,
Se douta du dépôt, l'enleva sans rien dire. 20
Notre Avare un beau jour ne trouva que le nid.
Voilà mon homme aux pleurs; il gémit, il soupire.
Il se tourmente, il se déchire.
Un passant lui demande à quel sujet ses cris.
C'est mon trésor que l'on m'a pris 25
— Votre trésor ? où pris ? — Tout joignant cette pierre.
— Eh ! sommes-nous en temps de guerre,
Pour l'apporter si loin ? N'eussiez-vous pas mieux fait

De le laisser chez vous en votre cabinet[7],
Que de le changer de demeure ? 30
Vous auriez pu sans peine y puiser à toute heure.
— A toute heure ? bons Dieux ! ne tient-il qu'à cela ?
L'argent vient-il comme il s'en va ?
Je n'y touchais jamais. — Dites-moi donc, de grâce,
Reprit l'autre, pourquoi vous vous affligez tant[a], 35
Puisque vous ne touchiez jamais à cet argent :
Mettez une pierre à la place,
Elle vous vaudra tout autant.

FABLE XXI

L'ŒIL DU MAITRE[1]

Un Cerf s'étant sauvé dans une étable à bœufs
Fut d'abord[2] averti par eux
Qu'il cherchât un meilleur asile.
Mes frères, leur dit-il, ne me décelez pas :
Je vous enseignerai les pâtis les plus gras ; 5
Ce service vous peut quelque jour être utile,
Et vous n'en aurez point regret.
Les Bœufs à toutes fins[3] promirent le secret.
Il se cache en un coin, respire, et prend courage.
Sur le soir on apporte herbe fraîche et fourrage[4] 10
Comme l'on faisait tous les jours.
L'on va, l'on vient, les valets font cent tours.
L'Intendant même, et pas un d'aventure
N'aperçut ni corps[b], ni ramure[5],
Ni Cerf enfin. L'habitant des forêts 15
Rend déjà grâce aux Bœufs, attend dans cette étable

---

a. 1668 in-4° ponctue ainsi : *affligez tant :*; puis une virgule après *argent* et après *place*.

b. 1668 : *cors*. — Sens possible si l'on veut à tout prix conserver ce texte : ils n'aperçoivent ni les cors (qui sont petits), ni même l'ensemble de la ramure (qui est bien visible pourtant). — Mais le texte définitif *corps* (ils n'aperçoivent ni le corps ni les bois du cerf) fait plutôt penser que 1668 était une faute d'impression.

Que chacun retournant au travail de Cérès,
Il trouve pour sortir un moment favorable.
L'un des Bœufs ruminant lui dit : Cela va bien;
Mais quoi ! l'homme aux cent yeux[6] n'a pas fait sa revue. 20
Je crains fort pour toi sa venue.
Jusque-là, pauvre Cerf, ne te vante de rien.
Là-dessus le Maître entre et vient faire sa ronde.
Qu'est-ce-ci ? dit-il à son monde.
Je trouve bien peu d'herbe en tous ces râteliers. 25
Cette litière est vieille : allez vite aux greniers.
Je veux voir désormais vos bêtes mieux soignées.
Que coûte-t-il d'ôter toutes ces araignées ?
Ne saurait-on ranger ces jougs et ces colliers ?
En regardant à tout, il voit une autre tête 30
Que celles qu'il voyait d'ordinaire en ce lieu.
Le Cerf est reconnu; chacun prend un épieu[7];
Chacun donne un coup à la bête.
Ses larmes[8] ne sauraient la sauver du trépas.
On l'emporte, on la sale, on en fait maint repas, 35
Dont maint voisin s'éjouit[9] d'être.
Phèdre sur ce sujet dit fort élégamment :
Il n'est, pour voir, que l'œil du Maître.
Quant à moi, j'y mettrais encor l'œil de l'Amant.

FABLE XXII

L'ALOUETTE ET SES PETITS, AVEC LE MAITRE D'UN CHAMP[1]

Ne t'attends qu'à toi seul[2], c'est un commun Proverbe.
Voici comme Ésope[3] le mit
En crédit.
Les Alouettes font leur nid
Dans les blés, quand ils sont en herbe, 5
C'est-à-dire environ le temps
Que tout aime et que tout pullule dans le monde[4] :
Monstres marins au fond de l'onde,
Tigres dans les Forêts, Alouettes aux champs.
Une pourtant de ces dernières 10

Avait laissé passer la moitié d'un Printemps
Sans goûter le plaisir des amours printanières.
A toute force enfin elle se résolut
D'imiter la Nature, et d'être mère encore.
Elle bâtit un nid, pond, couve, et fait éclore 15
A la hâte; le tout alla du mieux qu'il put.
Les blés d'alentour mûrs avant que la nitée[5]
Se trouvât assez forte encor
Pour voler et prendre l'essor,
De mille soins divers l'Alouette agitée 20
S'en va chercher pâture, avertit ses enfants
D'être toujours au guet et faire sentinelle.
Si le possesseur de ces champs
Vient avecque son fils (comme il viendra), dit-elle,
Écoutez bien; selon ce qu'il dira, 25
Chacun de nous décampera.
Sitôt que l'Alouette eut quitté sa famille,
Le possesseur du champ vient avecque son fils.
Ces blés sont mûrs, dit-il : allez chez nos amis
Les prier que chacun, apportant sa faucille, 30
Nous vienne aider demain dès la pointe du jour.
Notre Alouette de retour
Trouve en alarme sa couvée.
L'un commence : Il a dit que l'Aurore levée,
L'on fît venir demain ses amis pour l'aider... 35
— S'il n'a dit que cela, repartit l'Alouette,
Rien ne nous presse encor de changer de retraite;
Mais c'est demain qu'il faut tout de bon écouter.
Cependant soyez gais; voilà de quoi manger.
Eux repus, tout s'endort, les petits et la mère. 40
L'aube du jour arrive; et d'amis point du tout.
L'Alouette à l'essor, le Maître s'en vient faire
Sa ronde ainsi qu'à l'ordinaire.
Ces blés ne devraient pas, dit-il, être debout.
Nos amis ont grand tort, et tort qui se repose 45
Sur de tels paresseux à servir[6] ainsi lents.
Mon fils, allez chez nos parents
Les prier de la même chose.
L'épouvante est au nid plus forte que jamais.
Il a dit ses parents, mère, c'est à cette heure... 50
— Non, mes enfants dormez en paix;
Ne bougeons de notre demeure.
L'Alouette eut raison, car personne ne vint.

Pour la troisième fois le Maître se souvint
De visiter ses blés. Notre erreur est extrême,
Dit-il, de nous attendre à d'autres gens que nous.
Il n'est meilleur ami ni parent que soi-même.
Retenez bien cela, mon fils ; et savez-vous
Ce qu'il faut faire ? Il faut qu'avec notre famille[7]
Nous prenions dès demain chacun une faucille :
C'est là notre plus court, et nous achèverons
    Notre moisson quand nous pourrons.
Dès lors que ce dessein fut su de l'Alouette :
C'est ce coup qu'il est bon de partir, mes enfants.
    Et les petits, en même temps,
    Voletants, se culebutants[8],
    Délogèrent tous sans trompette.

LIVRE CINQUIÈME

LIVRE CINQUIÈME

FABLE I

LE BUCHERON ET MERCURE[1]

A. M. L. C. D. B. [2]

VOTRE goût a servi de règle à mon ouvrage.
J'ai tenté les moyens d'acquérir son suffrage.
Vous voulez qu'on évite un soin trop curieux[3],
Et des vains ornements l'effort ambitieux.
Je le veux comme vous; cet effort ne peut plaire. 5
Un auteur gâte tout quand il veut trop bien faire.
Non qu'il faille bannir certains traits délicats :
Vous les aimez, ces traits, et je ne les hais pas.
Quant au principal but[4] qu'Ésope se propose,
J'y tombe au moins mal que je puis. 10
Enfin si dans ces Vers je ne plais et n'instruis,
Il ne tient pas à moi, c'est toujours quelque chose.
Comme la force est un point
Dont je ne me pique point,
Je tâche d'y tourner le vice en ridicule, 15
Ne pouvant l'attaquer avec des bras d'Hercule.
C'est là tout mon talent; je ne sais s'il suffit.
Tantôt je peins en un récit
La sotte vanité jointe avecque l'envie,
Deux pivots sur qui roule aujourd'hui notre vie. 20
Tel est ce chétif animal

Qui voulut en grosseur au Bœuf se rendre égal[5].
J'oppose quelquefois, par une double image[6],
Le vice à la vertu, la sottise au bon sens,
Les Agneaux aux Loups ravissants,
La Mouche à la Fourmi, faisant de cet ouvrage
Une ample Comédie à cent actes divers,
Et dont la scène est l'Univers.
Hommes, Dieux, Animaux, tout y fait quelque rôle :
Jupiter comme un autre : Introduisons celui
Qui porte de sa part aux Belles la parole[7] :
Ce n'est pas de cela[8] qu'il s'agit aujourd'hui.

Un Bûcheron perdit son gagne-pain,
C'est sa cognée; et la cherchant en vain,
Ce fut pitié là-dessus de l'entendre.
Il n'avait pas des outils à revendre.
Sur celui-ci roulait tout son avoir.
Ne sachant donc où mettre son espoir,
Sa face était de pleurs toute baignée.
O ma cognée ! ô ma pauvre cognée !
S'écriait-il, Jupiter, rends-la-moi;
Je tiendrai l'être encore un coup de toi.
Sa plainte fut de l'Olympe entendue.
Mercure vient. Elle n'est pas perdue,
Lui dit ce dieu, la connaîtras-tu bien ?
Je crois l'avoir près d'ici rencontrée.
Lors une d'or à l'homme étant montrée,
Il répondit : Je n'y demande rien[9].
Une d'argent succède à la première,
Il la refuse. Enfin une de bois :
Voilà, dit-il, la mienne cette fois;
Je suis content si j'ai cette dernière.
— Tu les auras, dit le Dieu, toutes trois.
Ta bonne foi sera récompensée.
— En ce cas-là je les prendrai, dit-il.
L'Histoire en est aussitôt dispersée;
Et Boquillons[10] de perdre leur outil,
Et de crier pour se le faire rendre.
Le Roi des Dieux ne sait auquel entendre.
Son fils Mercure aux criards vient encor,
A chacun d'eux il en montre une d'or.
Chacun eût cru passer pour une bête
De ne pas dire aussitôt : La voilà !

Mercure, au lieu de donner celle-là,
Leur en décharge un grand coup sur la tête. 65

Ne point mentir, être content du sien,
C'est le plus sûr : cependant on s'occupe
A dire faux pour attraper du bien :
Que sert cela ? Jupiter n'est pas dupe.

FABLE II

LE POT DE TERRE ET LE POT DE FER[1]

Le Pot de fer proposa
Au Pot de terre un voyage.
Celui-ci s'en excusa,
Disant qu'il ferait que sage[2]
De garder le coin du feu : 5
Car il lui fallait si peu,
Si peu, que la moindre chose
De son débris[3] serait cause.
Il n'en reviendrait morceau.
Pour vous, dit-il, dont la peau 10
Est plus dure que la mienne,
Je ne vois rien qui vous tienne.
— Nous vous mettrons à couvert,
Repartit le Pot de fer.
Si quelque matière dure 15
Vous menace d'aventure,
Entre deux je passerai,
Et du coup vous sauverai.
Cette offre le persuade.
Pot de fer son camarade 20
Se met droit à ses côtés.
Mes gens s'en vont à trois pieds,
Clopin-clopant comme ils peuvent,
L'un contre l'autre jetés
Au moindre hoquet[4] qu'ils treuvent. 25
Le Pot de terre en souffre; il n'eut pas fait cent pas

Que par son compagnon il fut mis en éclats,
Sans qu'il eût lieu de se plaindre.
Ne nous associons qu'avecque nos égaux.
Ou bien il nous faudra craindre
Le destin d'un de ces Pots.

FABLE III

LE PETIT POISSON ET LE PÊCHEUR[1]

PETIT poisson deviendra grand,
Pourvu que Dieu lui prête vie.
Mais le lâcher en attendant,
Je tiens pour moi que c'est folie;
Car de le rattraper il[2] n'est pas trop certain.
Un Carpeau qui n'était encore que fretin[3]
Fut pris par un Pêcheur au bord d'une rivière.
Tout fait nombre, dit l'homme en voyant son butin;
Voilà commencement de chère et de festin :
Mettons-le[4] en notre gibecière.
Le pauvre Carpillon lui dit en[a] sa manière :
Que ferez-vous de moi ? je ne saurais fournir
Au plus qu'une demi-bouchée;
Laissez-moi Carpe devenir :
Je serai par vous repêchée.
Quelque gros Partisan[5] m'achètera bien cher,
Au lieu qu'il vous en faut chercher
Peut-être encor cent de ma taille
Pour faire un plat. Quel plat ? croyez-moi; rien qui vaille.
— Rien qui vaille ? Eh bien soit, repartit le Pêcheur;
Poisson, mon bel ami, qui faites le Prêcheur,
Vous irez dans la poêle; et vous avez beau dire,
Dès ce soir on vous fera frire.

Un tien[6] vaut, ce dit-on, mieux que deux tu l'auras :
L'un est sûr, l'autre ne l'est pas.

---

a. 1668 : *à*

B.N. Estampes *Le pot de terre et le pot de fer* Cl. B.N.

Gravure par J.-J. Grandville pour les *Fables de La Fontaine*,
Paris, H. Fournier, 1838-1840

FABLE IV

LES OREILLES DU LIÈVRE[1]

Un animal cornu blessa de quelques coups
Le Lion, qui plein de courroux,
Pour ne plus tomber en la peine,
Bannit des lieux de son domaine
Toute bête portant des cornes à son front. 5
Chèvres, Béliers, Taureaux aussitôt délogèrent,
Daims, et Cerfs de climat changèrent;
Chacun à s'en aller fut prompt.
Un Lièvre, apercevant l'ombre de ses oreilles,
Craignit que quelque Inquisiteur[2] 10
N'allât interpréter à cornes leur longueur,
Ne les soutînt en tout à des cornes pareilles.
Adieu, voisin Grillon, dit-il, je pars d'ici;
Mes oreilles enfin seraient cornes aussi;
Et quand je les aurais plus courtes qu'une Autruche, 15
Je craindrais même encor. Le Grillon repartit :
Cornes cela ? Vous me prenez pour cruche;
Ce sont oreilles que Dieu fit.
— On les fera passer pour cornes,
Dit l'animal craintif, et cornes de Licornes. 20
J'aurai beau protester; mon dire et mes raisons
Iront aux Petites-Maisons[3].

FABLE V

LE RENARD AYANT LA QUEUE COUPÉE[1]

Un vieux Renard, mais des plus fins,
Grand croqueur de Poulets, grand preneur de Lapins,
Sentant son Renard d'une lieue,
Fut enfin au piège attrapé.
Par grand hasard en étant échappé, 5

Non pas franc[2], car pour gage[3] il y laissa sa queue :
S'étant, dis-je, sauvé sans queue, et tout honteux,
Pour avoir des pareils (comme il était habile),
Un jour que les Renards tenaient conseil entre eux :
Que faisons-nous, dit-il, de ce poids inutile,
Et qui va balayant tous les sentiers fangeux ?
Que nous sert cette queue ? Il faut qu'on se la coupe :
Si l'on me croit, chacun s'y résoudra.
— Votre avis est fort bon, dit quelqu'un de la troupe;
Mais tournez-vous, de grâce, et l'on vous répondra.
A ces mots, il se fit une telle huée,
Que le pauvre écourté[4] ne put être entendu.
Prétendre ôter la queue eût été temps perdu;
La mode en fut continuée.

FABLE VI

LA VIEILLE ET LES DEUX SERVANTES[1]

Il était une vieille ayant deux Chambrières.
Elles filaient si bien que les sœurs filandières[2]
Ne faisaient que brouiller[3] au prix de celles-ci.
La Vieille n'avait point de plus pressant souci
Que de distribuer aux Servantes leur tâche.
Dès que Téthis[4] chassait Phébus aux crins[5] dorés,
Tourets[6] entraient en jeu, fuseaux étaient tirés;
Deçà, delà, vous en aurez[7];
Point de cesse, point de relâche.
Dès que l'Aurore, dis-je, en son char remontait,
Un misérable Coq à point nommé chantait.
Aussitôt notre Vieille encor plus misérable
S'affublait d'un jupon crasseux et détestable,
Allumait une lampe, et courait droit au lit
Où de tout leur pouvoir, de tout leur appétit,
Dormaient les deux pauvres Servantes.
L'une entr'ouvrait un œil, l'autre étendait un bras;
Et toutes deux, très malcontentes,
Disaient entre leurs dents : Maudit Coq, tu mourras.
Comme elles l'avaient dit, la bête fut grippée[8].
Le réveille-matin eut la gorge coupée.

Ce meurtre n'amenda nullement leur marché[9].
Notre couple au contraire à peine était couché
Que la Vieille, craignant de laisser passer l'heure,
Courait comme un Lutin par toute sa demeure. 25
C'est ainsi que le plus souvent,
Quand on pense sortir d'une mauvaise affaire,
On s'enfonce encor plus avant :
Témoin ce Couple et son salaire.
La Vieille, au lieu du Coq, les fit tomber par là 30
De Charybde en Scylla.

FABLE VII

LE SATYRE ET LE PASSANT[1]

Au fond d'un antre sauvage,
Un Satyre et ses enfants
Allaient manger leur potage
Et prendre l'écuelle aux dents[2].

On les eût vus sur la mousse 5
Lui, sa femme, et maint petit;
Ils n'avaient tapis ni housse,
Mais tous fort bon appétit.

Pour se sauver de la pluie,
Entre un Passant morfondu. 10
Au brouet[3] on le convie :
Il n'était pas attendu.

Son hôte n'eut pas la peine
De le semondre[4] deux fois;
D'abord avec son haleine 15
Il se réchauffe les doigts.

Puis sur le mets qu'on lui donne
Délicat il souffle aussi;
Le Satyre s'en étonne :
Notre hôte, à quoi bon ceci ? 20

— L'un refroidit mon potage,
L'autre réchauffe ma main.
— Vous pouvez, dit le Sauvage,
Reprendre votre chemin.

Ne plaise aux Dieux que je couche
Avec vous sous même toit.
Arrière ceux dont la bouche
Souffle le chaud et le froid !

FABLE VIII

LE CHEVAL ET LE LOUP[1]

Un certain Loup, dans la saison
Que les tièdes Zéphyrs ont l'herbe rajeunie,
Et que les animaux quittent tous la maison,
Pour s'en aller chercher leur vie;
Un loup, dis-je, au sortir des rigueurs de l'Hiver,
Aperçut un Cheval qu'on avait mis au vert.
Je laisse à penser quelle joie !
Bonne chasse, dit-il, qui l'aurait[2] à son croc[3].
Eh ! que n'es-tu Mouton ? car tu me serais hoc[4] :
Au lieu qu'il faut ruser pour avoir cette proie.
Rusons donc. Ainsi dit, il vient à pas comptés,
Se dit Écolier d'Hippocrate[5];
Qu'il connaît les vertus et les propriétés
De tous les Simples[6] de ces prés,
Qu'il sait guérir, sans qu'il se flatte,
Toutes sortes de maux. Si Dom[7] Coursier voulait
Ne point celer sa maladie,
Lui Loup gratis le guérirait.
Car le voir en cette prairie
Paître ainsi sans être lié
Témoignait quelque mal, selon la Médecine.
J'ai, dit la Bête chevaline,
Une apostume[8] sous le pied.
— Mon fils, dit le docteur, il n'est point de partie
Susceptible de tant de maux.

.N. Imprimés

Cl. B.N.

Le satyre et le passant
Planche illustrant *Le paysan et le satyre,*
extraite de E. Perret, *Fables des animaux,* Delf, 1618

J'ai l'honneur de servir Nosseigneurs les Chevaux,
Et fais aussi la Chirurgie.
Mon galand ne songeait qu'à bien prendre son temps,
Afin de happer son malade.
L'autre qui s'en doutait lui lâche une ruade, 30
Qui vous lui met en marmelade
Les mandibules[9] et les dents.
C'est bien fait, dit le Loup en soi-même fort triste;
Chacun à son métier doit toujours s'attacher.
Tu veux faire ici l'Arboriste[10], 35
Et ne fus jamais que Boucher.

FABLE IX

LE LABOUREUR ET SES ENFANTS[1]

TRAVAILLEZ, prenez de la peine :
C'est le fonds qui manque[2] le moins.
Un riche Laboureur[3], sentant sa mort prochaine,
Fit venir ses enfants, leur parla sans témoins.
Gardez-vous, leur dit-il, de vendre l'héritage 5
Que nous ont laissé nos parents.
Un trésor est caché dedans.
Je ne sais pas l'endroit; mais un peu de courage
Vous le fera trouver, vous en viendrez à bout.
Remuez votre champ dès qu'on aura fait l'Oût[4]. 10
Creusez, fouillez, bêchez; ne laissez nulle place
Où la main ne passe et repasse.
Le père mort, les fils vous retournent le champ
Deçà, delà, partout; si bien qu'au bout de l'an
Il en rapporta davantage. 15
D'argent, point de caché. Mais le père fut sage
De leur montrer avant sa mort
Que le travail est un trésor.

FABLE X

LA MONTAGNE QUI ACCOUCHE[1]

UNE Montagne en mal d'enfant
Jetait une clameur si haute,
Que chacun au bruit accourant
Crut qu'elle accoucherait, sans faute,
D'une Cité plus grosse que Paris :
Elle accoucha d'une Souris.

Quand je songe à cette Fable
Dont le récit est menteur
Et le sens est véritable,
Je me figure un Auteur[2]
Qui dit : Je chanterai la guerre
Que firent les Titans au Maître du tonnerre[3].
C'est promettre beaucoup : mais qu'en sort-il souvent ?
Du vent.

FABLE XI

LA FORTUNE ET LE JEUNE ENFANT[1]

SUR le bord d'un puits très profond
Dormait étendu de son long
Un Enfant alors dans ses classes[2].
Tout est aux Écoliers couchette et matelas.
Un honnête homme en pareil cas
Aurait fait un saut de vingt brasses.
Près de là tout heureusement
La Fortune passa, l'éveilla doucement,
Lui disant : Mon mignon, je vous sauve la vie.
Soyez une autre fois plus sage, je vous prie.
Si vous fussiez tombé, l'on s'en fût pris à moi;
Cependant c'était votre faute.
Je vous demande, en bonne foi,

Si cette imprudence si haute
Provient de mon caprice. Elle part à ces mots. 15
Pour moi, j'approuve son propos.
Il n'arrive rien dans le monde
Qu'il ne faille qu'elle en réponde.
Nous la faisons de tous Échos[3].
Elle est prise à garant de toutes aventures. 20
Est-on sot, étourdi, prend-on mal ses mesures;
On pense en être quitte en accusant son sort :
Bref la Fortune a toujours tort.

FABLE XII

LES MÉDECINS[1]

LE Médecin Tant-pis allait voir un malade
Que visitait aussi son confrère Tant-mieux;
Ce dernier espérait, quoique son camarade
Soutînt que le gisant[2] irait voir ses aïeux.
Tous deux s'étant trouvés différents pour la cure, 5
Leur malade paya le tribut à Nature,
Après qu'en ses conseils Tant-pis eut été cru.
Ils triomphaient encor sur cette maladie.
L'un disait : Il est mort, je l'avais bien prévu.
— S'il m'eût cru, disait l'autre, il serait plein de vie. 10

FABLE XIII

LA POULE AUX ŒUFS D'OR[1]

L'AVARICE perd tout en voulant tout gagner.
Je ne veux, pour le témoigner,
Que celui dont la Poule, à ce que dit la Fable,
Pondait tous les jours un œuf d'or.
Il crut que dans son corps elle avait un trésor. 5

Il la tua, l'ouvrit, et la trouva semblable
A celles[a] dont les œufs ne lui rapportaient rien,
S'étant lui-même ôté le plus beau de son bien.
Belle leçon pour les gens chiches :
Pendant ces derniers temps[2], combien en a-t-on vus
Qui du soir au matin sont pauvres devenus
Pour vouloir trop tôt être riches ?

FABLE XIV

L'ANE PORTANT DES RELIQUES[1]

Un Baudet, chargé de Reliques,
S'imagina qu'on l'adorait.
Dans ce penser il se carrait[2],
Recevant comme siens l'Encens et les Cantiques.
Quelqu'un vit l'erreur, et lui dit :
Maître Baudet, ôtez-vous de l'esprit
Une vanité si folle.
Ce n'est pas vous, c'est l'Idole[3]
A qui cet honneur se rend,
Et que[4] la gloire en est due.
D'un Magistrat ignorant
C'est la Robe qu'on salue.

FABLE XV

LE CERF ET LA VIGNE[1]

Un Cerf, à la faveur d'une Vigne fort haute
Et telle qu'on en voit en de certains climats,
S'étant mis à couvert et sauvé du trépas,
Les Veneurs pour ce coup croyaient leurs chiens en faute[2].

---

a. 1692 : *celle* (faute d'impression ?)

B.N. Estampes

Les médecins

Gravure par J.-J. Grandville, pour les *Fables de La Fontaine*, Paris, H. Fournier, 1838-1840

Cl. B.N.

Ils les rappellent donc. Le Cerf hors de danger 5
Broute sa bienfaitrice, ingratitude extrême !
On l'entend, on retourne, on le fait déloger,
Il vient mourir en ce lieu même.
J'ai mérité, dit-il, ce juste châtiment :
Profitez-en, ingrats. Il tombe en ce moment. 10
La Meute en fait curée. Il lui fut inutile
De pleurer aux[3] Veneurs à sa mort arrivés.
Vraie image de ceux qui profanent l'asile
Qui les a conservés.

FABLE XVI

LE SERPENT ET LA LIME[1]

On conte qu'un serpent voisin d'un Horloger
(C'était pour l'Horloger un mauvais voisinage),
Entra dans sa boutique, et cherchant à manger
N'y rencontra pour tout potage
Qu'une Lime d'acier qu'il se mit à ronger. 5
Cette Lime lui dit, sans se mettre en colère :
Pauvre ignorant ! et que prétends-tu faire ?
Tu te prends à plus dur que toi[a].
Petit Serpent à tête folle,
Plutôt que d'emporter de moi 10
Seulement le quart d'une obole[b][2],
Tu te romprais toutes les dents.
Je ne crains que celles du temps.

Ceci s'adresse à vous, esprits du dernier ordre,
Qui n'étant bons à rien cherchez sur tout à mordre. 15
Vous vous tourmentez vainement.
Croyez-vous que vos dents impriment leurs outrages
Sur tant de beaux ouvrages ?
Ils sont pour vous d'airain, d'acier, de diamant.

---

a. 1668, ponctuation différente : *plus dur que toi*, [...] *à tête folle ;*
b. 1668, 1692 : *une* obole. — 1678 : *un* obole. (Du masc. on trouve quelques exemples au XVIe siècle.)

FABLE XVII

LE LIÈVRE ET LA PERDRIX[1]

Il ne se faut jamais moquer des misérables[2] :
Car qui peut s'assurer d'être toujours heureux ?
Le sage Ésope dans ses Fables
Nous en donne un exemple ou deux.
Celui qu'en ces Vers je propose,
Et les siens, ce sont même chose.
Le Lièvre et la Perdrix, concitoyens d'un champ,
Vivaient dans un état, ce semble, assez tranquille,
Quand une Meute s'approchant
Oblige le premier à chercher un asile.
Il s'enfuit dans son fort[3], met les chiens en défaut[4],
Sans même en excepter Briffaut.
Enfin il se trahit lui-même
Par les esprits[5] sortants de son corps échauffé.
Miraut sur leur odeur ayant philosophé
Conclut que c'est son Lièvre, et d'une ardeur extrême
Il le pousse, et Rustaut[a], qui n'a jamais menti,
Dit que le Lièvre est reparti.
Le pauvre malheureux vient mourir à son gîte.
La Perdrix le raille, et lui dit :
Tu te vantais d'être si vite[6] :
Qu'as-tu fait de tes pieds ? Au moment qu'elle rit,
Son tour vient; on la trouve. Elle croit que ses ailes
La sauront garantir à toute extrémité;
Mais la pauvrette avait compté
Sans l'Autour aux serres cruelles.

---

a. 1668, 1682 : *Tayaut*

B.N. Estampes — *Cl. B.N.*

Le serpent et la lime
Gravure de François Chauveau pour les *Fables choisies... de La Fontaine,* Paris, C. Barbin, 1668

FABLE XVIII

L'AIGLE ET LE HIBOU[1]

L'AIGLE et le Chat-huant leurs querelles cessèrent,
Et firent tant qu'ils s'embrassèrent.
L'un jura foi de Roi, l'autre foi de Hibou,
Qu'ils ne se goberaient leurs petits peu ni prou[2].
Connaissez-vous les miens ? dit l'Oiseau de Minerve[3]. 5
— Non, dit l'Aigle. — Tant pis, reprit le triste[4] Oiseau.
Je crains en ce cas pour leur peau :
C'est hasard si je les conserve.
Comme vous êtes Roi, vous ne considérez
Qui ni quoi[5] : Rois et Dieux mettent, quoi qu'on leur die, 10
Tout en même catégorie.
Adieu mes nourrissons si vous les rencontrez.
— Peignez-les-moi, dit l'Aigle, ou bien me les montrez.
Je n'y toucherai de ma vie.
Le Hibou repartit : Mes petits sont mignons, 15
Beaux, bien faits, et jolis sur tous leurs compagnons.
Vous les reconnaîtrez sans peine à cette marque.
N'allez pas l'oublier; retenez-la si bien
Que chez moi la maudite Parque
N'entre point par votre moyen. 20
Il avint qu'au Hibou Dieu donna géniture[6],
De façon qu'un beau soir qu'il était en pâture,
Notre Aigle aperçut d'aventure,
Dans les coins d'une roche dure,
Ou dans les trous d'une masure 25
(Je ne sais pas lequel des deux),
De petits monstres fort hideux,
Rechignés, un air triste, une voix de Mégère[7].
Ces enfants ne sont pas, dit l'Aigle, à notre ami.
Croquons-les. Le galand n'en fit pas à demi. 30
Ses repas ne sont point repas à la légère.
Le Hibou, de retour, ne trouve que les pieds
De ses chers nourrissons, hélas ! pour toute chose.
Il se plaint, et les Dieux sont par lui suppliés
De punir le brigand qui de son deuil est cause. 35
Quelqu'un lui dit alors : N'en accuse que toi

Ou plutôt la commune loi
Qui veut qu'on trouve son semblable
Beau, bien fait, et sur tous aimable.
Tu fis de tes enfants à l'Aigle ce portrait; 40
En avaient-ils le moindre trait ?

FABLE XIX

LE LION S'EN ALLANT EN GUERRE[1]

Le Lion dans sa tête avait une entreprise.
Il tint conseil de guerre, envoya ses Prévots[2],
Fit avertir les animaux :
Tous furent du dessein[3], chacun selon sa guise[4].
L'Éléphant devait sur son dos 5
Porter l'attirail nécessaire
Et combattre à son ordinaire,
L'Ours s'apprêter pour les assauts;
Le Renard ménager de secrètes pratiques[5],
Et le Singe amuser l'ennemi par ses tours. 10
Renvoyez, dit quelqu'un, les Anes qui sont lourds,
Et les Lièvres sujets à des terreurs paniques.
— Point du tout, dit le Roi, je les veux employer.
Notre troupe sans eux ne serait pas complète.
L'Ane effraiera les gens, nous servant de trompette, 15
Et le Lièvre pourra nous servir de courrier.
Le monarque prudent et sage
De ses moindres sujets sait tirer quelque usage,
Et connaît les divers talents :
Il n'est rien d'inutile aux personnes de sens. 20

FABLE XX

L'OURS ET LES DEUX COMPAGNONS[1]

DEUX compagnons pressés d'argent
A leur voisin Fourreur vendirent
La peau d'un Ours encor vivant,
Mais qu'ils tueraient bientôt, du moins à ce qu'ils dirent.
C'était le Roi des Ours au compte de ces gens. 5
Le Marchand à sa peau devait faire fortune.
Elle garantirait des froids les plus cuisants.
On en pourrait fourrer plutôt deux robes qu'une.
Dindenaut[2] prisait moins ses Moutons qu'eux leur Ours :
Leur, à leur compte, et non à celui de la Bête. 10
S'offrant de la livrer au plus tard dans deux jours,
Ils conviennent de prix, et se mettent en quête,
Trouvent l'Ours qui s'avance, et vient vers eux au trot.
Voilà mes gens frappés comme d'un coup de foudre.
Le marché ne tint pas; il fallut le résoudre[3] : 15
D'intérêts[4] contre l'Ours, on n'en dit pas un mot.
L'un des deux Compagnons grimpe au faîte d'un arbre;
L'autre, plus froid que n'est un marbre,
Se couche sur le nez, fait le mort, tient son vent[5],
Ayant quelque part ouï dire 20
Que l'Ours s'acharne peu souvent
Sur un corps qui ne vit, ne meut, ni ne respire.
Seigneur Ours, comme un sot, donna dans ce panneau.
Il voit ce corps gisant, le croit privé de vie,
Et de peur de supercherie 25
Le tourne, le retourne, approche son museau,
Flaire aux passages de l'haleine.
C'est, dit-il, un cadavre; Otons-nous, car il sent.
A ces mots, l'Ours s'en va dans la forêt prochaine.
L'un de nos deux Marchands de son arbre descend, 30
Court à son compagnon, lui dit que c'est merveille
Qu'il n'ait eu seulement que la peur pour tout mal.
Eh bien, ajouta-t-il, la peau de l'animal ?
Mais que t'a-t-il dit à l'oreille ?

Car il s'approchait[a] de bien près, 3
Te retournant avec sa serre.
— Il m'a dit qu'il ne faut jamais
Vendre la peau de l'Ours qu'on ne l'ait mis par terre.

FABLE XXI

L'ANE VÊTU DE LA PEAU DU LION[1]

De la peau du Lion l'Ane s'étant vêtu
Était craint partout à la ronde,
Et bien qu'animal sans vertu[2],
Il faisait trembler tout le monde.
Un petit bout d'oreille échappé par malheur 5
Découvrit la fourbe et l'erreur.
Martin[3] fit alors son office.
Ceux qui ne savaient pas la ruse et la malice
S'étonnaient de voir que Martin
Chassât les Lions au moulin. 10

Force gens font du bruit en France,
Par qui cet Apologue est rendu familier.
Un équipage cavalier[4]
Fait les trois quarts de leur vaillance.

---

a. 1668 : *t*'approchait. — 1678 : s'approchait

LIVRE SIXIÈME

LIVRE SIXIÈME

FABLE I

LE PATRE ET LE LION

II

LE LION ET LE CHASSEUR[1]

LES Fables ne sont pas ce qu'elles semblent être.
Le plus simple animal nous y tient lieu de Maître.
Une Morale nue apporte de l'ennui;
Le conte fait passer le précepte avec lui.
En ces sortes de feinte il faut instruire et plaire, 5
Et conter pour conter me semble peu d'affaire.
C'est par cette raison qu'égayant leur esprit,
Nombre de gens fameux en ce genre ont écrit.
Tous ont fui l'ornement et le trop d'étendue.
On ne voit point chez eux de parole perdue. 10
Phèdre était si succinct qu'aucuns[2] l'en ont blâmé.
Ésope en moins de mots s'est encore exprimé.
Mais sur tous certain Grec* renchérit et se pique
D'une élégance Laconique.
Il renferme toujours son conte en quatre Vers[3]; 15
Bien ou mal, je le laisse à juger aux Experts.
Voyons-le[4] avec Ésope en un sujet semblable.
L'un amène un Chasseur, l'autre un Pâtre, en sa Fable.
J'ai suivi leur projet[5] quant à l'événement,

---

* « Gabrias ». *(Note de La Fontaine.)*

Y cousant en chemin quelque trait seulement.
Voici comme à peu près Ésope le raconte.

Un Pâtre à ses brebis trouvant quelque méconte,
Voulut à toute force attraper le Larron.
Il s'en va près d'un antre, et tend à l'environ
Des lacs[6] à prendre Loups, soupçonnant cette engeance.
 Avant que partir de ces lieux,
Si tu fais, disait-il, ô Monarque des Dieux,
Que le drôle à ces lacs se prenne en ma présence
 Et que je goûte ce plaisir,
 Parmi vingt Veaux je veux choisir
 Le plus gras, et t'en faire offrande.
A ces mots sort de l'antre un Lion grand et fort.
Le Pâtre se tapit, et dit à demi mort :
Que l'homme ne sait guère, hélas ! ce qu'il demande !
Pour trouver le Larron qui détruit mon troupeau,
Et le voir en ces lacs pris avant que je parte,
O monarque des Dieux, je t'ai promis un veau :
Je te promets un bœuf si tu fais qu'il s'écarte.
C'est ainsi que l'a dit le principal Auteur :
 Passons à son imitateur.

Un Fanfaron amateur de la chasse,
Venant de perdre un Chien de bonne race,
Qu'il soupçonnait dans le corps d'un Lion,
Vit un berger. Enseigne-moi, de grâce,
De mon voleur, lui dit-il, la maison,
Que de ce pas je me fasse raison.
Le Berger dit : C'est vers cette montagne.
En lui payant de tribut[7] un Mouton
Par chaque mois, j'erre dans la campagne
Comme il me plaît, et je suis en repos.
Dans le moment qu'ils tenaient ces propos,
Le Lion sort, et vient d'un pas agile.
Le Fanfaron aussitôt d'esquiver.
O Jupiter, montre-moi quelque asile,
S'écria-t-il, qui me puisse sauver.

 La vraie épreuve de courage[a]

---

a 1668 : *du* courage

N'est que dans le danger que l'on touche du doigt.
Tel le cherchait, dit-il, qui changeant de langage
S'enfuit aussitôt qu'il le voit.

FABLE III

PHÉBUS ET BORÉE[1]

BORÉE[2] et le Soleil virent un Voyageur
Qui s'était muni par bonheur
Contre le mauvais temps. (On entrait dans l'Automne,
Quand la précaution aux voyageurs est bonne)
Il pleut; le Soleil luit; et l'écharpe d'Iris[3] 5
Rend ceux qui sortent avertis
Qu'en ces mois le manteau leur est fort nécessaire;
Les Latins les nommaient douteux[4] pour cette affaire.
Notre homme s'était donc à la pluie attendu :
Bon manteau bien doublé; bonne étoffe bien forte. 10
Celui-ci, dit le Vent, prétend avoir pourvu
A tous les accidents; mais il n'a pas prévu
Que je saurai souffler de sorte
Qu'il n'est bouton qui tienne : il faudra, si je veux,
Que le manteau s'en aille au Diable. 15
L'ébattement pourrait nous en être agréable :
Vous plaît-il de l'avoir ? — Eh bien, gageons nous deux,
(Dit Phébus) sans tant de paroles,
A qui plus tôt aura dégarni les épaules
Du Cavalier que nous voyons. 20
Commencez. Je vous laisse obscurcir mes rayons.
Il n'en fallut pas plus. Notre souffleur à gage[5]
Se gorge de vapeurs, s'enfle comme un ballon,
Fait un vacarme de démon,
Siffle, souffle, tempête, et brise en son passage 25
Maint toit qui n'en peut mais, fait périr maint bateau :
Le tout au sujet d'un manteau.
Le Cavalier eut soin d'empêcher que l'orage
Ne se pût engouffrer dedans.
Cela le préserva; le Vent perdit son temps : 30
Plus il se tourmentait[6], plus l'autre tenait ferme;

Il eut beau faire agir le collet et les plis.
Sitôt qu'il fut au bout du terme
Qu'à la gageure on avait mis,
Le Soleil dissipe la nue, 35
Recrée, et puis pénètre enfin le Cavalier,
Sous son balandras [7] fait qu'il sue,
Le contraint de s'en dépouiller.
Encor n'usa-t-il pas de toute sa puissance.
Plus fait douceur que violence. 40

FABLE IV

JUPITER ET LE MÉTAYER[1]

Jupiter eut jadis une ferme à donner,
Mercure en fit l'annonce; et gens se présentèrent,
Firent des offres, écoutèrent :
Ce ne fut pas sans bien tourner.
L'un alléguait que l'héritage 5
Était frayant et rude[2], et l'autre un autre si[3].
Pendant qu'ils marchandaient ainsi,
Un d'eux, le plus hardi, mais non pas le plus sage,
Promit d'en rendre tant, pourvu que Jupiter
Le laissât disposer de l'air, 10
Lui donnât saison à sa guise,
Qu'il eût du chaud, du froid, du beau temps, de la bise,
Enfin du sec et du mouillé,
Aussitôt qu'il aurait bâillé.
Jupiter y consent. Contrat passé; notre homme 15
Tranche du Roi des airs, pleut, vente et fait en somme
Un climat pour lui seul : ses plus proches voisins
Ne s'en sentaient non plus que les Américains.
Ce fut leur avantage; ils eurent bonne année,
Pleine moisson, pleine vinée[4]. 20
Monsieur le Receveur[5] fut très mal partagé.
L'an suivant voilà tout changé,
Il ajuste d'une autre sorte
La température[6] des Cieux.
Son champ ne s'en trouve pas mieux, 25

Celui de ses voisins fructifie et rapporte.
Que fait-il ? Il recourt au Monarque des Dieux :
Il confesse son imprudence.
Jupiter en usa comme un Maître fort doux.
Concluons que la Providence 30
Sait ce qu'il nous faut, mieux que nous.

FABLE V

LE COCHET, LE CHAT, ET LE SOURICEAU[1]

UN Souriceau tout jeune, et qui n'avait rien vu,
Fut presque pris au dépourvu.
Voici comme il conta l'aventure à sa mère :
J'avais franchi les Monts qui bornent cet État,
Et trottais comme un jeune Rat 5
Qui cherche à se donner carrière,
Lorsque deux animaux m'ont arrêté les yeux :
L'un doux, bénin et gracieux,
Et l'autre turbulent, et plein d'inquiétude[2].
Il a la voix perçante et rude, 10
Sur la tête un morceau de chair,
Une sorte de bras dont il s'élève en l'air
Comme pour prendre sa volée,
La queue en panache étalée.
Or c'était un Cochet dont notre Souriceau 15
Fit à sa mère le tableau,
Comme d'un animal venu de l'Amérique.
Il se battait, dit-il, les flancs avec ses bras,
Faisant tel bruit et tel fracas,
Que moi, qui grâce aux Dieux, de courage me pique, 20
En ai pris la fuite de peur,
Le maudissant de très bon cœur.
Sans lui j'aurais fait connaissance
Avec cet animal qui m'a semblé si doux.
Il est velouté comme nous, 25
Marqueté, longue queue, une humble contenance;
Un modeste regard, et pourtant l'œil luisant :
Je le crois fort sympathisant

Avec Messieurs les Rats; car il a des oreilles
En figure aux nôtres pareilles. 30
Je l'allais aborder, quand d'un son plein d'éclat
L'autre m'a fait prendre la fuite.
— Mon fils, dit la Souris, ce doucet[3] est un Chat,
Qui sous son minois hypocrite
Contre toute ta parenté 35
D'un malin vouloir est porté.
L'autre animal tout au contraire
Bien éloigné de nous mal faire,
Servira quelque jour peut-être à nos repas.
Quant au Chat, c'est sur nous qu'il fonde sa cuisine. 40
Garde-toi, tant que tu vivras,
De juger des gens sur la mine.

FABLE VI

LE RENARD, LE SINGE, ET LES ANIMAUX[1]

Les Animaux, au décès d'un Lion,
En son vivant Prince de la contrée,
Pour faire un Roi s'assemblèrent, dit-on.
De son étui la couronne est tirée.
Dans une chartre[2] un Dragon la gardait. 5
Il se trouva que sur tous essayée
A pas un d'eux elle ne convenait.
Plusieurs avaient la tête trop menue,
Aucuns trop grosse, aucuns même cornue.
Le Singe aussi fit l'épreuve en riant, 10
Et par plaisir la Tiare[3] essayant,
Il fit autour force grimaceries[4],
Tours de souplesse, et mille singeries,
Passa dedans ainsi qu'en un cerceau.
Aux Animaux cela sembla si beau 15
Qu'il fut élu : chacun lui fit hommage.
Le Renard seul regretta son suffrage,
Sans toutefois montrer son sentiment.
Quand il eut fait son petit compliment,
Il dit au Roi : Je sais, Sire, une cache, 20

Et ne crois pas qu'autre que moi la sache.
Or tout trésor, par droit de Royauté,
Appartient, Sire, à votre Majesté.
Le nouveau Roi bâille[5] après la finance,
Lui-même y court pour n'être pas trompé. 25
C'était un piège : il y fut attrapé.
Le Renard dit, au nom de l'assistance :
Prétendrais-tu nous gouverner encor,
Ne sachant pas te conduire toi-même ?
Il fut démis[6]; et l'on tomba d'accord 30
Qu'à peu de gens convient le Diadème.

FABLE VII

LE MULET SE VANTANT DE SA GÉNÉALOGIE[1]

Le Mulet d'un prélat se piquait de noblesse,
Et ne parlait incessamment
Que de sa mère la Jument,
Dont il contait mainte prouesse :
Elle avait fait ceci, puis avait été là. 5
Son fils prétendait pour cela
Qu'on le dût mettre dans l'Histoire.
Il eût cru s'abaisser servant[2] un Médecin.
Étant devenu vieux, on le mit au moulin.
Son père l'Ane alors lui revint en mémoire. 10

Quand le malheur ne serait bon
Qu'à mettre un sot à la raison,
Toujours serait-ce à juste cause
Qu'on le dit bon à quelque chose.

FABLE VIII

LE VIEILLARD ET L'ANE[1]

UN Vieillard sur son Ane aperçut en passant
Un Pré plein d'herbe et fleurissant.
Il y lâche sa bête, et le Grison se rue[a]
Au travers de l'herbe menue,
Se vautrant, grattant, et frottant[b],
Gambadant, chantant et broutant,
Et faisant mainte place nette.
L'ennemi vient sur l'entrefaite :
Fuyons, dit alors le Vieillard.
— Pourquoi ? répondit le paillard[2].
Me fera-t-on porter double bât, double charge ?
— Non pas, dit le Vieillard, qui prit d'abord le large.
— Et que m'importe donc, dit l'Ane, à qui je sois ?
Sauvez-vous, et me laissez paître :
Notre ennemi, c'est notre Maître :
Je vous le dis en bon François.

FABLE IX

LE CERF SE VOYANT DANS L'EAU[1]

DANS le cristal d'une fontaine
Un Cerf se mirant autrefois
Louait la beauté de son bois,
Et ne pouvait qu'avecque peine

---

a. Ms. Sainte-Geneviève :
Un vieillard, en chemin fesant
Aperçut un pré verdoyant :
Il y lâche son âne, et le Baudet se rue

b. Ibid. :
Se grattant, vautrant et frottant

Souffrir ses jambes de fuseaux, 5
Dont il voyait l'objet[2] se perdre dans les eaux.
Quelle proportion de mes pieds à ma tête !
Disait-il en voyant leur ombre avec douleur :
Des taillis les plus hauts mon front atteint le faîte;
Mes pieds ne me font point d'honneur. 10
Tout en parlant de la sorte,
Un Limier le fait partir;
Il tâche à se garantir;
Dans les forêts il s'emporte.
Son bois, dommageable ornement, 15
L'arrêtant à chaque moment,
Nuit à l'office que lui rendent
Ses pieds, de qui ses jours dépendent.
Il se dédit alors, et maudit les présents
Que le Ciel lui fait tous les ans. 20

Nous faisons cas du beau, nous méprisons l'utile;
Et le beau souvent nous détruit[3].
Ce Cerf blâme ses pieds qui le rendent agile;
Il estime un bois qui lui nuit.

FABLE X

LE LIÈVRE ET LA TORTUE[1]

RIEN ne sert de courir; il faut partir à point.
Le Lièvre et la Tortue en sont un témoignage.
Gageons, dit celle-ci, que vous n'atteindrez point
Sitôt que moi ce but. — Sitôt ? Êtes-vous sage ?
Repartit l'animal léger. 5
Ma commère, il vous faut purger
Avec quatre grains d'ellébore[2].
— Sage ou non, je parie encore.
Ainsi fut fait : et de tous deux
On mit près du but les enjeux : 10
Savoir quoi, ce n'est pas l'affaire,
Ni de quel juge l'on convint.
Notre Lièvre n'avait que quatre pas à faire;

J'entends de ceux qu'il fait lorsque prêt d'être atteint
Il s'éloigne des chiens, les renvoie aux Calendes[3], 15
Et leur fait arpenter les landes.
Ayant, dis-je, du temps de reste pour brouter,
Pour dormir, et pour écouter
D'où vient le vent, il laisse la Tortue
Aller son train de Sénateur. 20
Elle part, elle s'évertue;
Elle se hâte avec lenteur.
Lui cependant méprise une telle victoire,
Tient la gageure à peu de gloire,
Croit qu'il y va de son honneur 25
De partir tard. Il broute, il se repose,
Il s'amuse à toute autre chose
Qu'à la gageure. A la fin quand il vit
Que l'autre touchait presque au bout de la carrière,
Il partit comme un trait; mais les élans qu'il fit 30
Furent vains : la Tortue arriva la première.
Eh bien ! lui cria-t-elle, avais-je pas raison ?
De quoi vous sert votre vitesse ?
Moi, l'emporter ! et que serait-ce
Si vous portiez une maison ? 35

FABLE XI

L'ANE ET SES MAITRES[1]

L'Ane d'un Jardinier se plaignait au destin
De ce qu'on le faisait lever devant l'Aurore.
Les Coqs, lui disait-il, ont beau chanter matin;
Je suis plus matineux encore.
Et pourquoi ? pour porter des herbes au marché. 5
Belle nécessité d'interrompre mon somme !
Le sort de sa plainte touché
Lui donne un autre Maître; et l'Animal de somme
Passe du Jardinier aux mains d'un Corroyeur.
La pesanteur des peaux, et leur mauvaise odeur 10
Eurent bientôt choqué l'impertinente Bête.

J'ai regret, disait-il, à mon premier Seigneur.
Encor quand il tournait la tête,
J'attrapais, s'il m'en souvient bien,
Quelque morceau de chou qui ne me coûtait rien. 15
Mais ici point d'aubaine; ou, si j'en ai quelqu'une,
C'est de coups. Il obtint changement de fortune,
Et sur l'état[2] d'un Charbonnier
Il fut couché tout le dernier.
Autre plainte. Quoi donc ! dit le Sort en colère, 20
Ce Baudet-ci m'occupe autant
Que cent Monarques pourraient faire.
Croit-il être le seul qui ne soit pas content ?
N'ai-je en l'esprit que son affaire ?

Le Sort avait raison; tous gens sont ainsi faits : 25
Notre condition jamais ne nous contente :
La pire est toujours la présente.
Nous fatiguons le Ciel à force de placets[3].
Qu'à chacun Jupiter accorde sa requête,
Nous lui romprons encor la tête. 30

FABLE XII

LE SOLEIL ET LES GRENOUILLES[1]

Aux noces d'un Tyran[2] tout le Peuple en liesse[3]
Noyait son souci dans les pots.
Ésope seul trouvait que les gens étaient sots
De témoigner tant d'allégresse.
Le Soleil, disait-il, eut dessein autrefois 5
De songer à l'Hyménée.
Aussitôt on ouït d'une commune voix
Se plaindre de leur destinée
Les Citoyennes des Étangs.
Que ferons-nous, s'il lui vient des enfants ? 10
Dirent-elles au Sort, un seul Soleil à peine
Se peut souffrir. Une demi-douzaine
Mettra la Mer à sec et tous ses habitants.

Adieu joncs et marais : notre race est détruite.
Bientôt on la verra réduite 15
A l'eau du Styx. Pour un pauvre Animal,
Grenouilles, à mon sens, ne raisonnaient pas mal.

FABLE XIII

LE VILLAGEOIS ET LE SERPENT[1]

ÉSOPE conte qu'un Manant,
Charitable autant que peu sage,
Un jour d'Hiver se promenant
A l'entour de son héritage[2],
Aperçut un Serpent sur la neige étendu, 5
Transi, gelé, perclus, immobile rendu,
N'ayant pas à vivre un quart d'heure.
Le Villageois le prend, l'emporte en sa demeure,
Et sans considérer quel sera le loyer[3]
D'une action de ce mérite, 10
Il l'étend le long du foyer,
Le réchauffe, le ressuscite.
L'Animal engourdi sent à peine le chaud,
Que l'âme[4] lui revient avecque la colère.
Il lève un peu la tête, et puis siffle aussitôt, 15
Puis fait un long repli, puis tâche à faire un saut
Contre son bienfaiteur, son sauveur et son père.
Ingrat, dit le Manant, voilà donc mon salaire ?
Tu mourras. A ces mots, plein d'un juste courroux,
Il vous prend sa cognée, il vous tranche la Bête, 20
Il fait trois Serpents de deux coups,
Un tronçon, la queue, et la tête.
L'insecte[5] sautillant cherche à se réunir,
Mais il ne put y parvenir.

Il est bon d'être charitable; 25
Mais envers qui ? c'est là le point[6].
Quant aux ingrats, il n'en est point
Qui ne meure enfin misérable.

FABLE XIV

LE LION MALADE ET LE RENARD[1]

De par le Roi des Animaux,
Qui dans son antre était malade,
Fut fait savoir à ses vassaux
Que chaque espèce en ambassade
Envoyât gens le visiter, 5
Sous promesse de bien traiter
Les Députés, eux et leur suite,
Foi de Lion très bien écrite.
Bon passe-port contre la dent;
Contre la griffe tout autant. 10
L'Édit du Prince s'exécute.
De chaque espèce on lui députe.
Les Renards gardant la maison,
Un d'eux en dit cette raison :
Les pas empreints sur la poussière 15
Par ceux qui s'en vont faire au malade leur cour,
Tous, sans exception, regardent sa tanière;
Pas un ne marque de retour.
Cela nous met en méfiance.
Que Sa Majesté nous dispense. 20
Grand merci de son passe-port.
Je le crois bon; mais dans cet antre
Je vois fort bien comme l'on entre,
Et ne vois pas comme on en sort.

FABLE XV

L'OISELEUR,
L'AUTOUR, ET L'ALOUETTE[1]

Les injustices des pervers
Servent souvent d'excuse aux nôtres.
Telle est la loi de l'Univers :
Si tu veux qu'on t'épargne, épargne aussi les autres.

Un Manant au miroir prenait des Oisillons. 5
Le fantôme[2] brillant attire une Alouette.
Aussitôt un Autour planant sur les sillons
Descend des airs, fond, et se jette
Sur celle qui chantait, quoique près du tombeau.
Elle avait évité la perfide machine, 10
Lorsque, se rencontrant sous la main[3] de l'oiseau,
Elle sent son ongle maline[a].
Pendant qu'à la plumer l'Autour est occupé,
Lui-même sous les rets demeure enveloppé.
Oiseleur, laisse-moi, dit-il en son langage; 15
Je ne t'ai jamais fait de mal.
L'oiseleur repartit : Ce petit animal
T'en avait-il fait davantage ?

FABLE XVI

LE CHEVAL ET L'ANE[1]

En ce monde il se faut l'un l'autre secourir.
Si ton voisin vient à mourir,
C'est sur toi que le fardeau tombe.

Un Ane accompagnait un Cheval peu courtois,
Celui-ci ne portant que son simple harnois, 5
Et le pauvre Baudet si chargé qu'il succombe.
Il pria le Cheval de l'aider quelque peu :
Autrement il mourrait devant qu'être à la ville.
La prière, dit-il, n'en est pas incivile :
Moitié de ce fardeau ne vous sera que jeu. 10
Le Cheval refusa, fit une pétarade :
Tant qu'il vit sous le faix mourir son camarade,
Et reconnut qu'il avait tort.
Du Baudet, en cette aventure,
On lui fit porter la voiture[2], 15
Et la peau par-dessus encor.

---

a. 1678 : *maligne*

FABLE XVII

LE CHIEN QUI LACHE SA PROIE POUR L'OMBRE[1]

CHACUN se trompe ici-bas.
On voit courir après l'ombre
Tant de fous, qu'on n'en sait pas
La plupart du temps le nombre.
Au Chien dont parle Ésope il faut les renvoyer[2]. 5
Ce Chien, voyant sa proie en l'eau représentée,
La quitta pour l'image, et pensa se noyer;
La rivière devint tout d'un coup agitée.
A toute peine il regagna les bords,
Et n'eut ni l'ombre ni le corps. 10

FABLE XVIII

LE CHARTIER EMBOURBÉ[1]

LE Phaéton[2] d'une voiture à foin
Vit son char embourbé. Le pauvre homme était loin
De tout humain secours. C'était à la campagne
Près d'un certain canton de la basse Bretagne
Appelé Quimpercorentin. 5
On sait assez que le destin
Adresse là les gens quand il veut qu'on enrage[3].
Dieu nous préserve du voyage !
Pour venir au Chartier[4] embourbé dans ces lieux,
Le voilà qui déteste[5] et jure de son mieux, 10
Pestant en sa fureur extrême
Tantôt contre les trous, puis contre ses chevaux,
Contre son char, contre lui-même.
Il invoque à la fin le Dieu dont les travaux
Sont si célèbres dans le monde : 15

Hercule, lui dit-il, aide-moi; si ton dos
A porté la machine ronde,
Ton bras peut me tirer d'ici.
Sa prière étant faite, il entend dans la nue
Une voix qui lui parle ainsi : 20
Hercule veut qu'on se remue,
Puis il aide les gens. Regarde d'où provient
L'achoppement qui te retient.
Ote d'autour de chaque roue
Ce malheureux mortier, cette maudite boue 25
Qui jusqu'à l'essieu les enduit.
Prends ton pic et me romps ce caillou qui te nuit.
Comble-moi cette ornière. As-tu fait ? — Oui, dit l'homme.
— Or bien je vas t'aider, dit la voix : prends ton fouet.
— Je l'ai pris. Qu'est ceci ? mon char marche à souhait. 30
Hercule en soit loué. Lors la voix : Tu vois comme
Tes chevaux aisément se sont tirés de là.
Aide-toi, le Ciel t'aidera.

FABLE XIX

LE CHARLATAN[1]

Le monde n'a jamais manqué de Charlatans[2].
Cette science de tout temps
Fut en Professeurs très fertile.
Tantôt l'un en Théâtre[3] affronte l'Achéron,
Et l'autre affiche par la Ville 5
Qu'il est un Passe-Cicéron[4].
Un des derniers se vantait d'être
En Éloquence si grand Maître,
Qu'il rendrait disert un badaud,
Un manant, un rustre, un lourdaud; 10
Oui, Messieurs, un lourdaud; un Animal, un Ane :
Que l'on amène[a] un Ane, un Ane renforcé,
Je le rendrai Maître passé[5];
Et veux qu'il porte la soutane[6].

---

a. 1668, 1678 : que l'on *m'amène*

Le Prince sut la chose; il manda le Rhéteur. 15
J'ai, dit-il, dans mon écurie[a]
Un fort beau Roussin d'Arcadie[7] :
J'en voudrais faire un Orateur.
— Sire, vous pouvez tout, reprit d'abord notre homme.
On lui donna certaine somme. 20
Il devait au bout de dix ans
Mettre son Ane sur les bancs[8];
Sinon, il consentait d'être en place publique
Guindé la hart[9] au col, étranglé court et net,
Ayant au dos sa Rhétorique, 25
Et les oreilles d'un Baudet.
Quelqu'un des Courtisans lui dit qu'à la potence
Il voulait l'aller voir, et que, pour un pendu,
Il aurait bonne grâce et beaucoup de prestance;
Surtout qu'il se souvînt de faire à l'assistance 30
Un discours où son art fût au long étendu,
Un discours pathétique, et dont le formulaire
Servît à certains Cicérons
Vulgairement nommés larrons.
L'autre reprit : Avant l'affaire, 35
Le Roi, l'Ane, ou moi, nous mourrons.

Il avait raison. C'est folie
De compter sur dix ans de vie.
Soyons bien buvants, bien mangeants,
Nous devons à la mort de trois l'un en dix ans. 40

FABLE XX

LA DISCORDE[1]

La Déesse Discorde ayant brouillé les Dieux,
Et fait un grand procès là-haut pour une pomme[2],
On la fit déloger des Cieux.
Chez l'Animal qu'on appelle Homme
On la reçut à bras ouverts, 5

---

a. 1678 : *en* mon écurie

Elle et Que-si-que-non, son frère,
Avecque Tien-et-mien son père[3].
Elle nous fit l'honneur en ce bas Univers
De préférer notre Hémisphère
A celui des mortels qui nous sont opposés;
Gens grossiers, peu civilisés,
Et qui, se mariant sans Prêtre et sans Notaire,
De la Discorde n'ont que faire.
Pour la faire trouver aux lieux où le besoin
Demandait qu'elle fût présente,
La Renommée avait le soin
De l'avertir; et l'autre diligente
Courait vite aux débats et prévenait[4] la Paix,
Faisait d'une étincelle un feu long à s'éteindre.
La Renommée enfin commença de se plaindre
Que l'on ne lui trouvait jamais
De demeure fixe et certaine.
Bien souvent l'on perdait à la chercher sa peine.
Il fallait donc qu'elle eût un séjour affecté,
Un séjour d'où l'on pût en toutes les familles
L'envoyer à jour arrêté.
Comme il n'était alors aucun Convent de Filles[5],
On y trouva difficulté.
L'Auberge enfin de l'Hyménée
Lui fut pour maison assignée.

FABLE XXI

LA JEUNE VEUVE[1]

La perte d'un époux ne va point sans soupirs.
On fait beaucoup de bruit, et puis on se console.
Sur les ailes du Temps la tristesse s'envole;
Le Temps ramène les plaisirs.
Entre la Veuve d'une année
Et la Veuve d'une journée
La différence est grande : on ne croirait jamais
Que ce fût la même personne.
L'une fait fuir les gens, et l'autre a mille attraits.

Aux soupirs vrais ou faux celle-là s'abandonne; 10
C'est toujours même note et pareil entretien :
On dit qu'on est inconsolable;
On le dit, mais il n'en est rien,
Comme on verra par cette Fable,
Ou plutôt par la vérité. 15
L'Époux d'une jeune beauté
Partait pour l'autre monde. A ses côtés sa femme
Lui criait : Attends-moi, je te suis; et mon âme,
Aussi bien que la tienne, est prête à s'envoler.
Le Mari fait[a] seul le voyage. 20
La Belle avait un père, homme prudent et sage :
Il laissa le torrent couler.
A la fin, pour la consoler,
Ma fille, lui dit-il, c'est trop verser de larmes :
Qu'a besoin le défunt que vous noyiez vos charmes ? 25
Puisqu'il est des vivants, ne songez plus aux morts.
Je ne dis pas que tout à l'heure[2]
Une condition meilleure
Change en des noces ces transports;
Mais, après certain temps, souffrez qu'on vous propose 30
Un époux beau, bien fait, jeune, et tout autre chose
Que le défunt. — Ah ! dit-elle aussitôt,
Un Cloître est l'époux qu'il me faut.
Le père lui laissa digérer sa disgrâce.
Un mois de la sorte se passe. 35
L'autre mois on l'emploie à changer tous les jours
Quelque chose à l'habit, au linge, à la coiffure.
Le deuil enfin sert de parure,
En attendant d'autres atours.
Toute la bande des Amours 40
Revient au colombier : les jeux, les ris, la danse,
Ont aussi leur tour à la fin.
On se plonge soir et matin
Dans la fontaine de Jouvence[3].
Le Père ne craint plus ce défunt tant chéri; 45
Mais comme il ne parlait de rien à notre Belle :
Où donc est le jeune mari
Que vous m'avez promis ? dit-elle.

---

a. 1668 : *fit*

ÉPILOGUE[1]

Bornons ici cette carrière[2].
Les longs Ouvrages me font peur.
Loin d'épuiser une matière,
On n'en doit prendre que la fleur.
Il s'en va temps[3] que je reprenne
Un peu de forces et d'haleine
Pour fournir à d'autres projets.
Amour, ce tyran de ma vie[4],
Veut que je change de sujets :
Il faut contenter son envie.
Retournons à Psyché[5] : Damon[6], vous m'exhortez
A peindre ses malheurs et ses félicités :
J'y consens : peut-être ma veine
En sa faveur s'échauffera.
Heureux si ce travail est la dernière peine
Que son époux me causera !

LIVRE SEPTIÈME

LIVRE SEPTIÈME

AVERTISSEMENT

VOICI un second recueil de Fables que je présente au public; j'ai jugé à propos de donner à la plupart de celles-ci un air et un tour un peu différent de celui que j'ai donné aux premières, tant à cause de la différence des sujets, que pour remplir de plus de variété mon Ouvrage. Les traits familiers que j'ai semés avec assez d'abondance dans les deux autres Parties[1] convenaient bien mieux aux inventions d'Ésope qu'à ces dernières, où j'en use plus sobrement pour ne pas tomber en des répétitions : car le nombre de ces traits n'est pas infini. Il a donc fallu que j'aie cherché d'autres enrichissements, et étendu davantage les circonstances[2] de ces récits, qui d'ailleurs me semblaient le demander de la sorte. Pour peu que le lecteur y prenne garde, il le reconnaîtra lui-même; ainsi je ne tiens pas qu'il soit nécessaire d'en étaler ici les raisons : non plus que de dire où j'ai puisé ces derniers sujets. Seulement je dirai par reconnaissance que j'en dois la plus grande partie à Pilpay[3] sage Indien. Son livre a été traduit en toutes les Langues. Les gens du pays le croient fort ancien, et original à l'égard d'Ésope, si ce n'est Ésope lui-même sous le nom du sage Locman[4]. Quelques autres[5] m'ont fourni des sujets assez heureux. Enfin j'ai tâché de mettre en ces deux dernières Parties toute la diversité dont j'étais capable. Il s'est glissé quelques fautes dans l'impression;

j'en ai fait faire un *Errata ;* mais ce sont de légers remèdes pour un défaut considérable. Si on veut avoir quelque plaisir de la lecture de cet Ouvrage, il faut que chacun fasse corriger ces fautes à la main dans son Exemplaire, ainsi qu'elles sont marquées par chaque *Errata,* aussi bien pour les deux premières Parties, que pour les dernières.

A MADAME DE MONTESPAN[1]

L'APOLOGUE est un don qui vient des immortels[2];
Ou si c'est un présent des hommes,
Quiconque nous l'a fait mérite des Autels.
Nous devons, tous tant que nous sommes,
Ériger en divinité 5
Le Sage[3] par qui fut ce bel art inventé.
C'est proprement un charme : il rend l'âme attentive,
Ou plutôt il la tient captive,
Nous attachant à des récits
Qui mènent à son gré les cœurs et les esprits. 10
O vous qui l'imitez, Olympe[4], si ma Muse
A quelquefois pris place à la table des Dieux[5],
Sur ses dons aujourd'hui daignez porter les yeux,
Favorisez les jeux où mon esprit s'amuse.
Le temps qui détruit tout, respectant votre appui 15
Me laissera franchir les ans dans cet ouvrage :
Tout Auteur qui voudra vivre encore après lui
Doit s'acquérir votre suffrage.
C'est de vous que mes vers attendent tout leur prix :
Il n'est beauté dans nos écrits 20
Dont vous ne connaissiez jusques aux moindres traces;
Eh qui connaît que vous les beautés et les grâces ?
Paroles et regards, tout est charme dans vous.
Ma Muse en un sujet si doux
Voudrait s'étendre davantage; 25
Mais il faut réserver à d'autres cet emploi,
Et d'un plus grand maître que moi
Votre louange est le partage[6].
Olympe, c'est assez qu'à mon dernier ouvrage
Votre nom serve un jour de rempart et d'abri : 30
Protégez désormais le livre favori[7]
Par qui j'ose espérer une seconde vie.
Sous vos seuls auspices ces vers

Seront jugés malgré l'envie,
Dignes des yeux de l'Univers. 35
Je ne mérite pas une faveur si grande;
La Fable en son nom la demande :
Vous savez quel crédit ce mensonge a sur nous;
S'il procure à mes vers le bonheur de vous plaire,
Je croirai lui devoir un temple pour salaire; 40
Mais je ne veux bâtir des temples que pour vous.

FABLE I

LES ANIMAUX MALADES DE LA PESTE[1]

Un mal qui répand la terreur,
Mal que le Ciel en sa fureur
Inventa pour punir les crimes de la terre,
La Peste[2] (puisqu'il faut l'appeler par son nom)
Capable d'enrichir en un jour l'Achéron[2], 5
Faisait aux animaux la guerre.
Ils ne mouraient pas tous, mais tous étaient frappés :
On n'en voyait point d'occupés
A chercher le soutien d'une mourante vie;
Nul mets n'excitait leur envie; 10
Ni Loups ni Renards n'épiaient
La douce et l'innocente proie.
Les Tourterelles se fuyaient :
Plus d'amour, partant plus de joie.
Le Lion tint conseil, et dit : Mes chers amis, 15
Je crois que le Ciel a permis
Pour nos péchés cette infortune;
Que le plus coupable de nous
Se sacrifie aux traits du céleste courroux,
Peut-être il obtiendra la guérison commune. 20
L'histoire nous apprend qu'en de tels accidents
On fait de pareils dévouements[3] :
Ne nous flattons[4] donc point; voyons sans indulgence
L'état de notre conscience.
Pour moi, satisfaisant mes appétits gloutons 25
J'ai dévoré force moutons.
Que m'avaient-ils fait ? Nulle offense[5] :
Même il m'est arrivé quelquefois de manger
Le Berger.
Je me dévouerai donc, s'il le faut; mais je pense 30
Qu'il est bon que chacun s'accuse ainsi que moi :
Car on doit souhaiter selon toute justice
Que le plus coupable périsse.
— Sire, dit le Renard, vous êtes trop bon Roi;

Vos scrupules font voir trop de délicatesse;
Et bien, manger moutons, canaille, sotte espèce,
Est-ce un péché ? Non non. Vous leur fîtes Seigneur
En les croquant beaucoup d'honneur.
Et quant au Berger l'on peut dire
Qu'il était digne de tous maux,
Étant de ces gens-là qui sur les animaux
Se font un chimérique empire.
Ainsi dit le Renard, et flatteurs d'applaudir.
On n'osa trop approfondir
Du Tigre, ni de l'Ours, ni des autres puissances,
Les moins pardonnables offenses.
Tous les gens querelleurs, jusqu'aux simples mâtins[6],
Au dire de chacun, étaient de petits saints.
L'Ane vint à son tour et dit : J'ai souvenance[7]
Qu'en un pré de Moines passant,
La faim, l'occasion, l'herbe tendre, et je pense
Quelque diable aussi me poussant,
Je tondis de ce pré la largeur de ma langue.
Je n'en avais nul droit, puisqu'il faut parler net.
A ces mots on cria haro[8] sur le baudet.
Un Loup quelque peu clerc prouva par sa harangue
Qu'il fallait dévouer ce maudit animal,
Ce pelé, ce galeux, d'où venait tout leur mal.
Sa peccadille fut jugée un cas pendable.
Manger l'herbe d'autrui ! quel crime abominable !
Rien que la mort n'était capable
D'expier son forfait : on le lui fit bien voir.
Selon que vous serez puissant ou misérable,
Les jugements de cour vous rendront blanc ou noir.

FABLE II

LE MAL MARIÉ[1]

QUE le bon soit toujours camarade du beau,
Dès demain je chercherai femme;
Mais comme le divorce entre eux n'est pas nouveau,
Et que peu de beaux corps, hôtes d'une belle âme,
Assemblent l'un et l'autre point,

Ne trouvez pas mauvais que je ne cherche point.
J'ai vu beaucoup d'Hymens, aucuns d'eux ne me tentent :
Cependant des humains presque les quatre parts
S'exposent hardiment au plus grand des hasards;
Les quatre parts aussi des humains se repentent. 10
J'en vais alléguer un qui, s'étant repenti,
Ne put trouver d'autre parti,
Que de renvoyer son épouse,
Querelleuse, avare, et jalouse.
Rien ne la contentait, rien n'était comme il faut, 15
On se levait trop tard, on se couchait trop tôt,
Puis du blanc, puis du noir, puis encore autre chose;
Les valets enrageaient, l'époux était à bout :
Monsieur ne songe à rien, Monsieur dépense tout,
Monsieur court, Monsieur se repose. 20
Elle en dit tant, que Monsieur à la fin
Lassé d'entendre un tel lutin,
Vous la renvoie à la campagne
Chez ses parents. La voilà donc compagne
De certaines Philis[2] qui gardent les dindons 25
Avec les gardeurs de cochons.
Au bout de quelque temps, qu'on la crut adoucie,
Le mari la reprend. Eh bien ! qu'avez-vous fait ?
Comment passiez-vous votre vie ?
L'innocence des champs est-elle votre fait ? 30
— Assez, dit-elle; mais ma peine
Était de voir les gens plus paresseux qu'ici;
Ils n'ont des troupeaux nul souci.
Je leur savais bien dire, et m'attirais la haine
De tous ces gens si peu soigneux. 35
— Eh, Madame, reprit son époux tout à l'heure,
Si votre esprit est si hargneux
Que le monde qui ne demeure
Qu'un moment avec vous, et ne revient qu'au soir,
Est déjà lassé de vous voir, 40
Que feront des valets qui toute la journée
Vous verront contre eux déchaînée ?
Et que pourra faire un époux
Que vous voulez qui soit jour et nuit avec vous ?
Retournez au village : adieu. Si de ma vie 45
Je vous rappelle et qu'il m'en prenne envie,
Puissé-je chez les morts avoir pour mes péchés
Deux femmes comme vous sans cesse à mes côtés.

FABLE III

LE RAT QUI S'EST RETIRÉ DU MONDE[1]

LES Levantins en leur légende
Disent qu'un certain Rat las des soins d'ici-bas,
Dans un fromage de Hollande
Se retira loin du tracas.
La solitude était profonde, 5
S'étendant partout à la ronde.
Notre ermite nouveau subsistait là dedans.
Il fit tant de pieds et de dents
Qu'en peu de jours il eut au fond de l'ermitage
Le vivre et le couvert : que faut-il davantage ? 10
Il devint gros et gras; Dieu prodigue ses biens
A ceux qui font vœu d'être siens.
Un jour, au dévot personnage
Des députés du peuple Rat
S'en vinrent demander quelque aumône légère : 15
Ils allaient en terre étrangère
Chercher quelque secours contre le peuple chat;
Ratopolis était bloquée :
On les avait contraints de partir sans argent,
Attendu l'état indigent 20
De la République attaquée.
Ils demandaient fort peu, certains que le secours
Serait prêt dans quatre ou cinq jours.
Mes amis, dit le Solitaire,
Les choses d'ici-bas ne me regardent plus : 25
En quoi peut un pauvre Reclus
Vous assister ? que peut-il faire,
Que de prier le Ciel qu'il vous aide en ceci ?
J'espère qu'il aura de vous quelque souci.
Ayant parlé de cette sorte, 30
Le nouveau Saint ferma sa porte.
Qui désignai-je, à votre avis,
Par ce Rat si peu secourable ?
Un Moine ? Non, mais un Dervis[2] :
Je suppose qu'un Moine est toujours charitable. 35

Musée du Louvre — *Cl. Archives photographiques*

Le rat qui s'est retiré du monde
Tableau de Decamps

Embedded Allusion

Wherever for thematic purposes the plot models the action or characterization of the apologues on the motifs of (contained greater than earlier suggests) another work the reader must recognise the source, make a mental inventory of the similarities + diffs between earlier + later versions, and then infer the sig. of these parallels + divergences

Eg) La Tortue et les deux canards (10.2) - reworking of an Indic source

Close analysis of apologues plot shows that instead of being motivated by a desire to return home to a woman's family the male leaves 'from' CV2 to relieve boredom ∴ instead of shrewd/resourceful → imprudent + lazy. suffers poetic justice (tête légère)

FABLE IV

LE HÉRON
LA FILLE[1]

UN jour, sur ses longs pieds, allait je ne sais où,
Le Héron au long bec emmanché d'un long cou.
Il côtoyait une rivière.
L'onde était transparente ainsi qu'aux plus beaux jours;
Ma commère la carpe y faisait mille tours 5
Avec le brochet son compère[2].
Le Héron en eût fait aisément son profit :
Tous approchaient du bord, l'oiseau n'avait qu'à prendre;
Mais il crut mieux faire d'attendre
Qu'il eût un peu plus d'appétit. 10
Il vivait de régime, et mangeait à ses heures.
Après quelques moments l'appétit vint : l'oiseau
S'approchant du bord vit sur l'eau
Des Tanches qui sortaient du fond de ces demeures.
Le mets ne lui plut pas; il s'attendait à mieux 15
Et montrait un goût dédaigneux
Comme le rat du bon Horace[3].
Moi des Tanches ? dit-il, moi Héron que je fasse
Une si pauvre chère ? Et pour qui me prend-on ?
La Tanche rebutée il trouva du goujon. 20
Du goujon ! c'est bien là le dîner d'un Héron !
J'ouvrirais pour si peu le bec ! aux Dieux ne plaise !
Il l'ouvrit pour bien moins : tout alla de façon
Qu'il ne vit plus aucun poisson.
La faim le prit, il fut tout heureux et tout aise 25
De rencontrer un limaçon.
Ne soyons pas si difficiles :
Les plus accommodants ce sont les plus habiles :
On hasarde de perdre en voulant trop gagner.
Gardez-vous de rien dédaigner; 30
Surtout quand vous avez à peu près votre compte.
Bien des gens y sont pris; ce n'est pas aux Hérons
Que je parle; écoutez, humains, un autre conte;
Vous verrez que chez vous j'ai puisé ces leçons.

Certaine fille un peu trop fière 35
Prétendait trouver un mari
Jeune, bien fait et beau, d'agréable manière,
Point froid et point jaloux; notez ces deux points-ci.
Cette fille voulait aussi
Qu'il eût du bien, de la naissance, 40
De l'esprit, enfin tout. Mais qui peut tout avoir ?
Le destin se montra soigneux de la pourvoir :
Il vint des partis d'importance.
La belle les trouva trop chétifs de moitié.
Quoi moi ? quoi ces gens-là ? l'on radote, je pense. 45
A moi les proposer ! hélas ils font pitié.
Voyez un peu la belle espèce !
L'un n'avait en l'esprit nulle délicatesse;
L'autre avait le nez fait de cette façon-là;
C'était ceci, c'était cela, 50
C'était tout; car les précieuses[4]
Font dessus tous les dédaigneuses.
Après les bons partis, les médiocres[5] gens
Vinrent se mettre sur les rangs.
Elle de se moquer. Ah vraiment je suis bonne 55
De leur ouvrir la porte : Ils pensent que je suis
Fort en peine de ma personne.
Grâce à Dieu, je passe les nuits
Sans chagrin[6], quoique en solitude.
La belle se sut gré de tous ces sentiments. 60
L'âge la fit déchoir : adieu tous les amants.
Un an se passe et deux avec inquiétude.
Le chagrin vient ensuite : elle sent chaque jour
Déloger quelques Ris, quelques jeux, puis l'amour;
Puis ses traits choquer et déplaire; 65
Puis cent sortes de fards. Ses soins ne purent faire
Qu'elle échappât au temps cet insigne larron :
Les ruines d'une maison
Se peuvent réparer; que n'est cet avantage
Pour les ruines du visage ! 70
Sa préciosité changea lors de langage.
Son miroir lui disait : Prenez vite un mari.
Je ne sais quel désir le lui disait aussi;
Le désir peut loger chez une précieuse.
Celle-ci fit un choix qu'on n'aurait jamais cru, 75
Se trouvant à la fin tout aise et tout heureuse
De rencontrer un malotru[7].

FABLE V

LES SOUHAITS[1]

Il est au Mogol[2] des follets[3]
Qui font office de valets,
Tiennent la maison propre, ont soin de l'équipage[4],
Et quelquefois du jardinage.
Si vous touchez à leur ouvrage, 5
Vous gâtez tout. Un d'eux près du Gange autrefois
Cultivait le jardin d'un assez bon Bourgeois.
Il travaillait sans bruit, avait beaucoup d'adresse,
Aimait le maître et la maîtresse,
Et le jardin surtout. Dieu sait si les zéphirs 10
Peuple ami du Démon[5] l'assistaient dans sa tâche !
Le follet de sa part travaillant sans relâche
Comblait ses hôtes de plaisirs.
Pour plus de marques de son zèle,
Chez ces gens pour toujours il se fût arrêté, 15
Nonobstant la légèreté
A ses pareils si naturelle;
Mais ses confrères les esprits
Firent tant que le chef de cette république,
Par caprice ou par politique, 20
Le changea bientôt de logis.
Ordre lui vient d'aller au fond de la Norvège[6]
Prendre le soin d'une maison
En tout temps couverte de neige;
Et d'Indou qu'il était on vous le fait lapon. 25
Avant que de partir l'esprit dit à ses hôtes :
On m'oblige de vous quitter :
Je ne sais pas pour quelles fautes;
Mais enfin il le faut, je ne puis arrêter
Qu'un temps fort court, un mois, peut-être une semaine 30
Employez-la; formez trois souhaits, car je puis
Rendre trois souhaits accomplis,
Trois sans plus. Souhaiter, ce n'est pas une peine
Étrange et nouvelle aux humains.
Ceux-ci pour premier vœu demandent l'abondance; 35
Et l'abondance, à pleines mains,

Verse en leurs coffres la finance,
En leurs greniers le blé, dans leurs caves les vins;
Tout en crève. Comment ranger cette chevance[7] ?
Quels registres, quels soins, quel temps il leur fallut ! 40
Tous deux sont empêchés si jamais on le fut.
Les voleurs contre eux complotèrent;
Les grands Seigneurs leur empruntèrent;
Le Prince les taxa[8] ! Voilà les pauvres gens
Malheureux par trop de fortune. 45
Otez-nous de ces biens l'affluence importune,
Dirent-ils l'un et l'autre; heureux les indigents !
La pauvreté vaut mieux qu'une telle richesse.
Retirez-vous, trésors, fuyez; et toi Déesse,
Mère du bon esprit, compagne du repos, 50
O médiocrité, reviens vite. A ces mots
La médiocrité revient; on lui fait place,
Avec elle ils rentrent en grâce,
Au bout de deux souhaits étant aussi chanceux
Qu'ils étaient, et que sont tous ceux 55
Qui souhaitent toujours et perdent en chimères
Le temps qu'ils feraient mieux de mettre à leurs affaires.
Le follet en rit avec eux.
Pour profiter de sa largesse,
Quand il voulut partir et qu'il fut sur le point, 60
Ils demandèrent la sagesse :
C'est un trésor qui n'embarrasse point.

FABLE VI

LA COUR DU LION[1]

Sa Majesté Lionne un jour voulut connaître
De quelles nations le Ciel l'avait fait maître.
Il manda donc par députés
Ses vassaux de toute nature,
Envoyant de tous les côtés 5
Une circulaire écriture,
Avec son sceau[2]. L'écrit portait
Qu'un mois durant le Roi tiendrait

Cour plénière[3], dont l'ouverture
Devait être un fort grand festin, 10
Suivi des tours de Fagotin[4].
Par ce trait de magnificence
Le Prince à ses sujets étalait sa puissance.
En son Louvre[5] il les invita.
Quel Louvre ! un vrai charnier[6], dont l'odeur se porta 15
D'abord au nez des gens. L'Ours boucha sa narine :
Il se fût bien passé de faire cette mine,
Sa grimace déplut. Le Monarque irrité
L'envoya chez Pluton faire le dégoûté.
Le Singe approuva fort cette sévérité, 20
Et flatteur excessif il loua la colère
Et la griffe du Prince, et l'antre, et cette odeur :
Il n'était ambre, il n'était fleur,
Qui ne fût ail au prix. Sa sotte flatterie
Eut un mauvais succès[7], et fut encor punie. 25
Ce Monseigneur du Lion-là
Fut parent de Caligula[8].
Le Renard étant proche : Or çà, lui dit le Sire,
Que sens-tu ? dis-le-moi : parle sans déguiser.
L'autre aussitôt de s'excuser, 30
Alléguant un grand rhume : il ne pouvait que dire
Sans odorat; bref, il s'en tire.
Ceci vous sert d'enseignement :
Ne soyez à la cour, si vous voulez y plaire,
Ni fade adulateur, ni parleur trop sincère; 35
Et tâchez quelquefois de répondre en Normand[9].

FABLE VII

LES VAUTOURS ET LES PIGEONS[1]

MARS autrefois mit tout l'air en émute[2].
Certain sujet fit naître la dispute
Chez les oiseaux; non ceux que le Printemps
Mène à sa Cour, et qui, sous la feuillée,
Par leur exemple et leurs sons éclatants 5
Font que Vénus est en nous réveillée[3];

Ni ceux encor que la Mère d'Amour
Met à son char[4] : mais le peuple Vautour,
Au bec retors[5], à la tranchante serre,
Pour un chien mort se fit, dit-on, la guerre. 10
Il plut du sang; je n'exagère point.
Si je voulais conter de point en point
Tout le détail, je manquerais d'haleine.
Maint chef périt, maint héros expira;
Et sur son roc Prométhée espéra 15
De voir bientôt une fin à sa peine[6].
C'était plaisir d'observer leurs efforts;
C'était pitié de voir tomber les morts.
Valeur, adresse, et ruses, et surprises,
Tout s'employa. Les deux troupes éprises[7] 20
D'ardent courroux n'épargnaient nuls moyens
De peupler l'air que respirent les ombres :
Tout élément remplit de citoyens
Le vaste enclos qu'ont les royaumes sombres[8].
Cette fureur mit la compassion 25
Dans les esprits d'une autre nation
Au col changeant, au cœur tendre et fidèle.
Elle employa sa médiation
Pour accorder une telle querelle;
Ambassadeurs par le peuple pigeon 30
Furent choisis, et si bien travaillèrent,
Que les Vautours plus ne se chamaillèrent[9].
Ils firent trêve, et la paix s'ensuivit :
Hélas ! ce fut aux dépens de la race
A qui la leur aurait dû rendre grâce. 35
La gent maudite aussitôt poursuivit
Tous les pigeons, en fit ample carnage,
En dépeupla les bourgades, les champs.
Peu de prudence eurent les pauvres gens,
D'accommoder un peuple si sauvage. 40
Tenez toujours divisés les méchants;
La sûreté du reste de la terre
Dépend de là : Semez entre eux la guerre,
Ou vous n'aurez avec eux nulle paix.
Ceci soit dit en passant; je me tais. 45

FABLE VIII

LE COCHE ET LA MOUCHE *[1]

DANS un chemin montant, sablonneux, malaisé,
Et de tous les côtés au Soleil exposé,
Six forts chevaux tiraient un Coche[2].
Femmes, Moine, vieillards, tout était descendu.
L'attelage suait, soufflait, était rendu. 5
Une Mouche survient, et des chevaux s'approche;
Prétend les animer par son bourdonnement;
Pique l'un, pique l'autre, et pense à tout moment
Qu'elle fait aller la machine,
S'assied sur le timon, sur le nez du Cocher; 10
Aussitôt que[a] le char chemine,
Et qu'elle voit les gens marcher,
Elle s'en attribue uniquement la gloire;
Va, vient, fait l'empressée; il semble que ce soit
Un Sergent[4] de bataille allant en chaque endroit 15
Faire avancer ses gens, et hâter la victoire.
La Mouche en ce commun besoin
Se plaint qu'elle agit seule, et qu'elle a tout le soin;
Qu'aucun n'aide aux chevaux à se tirer d'affaire.
Le Moine disait son Bréviaire; 20
Il prenait bien son temps ! une femme chantait;
C'était bien de chansons qu'alors il s'agissait !
Dame Mouche s'en va chanter à leurs oreilles,
Et fait cent sottises pareilles.
Après bien du travail le Coche arrive au haut. 25
Respirons maintenant, dit la Mouche aussitôt :
J'ai tant fait que nos gens sont enfin dans la plaine.
Ça, Messieurs les Chevaux, payez-moi de ma peine.

Ainsi certaines gens, faisant les empressés,
S'introduisent dans les affaires : 30
Ils font partout les nécessaires[5],
Et, partout importuns, devraient être chassés.

---

*. Première édition : *Fables nouvelles*, 1671.
a. Fables nouvelles : Fait à fait que[3]

FABLE IX

LA LAITIÈRE ET LE POT AU LAIT[1]

PERRETTE sur sa tête ayant un Pot au lait
Bien posé sur un coussinet,
Prétendait arriver sans encombre à la ville.
Légère et court vêtue elle allait à grands pas;
Ayant mis ce jour-là, pour être plus agile, 5
Cotillon simple, et souliers plats[2].
Notre laitière ainsi troussée
Comptait déjà dans sa pensée
Tout le prix de son lait, en employait l'argent,
Achetait un cent d'œufs, faisait triple couvée; 10
La chose allait à bien par son soin diligent.
Il m'est, disait-elle, facile,
D'élever des poulets autour de ma maison :
Le Renard sera bien habile,
S'il ne m'en laisse assez pour avoir un cochon. 15
Le porc à s'engraisser coûtera peu de son;
Il était quand je l'eus de grosseur raisonnable :
J'aurai le revendant de l'argent bel et bon.
Et qui m'empêchera de mettre en notre étable,
Vu le prix dont il est, une vache et son veau, 20
Que je verrai sauter au milieu du troupeau ?
Perrette là-dessus saute aussi, transportée.
Le lait tombe; adieu veau, vache, cochon, couvée;
La dame[3] de ces biens, quittant d'un œil marri
Sa fortune ainsi répandue, 25
Va s'excuser à son mari
En grand danger d'être battue.
Le récit en farce[4] en fut fait;
On l'appela *le Pot au lait*.

Quel esprit ne bat la campagne ? 30
Qui ne fait châteaux en Espagne ?
Picrochole, Pyrrhus[5], la Laitière, enfin tous,
Autant les sages que les fous ?
Chacun songe en veillant, il n'est rien de plus doux :
Une flatteuse erreur emporte alors nos âmes : 35

B.N. Estampes Cl. B.N.

La laitière et le pot au lait
Tableau de Fragonard gravé par Ponce

Tout le bien du monde est à nous,
Tous les honneurs, toutes les femmes.
Quand je suis seul, je fais au plus brave un défi;
Je m'écarte[6], je vais détrôner le Sophi[7];
On m'élit roi, mon peuple m'aime; 40
Les diadèmes vont sur ma tête pleuvant :
Quelque accident fait-il que je rentre en moi-même;
Je suis gros Jean[8] comme devant.

FABLE X

LE CURÉ ET LE MORT[1]

Un mort s'en allait tristement
S'emparer de son dernier gîte;
Un Curé s'en allait gaiement
Enterrer ce mort au plus vite.
Notre défunt était en carrosse porté, 5
Bien et dûment empaqueté,
Et vêtu d'une robe, hélas ! qu'on nomme bière,
Robe d'hiver, robe d'été,
Que les morts ne dépouillent guère.
Le Pasteur était à côté, 10
Et récitait à l'ordinaire
Maintes dévotes oraisons,
Et des psaumes et des leçons[a],
Et des versets et des répons[2] :
Monsieur le Mort, laissez-nous faire, 15
On vous en donnera de toutes les façons;
Il ne s'agit que du salaire.
Messire Jean Chouart[3] couvait des yeux son mort,
Comme si l'on eût dû[b] lui ravir ce trésor,
Et des regards semblait lui dire[c] : 20
Monsieur le Mort, j'aurai de vous
Tant en argent, et tant en cire,

a. Éd. originale (voir note 1) : intervertit les v. 13 et 14.
b. Ibid. : si l'on eût *pu*
c. Ibid. : *lui semblait dire*

Et tant en autres menus coûts[a].
Il fondait là-dessus l'achat d'une feuillette
Du meilleur vin des environs; 25
Certaine nièce assez propette[4]
Et sa chambrière Pâquette
Devaient avoir des cotillons.
Sur cette agréable pensée
Un heurt survient, adieu le char[b]. 30
Voilà Messire Jean Chouart
Qui du choc de son mort a la tête cassée :
Le Paroissien en plomb[5] entraîne son Pasteur[c];
Notre Curé suit[d] son Seigneur;
Tous deux s'en vont de compagnie. 35
Proprement toute notre vie;
Est le curé Chouart, qui sur son mort comptait[e],
Et la fable du *Pot au lait*[f].

FABLE XI

L'HOMME QUI COURT APRÈS LA FORTUNE, ET L'HOMME QUI L'ATTEND DANS SON LIT[1]

Qui ne court après la Fortune ?
Je voudrais être en lieu d'où je pusse aisément
Contempler la foule importune
De ceux qui cherchent vainement
Cette fille du sort de Royaume en Royaume, 5
Fidèles courtisans d'un volage fantôme.
Quand ils sont près du bon moment,

a. Ibid. : menus *frais*
b. Ibid. : Un vers *(Voilà la bière renversée)* supprimé.
c. Ibid. : *emmeine* son Pasteur
d. Ibid. : *Messire Jean* suit
e. Ibid. : qui *sans son mort contait*
f. Ibid. : Et la *farce* du Pot au lait

L'inconstante aussitôt à leurs désirs échappe :
Pauvres gens, je les plains, car on a pour les fous
Plus de pitié que de courroux. 10
Cet homme, disent-ils, était planteur de choux,
Et le voilà devenu pape[2] :
Ne le valons-nous pas ? — Vous valez cent fois mieux;
Mais que vous sert votre mérite ?
La Fortune a-t-elle des yeux[3] ? 15
Et puis la papauté vaut-elle ce qu'on quitte,
Le repos, le repos, trésor si précieux
Qu'on en faisait jadis le partage des Dieux[4] ?
Rarement la Fortune à ses hôtes le laisse.
Ne cherchez point cette Déesse, 20
Elle vous cherchera; son sexe en use ainsi.
Certain couple d'amis en un bourg établi,
Possédait quelque bien : l'un soupirait sans cesse
Pour la Fortune; il dit à l'autre un jour :
Si nous quittions notre séjour ? 25
Vous savez que nul n'est prophète
En son pays : cherchons notre aventure ailleurs.
— Cherchez, dit l'autre ami, pour moi je ne souhaite
Ni climats ni destins meilleurs.
Contentez-vous; suivez votre humeur inquiète; 30
Vous reviendrez bientôt. Je fais vœu cependant
De dormir en vous attendant.
L'ambitieux, ou, si l'on veut, l'avare[5],
S'en va par voie et par chemin.
Il arriva le lendemain 35
En un lieu que devait la Déesse bizarre
Fréquenter sur tout autre; et ce lieu c'est la cour.
Là donc pour quelque temps il fixe son séjour,
Se trouvant au coucher, au lever, à ces heures
Que l'on sait être les meilleures; 40
Bref, se trouvant à tout, et n'arrivant à rien.
Qu'est ceci ? ce[6] dit-il, cherchons ailleurs du bien.
La Fortune pourtant habite ces demeures.
Je la vois tous les jours entrer chez celui-ci,
Chez celui-là; d'où vient qu'aussi 45
Je ne puis héberger cette capricieuse ?
On me l'avait bien dit, que des gens de ce lieu
L'on n'aime pas toujours l'humeur ambitieuse.
Adieu Messieurs de cour; Messieurs de cour adieu :
Suivez jusques au bout une ombre qui vous flatte. 50

La Fortune a, dit-on, des temples à Surate[7];
Allons là. Ce fut un de dire et s'embarquer.
Ames de bronze, humains, celui-là fut sans doute
Armé de diamant, qui tenta cette route,
Et le premier osa l'abîme défier[8].
Celui-ci pendant son voyage
Tourna les yeux vers son village
Plus d'une fois, essuyant les dangers
Des pirates, des vents, du calme[9] et des rochers,
Ministres de la mort. Avec beaucoup de peines
On s'en va la chercher en des rives lointaines,
La trouvant assez tôt sans quitter la maison.
L'homme arrive au Mogol[10]; on lui dit qu'au Japon
La Fortune pour lors distribuait ses grâces.
Il y court; les mers étaient lasses
De le porter; et tout le fruit
Qu'il tira de ses longs voyages,
Ce fut cette leçon que donnent les sauvages :
Demeure en ton pays, par la nature instruit.
Le Japon ne fut pas plus heureux à cet homme
Que le Mogol l'avait été;
Ce qui lui fit conclure en somme,
Qu'il avait à grand tort son village quitté.
Il renonce aux courses ingrates,
Revient en son pays, voit de loin ses pénates,
Pleure de joie, et dit : Heureux, qui vit chez soi;
De régler ses désirs[11] faisant tout son emploi.
Il ne sait que par ouïr[12] dire
Ce que c'est que la cour, la mer, et ton empire,
Fortune, qui nous fais passer devant les yeux
Des dignités, des biens, que jusqu'au bout du monde
On suit, sans que l'effet aux promesses réponde.
Désormais je ne bouge, et ferai cent fois mieux.
En raisonnant de cette sorte,
Et contre la Fortune ayant pris ce conseil[13],
Il la trouve assise à la porte
De son ami plongé dans un profond sommeil.

FABLE XII

LES DEUX COQS[1]

DEUX Coqs vivaient en paix : une Poule survint,
Et voilà la guerre allumée.
Amour, tu perdis Troie; et c'est de toi que vint
Cette querelle envenimée,
Où du sang des Dieux même on vit le Xanthe teint[2]. 5
Longtemps entre nos Coqs le combat se maintint :
Le bruit s'en répandit par tout le voisinage.
La gent qui porte crête au spectacle accourut.
Plus d'une Hélène au beau plumage[3]
Fut le prix du vainqueur; le vaincu disparut. 10
Il alla se cacher au fond de sa retraite,
Pleura sa gloire et ses amours,
Ses amours qu'un rival tout fier de sa défaite
Possédait à ses yeux. Il voyait tous les jours
Cet objet[4] rallumer sa haine et son courage. 15
Il aiguisait son bec, battait l'air et ses flancs,
Et s'exerçant contre les vents
S'armait d'une jalouse rage.
Il n'en eut pas besoin. Son vainqueur sur les toits
S'alla percher, et chanter sa victoire. 20
Un Vautour entendit sa voix :
Adieu les amours et la gloire.
Tout cet orgueil périt sous l'ongle du Vautour.
Enfin par un fatal retour
Son rival autour de la Poule 25
S'en revint faire le coquet[5] :
Je laisse à penser quel caquet,
Car il eut des femmes en foule.
La Fortune se plaît à faire de ces coups[a];
Tout vainqueur insolent à sa perte travaille. 30
Défions-nous du sort, et prenons garde à nous
Après le gain d'une bataille.

---

a. Var. 1668 : de *grands* coups

FABLE XIII

L'INGRATITUDE ET L'INJUSTICE DES HOMMES ENVERS LA FORTUNE[1]

Un trafiquant sur mer par bonheur s'enrichit.
Il triompha des vents pendant plus d'un voyage,
Gouffre, banc, ni rocher, n'exigea de péage
D'aucun de ses ballots; le sort l'en affranchit.
Sur tous ses compagnons Atropos[2] et Neptune 5
Recueillirent leur droit tandis que la Fortune
Prenait soin d'amener son marchand à bon port.
Facteurs[3], associés, chacun lui fit fidèle[4].
Il vendit son tabac, son sucre, sa canèle
  Ce qu'il voulut, sa porcelaine[5] encor : 10
  Le luxe et la folie enflèrent son trésor;
    Bref il plut dans son escarcelle.
  On ne parlait chez lui que par doubles ducats[6].
  Et mon homme d'avoir chiens, chevaux et carrosses.
    Ses jours de jeûne étaient des noces. 15
  Un sien ami, voyant ces somptueux repas,
  Lui dit : Et d'où vient donc un si bon ordinaire ?
  — Et d'où me viendrait-il que de mon savoir-faire ?
  Je n'en dois rien qu'à moi, qu'à mes soins, qu'au talent
  De risquer à propos, et bien placer l'argent. 20
  Le profit lui semblant une fort douce chose,
  Il risqua de nouveau le gain qu'il avait fait :
  Mais rien, pour cette fois, ne lui vint à souhait.
   Son imprudence en fut la cause.
Un vaisseau mal frété[7] périt au premier vent. 25
Un autre mal pourvu des armes nécessaires
    Fut enlevé par les Corsaires.
    Un troisième au port arrivant,
Rien n'eut cours ni débit. Le luxe et la folie
   N'étaient plus tels qu'auparavant. 30
   Enfin ses facteurs le trompant,
Et lui-même ayant fait grand fracas, chère lie,
Mis beaucoup en plaisirs, en bâtiments beaucoup,
   Il devint pauvre tout d'un coup.

Son ami le voyant en mauvais équipage, 35
Lui dit : D'où vient cela ? — De la fortune, hélas !
— Consolez-vous, dit l'autre; et s'il ne lui plaît pas
Que vous soyez heureux; tout au moins soyez sage.
Je ne sais s'il crut ce conseil;
Mais je sais que chacun impute, en cas pareil, 40
Son bonheur à son industrie,
Et si de quelque échec notre faute est suivie,
Nous disons injures au sort.
Chose n'est ici plus commune :
Le bien nous le faisons, le mal c'est la fortune, 45
On a toujours raison, le destin toujours tort.

FABLE XIV

LES DEVINERESSES[1]

C'EST souvent du hasard que naît l'opinion;
Et c'est l'opinion qui fait toujours la vogue.
Je pourrais fonder ce prologue
Sur gens de tous états; tout est prévention,
Cabale, entêtement, point ou peu de justice[2] : 5
C'est un torrent; qu'y faire ? Il faut qu'il ait son cours.
Cela fut et sera toujours.
Une femme à Paris faisait la Pythonisse[3].
On l'allait consulter sur chaque événement :
Perdait-on un chiffon, avait-on un amant, 10
Un mari vivant trop, au gré de son épouse,
Une mère fâcheuse, une femme jalouse;
Chez la Devineuse on courait,
Pour se faire annoncer ce que l'on désirait[4].
Son fait consistait en adresse. 15
Quelques termes de l'art, beaucoup de hardiesse,
Du hasard quelquefois, tout cela concourait :
Tout cela bien souvent faisait crier miracle[5].
Enfin, quoique ignorante à vingt et trois carats[6],
Elle passait pour un oracle. 20
L'oracle était logé dedans un galetas.
Là cette femme emplit sa bourse,

Et sans avoir d'autre ressource,
Gagne de quoi donner un rang à son mari :
Elle achète un office[7], une maison aussi.
Voilà le galetas rempli
D'une nouvelle hôtesse, à qui toute la ville,
Femmes, filles, valets, gros Messieurs, tout enfin,
Allait comme autrefois demander son destin :
Le galetas devint l'antre de la Sibylle[8].
L'autre femelle avait achalandé ce lieu[9].
Cette dernière femme eut beau faire, eut beau dire,
Moi devine[10] ! on se moque; Eh Messieurs, sais-je lire ?
Je n'ai jamais appris que ma croix de par-dieu[11].
Point de raison; fallut deviner et prédire,
Mettre à part force bons ducats,
Et gagner malgré soi plus que deux Avocats.
Le meuble et l'équipage[12] aidaient fort à la chose :
Quatre sièges boiteux, un manche de balai,
Tout sentait son sabbat et sa métamorphose[13] :
Quand cette femme aurait dit vrai
Dans une chambre tapissée[14],
On s'en serait moqué; la vogue était passée
Au galetas; il avait le crédit :
L'autre femme se morfondit.
L'enseigne fait la chalandise[15].
J'ai vu dans le Palais une robe mal mise
Gagner gros : les gens l'avaient prise
Pour maître tel, qui traînait après soi
Force écoutants[16]; demandez-moi pourquoi.

FABLE XV

LE CHAT, LA BELETTE, ET LE PETIT LAPIN[1]

Du palais d'un jeune Lapin
Dame Belette un beau matin
S'empara; c'est une rusée.
Le Maître étant absent, ce lui fut chose aisée.

B.N. Estampes — Cl. B.N.

Les devineresses
Gravure anonyme du XVIIe siècle

Elle porta chez lui ses pénates un jour 5
Qu'il était allé faire à l'Aurore sa cour,
Parmi le thym et la rosée.
Après qu'il eut brouté, trotté, fait tous ses tours,
Janot Lapin retourne aux souterrains séjours.
La Belette avait mis le nez à la fenêtre. 10
O Dieux hospitaliers, que vois-je ici paraître ?
Dit l'animal chassé du paternel logis :
O là, Madame la Belette,
Que l'on déloge sans trompette[2],
Ou je vais avertir tous les rats du pays[3]. 15
La Dame au nez pointu répondit que la terre
Était au premier occupant[4].
C'était un beau sujet de guerre
Qu'un logis où lui-même il n'entrait qu'en rampant.
Et quand ce serait un Royaume 20
Je voudrais bien savoir, dit-elle, quelle loi
En a pour toujours fait l'octroi
A Jean fils ou neveu de Pierre ou de Guillaume,
Plutôt qu'à Paul, plutôt qu'à moi.
Jean Lapin allégua la coutume et l'usage[5]. 25
Ce sont, dit-il, leurs lois[6] qui m'ont de ce logis
Rendu maître et seigneur, et qui de père en fils,
L'ont de Pierre à Simon, puis à moi Jean, transmis.
Le premier occupant est-ce une loi plus sage ?
— Or bien sans crier davantage, 30
Rapportons-nous[7], dit-elle, à Raminagrobis[8].
C'était un chat vivant comme un dévot ermite,
Un chat faisant la chattemite[9],
Un saint homme de chat, bien fourré[10], gros et gras,
Arbitre expert sur tous les cas. 35
Jean Lapin pour juge l'agrée.
Les voilà tous deux arrivés
Devant sa majesté fourrée.
Grippeminaud leur dit : Mes enfants, approchez,
Approchez, je suis sourd, les ans en sont la cause. 40
L'un et l'autre approcha ne craignant nulle chose.
Aussitôt qu'à portée il vit les contestants,
Grippeminaud le bon apôtre
Jetant des deux côtés la griffe en même temps,
Mit les plaideurs d'accord en croquant l'un et l'autre. 45
Ceci ressemble fort aux débats qu'ont parfois
Les petits souverains se rapportants aux Rois.

FABLE XVI

LA TÊTE ET LA QUEUE DU SERPENT[1]

Le serpent a deux parties
Du genre humain ennemies,
Tête et queue; et toutes deux
Ont acquis un nom fameux
Auprès des Parques cruelles[2] :
Si bien qu'autrefois entre elles
Il survint de grands débats
Pour le pas[3].
La tête avait toujours marché devant la queue.
La queue au Ciel se plaignit,
Et lui dit :
Je fais mainte et mainte lieue,
Comme il plaît à celle-ci.
Croit-elle que toujours j'en veuille user ainsi ?
Je suis son humble servante[4].
On m'a faite Dieu merci
Sa sœur et non sa suivante.
Toutes deux de même sang
Traitez-nous de même sorte :
Aussi bien qu'elle je porte
Un poison prompt et puissant[5].
Enfin voilà ma requête :
C'est à vous de commander,
Qu'on me laisse précéder
A mon tour ma sœur la tête.
Je la conduirai si bien,
Qu'on ne se plaindra de rien.
Le Ciel eut pour ses vœux une bonté cruelle.
Souvent sa complaisance a de méchants effets.
Il devrait être sourd aux aveugles souhaits.
Il ne le fut pas lors : et la guide[6] nouvelle,
Qui ne voyait au grand jour
Pas plus clair que dans un four,
Donnait tantôt contre un marbre,
Contre un passant, contre un arbre.
Droit aux ondes du Styx elle mena sa sœur.
Malheureux les États tombés dans son erreur.

FABLE XVII

UN ANIMAL DANS LA LUNE[1]

PENDANT qu'un Philosophe[2] assure,
Que toujours par leurs sens les hommes sont dupés,
Un autre Philosophe[3] jure,
Qu'ils ne nous ont jamais trompés.
Tous les deux ont raison, et la Philosophie
Dit vrai, quand elle dit que les sens tromperont
Tant que sur leur rapport les hommes jugeront;
Mais aussi si l'on rectifie
L'image de l'objet sur son éloignement,
Sur le milieu qui l'environne, 10
Sur l'organe et sur l'instrument,
Les sens ne tromperont personne.
La nature ordonna ces choses sagement :
J'en dirai quelque jour les raisons[4] amplement.
J'aperçois le Soleil; quelle en est la figure ? 15
Ici-bas ce grand corps n'a que trois pieds de tour :
Mais si je le voyais là-haut dans son séjour,
Que serait-ce à mes yeux que l'œil de la nature[5] ?
Sa distance me fait juger de sa grandeur;
Sur l'angle et les côtés ma main[6] la détermine; 20
L'ignorant le croit plat, j'épaissis sa rondeur;
Je le rends immobile, et la terre chemine.
Bref je démens mes yeux en toute sa machine[7].
Ce sens ne me nuit point par son illusion.
Mon âme en toute occasion 25
Développe le vrai caché sous l'apparence.
Je ne suis point d'intelligence
Avecque mes regards peut-être un peu trop prompts,
Ni mon oreille lente à m'apporter les sons.
Quand l'eau courbe un bâton ma raison le redresse, 30
La raison décide en maîtresse.
Mes yeux, moyennant ce secours,
Ne me trompent jamais, en me mentant toujours.
Si je crois leur rapport, erreur assez commune,
Une tête de femme[8] est au corps de la Lune. 35
Y peut-elle être ? Non. D'où vient donc cet objet ?

Quelques lieux inégaux font de loin cet effet.
La Lune nulle part n'a sa surface unie :
Montueuse en des lieux, en d'autres aplanie,
L'ombre avec la lumière y peut tracer souvent
 Un Homme, un Bœuf, un Éléphant.
Naguère l'Angleterre y vit chose pareille,
La lunette placée, un animal nouveau
 Parut dans cet astre si beau;
 Et chacun de crier merveille :
Il était arrivé là-haut un changement
Qui présageait sans doute un grand événement.
Savait-on si la guerre entre tant de puissances
N'en était point l'effet ? Le Monarque[9] accourut :
Il favorise en Roi ces hautes connaissances.
Le Monstre dans la Lune à son tour lui parut.
C'était une Souris cachée entre les verres :
Dans la lunette était la source de ces guerres.
On en rit. Peuple heureux, quand pourront les François
Se donner, comme vous, entiers à ces emplois ?
Mars nous fait recueillir d'amples moissons de gloire :
C'est à nos ennemis de craindre les combats,
A nous de les chercher, certains que la victoire,
Amante de Louis, suivra partout ses pas.
Ses lauriers nous rendront célèbres dans l'histoire.
 Même les filles de Mémoire
Ne nous ont point quittés : nous goûtons des plaisirs :
La paix fait nos souhaits et non point nos soupirs[10].
Charles en sait jouir : Il saurait dans la guerre
Signaler sa valeur, et mener l'Angleterre
A ces jeux qu'en repos elle voit aujourd'hui.
Cependant s'il pouvait apaiser la querelle,
Que d'encens ! Est-il rien de plus digne de lui ?
La carrière d'Auguste a-t-elle été moins belle
Que les fameux exploits du premier des Césars ?
O peuple trop heureux, quand la paix viendra-t-elle
Nous rendre comme vous tout entiers aux beaux-arts ?

LIVRE HUITIÈME

LIVRE HUITIÈME

FABLE I

LA MORT ET LE MOURANT[1]

La Mort ne surprend point le sage;
Il est toujours prêt à partir,
S'étant su lui-même avertir[2]
Du temps où l'on se doit résoudre à ce passage.
Ce temps, hélas ! embrasse tous les temps : 5
Qu'on le partage en jours, en heures, en moments[3],
Il n'en est point qu'il ne comprenne
Dans le fatal tribut; tous sont de son domaine[4];
Et le premier instant où les enfants des rois
Ouvrent les yeux à la lumière, 10
Est celui qui vient quelquefois
Fermer pour toujours leur paupière.
Défendez-vous par la grandeur,
Alléguez la beauté, la vertu, la jeunesse,
La mort ravit tout sans pudeur 15
Un jour le monde entier accroîtra sa richesse.
Il n'est rien de moins ignoré,
Et puisqu'il faut que je le die,
Rien où l'on soit moins préparé.
Un mourant qui comptait plus de cent ans de vie, 20
Se plaignait à la Mort que précipitamment
Elle le contraignait de partir tout à l'heure[5],
Sans qu'il eût fait son testament,
Sans l'avertir au moins. Est-il juste qu'on meure

Au pied levé[6] ? dit-il : attendez quelque peu.
Ma femme ne veut pas que je parte sans elle;
Il me reste à pourvoir un arrière-neveu[7];
Souffrez qu'à mon logis j'ajoute encore une aile.
Que vous êtes pressante, ô Déesse cruelle !
— Vieillard, lui dit la mort, je ne t'ai point surpris.
Tu te plains sans raison de mon impatience.
Eh n'as-tu pas cent ans ? trouve-moi dans Paris
Deux mortels aussi vieux, trouve-m'en dix en France.
Je devais, ce dis-tu, te donner quelque avis
Qui te disposât à la chose :
J'aurais trouvé ton testament tout fait,
Ton petit-fils pourvu, ton bâtiment parfait;
Ne te donna-t-on pas des avis quand la cause
Du marcher et du mouvement,
Quand les esprits[8], le sentiment[9],
Quand tout faillit en toi ? Plus de goût, plus d'ouïe :
Toute chose pour toi semble être évanouie :
Pour toi l'astre du jour prend des soins superflus :
Tu regrettes des biens qui ne te touchent plus.
Je t'ai fait voir tes camarades,
Ou morts, ou mourants, ou malades.
Qu'est-ce que tout cela, qu'un avertissement ?
Allons, vieillard, et sans réplique.
Il n'importe à la république
Que tu fasses ton testament.
La mort avait raison. Je voudrais qu'à cet âge
On sortît de la vie ainsi que d'un banquet[10],
Remerciant son hôte, et qu'on fît son paquet;
Car de combien peut-on retarder le voyage ?
Tu murmures, vieillard; vois ces jeunes mourir,
Vois-les marcher, vois-les courir
A des morts, il est vrai, glorieuses et belles,
Mais sûres cependant, et quelquefois cruelles.
J'ai beau te le crier; mon zèle est indiscret :
Le plus semblable aux morts meurt le plus à regret.

FABLE II

LE SAVETIER ET LE FINANCIER[1]

Un Savetier chantait du matin jusqu'au soir :
C'était merveilles de le voir,
Merveilles de l'ouïr; il faisait des passages[2],
Plus content qu'aucun des sept sages[3].
Son voisin au contraire, étant tout cousu d'or, 5
Chantait peu, dormait moins encor.
C'était un homme de finance.
Si sur le point du jour parfois il sommeillait,
Le Savetier alors en chantant l'éveillait,
Et le Financier se plaignait, 10
Que les soins de la Providence
N'eussent pas au marché fait vendre le dormir,
Comme le manger et le boire.
En son hôtel il fait venir
Le chanteur, et lui dit : Or çà, sire Grégoire, 15
Que gagnez-vous par an ? — Par an ? Ma foi, Monsieur,
Dit avec un ton de rieur[4],
Le gaillard Savetier, ce n'est point ma manière
De compter de la sorte; et je n'entasse guère
Un jour sur l'autre : il suffit qu'à la fin 20
J'attrape le bout de l'année :
Chaque jour amène son pain.
— Eh bien que gagnez-vous, dites-moi, par journée ?
— Tantôt plus, tantôt moins : le mal est que toujours;
(Et sans cela nos gains seraient assez honnêtes,) 25
Le mal est que dans l'an s'entremêlent des jours
Qu'il[5] faut chommer; on nous ruine[6] en Fêtes[a].
L'une fait tort à l'autre; et Monsieur le Curé

---

a. Éd. 1678 et 1692 :

Tantôt plus, tantôt moins : le mal est que toujours
Il s'entremêle certains jours
Qu'il faut choumer ; on nous ruine en fêtes.

Il manquait une rime à *fêtes*. La Fontaine a introduit le texte définitif au moyen d'un carton.

De quelque nouveau Saint charge toujours son prône.
Le Financier riant de sa naïveté 30
Lui dit : Je vous veux mettre aujourd'hui sur le trône.
Prenez ces cent écus : gardez-les avec soin,
Pour vous en servir au besoin.
Le Savetier crut voir tout l'argent que la terre
Avait depuis plus de cent ans 35
Produit pour l'usage des gens.
Il retourne chez lui : dans sa cave il enserre
L'argent et sa joie à la fois.
Plus de chant; il perdit la voix
Du moment qu'il gagna ce qui cause nos peines. 40
Le sommeil quitta son logis,
Il eut pour hôtes les soucis,
Les soupçons, les alarmes vaines.
Tout le jour il avait l'œil au guet; Et la nuit,
Si quelque chat faisait du bruit, 45
Le chat prenait l'argent : A la fin le pauvre homme
S'en courut chez celui qu'il ne réveillait plus !
Rendez-moi, lui dit-il, mes chansons et mon somme,
Et reprenez vos cent écus.

FABLE III

LE LION, LE LOUP, ET LE RENARD* [1]

Un Lion décrépit, goutteux, n'en pouvant plus,
Voulait que l'on trouvât remède à la vieillesse :
Alléguer l'impossible aux Rois, c'est un abus [2].
Celui-ci parmi chaque espèce
Manda des Médecins; il en est de tous arts [3] : 5
Médecins au Lion viennent de toutes parts;
De tous côtés lui vient des donneurs de recettes [4].
Dans les visites qui sont faites,
Le Renard se dispense, et se tient clos et coi.
Le Loup en fait sa cour, daube [5] au coucher du Roi 10

---

* Première éd. : *Fables nouvelles*, 1671.

Son camarade absent; le Prince tout à l'heure
Veut qu'on aille enfumer Renard dans sa demeure,
Qu'on le fasse venir. Il vient, est présenté;
Et, sachant que le Loup lui faisait cette affaire :
Je crains, Sire, dit-il, qu'un rapport peu sincère, 15
Ne m'ait à mépris imputé
D'avoir différé cet hommage;
Mais j'étais en pèlerinage;
Et m'acquittais d'un vœu fait pour votre santé.
Même j'ai vu dans mon voyage 20
Gens experts et savants; leur ai dit la langueur
Dont votre Majesté craint à bon droit la suite.
Vous ne manquez que de chaleur :
Le long âge en vous l'a détruite :
D'un Loup écorché vif appliquez-vous la peau 25
Toute chaude et toute fumante;
Le secret sans doute en est beau
Pour la nature défaillante.
Messire Loup vous servira,
S'il vous plaît, de robe de chambre. 30
Le Roi goûte cet avis-là :
On écorche, on taille, on démembre
Messire Loup. Le Monarque en soupa,
Et de sa peau s'enveloppa;
Messieurs les courtisans, cessez de vous détruire : 35
Faites si vous pouvez votre cour sans vous nuire.
Le mal se rend chez vous au quadruple du bien.
Les daubeurs ont leur tour d'une ou d'autre manière :
Vous êtes dans une carrière
Où l'on ne se pardonne rien. 40

FABLE IV

LE POUVOIR DES FABLES[1]

A M. DE BARILLON[2]

La qualité d'Ambassadeur
Peut-elle s'abaisser à des contes vulgaires ?
Vous puis-je offrir mes vers et leurs grâces légères ?
S'ils osent quelquefois prendre un air de grandeur,

Seront-ils point traités par vous de téméraires ? 5
Vous avez bien d'autres affaires
A démêler que les débats
Du Lapin et de la Belette.
Lisez-les, ne les lisez pas;
Mais empêchez qu'on ne nous mette 10
Toute l'Europe sur les bras.
Que de mille endroits de la terre
Il nous vienne des ennemis,
J'y consens; mais que l'Angleterre
Veuille que nos deux Rois se lassent d'être amis, 15
J'ai peine à digérer la chose.
N'est-il point encor temps que Louis se repose ?
Quel autre Hercule enfin ne se trouverait las
De combattre cette Hydre[3] ? et faut-il qu'elle oppose
Une nouvelle tête aux efforts de son bras ? 20
Si votre esprit plein de souplesse,
Par éloquence, et par adresse,
Peut adoucir les cœurs, et détourner ce coup,
Je vous sacrifierai cent moutons; c'est beaucoup
Pour un habitant du Parnasse. 25
Cependant faites-moi la grâce
De prendre en don ce peu d'encens.
Prenez en gré mes vœux ardents,
Et le récit en vers qu'ici je vous dédie.
Son sujet vous convient[4]; je n'en dirai pas plus : 30
Sur les Éloges que l'Envie
Doit avouer qui vous sont dus,
Vous ne voulez pas qu'on appuie.

Dans Athène autrefois peuple vain et léger,
Un Orateur voyant sa patrie en danger, 35
Courut à la Tribune; et d'un art tyrannique,
Voulant forcer les cœurs dans une république,
Il parla fortement sur le commun salut.
On ne l'écoutait pas : l'Orateur recourut
A ces figures violentes[5] 40
Qui savent exciter les âmes les plus lentes.
Il fit parler les morts, tonna, dit ce qu'il put.
Le vent emporta tout; personne ne s'émut.
L'animal aux têtes frivoles[6]
Étant fait à ces traits, ne daignait l'écouter. 45
Tous regardaient ailleurs : il en vit s'arrêter

A des combats d'enfants, et point à ses paroles.
Que fit le harangueur ? Il prit un autre tour.
Cérès, commença-t-il, faisait voyage un jour
Avec l'Anguille et l'Hirondelle : 50
Un fleuve les arrête; et l'Anguille en nageant,
Comme l'Hirondelle en volant,
Le traversa bientôt. L'assemblée à l'instant
Cria tout d'une voix : Et Cérès, que fit-elle ?
— Ce qu'elle fit ? un prompt courroux 55
L'anima d'abord contre vous.
Quoi, de contes d'enfants son[7] peuple s'embarrasse !
Et du péril qui le menace
Lui seul entre les Grecs il néglige l'effet !
Que ne demandez-vous ce que Philippe fait[8] ? 60
A ce reproche l'assemblée,
Par l'Apologue réveillée,
Se donne entière à l'Orateur :
Un trait de Fable en eut l'honneur.
Nous sommes tous d'Athène en ce point; et moi-même, 65
Au moment que je fais cette moralité,
Si *Peau d'âne* m'était conté[9],
J'y prendrais un plaisir extrême,
Le monde est vieux, dit-on : je le crois, cependant
Il le faut amuser encor comme un enfant. 70

FABLE V

L'HOMME ET LA PUCE[1]

Par des vœux importuns nous fatiguons les Dieux :
Souvent pour des sujets même indignes des hommes.
Il semble que le Ciel sur tous tant que nous sommes
Soit obligé d'avoir incessamment les yeux,
Et que le plus petit de la race mortelle, 5
A chaque pas qu'il fait, à chaque bagatelle,
Doive intriguer[2] l'Olympe et tous ses citoyens,
Comme s'il s'agissait des Grecs et des Troyens[3].
Un Sot par une puce eut l'épaule mordue.
Dans les plis de ses draps elle alla se loger, 10

Hercule, se dit-il, tu devais[4] bien purger
La terre de cette Hydre au printemps revenue.
Que fais-tu, Jupiter, que du haut de la nue
Tu n'en perdes la race afin de me venger ?
Pour tuer une puce il voulait obliger
Ces Dieux à lui prêter leur foudre et leur massue.

FABLE VI

LES FEMMES ET LE SECRET[1]

Rien ne pèse tant qu'un secret :
Le porter loin est difficile aux Dames :
Et je sais même sur ce fait
Bon nombre d'hommes qui sont femmes.
Pour éprouver la sienne un mari s'écria
La nuit étant près d'elle : O dieux ! qu'est-ce cela ?
Je n'en puis plus; on me déchire;
Quoi j'accouche d'un œuf ! — D'un œuf ? — Oui, le voilà
Frais et nouveau pondu. Gardez bien de le dire :
On m'appellerait poule. Enfin n'en parlez pas. 1
La femme neuve sur ce cas,
Ainsi que sur mainte autre affaire,
Crut la chose, et promit ses grands dieux de se taire.
Mais ce serment s'évanouit
Avec les ombres de la nuit. 1
L'épouse indiscrète[2] et peu fine,
Sort du lit quand le jour fut à peine levé :
Et de courir chez sa voisine.
Ma commère, dit-elle, un cas est arrivé :
N'en dites rien surtout, car vous me feriez battre. 2
Mon mari vient de pondre un œuf gros comme quatre.
Au nom de Dieu gardez-vous bien
D'aller publier ce mystère.
— Vous moquez-vous ? dit l'autre : Ah, vous ne savez guère
Quelle je suis. Allez, ne craignez rien. 2
La femme du pondeur s'en retourne chez elle.
L'autre grille déjà de conter la nouvelle :
Elle va la répandre en plus de dix endroits.

Au lieu d'un œuf elle en dit trois.
Ce n'est pas encor tout, car une autre commère 30
En dit quatre, et raconte à l'oreille le fait,
Précaution peu nécessaire,
Car ce n'était plus un secret.
Comme le nombre d'œufs, grâce à la renommée,
De bouche en bouche allait croissant, 35
Avant la fin de la journée
Ils se montaient à plus d'un cent.

FABLE VII

LE CHIEN QUI PORTE A SON COU LE DINÉ DE SON MAITRE[1]

Nous n'avons pas les yeux à l'épreuve des belles,
Ni les mains à celle de l'or :
Peu de gens gardent un trésor
Avec des soins assez fidèles.
Certain Chien, qui portait la pitance au logis, 5
S'était fait un collier du dîné de son maître.
Il était tempérant plus qu'il n'eût voulu l'être
Quand il voyait un mets exquis :
Mais enfin il l'était et tous tant que nous sommes
Nous nous laissons tenter à l'approche des biens. 10
Chose étrange ! on apprend la tempérance aux chiens,
Et l'on ne peut l'apprendre aux hommes.
Ce Chien-ci donc étant de la sorte atourné[2],
Un mâtin[3] passe, et veut lui prendre le dîné.
Il n'en eut pas toute la joie 15
Qu'il espérait d'abord : le Chien mit bas la proie,
Pour la défendre mieux n'en étant plus chargé.
Grand combat : D'autres chiens arrivent;
Ils étaient de ceux-là qui vivent
Sur le public, et craignent peu les coups. 20
Notre Chien se voyant trop faible contre eux tous,
Et que la chair courait un danger manifeste,
Voulut avoir sa part; Et lui sage : il leur dit[4] :
Point de courroux, Messieurs, mon lopin me suffit :

Faites votre profit du reste.
A ces mots le premier il vous happe un morceau.
Et chacun de tirer, le mâtin, la canaille;
A qui mieux mieux; ils firent tous ripaille;
Chacun d'eux eut part au gâteau.

Je crois voir en ceci l'image d'une Ville,
Où l'on met les deniers à la merci des gens.
Échevins, Prévôt des Marchands,
Tout fait sa main[5] : le plus habile
Donne aux autres l'exemple; Et c'est un passe-temps
De leur voir nettoyer un monceau de pistoles.
Si quelque scrupuleux par des raisons frivoles
Veut défendre l'argent, et dit le moindre mot,
On lui fait voir qu'il est un sot.
Il n'a pas de peine à se rendre :
C'est bientôt le premier à prendre.

FABLE VIII

LE RIEUR ET LES POISSONS[1]

On cherche les Rieurs[2]; et moi je les évite.
Cet art veut sur tout autre un suprême mérite.
Dieu ne créa que pour les sots
Les méchants[3] diseurs de bons mots.
J'en vais peut-être en une Fable
Introduire un; peut-être aussi
Que quelqu'un trouvera que j'aurai réussi.
Un Rieur était à la table
D'un Financier; et n'avait en son coin
Que de petits poissons : tous les gros étaient loin.
Il prend donc les menus, puis leur parle à l'oreille,
Et puis il feint à la pareille,
D'écouter leur réponse. On demeura surpris :
Cela suspendit les esprits[4].
Le Rieur alors d'un ton sage
Dit qu'il craignait qu'un sien ami
Pour les grandes Indes[5] parti,

N'eût depuis un an fait naufrage.
Il s'en informait donc à ce menu fretin :
Mais tous lui répondaient qu'ils n'étaient pas d'un âge 20
A savoir au vrai son destin;
Les gros en sauraient davantage.
N'en puis-je donc, Messieurs, un gros interroger ?
De dire si la compagnie
Prit goût à sa plaisanterie, 25
J'en doute; mais enfin, il les sut engager
A lui servir d'un monstre assez vieux pour lui dire
Tous les noms des chercheurs de mondes inconnus
Qui n'en étaient pas revenus,
Et que depuis cent ans sous l'abîme avaient vus 30
Les anciens du vaste empire.

FABLE IX

LE RAT ET L'HUITRE*[1]

Un Rat hôte d'un champ, Rat de peu de cervelle,
Des Lares paternels un jour se trouva sou[2].
Il laisse là le champ, le grain, et la javelle,
Va courir le pays, abandonne son trou.
Sitôt qu'il fut hors de la case[3], 5
Que le monde, dit-il, est grand et spacieux !
Voilà les Apennins, et voici le Caucase :
La moindre taupinée était mont à ses yeux.
Au bout de quelques jours le voyageur arrive
En un certain canton où Téthys sur la rive 10
Avait laissé mainte Huître; et notre Rat d'abord
Crut voir en les voyant des vaisseaux de haut bord.
Certes, dit-il, mon père était un pauvre sire :
Il n'osait voyager, craintif au dernier point :
Pour moi, j'ai déjà vu le maritime empire : 15
J'ai passé les déserts, mais nous n'y bûmes point[4].
D'un certain magister le Rat tenait ces choses,

---

*. Première éd. : *Fables nouvelles*, 1671.

Et les disait à travers champs;
N'étant pas de ces Rats qui les livres rongeants
Se font savants jusques aux dents. 20
Parmi tant d'Huîtres toutes closes,
Une s'était ouverte, et bâillant au Soleil,
Par un doux Zéphir réjouie,
Humait l'air, respirait, était épanouie,
Blanche, grasse, et d'un goût, à la voir, nonpareil. 25
D'aussi loin que le Rat voit cette Huître qui bâille :
Qu'aperçois-je ? dit-il, c'est quelque victuaille;
Et, si je ne me trompe à la couleur du mets,
Je dois faire aujourd'hui bonne chère, ou jamais.
Là-dessus maître Rat plein de belle espérance, 30
Approche de l'écaille, allonge un peu le cou,
Se sent pris comme aux lacs; car l'Huître tout d'un coup
Se referme, et voilà ce que fait l'ignorance.

Cette Fable contient plus d'un enseignement.
Nous y voyons premièrement : 35
Que ceux qui n'ont du monde aucune expérience
Sont aux moindres objets frappés d'étonnement :
Et puis nous y pouvons apprendre,
Que tel est pris qui croyait prendre.

FABLE X

L'OURS ET L'AMATEUR DES JARDINS[1]

CERTAIN Ours montagnard, Ours à demi léché[2],
Confiné par le sort dans un bois solitaire,
Nouveau Bellérophon[3] vivait seul et caché :
Il fût devenu fou; la raison d'ordinaire
N'habite pas longtemps chez les gens séquestrés : 5
Il est bon de parler, et meilleur de se taire,
Mais tous deux sont mauvais alors qu'ils sont outrés.
Nul animal n'avait affaire
Dans les lieux que l'Ours habitait;
Si bien que tout Ours qu'il était 10
Il vint à s'ennuyer de cette triste vie.

Pendant qu'il se livrait à la mélancolie,
Non loin de là certain vieillard
S'ennuyait aussi de sa part.
Il aimait les jardins, était Prêtre de Flore, 15
Il l'était de Pomone[4] encore :
Ces deux emplois sont beaux; Mais je voudrais parmi
Quelque doux et discret ami.
Les jardins parlent peu; si ce n'est dans mon livre;
De façon que, lassé de vivre 20
Avec des gens muets notre homme un beau matin
Va chercher compagnie, et se met en campagne.
L'Ours porté d'un même dessein
Venait de quitter sa montagne :
Tous deux, par un cas surprenant 25
Se rencontrent en un tournant.
L'homme eut peur : mais comment esquiver; et que faire ?
Se tirer en Gascon[5] d'une semblable affaire
Est le mieux : il sut donc dissimuler sa peur.
L'Ours très mauvais complimenteur, 30
Lui dit : Viens-t'en me voir. L'autre reprit : Seigneur,
Vous voyez mon logis; si vous me vouliez faire
Tant d'honneur que d'y prendre un champêtre repas,
J'ai des fruits, j'ai du lait : Ce n'est peut-être pas
De Nosseigneurs les Ours le manger ordinaire; 35
Mais j'offre ce que j'ai. L'Ours l'accepte; et d'aller.
Les voilà bons amis avant que d'arriver.
Arrivés, les voilà se trouvant bien ensemble;
Et bien qu'on soit à ce qu'il semble
Beaucoup mieux seul qu'avec des sots, 40
Comme l'Ours en un jour ne disait pas deux mots
L'Homme pouvait sans bruit vaquer à son ouvrage.
L'Ours allait à la chasse, apportait du gibier,
Faisait son principal métier
D'être bon émoucheur[6], écartait du visage 45
De son ami dormant, ce parasite ailé,
Que nous avons mouche appelé.
Un jour que le vieillard dormait d'un profond somme,
Sur le bout de son nez une allant se placer
Mit l'Ours au désespoir, il eut beau la chasser. 50
Je t'attraperai bien, dit-il. Et voici comme.
Aussitôt fait que dit; le fidèle émoucheur
Vous empoigne un pavé, le lance avec roideur,
Casse la tête à l'homme en écrasant la mouche,

Et non moins bon archer que mauvais raisonneur : 5[illegible]
Roide mort étendu sur la place il le couche.
Rien n'est si dangereux qu'un ignorant ami;
Mieux vaudrait un sage ennemi.

FABLE XI

LES DEUX AMIS[1]

DEUX vrais amis vivaient au Monomotapa[2] :
L'un ne possédait rien qui n'appartînt à l'autre :
Les amis de ce pays-là
Valent bien dit-on ceux du nôtre.
Une nuit que chacun s'occupait au sommeil[3], 5
Et mettait à profit l'absence du Soleil,
Un de nos deux Amis sort du lit en alarme :
Il court chez son intime, éveille les valets :
Morphée avait touché le seuil de ce palais.
L'Ami couché s'étonne, il prend sa bourse, il s'arme; 10
Vient trouver l'autre, et dit : Il vous arrive peu
De courir quand on dort; vous me paraissiez[a] homme
A mieux user du[b] temps destiné pour le somme :
N'auriez-vous point perdu tout votre argent au jeu ?
En voici. S'il vous est venu quelque querelle, 15
J'ai mon épée, allons. Vous ennuyez-vous point
De coucher toujours seul ? Une esclave assez belle
Était à mes côtés : voulez-vous qu'on l'appelle ?
— Non, dit l'ami, ce n'est ni l'un ni l'autre point :
Je vous rends grâce[c] de ce zèle. 20
Vous m'êtes en dormant un peu triste apparu;
J'ai craint qu'il ne fût vrai, je suis vite accouru.
Ce maudit songe en est la cause.
Qui d'eux aimait le mieux, que t'en semble, Lecteur ?
Cette difficulté vaut bien qu'on la propose. 25
Qu'un ami véritable est une douce chose.

---

a. Manuscrit Trallage (Arsenal) : *paraissez*
b. Ibid. : *d'un*
c. Ibid. : *grâces*

Il cherche vos besoins au fond de votre cœur;
Il vous épargne la pudeur
De les lui découvrir vous-même.
Un songe[a], un rien, tout lui fait peur 30
Quand il s'agit de ce qu'il aime.

FABLE XII

LE COCHON, LA CHÈVRE ET LE MOUTON[1]

UNE Chèvre, un Mouton, avec un Cochon gras,
Montés sur même char s'en allaient à la foire :
Leur divertissement ne les y portait pas;
On s'en allait les vendre, à ce que dit l'histoire :
Le Charton[2] n'avait pas dessein 5
De les mener voir Tabarin[3],
Dom pourceau criait en chemin
Comme s'il avait eu cent Bouchers à ses trousses.
C'était une clameur à rendre les gens sourds :
Les autres animaux, créatures plus douces, 10
Bonnes gens, s'étonnaient qu'il criât au secours;
Ils ne voyaient nul mal à craindre.
Le Charton dit au Porc : Qu'as-tu tant à te plaindre ?
Tu nous étourdis tous, que ne te tiens-tu coi ?
Ces deux personnes-ci plus honnêtes[4] que toi, 15
Devraient t'apprendre à vivre, ou du moins à te taire.
Regarde ce Mouton; a-t-il dit un seul mot ?
Il est sage. — Il est un sot,
Repartit le Cochon : s'il savait son affaire,
Il crierait comme moi, du haut de son gosier, 20
Et cette autre personne honnête
Crierait tout du haut de sa tête.
Ils pensent qu'on les veut seulement décharger,
La Chèvre de son lait, le Mouton de sa laine.
Je ne sais pas s'ils ont raison; 25
Mais quant à moi, qui ne suis bon

---

a. Ibid. et 1678, 1692 (corrigé dans l'*Errata*) : *Une ombre*

Qu'à manger, ma mort est certaine.
Adieu mon toit et ma maison.
Dom Pourceau raisonnait en subtil personnage :
Mais que lui servait-il ? Quand le mal est certain, 30
La plainte ni la peur ne changent le destin;
Et le moins prévoyant est toujours le plus sage.

FABLE XIII

TIRCIS ET AMARANTE[1]

POUR MADEMOISELLE DE SILLERY[2]

J'AVAIS Ésope quitté
Pour être tout à Boccace[3] :
Mais une divinité
Veut revoir sur le Parnasse
Des Fables de ma façon; 5
Or d'aller lui dire, Non,
Sans quelque valable excuse,
Ce n'est pas comme on en use
Avec des Divinités,
Surtout quand ce sont de celles 10
Que la qualité de belles
Fait Reines des volontés.
Car afin que l'on le sache,
C'est Sillery qui s'attache
A vouloir que, de nouveau, 15
Sire Loup, Sire Corbeau
Chez moi se parlent en rime.
Qui dit Sillery, dit tout;
Peu de gens en leur estime
Lui refusent le haut bout[4]; 20
Comment le pourrait-on faire ?
Pour venir à notre affaire,
Mes contes à son avis
Sont obscurs[5]; les beaux esprits
N'entendent pas toute chose : 25
Faisons donc quelques récits

Qu'elle déchiffre sans glose.
Amenons des Bergers et puis nous rimerons
Ce que disent entre eux les Loups et les Moutons[6].
Tircis disait un jour à la jeune Amarante : 30
Ah ! si vous connaissiez comme moi certain mal
Qui nous plaît et qui nous enchante !
Il n'est bien sous le ciel qui vous parût égal :
Souffrez qu'on vous le communique;
Croyez-moi; n'ayez point de peur : 35
Voudrais-je vous tromper, vous pour qui je me pique
Des plus doux sentiments que puisse avoir un cœur ?
Amarante aussitôt réplique :
Comment l'appelez-vous, ce mal ? quel est son nom ?
— L'amour. — Ce mot est beau : dites-moi quelque marque[a] 40
A quoi je le pourrai connaître : que sent-on ?
— Des peines près de qui le plaisir des Monarques
Est ennuyeux et fade : on s'oublie, on se plaît
Toute seule en une forêt.
Se mire-t-on près un[7] rivage ? 45
Ce n'est pas soi qu'on voit, on ne voit qu'une image
Qui sans cesse revient et qui suit en tous lieux :
Pour tout le reste on est sans yeux.
Il est un Berger du village
Dont l'abord, dont la voix, dont le nom fait rougir : 50
On soupire à son souvenir :
On ne sait pas pourquoi; cependant on soupire;
On a peur de le voir encor qu'on le désire.
Amarante dit à l'instant :
Oh ! oh ! c'est là ce mal que vous me prêchez tant ? 55
Il ne m'est pas nouveau : je pense le connaître.
Tircis à son but croyait être,
Quand la belle ajouta : Voilà tout justement
Ce que je sens pour Clidamant.
L'autre pensa mourir de dépit et de honte. 60
Il est force gens comme lui
Qui prétendent n'agir que pour leur propre compte,
Et qui font le marché d'autrui[8].

---

a. Tel est bien le texte de toutes les éditions parues du vivant de La Fontaine.

FABLE XIV

LES OBSÈQUES DE LA LIONNE[1]

La femme du Lion mourut :
Aussitôt chacun accourut
Pour s'acquitter envers le Prince
De certains compliments de consolation,
Qui sont surcroît d'affliction. 5
Il fit avertir sa Province
Que les obsèques se feraient
Un tel jour, en tel lieu; ses Prévôts[2] y seraient
Pour régler la cérémonie,
Et pour placer la compagnie. 10
Jugez si chacun s'y trouva.
Le Prince aux cris s'abandonna,
Et tout son antre en résonna.
Les Lions n'ont point d'autre temple.
On entendit à son exemple 15
Rugir en leurs patois Messieurs les Courtisans.
Je définis la cour un pays où les gens
Tristes, gais, prêts à tout, à tout indifférents,
Sont ce qu'il plaît au Prince, ou s'ils ne peuvent l'être,
Tâchent au moins de le parêtre, 20
Peuple caméléon[3], peuple singe du maître,
On dirait qu'un esprit anime mille corps;
C'est bien là que les gens sont de simples ressorts[4].
Pour revenir à notre affaire
Le Cerf ne pleura point, comment eût-il pu faire ? 25
Cette mort le vengeait; la Reine avait jadis
Étranglé sa femme et son fils.
Bref il ne pleura point. Un flatteur l'alla dire,
Et soutint qu'il l'avait vu rire.
La colère du Roi, comme dit Salomon[5], 30
Est terrible, et sur tout celle du roi Lion :
Mais ce Cerf n'avait pas accoutumé de lire.
Le Monarque lui dit : Chétif hôte des bois
Tu ris, tu ne suis[6] pas ces gémissantes voix.
Nous n'appliquerons point sur tes membres profanes 35
Nos sacrés ongles; venez Loups,

Vengez la Reine, immolez tous
Ce traître à ses augustes mânes.
Le Cerf reprit alors : Sire, le temps de pleurs[7]
Est passé; la douleur est ici superflue. 40
Votre digne moitié couchée entre des fleurs,
Tout près d'ici m'est apparue;
Et je l'ai d'abord reconnue.
Ami, m'a-t-elle dit, garde que ce convoi,
Quand je vais chez les Dieux, ne t'oblige à des larmes. 45
Aux Champs Élysiens j'ai goûté mille charmes,
Conversant avec ceux qui sont saints comme moi.
Laisse agir quelque temps le désespoir du Roi.
J'y prends plaisir. A peine on eut ouï la chose,
Qu'on se mit à crier : Miracle, apothéose ! 50
Le Cerf eut un présent, bien loin d'être puni.
Amusez les Rois par des songes,
Flattez-les, payez-les d'agréables mensonges,
Quelque indignation dont leur cœur soit rempli,
Ils goberont l'appât, vous serez leur ami. 55

FABLE XV

LE RAT ET L'ÉLÉPHANT[1]

Se croire un personnage est fort commun en France.
On y fait l'homme d'importance,
Et l'on n'est souvent qu'un bourgeois[2] :
C'est proprement le mal François[3].
La sotte vanité nous est particulière. 5
Les Espagnols sont vains, mais d'une autre manière.
Leur orgueil me semble en un mot
Beaucoup plus fou, mais pas si sot.
Donnons quelque image du nôtre
Qui sans doute en vaut bien un autre. 10
Un Rat des plus petits voyait un Éléphant
Des plus gros, et raillait le marcher un peu lent
De la bête de haut parage[4],
Qui marchait à gros équipage.
Sur l'animal à triple étage[5] 15

Une Sultane de renom,
Son Chien, son Chat et sa Guenon,
Son Perroquet, sa vieille[6], et toute sa maison,
S'en allait en pèlerinage.
Le Rat s'étonnait que les gens
Fussent touchés de voir cette pesante masse :
Comme si d'occuper ou plus ou moins de place
Nous rendait, disait-il, plus ou moins importants.
Mais qu'admirez-vous tant en lui vous autres hommes ?
Serait-ce ce grand corps qui fait peur aux enfants ?
Nous ne nous prisons pas, tout petits que nous sommes,
D'un grain[7] moins que les Éléphants.
Il en aurait dit davantage;
Mais le Chat sortant de sa cage,
Lui fit voir en moins d'un instant
Qu'un Rat n'est pas un Éléphant.

FABLE XVI

L'HOROSCOPE[1]

On rencontre sa destinée
Souvent par des chemins qu'on prend pour l'éviter.
Un père eut pour toute lignée
Un fils qu'il aima trop, jusques à consulter
Sur le sort de sa géniture
Les diseurs de bonne aventure.
Un de ces gens lui dit, que des Lions sur tout
Il éloignât l'enfant jusques à certain âge;
Jusqu'à vingt ans, point davantage.
Le père pour venir à bout
D'une précaution sur qui roulait la vie
De celui qu'il aimait, défendit que jamais
On lui laissât passer le seuil de son Palais.
Il pouvait sans sortir contenter son envie,
Avec ses compagnons tout le jour badiner,
Sauter, courir, se promener.
Quand il fut en l'âge où la chasse
Plaît le plus aux jeunes esprits,

Cet exercice avec mépris
Lui fut dépeint : mais, quoi qu'on fasse, 20
Propos, conseil, enseignement,
Rien ne change un tempérament.
Le jeune homme, inquiet, ardent, plein de courage,
A peine se sentit des bouillons[2] d'un tel âge,
Qu'il soupira pour ce plaisir. 25
Plus l'obstacle était grand, plus fort fut le désir.
Il savait le sujet des fatales défenses;
Et comme ce logis, plein de magnificences,
Abondait partout en tableaux,
Et que la laine et les pinceaux 30
Traçaient de tous côtés chasses et paysages,
En cet endroit des animaux,
En cet autre des personnages,
Le jeune homme s'émut, voyant peint un Lion.
Ah ! monstre, cria-t-il, c'est toi qui me fais vivre 35
Dans l'ombre et dans les fers. A ces mots, il se livre
Aux transports violents de l'indignation,
Porte le poing sur l'innocente bête.
Sous la tapisserie un clou se rencontra.
Ce clou le blesse; il pénétra 40
Jusqu'aux ressorts[3] de l'âme; et cette chère tête
Pour qui l'art d'Esculape en vain fit ce qu'il put,
Dut sa perte à ces soins qu'on prit pour son salut.
Même précaution nuisit au poète Eschyle.
Quelque Devin le menaça, dit-on, 45
De la chute d'une maison.
Aussitôt il quitta la ville,
Mit son lit en plein champ, loin des toits, sous les Cieux.
Un Aigle, qui portait en l'air une Tortue,
Passa par là, vit l'homme, et sur sa tête nue, 50
Qui parut un morceau de rocher à ses yeux.
Étant de cheveux dépourvue,
Laissa tomber sa proie, afin de la casser :
Le pauvre Eschyle ainsi sut[4] ses jours avancer.
De ces exemples il résulte 55
Que cet art, s'il est vrai, fait tomber dans les maux
Que craint celui qui le consulte;
Mais je l'en justifie[5], et maintiens qu'il est faux.
Je ne crois point que la nature
Se soit lié les mains, et nous les lie encor, 60
Jusqu'au point de marquer dans les cieux notre sort.

Il dépend d'une conjoncture
De lieux, de personnes, de temps;
Non des conjonctions[6] de tous ces charlatans.
Ce Berger et ce Roi sont sous même planète;
L'un d'eux porte le sceptre et l'autre la houlette :
Jupiter le voulait ainsi[7].
Qu'est-ce que Jupiter ? un corps sans connaissance.
D'où vient donc que son influence
Agit différemment sur ces deux hommes-ci ?
Puis comment pénétrer jusques à notre monde ?
Comment percer des airs la campagne profonde ?
Percer Mars, le Soleil, et des vides sans fin ?
Un atome la peut détourner en chemin :
Où l'iront retrouver les faiseurs d'horoscope ?
L'état où nous voyons l'Europe[8]
Mérite que du moins quelqu'un d'eux l'ait prévu;
Que ne l'a-t-il donc dit ? Mais nul d'eux ne l'a su.
L'immense éloignement, le point, et sa vitesse,
Celle aussi de nos passions,
Permettent-ils à leur faiblesse
De suivre pas à pas toutes nos actions[9] ?
Notre sort en dépend[10] : sa course entre-suivie,
Ne va, non plus que nous, jamais d'un même pas;
Et ces gens veulent au compas[11],
Tracer le cours de notre vie !
Il ne se faut point arrêter
Aux deux faits ambigus que je viens de conter.
Ce Fils par trop chéri, ni le bonhomme Eschyle,
N'y font rien. Tout aveugle et menteur qu'est cet art,
Il peut frapper au but une fois entre mille;
Ce sont des effets du hasard.

FABLE XVII

L'ANE ET LE CHIEN[1]

Il se faut entr'aider, c'est la loi de nature :
L'Ane un jour pourtant s'en moqua :
Et ne sais comme il y manqua;
Car il est bonne créature.

Il allait par pays accompagné du Chien, 5
Gravement, sans songer à rien,
Tous deux suivis d'un commun maître.
Ce maître s'endormit : l'Ane se mit à paître :
Il était alors dans un pré,
Dont l'herbe était fort à son gré. 10
Point de chardons pourtant; il s'en passa pour l'heure :
Il ne faut pas toujours être si délicat;
Et faute de servir ce plat
Rarement un festin demeure.
Notre Baudet s'en sut enfin 15
Passer pour cette fois. Le Chien mourant de faim
Lui dit : Cher compagnon, baisse-toi, je te prie;
Je prendrai mon dîné dans le panier au pain.
Point de réponse, mot[2]; le Roussin d'Arcadie[3]
Craignit qu'en perdant un moment, 20
Il ne perdît un coup de dent.
Il fit longtemps la sourde oreille :
Enfin il répondit : Ami, je te conseille
D'attendre que ton maître ait fini son sommeil;
Car il te donnera sans faute à son réveil, 25
Ta portion accoutumée.
Il ne saurait tarder beaucoup.
Sur ces entrefaites un Loup
Sort du bois, et s'en vient; autre bête affamée.
L'Ane appelle aussitôt le Chien à son secours. 30
Le Chien ne bouge, et dit : Ami, je te conseille
De fuir, en attendant que ton maître s'éveille;
Il ne saurait tarder; détale vite, et cours.
Que si ce Loup t'atteint, casse-lui la mâchoire.
On t'a ferré de neuf; et si tu me veux croire, 35
Tu l'étendras tout plat. Pendant ce beau discours
Seigneur Loup étrangla le Baudet sans remède.
Je conclus qu'il faut qu'on s'entr'aide.

FABLE XVIII

LE BASSA ET LE MARCHAND[1]

Un Marchand Grec en certaine contrée
Faisait trafic. Un Bassa[2] l'appuyait;
De quoi le Grec en Bassa le payait,
Non en Marchand : tant c'est chère denrée
Qu'un protecteur. Celui-ci coûtait tant, 5
Que notre Grec s'allait partout plaignant.
Trois autres Turcs d'un rang moindre en puissance
Lui vont offrir leur support[3] en commun.
Eux trois voulaient moins de reconnaissance
Qu'à ce Marchand il n'en coûtait pour un un. 10
Le Grec écoute : avec eux il s'engage;
Et le Bassa du tout est averti :
Même on lui dit qu'il jouera s'il est sage,
A ces gens-là quelque méchant parti,
Les prévenant[4], les chargeant d'un message 15
Pour Mahomet, droit en son paradis,
Et sans tarder : Sinon ces gens unis
Le préviendront, bien certain qu'à la ronde
Il a des gens tout prêts pour le venger.
Quelque poison l'envoira protéger 20
Les trafiquants qui sont en l'autre monde.
Sur cet avis le Turc se comporta
Comme Alexandre[5]; et plein de confiance
Chez le Marchand tout droit il s'en alla;
Se mit à table : on vit tant d'assurance 25
En ces discours et dans tout son maintien,
Qu'on ne crut point qu'il se doutât de rien.
Ami, dit-il, je sais que tu me quittes;
Même l'on veut que j'en craigne les suites;
Mais je te crois un trop homme de bien : 30
Tu n'as point l'air d'un donneur de breuvage.
Je n'en dis pas là-dessus davantage.
Quant à ces gens qui pensent t'appuyer,
Écoute-moi. Sans tant de Dialogue,
Et de raisons qui pourraient t'ennuyer, 35
Je ne te veux conter qu'un apologue.

Il était un Berger, son Chien, et son troupeau.
Quelqu'un lui demanda ce qu'il prétendait faire
D'un Dogue[6] de qui l'ordinaire
Était un pain entier. Il fallait bien et beau 40
Donner cet animal au Seigneur du village.
Lui Berger pour plus de ménage[7]
Aurait deux ou trois mâtineaux,
Qui lui dépensant moins veilleraient aux troupeaux
Bien mieux que cette bête seule. 45
Il mangeait plus que trois : mais on ne disait pas
Qu'il avait aussi triple gueule
Quand les Loups livraient des combats.
Le Berger s'en défait : il prend trois chiens de taille
A lui dépenser moins, mais à fuir la bataille. 50
Le troupeau s'en sentit, et tu te sentiras
Du choix de semblable canaille.
Si tu fais bien, tu reviendras à moi.
Le Grec le crut. Ceci montre aux Provinces
Que, tout compté mieux vaut en bonne foi 55
S'abandonner à quelque puissant Roi,
Que s'appuyer de plusieurs petits princes.

FABLE XIX

L'AVANTAGE DE LA SCIENCE[1]

ENTRE deux Bourgeois d'une Ville
S'émut jadis un différend.
L'un était pauvre, mais habile,
L'autre riche, mais ignorant.
Celui-ci sur son concurrent 5
Voulait emporter l'avantage :
Prétendait que tout homme sage
Était tenu de l'honorer.
C'était tout homme sot; car pourquoi révérer
Des biens dépourvus de mérite ? 10
La raison m'en semble petite.
Mon ami, disait-il souvent
Au savant,

Vous vous croyez considérable;
Mais, dites-moi, tenez-vous table[2] ?
Que sert à vos pareils de lire incessamment ?
Ils sont toujours logés à la troisième chambre[3],
Vêtus au mois de Juin comme au mois de Décembre,
Ayant pour tout Laquais leur ombre seulement.
La République a bien affaire
De gens qui ne dépensent rien :
Je ne sais d'homme nécessaire
Que celui dont le luxe épand beaucoup de bien[4].
Nous en usons, Dieu sait : notre plaisir occupe
L'Artisan, le vendeur, celui qui fait la jupe,
Et celle qui la porte, et vous, qui dédiez
A Messieurs les gens de Finance
De méchants livres bien payés[5].
Ces mots remplis d'impertinence
Eurent le sort qu'ils méritaient.
L'homme lettré se tut, il avait trop à dire.
La guerre le vengea bien mieux qu'une satire.
Mars détruisit le lieu que nos gens habitaient.
L'un et l'autre quitta sa Ville.
L'ignorant resta sans asile;
Il reçut partout des mépris :
L'autre reçut partout quelque faveur nouvelle :
Cela décida leur querelle.
Laissez dire les sots; le savoir a son prix.

FABLE XX

JUPITER ET LES TONNERRES[1]

JUPITER voyant nos fautes,
Dit un jour du haut des airs :
Remplissons de nouveaux hôtes
Les cantons de l'Univers
Habités par cette race
Qui m'importune et me lasse.
Va-t'en, Mercure, aux Enfers :

Amène-moi la furie
La plus cruelle des trois.
Race que j'ai trop chérie, 10
Tu périras cette fois.
Jupiter ne tarda guère
A modérer son transport.
O vous Rois qu'il voulut faire
Arbitres de notre sort, 15
Laissez entre la colère
Et l'orage qui la suit
L'intervalle d'une nuit.
Le Dieu dont l'aile est légère,
Et la langue a des douceurs, 20
Alla voir les noires Sœurs[2].
A Tisiphone et Mégère
Il préféra, ce dit-on,
L'impitoyable Alecton.
Ce choix la rendit si fière[3], 25
Qu'elle jura par Pluton
Que toute l'engeance humaine
Serait bientôt du domaine
Des déités de là-bas.
Jupiter n'approuva pas 30
Le serment de l'Euménide.
Il la renvoie, et pourtant
Il lance un foudre à l'instant
Sur certain peuple perfide.
Le tonnerre ayant pour guide 35
Le père même de ceux
Qu'il menaçait de ses feux,
Se contenta de leur crainte;
Il n'embrasa que l'enceinte
D'un désert inhabité. 40
Tout père frappe à côté.
Qu'arriva-t-il ? Notre engeance
Prit pied sur cette indulgence.
Tout l'Olympe s'en plaignit :
Et l'assembleur de nuages 45
Jura le Styx[4], et promit
De former d'autres orages;
Ils seraient sûrs. On sourit :
On lui dit qu'il était père,
Et qu'il laissât pour le mieux 50

A quelqu'un des autres Dieux.
D'autres tonnerres à faire.
Vulcan entreprit l'affaire.
Ce Dieu remplit ses fourneaux
De deux sortes de carreaux[5]. 55
L'un jamais ne se fourvoie,
Et c'est celui que toujours
L'Olympe en corps nous envoie.
L'autre s'écarte en son cours;
Ce n'est qu'aux monts qu'il en coûte; 60
Bien souvent même il se perd,
Et ce dernier en sa route
Nous vient du seul Jupiter.

FABLE XXI

LE FAUCON ET LE CHAPON[1]

Une traîtresse voix bien souvent vous appelle;
Ne vous pressez donc nullement :
Ce n'était pas un sot, non, non, et croyez-m'en,
Que le Chien de Jean de Nivelle[2].
Un citoyen du Mans[3], Chapon de son métier 5
Était sommé de comparaître
Par-devant les lares du maître,
Au pied d'un tribunal que nous nommons foyer.
Tous les gens lui criaient pour déguiser la chose,
Petit, petit, petit : mais, loin de s'y fier, 10
Le Normand et demi[4] laissait les gens crier :
Serviteur, disait-il, votre appât est grossier;
On ne m'y tient pas; et pour cause.
Cependant un Faucon sur sa perche voyait
Notre Manceau qui s'enfuyait. 15
Les Chapons ont en nous fort peu de confiance,
Soit instinct, soit expérience.
Celui-ci qui ne fut qu'avec peine attrapé,
Devait le lendemain être d'un grand soupé,
Fort à l'aise, en un plat, honneur dont la volaille 20
Se serait passée aisément.

L'Oiseau chasseur lui dit : Ton peu d'entendement
Me rend tout étonné. Vous n'êtes que racaille,
Gens grossiers, sans esprit, à qui l'on n'apprend rien.
Pour moi, je sais chasser, et revenir au maître. 25
Le vois-tu pas à la fenêtre ?
Il t'attend : es-tu sourd ? — Je n'entends que trop bien,
Repartit le Chapon; mais que me veut-il dire,
Et ce beau Cuisinier armé d'un grand couteau ?
Reviendrais-tu pour cet appeau[5] : 30
Laisse-moi fuir, cesse de rire
De l'indocilité qui me fait envoler,
Lorsque d'un ton si doux on s'en vient m'appeler.
Si tu voyais mettre à la broche
Tous les jours autant de Faucons 35
Que j'y vois mettre de Chapons,
Tu ne me ferais pas un semblable reproche.

FABLE XXII

LE CHAT ET LE RAT[1]

QUATRE animaux divers, le Chat grippe-fromage[2],
Triste-oiseau le Hibou, Ronge-maille le Rat,
Dame Belette au long corsage,
Toutes gens d'esprit scélérat,
Hantaient le tronc pourri d'un pin vieux et sauvage. 5
Tant y furent, qu'un soir à l'entour de ce pin
L'homme tendit ses rets. Le Chat de grand matin
Sort pour aller chercher sa proie.
Les derniers traits de l'ombre empêchent qu'il ne voie
Le filet; il y tombe, en danger de mourir; 10
Et mon Chat de crier, et le Rat d'accourir,
L'un plein de désespoir, et l'autre plein de joie.
Il voyait dans les lacs son mortel ennemi.
Le pauvre Chat dit : Cher ami,
Les marques de ta bienveillance 15
Sont communes en mon endroit :
Viens m'aider à sortir du piège où l'ignorance
M'a fait tomber. C'est à bon droit

Que, seul entre les tiens par amour singulière
Je t'ai toujours choyé, t'aimant comme mes yeux. 20
Je n'en ai point regret, et j'en rends grâce aux Dieux.
J'allais leur faire ma prière;
Comme tout dévot Chat en use les matins,
Ce réseau me retient : ma vie est en tes mains;
Viens dissoudre[3] ces nœuds. — Et quelle récompense 25
En aurai-je ? reprit le Rat.
— Je jure éternelle alliance
Avec toi, repartit le Chat.
Dispose de ma griffe, et sois en assurance :
Envers et contre tous je te protégerai, 30
Et la Belette mangerai
Avec l'époux de la Chouette[4].
Ils t'en veulent tous deux. Le Rat dit : Idiot !
Moi ton libérateur ? je ne suis pas si sot.
Puis il s'en va vers sa retraite. 35
La Belette était près du trou.
Le Rat grimpe plus haut; il y voit le Hibou :
Dangers de toutes parts; le plus pressant l'emporte.
Ronge-maille retourne au Chat, et fait en sorte
Qu'il détache un chaînon, puis un autre, et puis tant 40
Qu'il dégage enfin l'hypocrite.
L'homme paraît en cet instant.
Les nouveaux alliés prennent tous deux la fuite.
A quelque temps de là, notre Chat vit de loin
Son Rat qui se tenait à l'erte[5] et sur ses gardes. 45
Ah ! mon frère, dit-il, viens m'embrasser; ton soin
Me fait injure; tu regardes
Comme ennemi ton allié.
Penses-tu que j'aie oublié
Qu'après Dieu je te dois la vie ? 50
— Et moi, reprit le Rat, penses-tu que j'oublie
Ton naturel ? Aucun traité
Peut-il forcer un Chat à la reconnaissance ?
S'assure-t-on sur l'alliance
Qu'a faite la nécessité ? 55

FABLE XXIII

LE TORRENT ET LA RIVIÈRE[1]

Avec grand bruit et grand fracas
Un Torrent tombait des montagnes :
Tout fuyait devant lui; l'horreur suivait ses pas[a];
Il faisait trembler les campagnes.
Nul voyageur n'osait passer 5
Une barrière si puissante :
Un seul vit des voleurs, et se sentant presser,
Il mit entre eux et lui cette onde menaçante.
Ce n'était que menace, et bruit, sans profondeur;
Notre homme enfin n'eut que la peur. 10
Ce succès lui donnant courage,
Et les mêmes voleurs le poursuivant toujours,
Il rencontra sur son passage
Une Rivière dont le cours
Image d'un sommeil doux, paisible et tranquille 15
Lui fit croire d'abord ce trajet fort facile.
Point de bords escarpés, un sable pur et net.
Il entre, et son cheval le met
A couvert des voleurs, mais non de l'onde noire :
Tous deux au Styx allèrent boire; 20
Tous deux, à nager malheureux,
Allèrent traverser au séjour ténébreux,
Bien d'autres fleuves que les nôtres.
Les gens sans bruit sont dangereux :
Il n'en est pas ainsi des autres. 25

---

a. 1678 : *D'un bruit au loin porté tombait avec fracas*
Un Torrent entre des montagnes.
L'image du danger accompagnait ses pas

FABLE XXIV

L'ÉDUCATION[1]

Laridon et César, frères dont l'origine
Venait de chiens fameux, beaux, bien faits et hardis,
A deux maîtres divers échus au temps jadis,
Hantaient, l'un les forêts[a], et l'autre la cuisine.
Ils avaient eu d'abord chacun un autre nom; 5
Mais la diverse nourriture[2]
Fortifiant en l'un cette heureuse nature,
En l'autre l'altérant, un certain marmiton
Nomma celui-ci Laridon[3] :
Son frère, ayant couru mainte haute aventure, 10
Mis maint Cerf aux abois, maint Sanglier[4] abattu,
Fut le premier César que la gent chienne ait eu.
On eut soin d'empêcher qu'une indigne maîtresse
Ne fît en ses enfants dégénérer son sang :
Laridon négligé témoignait sa tendresse 15
A l'objet le premier passant.
Il peupla tout de son engeance :
Tournebroches[5] par lui rendus communs en France
Y font un corps à part, gens fuyants les hasards,
Peuple antipode des Césars. 20
On ne suit pas toujours ses aïeux ni son père :
Le peu de soin, le temps, tout fait qu'on dégénère :
Faute de cultiver la nature et ses dons,
O combien de Césars deviendront Laridons !

---

a. 1678 : *L'un hantait les forêts*. Corrigé dans l'*Errata*.

FABLE XXV

LES DEUX CHIENS ET L'ANE MORT[1]

LES vertus devraient être sœurs,
Ainsi que les vices sont frères :
Dès que l'un de ceux-ci s'empare de nos cœurs,
Tous viennent à la file, il ne s'en manque guères :
J'entends de ceux qui n'étant pas contraires 5
Peuvent loger sous même toit.
A l'égard des vertus, rarement on les voit
Toutes en un sujet éminemment placées
Se tenir par la main sans être dispersées.
L'un est vaillant, mais prompt; l'autre est prudent, mais 10
Parmi les animaux le Chien se pique d'être [froid.
Soigneux et fidèle à son maître;
Mais il est sot, il est gourmand :
Témoin ces deux mâtins qui dans l'éloignement
Virent un Ane mort qui flottait sur les ondes. 15
Le vent de plus en plus l'éloignait de nos Chiens.
Ami, dit l'un, tes yeux sont meilleurs que les miens.
Porte un peu tes regards sur ces plaines profondes.
J'y crois voir quelque chose. Est-ce un Bœuf, un Cheval ?
— Hé qu'importe quel animal ? 20
Dit l'un de ces mâtins; voilà toujours curée.
Le point est de l'avoir; car le trajet est grand;
Et de plus il nous faut nager contre le vent.
Buvons toute cette eau; notre gorge altérée
En viendra bien à bout : ce corps demeurera 25
Bientôt à sec, et ce sera
Provision pour la semaine.
Voilà mes Chiens à boire; ils perdirent l'haleine,
Et puis la vie; ils firent tant
Qu'on les vit crever à l'instant. 30
L'homme est ainsi bâti : Quand un sujet l'enflamme
L'impossibilité disparaît à son âme.
Combien fait-il de vœux, combien perd-il de pas ?
S'outrant[2] pour acquérir des biens ou de la gloire ?
Si j'arrondissais mes états ! 35
Si je pouvais remplir mes coffres de ducats !

Si j'apprenais l'hébreu, les sciences, l'histoire !
Tout cela, c'est la mer à boire;
Mais rien à l'homme ne suffit :
Pour fournir aux projets que forme un seul esprit 40
Il faudrait quatre corps; encor loin d'y suffire
A mi-chemin je crois que tous demeureraient :
Quatre Mathusalems bout à bout ne pourraient
Mettre à fin ce qu'un seul désire.

FABLE XXVI

DÉMOCRITE ET LES ABDÉRITAINS[1]

Que j'ai toujours haï les pensers du vulgaire[2] !
Qu'il me semble profane, injuste, et téméraire[3];
Mettant de faux milieux[4] entre la chose et lui,
Et mesurant par soi ce qu'il voit en autrui !
Le maître d'Épicure[5] en fit l'apprentissage. 5
Son pays le crut fou : Petits esprits ! mais quoi ?
Aucun n'est prophète chez soi.
Ces gens étaient les fous, Démocrite le sage.
L'erreur alla si loin qu'Abdère députa
Vers Hippocrate, et l'invita, 10
Par lettres et par ambassade,
A venir rétablir la raison du malade.
Notre concitoyen, disaient-ils en pleurant,
Perd l'esprit : la lecture a gâté Démocrite.
Nous l'estimerions plus s'il était ignorant. 15
Aucun nombre, dit-il, les mondes ne limite :
Peut-être même ils sont remplis
De Démocrites infinis[6].
Non content de ce songe il y joint les atomes,
Enfants d'un cerveau creux, invisibles fantômes; 20
Et, mesurant les cieux sans bouger d'ici-bas,
Il connaît l'univers et ne se connaît pas.
Un temps fut qu'il savait accorder les débats[7];
Maintenant il parle à lui-même.
Venez, divin mortel; sa folie est extrême. 25
Hippocrate n'eut pas trop de foi pour ces gens :

Cependant il partit : Et voyez, je vous prie,
Quelles rencontres dans la vie
Le sort cause; Hippocrate arriva dans le temps
Que celui qu'on disait n'avoir raison ni sens 30
Cherchait dans l'homme et dans la bête
Quel siège a la raison, soit le cœur, soit la tête.
Sous un ombrage épais, assis près d'un ruisseau,
Les labyrinthes[8] d'un cerveau
L'occupaient. Il avait à ses pieds maint volume, 35
Et ne vit presque pas son ami s'avancer,
Attaché[9] selon sa coutume.
Leur compliment fut court, ainsi qu'on peut penser.
Le sage est ménager du temps et des paroles.
Ayant donc mis à part les entretiens frivoles, 40
Et beaucoup raisonné sur l'homme et sur l'esprit,
Ils tombèrent sur la morale.
Il n'est pas besoin que j'étale
Tout ce que l'un et l'autre dit.
Le récit précédent suffit 45
Pour montrer que le peuple est juge récusable.
En quel sens est donc véritable
Ce que j'ai lu dans certain lieu,
Que sa voix est la voix de Dieu ?

FABLE XXVII

LE LOUP ET LE CHASSEUR[1]

Fureur d'accumuler, monstre de qui les yeux
Regardent comme un point[2] tous les bienfaits des Dieux,
Te combattrai-je en vain sans cesse en cet ouvrage ?
Quel temps demandes-tu pour suivre mes leçons ?
L'homme, sourd à ma voix comme à celle du sage, 5
Ne dira-t-il jamais : C'est assez, jouissons ?
— Hâte-toi, mon ami, tu n'as pas tant à vivre.
Je te rebats ce mot, car il vaut tout un livre :
Jouis. — Je le ferai. — Mais quand donc ? — Dès demain.
— Eh ! mon ami, la mort te peut prendre en chemin. 10
Jouis dès aujourd'hui : redoute un sort semblable

A celui du Chasseur et du Loup de ma fable.
Le premier de son arc avait mis bas un daim.
Un Faon de Biche passe, et le voilà soudain
Compagnon du défunt; tous deux gisent sur l'herbe. 15
La proie était honnête; un Daim avec un Faon,
Tout modeste[3] Chasseur en eût été content :
Cependant un Sanglier, monstre énorme et superbe,
Tente encor notre archer, friand de tels morceaux.
Autre habitant du Styx : la Parque et ses ciseaux 20
Avec peine y mordaient; la Déesse infernale
Reprit à plusieurs fois l'heure au monstre fatale[4].
De la force du coup pourtant il s'abattit.
C'était assez de biens; mais quoi ? rien ne remplit
Les vastes appétits d'un faiseur de conquêtes[5]. 25
Dans le temps que le Porc revient à soi, l'archer
Voit le long d'un sillon une perdrix marcher,
Surcroît chétif aux autres têtes.
De son arc toutefois il bande les ressorts.
Le sanglier, rappelant les restes de sa vie, 30
Vient à lui, le découd, meurt vengé sur son corps;
Et la perdrix le remercie.
Cette part du récit s'adresse au convoiteux :
L'avare aura pour lui le reste de l'exemple.
Un Loup vit, en passant, ce spectacle piteux. 35
O fortune, dit-il, je te promets un temple.
Quatre corps étendus ! que de biens ! mais pourtant
Il faut les ménager, ces rencontres sont rares.
(Ainsi s'excusent les avares.)
J'en aurai, dit le Loup, pour un mois, pour autant. 40
Un, deux, trois, quatre corps, ce sont quatre semaines,
Si je sais compter, toutes pleines.
Commençons dans deux jours; et mangeons cependant
La corde de cet arc; il faut que l'on l'ait faite
De vrai boyau; l'odeur me le témoigne assez. 45
En disant ces mots, il se jette
Sur l'arc qui se détend, et fait de la sagette[6]
Un nouveau mort, mon Loup a les boyaux percés.
Je reviens à mon texte[7]. Il faut que l'on jouisse;
Témoin ces deux gloutons punis d'un sort commun; 50
La convoitise perdit l'un;
L'autre périt par l'avarice.

LIVRE NEUVIÈME

LIVRE NEUVIÈME

FABLE I

LE DÉPOSITAIRE INFIDÈLE[1]

GRACE aux Filles de Mémoire[2],
J'ai chanté des animaux;
Peut-être d'autres Héros
M'auraient acquis moins de gloire.
Le Loup en langue des Dieux[3] 5
Parle au Chien dans mes ouvrages;
Les Bêtes à qui mieux mieux
Y font divers personnages;
Les uns fous, les autres sages,
De telle sorte pourtant 10
Que les fous vont l'emportant;
La mesure en est plus pleine.
Je mets aussi sur la Scène
Des Trompeurs, des Scélérats,
Des Tyrans et des Ingrats, 15
Mainte imprudente pécore,
Force Sots, force Flatteurs;
Je pourrais y joindre encore
Des légions de menteurs :
Tout homme ment, dit le Sage[4]. 20
S'il n'y mettait seulement
Que les gens du bas étage,
On pourrait aucunement[5]
Souffrir ce défaut aux hommes;

Mais que tous tant que nous sommes
Nous mentions, grand et petit,
Si quelque autre l'avait dit,
Je soutiendrais le contraire;
Et même qui mentirait
Comme Ésope et comme Homère,
Un vrai menteur ne serait.
Le doux charme de maint songe
Par leur bel art inventé,
Sous les habits du mensonge
Nous offre la vérité.
L'un et l'autre a fait un livre
Que je tiens digne de vivre
Sans fin, et plus, s'il se peut :
Comme eux ne ment pas qui veut.
Mais mentir comme sut faire
Un certain Dépositaire,
Payé par son propre mot,
Est d'un méchant et d'un sot.
Voici le fait. Un trafiquant de Perse,
Chez son voisin, s'en allant en commerce,
Mit en dépôt un cent[6] de fer un jour.
Mon fer, dit-il, quand il fut de retour.
— Votre fer ? Il n'est plus. J'ai regret de vous dire
Qu'un Rat l'a mangé tout entier.
J'en ai grondé mes gens : mais qu'y faire ? un Grenier
A toujours quelque trou. Le trafiquant admire
Un tel prodige, et feint de le croire pourtant.
Au bout de quelques jours, il détourne l'enfant
Du perfide voisin; puis à souper convie
Le père qui s'excuse, et lui dit en pleurant :
Dispensez-moi, je vous supplie :
Tous plaisirs pour moi sont perdus.
J'aimais un fils plus que ma vie;
Je n'ai que lui; que dis-je ? hélas ! je ne l'ai plus.
On me l'a dérobé. Plaignez mon infortune.
Le Marchand repartit : Hier au soir sur la brune
Un chat-huant s'en vint votre fils enlever.
Vers un vieux bâtiment je le lui vis porter.
Le père dit : Comment voulez-vous que je croie
Qu'un hibou pût jamais emporter cette proie ?
Mon fils en un besoin[7] eût pris le Chat-huant.
— Je ne vous dirai point, reprit l'autre, comment;

Mais enfin je l'ai vu, vu de mes yeux, vous dis-je,
Et ne vois rien qui vous oblige
D'en douter un moment après ce que je dis. 70
Faut-il que vous trouviez étrange
Que les Chats-huants d'un pays
Où le quintal de fer par un seul Rat se mange,
Enlèvent un garçon pesant un demi-cent ?
L'autre vit où tendait cette feinte aventure : 75
Il rendit le fer au Marchand,
Qui lui rendit sa géniture.
Même dispute avint entre deux voyageurs.
L'un d'eux était de ces conteurs
Qui n'ont jamais rien vu qu'avec un microscope. 80
Tout est Géant chez eux. Écoutez-les, l'Europe,
Comme l'Afrique aura des monstres à foison.
Celui-ci se croyait l'hyperbole permise.
J'ai vu, dit-il, un chou plus grand qu'une maison.
— Et moi, dit l'autre, un pot aussi grand qu'une Église. 85
Le premier se moquant, l'autre reprit : Tout doux;
On le fit pour cuire vos choux.
L'homme au pot fut plaisant; l'homme au fer fut habile.
Quand l'absurde est outré, l'on lui fait trop d'honneur
De vouloir par raison combattre son erreur; 90
Enchérir est plus court, sans s'échauffer la bile.

FABLE II

LES DEUX PIGEONS[1]

DEUX Pigeons s'aimaient d'amour tendre.
L'un d'eux s'ennuyant au logis
Fut assez fou pour entreprendre
Un voyage en lointain pays.
L'autre lui dit : Qu'allez-vous faire ? 5
Voulez-vous quitter votre frère ?
L'absence est le plus grand des maux :
Non pas pour vous, cruel. Au moins, que les travaux,
Les dangers, les soins du voyage,
Changent un peu votre courage[2]. 10

Encor si la saison s'avançait davantage !
Attendez les zéphyrs[3]. Qui vous presse ? Un corbeau
Tout à l'heure annonçait malheur à quelque oiseau.
Je ne songerai plus que rencontre funeste,
Que Faucons, que réseaux. Hélas, dirai-je, il pleut :
Mon frère a-t-il tout ce qu'il veut,
Bon soupé, bon gîte, et le reste ?
Ce discours ébranla le cœur
De notre imprudent voyageur;
Mais le désir de voir et l'humeur inquiète
L'emportèrent enfin. Il dit : Ne pleurez point :
Trois jours au plus rendront mon âme satisfaite;
Je reviendrai dans peu conter de point en point
Mes aventures à mon frère.
Je le désennuierai : quiconque ne voit guère
N'a guère à dire aussi. Mon voyage dépeint
Vous sera d'un plaisir extrême.
Je dirai : J'étais là; telle chose m'avint;
Vous y croirez être vous-même.
A ces mots en pleurant ils se dirent adieu.
Le voyageur s'éloigne; et voilà qu'un nuage
L'oblige de chercher retraite en quelque lieu.
Un seul arbre s'offrit, tel encor que l'orage
Maltraita le Pigeon en dépit du feuillage.
L'air devenu serein, il part tout morfondu,
Sèche du mieux qu'il peut son corps chargé de pluie,
Dans un champ à l'écart voit du blé répandu,
Voit un pigeon auprès; cela lui donne envie :
Il y vole, il est pris : ce blé couvrait d'un las[4].
Les menteurs et traîtres appas.
Le las était usé ! si bien que de son aile,
De ses pieds, de son bec, l'oiseau le rompt enfin.
Quelque plume y périt; et le pis du destin
Fut qu'un certain Vautour à la serre cruelle
Vit notre malheureux, qui, traînant la ficelle
Et les morceaux du las qui l'avait attrapé,
Semblait un forçat échappé.
Le vautour s'en allait le lier[5], quand des nues
Fond à son tour un Aigle aux ailes étendues.
Le Pigeon profita du conflit des voleurs,
S'envola, s'abattit auprès d'une masure,
Crut, pour ce coup, que ses malheurs
Finiraient par cette aventure;

Mais un fripon d'enfant, cet âge est sans pitié,
Prit sa fronde et, du coup, tua plus d'à moitié 55
La volatile malheureuse,
Qui, maudissant sa curiosité,
Traînant l'aile et tirant le pié,
Demi-morte et demi-boiteuse,
Droit au logis s'en retourna. 60
Que bien, que mal, elle arriva
Sans autre aventure fâcheuse.
Voilà nos gens rejoints; et je laisse à juger
De combien de plaisirs ils payèrent leurs peines.
Amants, heureux amants, voulez-vous voyager ? 65
Que ce soit aux rives prochaines;
Soyez-vous l'un à l'autre un monde toujours beau,
Toujours divers, toujours nouveau;
Tenez-vous lieu de tout, comptez pour rien le reste;
J'ai quelquefois[6] aimé ! je n'aurais pas alors 70
Contre le Louvre et ses trésors,
Contre le firmament et sa voûte céleste,
Changé les bois, changé les lieux
Honorés par les pas, éclairés par les yeux[7]
De l'aimable et jeune Bergère 75
Pour qui, sous le fils de Cythère[8],
Je servis, engagé par mes premiers serments.
Hélas ! quand reviendront de semblables moments ?
Faut-il que tant d'objets si doux et si charmants
Me laissent vivre au gré de mon âme inquiète ? 80
Ah ! si mon cœur osait encor se renflammer !
Ne sentirai-je plus de charme qui m'arrête ?
Ai-je passé le temps d'aimer[9] ?

FABLE III

LE SINGE ET LE LÉOPARD[1]

Le Singe avec le Léopard
Gagnaient de l'argent à la foire :
Ils affichaient chacun à part.
L'un d'eux disait : Messieurs, mon mérite et ma gloire

Sont connus en bon lieu; le Roi m'a voulu voir;
    Et, si je meurs, il veut avoir
Un manchon[2] de ma peau; tant elle est bigarrée,
    Pleine de taches, marquetée,
    Et vergetée, et mouchetée.
La bigarrure plaît; partant chacun le vit.
Mais ce fut bientôt fait, bientôt chacun sortit.
Le Singe de sa part disait : Venez de grâce,
Venez, Messieurs. Je fais cent tours de passe-passe.
Cette diversité dont on vous parle tant,
Mon voisin Léopard l'a sur soi seulement;
Moi, je l'ai dans l'esprit : votre serviteur Gille,
    Cousin et gendre de Bertrand,
    Singe du Pape en son vivant,
    Tout fraîchement en cette ville
Arrive en trois bateaux[3] exprès pour vous parler;
Car il parle, on l'entend; il sait danser, baller[4],
    Faire des tours de toute sorte,
Passer en des cerceaux; et le tout pour six blancs[5] !
Non, Messieurs, pour un sou; si vous n'êtes contents,
Nous rendrons à chacun son argent à la porte.
Le Singe avait raison : ce n'est pas sur l'habit
Que la diversité me plaît, c'est dans l'esprit :
L'une fournit toujours des choses agréables;
L'autre en moins d'un moment lasse les regardants.
Oh ! que de grands seigneurs, au Léopard semblables,
    N'ont que l'habit pour tous talents ![a]

---

a. Éd. 1679 :

Bigarrez en dehors, ne sont rien en dedans.

Corrigé dans la plupart des exemplaires par un carton qui donne le texte définitif.

FABLE IV

LE GLAND ET LA CITROUILLE*[1]

DIEU fait bien ce qu'il fait. Sans en chercher la preuve
En tout cet Univers, et l'aller parcourant,
Dans les Citrouilles je la treuve.
Un villageois considérant,
Combien ce fruit est gros et sa tige menue : 5
A quoi songeait, dit-il, l'Auteur de tout cela ?
Il a bien mal placé cette Citrouille-là !
Hé parbleu ! je l'aurais pendue
A l'un des chênes que voilà.
C'eût été justement l'affaire; 10
Tel fruit, tel arbre, pour bien faire.
C'est dommage, Garo[2], que tu n'es point entré
Au conseil de celui que prêche ton Curé :
Tout en eût été mieux; car pourquoi, par exemple,
Le Gland, qui n'est pas gros comme mon petit doigt, 15
Ne pend-il pas en cet endroit ?
Dieu s'est mépris : plus je contemple
Ces fruits ainsi placés, plus il semble à Garo
Que l'on a fait un quiproquo.
Cette réflexion embarrassant notre homme : 20
On ne dort point, dit-il, quand on a tant d'esprit.
Sous un chêne aussitôt il va prendre son somme.
Un gland tombe : le nez du dormeur en pâtit.
Il s'éveille; et portant la main sur son visage,
Il trouve encor le Gland pris au poil du menton. 25
Son nez meurtri le force à changer de langage;
Oh, oh, dit-il, je saigne ! et que serait-ce donc
S'il fût tombé de l'arbre une masse plus lourde,
Et que ce Gland eût été gourde ?
Dieu ne l'a pas voulu : sans doute il eut raison; 30
J'en vois bien à présent la cause.
En louant Dieu de toute chose,
Garo retourne à la maison.

---

* Première éd. : *Fables nouvelles,* 1671 : *Du Gland et de la Citrouille.*

FABLE V

L'ÉCOLIER, LE PÉDANT, ET LE MAITRE D'UN JARDIN[1]

CERTAIN enfant qui sentait son Collège,
Doublement sot et doublement fripon
Par le jeune âge, et par le privilège
Qu'ont les Pédants de gâter la raison,
Chez un voisin dérobait, ce dit-on,
Et fleurs et fruits. Ce voisin, en Automne,
Des plus beaux dons que nous offre Pomone
Avait la fleur, les autres le rebut.
Chaque saison apportait son tribut :
Car au Printemps il jouissait encore
Des plus beaux dons que nous présente Flore.
Un jour dans son jardin il vit notre Écolier
Qui grimpant sans égard sur un arbre fruitier,
Gâtait jusqu'aux boutons, douce et frêle espérance,
Avant-coureurs des biens que promet l'abondance.
Même il ébranchait l'arbre, et fit tant à la fin
Que le possesseur du jardin
Envoya faire plainte au maître de la Classe.
Celui-ci vint suivi d'un cortège d'enfants.
Voilà le verger plein de gens
Pires que le premier. Le Pédant, de sa grâce[2],
Accrut le mal en amenant
Cette jeunesse mal instruite[3] :
Le tout, à ce qu'il dit, pour faire un châtiment
Qui pût servir d'exemple, et dont toute sa suite
Se souvînt à jamais comme d'une leçon.
Là-dessus il cita Virgile et Cicéron,
Avec force traits de science.
Son discours dura tant que la maudite engeance
Eut le temps de gâter en cent lieux le jardin.
Je hais les pièces d'éloquence
Hors de leur place, et qui n'ont point de fin,

B.N. Imprimés — *Cl. B.N.*

L'écolier, le pédant et le maître d'un jardin
Illustration extraite des *Fables de La Fontaine*
avec les dessins de Gustave Doré, Paris, L. Hachette, 1868

Et ne sais bête au monde pire
Que l'Écolier, si ce n'est le Pédant.
Le meilleur de ces deux pour voisin, à vrai dire, 35
Ne me plairait aucunement.

FABLE VI

LE STATUAIRE
ET LA STATUE DE JUPITER[1]

UN bloc de marbre était si beau
Qu'un Statuaire en fit l'emplette.
Qu'en fera, dit-il, mon ciseau ?
Sera-t-il Dieu, table ou cuvette ?

Il sera Dieu : même je veux 5
Qu'il ait en sa main un tonnerre.
Tremblez, humains. Faites des vœux;
Voilà le maître de la terre.

L'artisan[2] exprima si bien
Le caractère de l'Idole, 10
Qu'on trouva qu'il ne manquait rien
A Jupiter que la parole.

Même l'on dit que l'ouvrier
Eut à peine achevé l'image,
Qu'on le vit frémir le premier, 15
Et redouter son propre ouvrage.

A la faiblesse du sculpteur
Le Poëte autrefois n'en dut guère[3],
Des dieux dont il fut l'inventeur
Craignant la haine et la colère. 20

Il était enfant en ceci :
Les enfants n'ont l'âme occupée
Que du continuel souci
Qu'on ne fâche point leur poupée.

Le cœur suit aisément l'esprit :
De cette source est descendue
L'erreur païenne, qui se vit
Chez tant de peuples répandue.

Ils embrassaient violemment
Les intérêts de leur chimère.
Pygmalion[4] devint amant
De la Vénus dont il fut père.

Chacun tourne en réalités,
Autant qu'il peut, ses propres songes :
L'homme est de glace aux vérités;
Il est de feu pour les mensonges.

FABLE VII

LA SOURIS MÉTAMORPHOSÉE EN FILLE[1]

Une Souris tomba du bec d'un Chat-Huant :
Je ne l'eusse pas ramassée;
Mais un Bramin[2] le fit; je le crois aisément :
Chaque pays a sa pensée.
La Souris était fort froissée[3] :
De cette sorte de prochain
Nous nous soucions peu : mais le peuple bramin
Le traite en frère; ils ont en tête
Que notre âme au sortir d'un Roi,
Entre dans un ciron, ou dans telle autre bête
Qu'il plaît au Sort. C'est là l'un des points de leur loi.
Pythagore[4] chez eux a puisé ce mystère.
Sur un tel fondement le Bramin crut bien faire
De prier un Sorcier qu'il logeât la Souris
Dans un corps qu'elle eût eu pour hôte au temps jadis.
Le sorcier en fit une fille
De l'âge de quinze ans, et telle, et si gentille,
Que le fils de Priam pour elle aurait tenté
Plus encor qu'il ne fit pour la grecque beauté[5].
Le Bramin fut surpris de chose si nouvelle.

Il dit à cet objet si doux :
Vous n'avez qu'à choisir; car chacun est jaloux
De l'honneur d'être votre époux.
— En ce cas je donne, dit-elle,
Ma voix au plus puissant de tous. 25
— Soleil, s'écria lors le Bramin à genoux,
C'est toi qui seras notre gendre.
— Non, dit-il, ce nuage épais
Est plus puissant que moi, puisqu'il cache mes traits;
Je vous conseille de le prendre. 30
— Et bien, dit le Bramin au nuage volant,
Es-tu né pour ma fille ? — Hélas non; car le vent
Me chasse à son plaisir de contrée en contrée;
Je n'entreprendrai point sur les droits de Borée.
Le Bramin fâché s'écria : 35
O vent donc, puisque vent y a,
Viens dans les bras de notre belle.
Il accourait : un mont en chemin l'arrêta.
L'éteuf[6] passant à celui-là,
Il le renvoie, et dit : J'aurais une querelle 40
Avec le Rat; et l'offenser
Ce serait être fou, lui qui peut me percer.
Au mot de Rat, la Damoiselle[7]
Ouvrit l'oreille; il fut l'époux.
Un Rat ! un Rat; c'est de ces coups 45
Qu'Amour fait, témoin telle et telle :
Mais ceci soit dit entre nous.
On tient toujours du lieu dont on vient. Cette Fable
Prouve assez bien ce point : mais à la voir de près,
Quelque peu de sophisme entre parmi ses traits : 50
Car quel époux n'est point au Soleil préférable
En s'y prenant ainsi ? Dirai-je qu'un géant
Est moins fort qu'une puce ? elle le mord pourtant.
Le Rat devait aussi renvoyer, pour bien faire,
La belle au chat, le chat au chien, 55
Le chien au loup. Par le moyen
De cet argument circulaire[8],
Pilpay jusqu'au Soleil eût enfin remonté;
Le Soleil eût joui de la jeune beauté.
Revenons, s'il se peut, à la métempsycose : 60
Le sorcier du Bramin fit sans doute une chose
Qui, loin de la prouver, fait voir sa fausseté.
Je prends droit[9] là-dessus contre le Bramin même :

Car il faut, selon son système,
Que l'homme, la souris, le ver, enfin chacun
Aille puiser son âme en un trésor commun :
Toutes sont donc de même trempe;
Mais agissant diversement
Selon l'organe[10] seulement
L'une s'élève, et l'autre rampe.
D'où vient donc que ce corps si bien organisé
Ne put obliger son hôtesse
De s'unir au Soleil, un Rat eut sa tendresse ?
Tout débattu, tout bien pesé,
Les âmes des souris et les âmes des belles
Sont très différentes entre elles.
Il en faut revenir toujours à son destin,
C'est-à-dire, à la loi par le Ciel établie.
Parlez au diable, employez la magie,
Vous ne détournerez nul être de sa fin[11].

FABLE VIII

LE FOU QUI VEND LA SAGESSE[1]

JAMAIS auprès des fous ne te mets à portée.
Je ne te puis donner un plus sage conseil.
Il n'est enseignement pareil
A celui-là de fuir une tête éventée.
On en voit souvent dans les cours.
Le Prince y prend plaisir; car ils donnent toujours
Quelque trait[2] aux fripons, aux sots, aux ridicules.
Un Fol allait criant par tous les carrefours
Qu'il vendait la Sagesse; et les mortels crédules
De courir à l'achat : chacun fut diligent.
On essuyait force grimaces;
Puis on avait pour son argent,
Avec un bon soufflet un fil long de deux brasses.
La plupart s'en fâchaient; mais que leur servait-il ?
C'étaient les plus moqués; le mieux était de rire,
Ou de s'en aller, sans rien dire,

Avec son soufflet et son fil.
De chercher du sens à la chose,
On se fût fait siffler ainsi qu'un ignorant.
La raison est-elle garant 20
De ce que fait un fou ? Le hasard est la cause
De tout ce qui se passe en un cerveau blessé.
Du fil et du soufflet pourtant embarrassé,
Un des dupes un jour alla trouver un sage,
Qui, sans hésiter davantage, 25
Lui dit : Ce sont ici hiéroglyphes tout purs.
Les gens bien conseillés, et qui voudront bien faire,
Entre eux et les gens fous mettront pour l'ordinaire
La longueur de ce fil; sinon je les tiens sûrs
De quelque semblable caresse. 30
Vous n'êtes point trompé : ce fou vend la sagesse.

FABLE IX

L'HUITRE ET LES PLAIDEURS*[1]

Un jour deux Pèlerins sur le sable rencontrent
Une Huître que le flot y venait d'apporter :
Ils l'avalent des yeux, du doigt ils se la montrent;
A l'égard de la dent il fallut contester.
L'un se baissait déjà pour amasser[2] la proie; 5
L'autre le pousse, et dit : Il est bon de savoir
Qui de nous en aura la joie.
Celui qui le premier a pu[a] l'apercevoir
En sera le gobeur[3]; l'autre le verra faire.
— Si par là l'on juge l'affaire, 10
Reprit son compagnon, j'ai l'œil bon, Dieu merci.
— Je ne l'ai pas mauvais aussi[b],
Dit l'autre, et je l'ai vue avant vous, sur ma vie.
— Eh bien ! vous l'avez vue, et moi je l'ai sentie.

---

* Première éd. : *Fables nouvelles,* 1671.

a. Fables nouvelles : a *dû*
b. Ibid : *j'ai l'œil bon. — Dieu merci, je ne l'ai pas mauvais aussi*

Pendant tout ce bel incident,
Perrin Dandin[4] arrive : ils le prennent pour juge.
Perrin fort gravement ouvre l'Huître, et la gruge,
Nos deux Messieurs le regardant.
Ce repas fait, il dit d'un ton de Président :
Tenez, la cour vous donne à chacun une écaille
Sans dépens, et qu'en paix chacun chez soi s'en aille.
Mettez ce qu'il en coûte à plaider aujourd'hui;
Comptez ce qu'il en reste à beaucoup de familles;
Vous verrez que Perrin tire l'argent à lui,
Et ne laisse aux plaideurs que le sac et les quilles[5].

FABLE X

LE LOUP ET LE CHIEN MAIGRE[1]

Autrefois Carpillon fretin[2]
Eut beau prêcher, il eut beau dire;
On le mit dans la poêle à frire.
Je fis voir que lâcher ce qu'on a dans la main,
Sous espoir de grosse aventure[3],
Est imprudence toute pure.
Le Pêcheur eut raison; Carpillon n'eut pas tort.
Chacun dit ce qu'il peut pour défendre sa vie.
Maintenant il faut que j'appuie
Ce que j'avançai lors de quelque trait encor.
Certain Loup, aussi sot que le pêcheur fut sage,
Trouvant un Chien hors du village,
S'en allait l'emporter; le Chien représenta
Sa maigreur : Jà[4] ne plaise à votre seigneurie
De me prendre en cet état-là;
Attendez, mon maître marie
Sa fille unique. Et vous jugez
Qu'étant de noce, il faut, malgré moi que j'engraisse.
Le Loup le croit, le Loup le laisse.
Le Loup, quelques jours écoulés,
Revient voir si son Chien n'est point meilleur à prendre.
Mais le drôle était au logis.
Il dit au Loup par un treillis :

Ami, je vais sortir. Et, si tu veux attendre,
Le portier du logis et moi 25
Nous serons tout à l'heure à toi.
Ce portier du logis était un Chien énorme,
Expédiant les Loups en forme[5].
Celui-ci s'en douta. Serviteur au portier,
Dit-il; et de courir. Il était fort agile; 30
Mais il n'était pas fort habile :
Ce Loup ne savait pas encor bien son métier.

FABLE XI

RIEN DE TROP[1]

Je ne vois point de créature
Se comporter modérément.
Il est certain tempérament[2]
Que le maître de la nature
Veut que l'on garde en tout. Le fait-on ? Nullement. 5
Soit en bien, soit en mal, cela n'arrive guère.
Le blé, riche présent de la blonde Cérès
Trop touffu bien souvent épuise les guérets;
En superfluités s'épandant d'ordinaire,
Et poussant trop abondamment, 10
Il ôte à son fruit l'aliment[3].
L'arbre n'en fait pas moins; tant le luxe[4] sait plaire !
Pour corriger le blé, Dieu permit aux moutons
De retrancher l'excès des prodigues moissons.
Tout au travers ils se jetèrent, 15
Gâtèrent tout, et tout broutèrent,
Tant que le Ciel permit aux Loups
D'en croquer quelques-uns : ils les croquèrent tous;
S'ils ne le firent pas, du moins ils y tâchèrent.
Puis le Ciel permit aux humains 20
De punir ces derniers : les humains abusèrent
A leur tour des ordres divins.
De tous les animaux l'homme a le plus de pente
A se porter dedans l'excès.

Il faudrait faire le procès
Aux petits comme aux grands. Il n'est âme vivante
Qui ne pèche en ceci. Rien de trop est un point
Dont on parle sans cesse, et qu'on n'observe point.

FABLE XII

LE CIERGE[1]

C'est du séjour des Dieux que les Abeilles viennent[2].
Les premières, dit-on, s'en allèrent loger
Au mont Hymette*, et se gorger
Des trésors qu'en ce lieu les zéphirs entretiennent.
Quand on eut des palais de ces filles du Ciel
Enlevé l'ambroisie en leurs chambres enclose,
Ou, pour dire en Français la chose,
Après que les ruches sans miel
N'eurent plus que la Cire, on fit mainte bougie;
Maint Cierge aussi fut façonné.
Un d'eux voyant la terre en brique au feu durcie
Vaincre l'effort des ans, il eut la même envie;
Et, nouvel Empédocle** aux flammes condamné,
Par sa propre et pure folie,
Il se lança dedans. Ce fut mal raisonné;
Ce Cierge ne savait grain de Philosophie.
Tout en tout est divers : ôtez-vous de l'esprit
Qu'aucun être ait été composé sur le vôtre.
L'Empédocle de Cire au brasier se fondit :
Il n'était pas plus fou que l'autre.

---

* « Hymette étoit une montagne célébrée par les poètes, située dans l'Attique, et où les Grecs recueilloient d'excellent miel. » *(Note de la Fontaine.)*

** « Empédocle étoit un philosophe ancien, qui ne pouvant comprendre les merveilles du mont Etna, se jeta dedans par une vanité ridicule, et, trouvant l'action belle, de peur d'en perdre le fruit, et que la postérité ne l'ignorât, laissa ses pantoufles au pied du mont. » *(Note de la Fontaine.)*

FABLE XIII

JUPITER ET LE PASSAGER[1]

O combien le péril enrichirait les Dieux,
Si nous nous souvenions des vœux qu'il nous fait faire !
Mais, le péril passé, l'on ne se souvient guère
De ce qu'on a promis aux Cieux[2] :
On compte seulement ce qu'on doit à la terre. 5
Jupiter, dit l'impie, est un bon créancier :
Il ne se sert jamais d'Huissier.
— Eh ! qu'est-ce donc que le tonnerre ?
Comment appelez-vous ces avertissements ?
Un Passager, pendant l'orage, 10
Avait voué cent bœufs au vainqueur des Titans.
Il n'en avait pas un : vouer cent Éléphants
N'aurait pas coûté davantage.
Il brûla quelques os quand il fut au rivage.
Au nez de Jupiter la fumée en monta. 15
Sire Jupin, dit-il, prends mon vœu; le voilà :
C'est un parfum de Bœuf que ta grandeur respire.
La fumée est ta part : je ne te dois plus rien.
Jupiter fit semblant de rire;
Mais après quelques jours le Dieu l'attrapa bien, 20
Envoyant un songe lui dire
Qu'un tel trésor était en tel lieu. L'homme au vœu
Courut au trésor comme au feu :
Il trouva des voleurs, et n'ayant dans sa bourse
Qu'un écu pour toute ressource, 25
Il leur promit cent talents d'or[3],
Bien comptés, et d'un tel trésor :
On l'avait enterré dedans telle Bourgade.
L'endroit parut suspect aux voleurs, de façon
Qu'à notre prometteur l'un dit : Mon camarade, 30
Tu te moques de nous, meurs, et va chez Pluton
Porter tes cent talents en don.

FABLE XIV

LE CHAT ET LE RENARD[1]

Le Chat et le Renard, comme beaux petits saints,
S'en allaient en pèlerinage.
C'étaient deux vrais Tartufs[2], deux archipatelins[3],
Deux francs Patte-pelus[4] qui, des frais du voyage,
Croquant mainte volaille, escroquant maint fromage,
S'indemnisaient à qui mieux mieux.
Le chemin était long, et partant ennuyeux,
Pour l'accourcir ils disputèrent.
La dispute est d'un grand secours;
Sans elle on dormirait toujours.
Nos pèlerins s'égosillèrent.
Ayant bien disputé, l'on parla du prochain.
Le Renard au Chat dit enfin :
Tu prétends être fort habile :
En sais-tu tant que moi ? J'ai cent ruses au sac.
— Non, dit l'autre : je n'ai qu'un tour dans mon bissac,
Mais je soutiens qu'il en vaut mille.
Eux de recommencer la dispute à l'envi,
Sur le que si, que non, tous deux étant ainsi,
Une meute apaisa la noise.
Le Chat dit au Renard : Fouille en ton sac, ami :
Cherche en ta cervelle matoise
Un stratagème sûr. Pour moi, voici le mien.
A ces mots sur un arbre il grimpa bel et bien.
L'autre fit cent tours inutiles,
Entra dans cent terriers, mit cent fois en défaut
Tous les confrères de Brifaut[5].
Partout il tenta des asiles,
Et ce fut partout sans succès :
La fumée y pourvut, ainsi que les bassets.
Au sortir d'un Terrier, deux chiens aux pieds agiles
L'étranglèrent du premier bond.
Le trop d'expédients peut gâter une affaire;
On perd du temps au choix, on tente, on veut tout faire.
N'en ayons qu'un, mais qu'il soit bon.

FABLE XV

LE MARI, LA FEMME, ET LE VOLEUR[1]

Un Mari fort amoureux,
Fort amoureux de sa Femme,
Bien qu'il fût jouissant, se croyait malheureux.
Jamais œillade de la Dame,
Propos flatteur et gracieux, 5
Mot d'amitié, ni doux sourire,
Déifiant[2] le pauvre Sire,
N'avaient fait soupçonner qu'il fût vraiment chéri.
Je le crois, c'était un mari.
Il ne tint point à l'hyménée 10
Que content de sa destinée
Il n'en remerciât les Dieux;
Mais quoi ? Si l'amour n'assaisonne
Les plaisirs que l'hymen nous donne,
Je ne vois pas qu'on en soit mieux. 15
Notre épouse étant donc de la sorte bâtie,
Et n'ayant caressé son mari de sa vie,
Il en faisait sa plainte une nuit. Un voleur
Interrompit la doléance.
La pauvre femme eut si grand'peur 20
Qu'elle chercha quelque assurance
Entre les bras de son époux.
Ami Voleur, dit-il, sans toi ce bien si doux
Me serait inconnu. Prends donc en récompense
Tout ce qui peut chez nous être à ta bienséance; 25
Prends le logis aussi. Les voleurs ne sont pas
Gens honteux, ni fort délicats :
Celui-ci fit sa main[3]. J'infère de ce conte
Que la plus forte passion
C'est la peur : elle fait vaincre l'aversion, 30
Et l'amour quelquefois; quelquefois il la dompte;
J'en ai pour preuve cet amant
Qui brûla sa maison pour embrasser sa Dame,
L'emportant à travers la flamme[4].

J'aime assez cet emportement;
Le conte m'en a plu toujours infiniment :
Il est bien d'une âme Espagnole,
Et plus grande encore que folle.

FABLE XVI

LE TRÉSOR ET LES DEUX HOMMES*[1]

UN Homme n'ayant plus ni crédit, ni ressource,
Et logeant le Diable en sa bourse[2],
C'est-à-dire, n'y logeant rien,
S'imagina qu'il ferait bien
De se pendre, et finir lui-même sa misère,
Puisque aussi bien sans lui la faim le viendrait faire,
Genre de mort qui ne duit[3] pas
A gens peu curieux de goûter le trépas[4].
Dans cette intention, une vieille masure
Fut la scène où devait se passer l'aventure.
Il y porte une corde, et veut avec un clou
Au haut d'un certain mur attacher le licou[5].
La muraille, vieille et peu forte,
S'ébranle aux premiers coups, tombe avec un trésor.
Notre désespéré le ramasse, et l'emporte,
Laisse là le licou, s'en retourne avec l'or,
Sans compter : ronde ou non, la somme plut au sire.
Tandis que le galant à grands pas se retire,
L'homme au trésor arrive, et trouve son argent
Absent.
Quoi, dit-il, sans mourir je perdrai cette somme ?
Je ne me pendrai pas ? Et vraiment si ferai,
Ou de corde je manquerai.
Le lacs était tout prêt; il n'y manquait qu'un homme :
Celui-ci se l'attache, et se pend bien et beau.
Ce qui le consola peut-être

* Première éd. : *Fables nouvelles*, 1671.

Fut qu'un autre eût pour lui fait les frais du cordeau.
Aussi bien que l'argent le licou trouva maître.

L'avare rarement finit ses jours sans pleurs :
Il a le moins de part au trésor qu'il enserre, 30
Thésaurisant pour les voleurs,
Pour ses parents, ou pour la terre.
Mais que dire du troc que la fortune fit ?
Ce sont là de ses traits; elle s'en divertit.
Plus le tour est bizarre, et plus elle est contente. 35
Cette Déesse inconstante
Se mit alors en l'esprit
De voir un homme se pendre;
Et celui qui se pendit
S'y devait le moins attendre. 40

FABLE XVII

LE SINGE ET LE CHAT*[1]

BERTRAND avec Raton, l'un Singe et l'autre Chat,
Commensaux[2] d'un logis, avaient un commun Maître.
D'animaux malfaisants c'était un très bon plat[3];
Ils n'y craignaient[4] tous deux aucun, quel qu'il pût être.
Trouvait-on quelque chose au logis de gâté, 5
L'on ne s'en prenait point aux gens du voisinage.
Bertrand dérobait tout; Raton de son côté
Était moins attentif aux souris qu'au fromage.
Un jour au coin du feu nos deux maîtres fripons
Regardaient rôtir des marrons. 10
Les escroquer était une très bonne affaire :
Nos galands y voyaient double profit à faire,
Leur bien premièrement, et puis le mal d'autrui.
Bertrand dit à Raton : Frère, il faut aujourd'hui
Que tu fasses un coup de maître. 15
Tire-moi ces marrons. Si Dieu m'avait fait naître
Propre à tirer marrons du feu,

---

* Première éd. : *Fables nouvelles,* 1671.

Certes marrons verraient beau jeu.
Aussitôt fait que dit : Raton avec sa patte,
D'une manière délicate,
Écarte un peu la cendre, et retire les doigts,
Puis les reporte à plusieurs fois;
Tire un marron, puis deux, et puis trois en escroque.
Et cependant Bertrand les croque.
Une servante vient : adieu mes gens. Raton
N'était pas content, ce dit-on.
Aussi ne le sont pas la plupart de ces Princes
Qui, flattés d'un pareil emploi,
Vont s'échauder en des Provinces
Pour le profit de quelque Roi.

FABLE XVIII

LE MILAN ET LE ROSSIGNOL*[1]

Après que le Milan, manifeste voleur,
Eut répandu l'alarme en tout le voisinage
Et fait crier sur lui les enfants du village,
Un Rossignol tomba dans ses mains[2], par malheur.
Le héraut du Printemps lui demande la vie :
Aussi bien que manger en qui n'a que le son ?
Écoutez plutôt ma chanson;
Je vous raconterai Térée et son envie[3].
— Qui, Térée ? est-ce un mets propre pour les Milans ?
— Non pas; c'était un Roi dont les feux violents
Me firent ressentir leur ardeur criminelle :
Je m'en vais vous en dire une chanson si belle
Qu'elle vous ravira : mon chant plaît à chacun.
Le Milan alors lui réplique :
Vraiment, nous voici bien : lorsque je suis à jeun,
Tu me viens parler de musique.
— J'en parle bien aux rois. — Quand un roi te prendra,
Tu peux lui conter ces merveilles.
Pour un milan, il s'en rira :
Ventre affamé n'a point d'oreilles.

---

* Première éd. : *Fables nouvelles,* 1671.

FABLE XIX

LE BERGER ET SON TROUPEAU[1]

Quoi ? toujours il me manquera
Quelqu'un de ce peuple imbécile[2] !
Toujours le Loup m'en gobera !
J'aurai beau les compter : ils étaient plus de mille,
Et m'ont laissé ravir notre pauvre Robin[3]; 5
Robin mouton qui par la ville
Me suivait pour un peu de pain,
Et qui m'aurait suivi jusques au bout du monde.
Hélas ! de ma musette il entendait le son !
Il me sentait venir de cent pas à la ronde. 10
Ah le pauvre Robin mouton !
Quand Guillot eut fini cette oraison funèbre
Et rendu de Robin la mémoire célèbre,
Il harangua tout le troupeau,
Les chefs, la multitude, et jusqu'au moindre agneau, 15
Les conjurant de tenir ferme :
Cela seul suffirait pour écarter les Loups.
Foi de peuple d'honneur, ils lui promirent tous
De ne bouger non plus qu'un terme[4].
Nous voulons, dirent-ils, étouffer le glouton 20
Qui nous a pris Robin mouton.
Chacun en répond sur sa tête.
Guillot les crut, et leur fit fête.
Cependant, devant qu'il fût nuit,
Il arriva nouvel encombre[5]. 25
Un Loup parut; tout le troupeau s'enfuit :
Ce n'était pas un Loup, ce n'en était que l'ombre.
Haranguez de méchants soldats,
Ils promettront de faire rage[6];
Mais au moindre danger adieu tout leur courage : 30
Votre exemple et vos cris ne les retiendront pas.

DISCOURS A MADAME DE LA SABLIÈRE[1]

Iris, je vous louerais, il n'est que trop aisé;
Mais vous avez cent fois notre encens refusé,
En cela peu semblable au reste des mortelles,
Qui veulent tous les jours des louanges nouvelles.
Pas une ne s'endort à ce bruit si flatteur,
Je ne les blâme point, je souffre cette humeur;
Elle est commune aux Dieux, aux Monarques, aux belles.
Ce breuvage vanté par le peuple rimeur,
Le Nectar que l'on sert au maître du Tonnerre,
Et dont nous[2] enivrons tous les Dieux de la terre,
C'est la louange, Iris. Vous ne la goûtez point;
D'autres propos chez vous récompensent[3] ce point,
Propos, agréables commerces,
Où le hasard fournit cent matières diverses,
Jusque-là qu'en[4] votre entretien
La bagatelle a part : le monde n'en croit rien[5].
Laissons le monde et sa croyance :
La bagatelle[6], la science,
Les chimères, le rien, tout est bon. Je soutiens
Qu'il faut de tout aux entretiens :
C'est un parterre, où Flore épand ses biens;
Sur différentes fleurs l'Abeille s'y repose,
Et fait du miel de toute chose.
Ce fondement posé, ne trouvez pas mauvais
Qu'en ces Fables aussi j'entremêle des traits
De certaine Philosophie
Subtile, engageante, et hardie.
On l'appelle nouvelle[7]. En avez-vous ou non
Ouï parler ? Ils[8] disent donc
Que la bête est une machine;
Qu'en elle tout se fait sans choix[9] et par ressorts :
Nul sentiment, point d'âme, en elle tout est corps.
Telle est la montre qui chemine,
A pas toujours égaux, aveugle et sans dessein.
Ouvrez-la, lisez dans son sein;
Mainte roue y tient lieu de tout l'esprit du monde[10].
La première y meut la seconde,
Une troisième suit, elle sonne à la fin.

Au dire de ces gens, la bête est toute telle :
L'objet[11] la frappe en un endroit; 40
Ce lieu frappé s'en va tout droit,
Selon nous[12], au voisin en porter la nouvelle.
Le sens de proche en proche aussitôt la reçoit.
L'impression se fait. Mais comment se fait-elle ?
— Selon eux, par nécessité[13], 45
Sans passion[14], sans volonté :
L'animal se sent agité
De mouvements que le vulgaire appelle
Tristesse, joie, amour, plaisir, douleur cruelle,
Ou quelque autre de ces états. 50
Mais ce n'est point cela; ne vous y trompez pas.
— Qu'est-ce donc ? — Une montre. — Et nous ? — C'est [autre chose.
Voici de la façon que[15] Descartes l'expose;
Descartes, ce mortel dont on eût fait un Dieu[16]
Chez les Païens, et qui tient le milieu 55
Entre l'homme et l'esprit, comme entre l'huître et l'homme
Le tient tel de nos gens[17], franche bête de somme.
Voici, dis-je, comment raisonne cet auteur.
Sur[18] tous les animaux, enfants du Créateur,
J'ai le don de penser; et je sais que je pense. 60
Or vous savez, Iris, de certaine[19] science,
Que, quand la bête penserait,
La bête ne réfléchirait[20]
Sur l'objet ni sur sa pensée.
Descartes va plus loin, et soutient nettement 65
Qu'elle ne pense nullement.
Vous n'êtes point embarrassée
De le croire, ni moi. Cependant[21], quand aux bois
Le bruit des cors, celui des voix,
N'a donné nul relâche à la fuyante proie, 70
Qu'en vain elle a mis ses efforts
A confondre et brouiller la voie[22],
L'animal chargé d'ans, vieux Cerf[23], et de dix cors,
En suppose[24] un plus jeune, et l'oblige par force
A présenter aux chiens une nouvelle amorce. 75
Que de raisonnements pour conserver ses jours !
Le retour sur ses pas, les malices, les tours,
Et le change[25], et cent stratagèmes
Dignes des plus grands chefs, dignes d'un meilleur sort !
On le déchire après sa mort : 80
Ce sont tous ses honneurs suprêmes.

Quand la Perdrix
Voit ses petits
En danger, et n'ayant qu'une plume[26] nouvelle,
Qui ne peut fuir encor par les airs le trépas,
Elle fait la blessée, et va traînant de l'aile,
Attirant le Chasseur, et le Chien sur ses pas[27],
Détourne le danger, sauve ainsi sa famille;
Et puis, quand le Chasseur croit que son Chien la pille[28],
Elle lui dit adieu, prend sa volée, et rit
De l'Homme, qui confus des yeux en vain la suit.

Non loin du Nord[29] il est un monde
Où l'on sait que les habitants
Vivent ainsi qu'aux premiers temps
Dans une ignorance profonde :
Je parle des humains; car quant aux animaux,
Ils y construisent des travaux
Qui des torrents grossis arrêtent le ravage,
Et font communiquer l'un et l'autre rivage.
L'édifice résiste, et dure en son entier;
Après un lit de bois, est un lit de mortier.
Chaque Castor agit; commune en est la tâche;
Le vieux y fait marcher le jeune sans relâche.
Maint maître d'œuvre[30] y court, et tient haut le bâton[31].
La république de Platon[32]
Ne serait rien que l'apprentie
De cette famille amphibie.
Ils savent en hiver élever leurs maisons,
Passent les étangs sur des ponts,
Fruit de leur art, savant ouvrage;
Et nos pareils[33] ont beau le voir,
Jusqu'à présent tout leur savoir
Est de passer l'onde à la nage.

Que ces Castors ne soient qu'un corps vide d'esprit,
Jamais on ne pourra m'obliger à le croire;
Mais voici beaucoup plus : écoutez ce récit,
Que je tiens d'un Roi plein de gloire.
Le défenseur du Nord[34] vous sera mon garant;
Je vais citer un prince aimé de la victoire;
Son nom seul est un mur à l'empire Ottoman[35];
C'est le roi polonais. Jamais un Roi ne ment[36].
Il dit donc que, sur sa frontière,

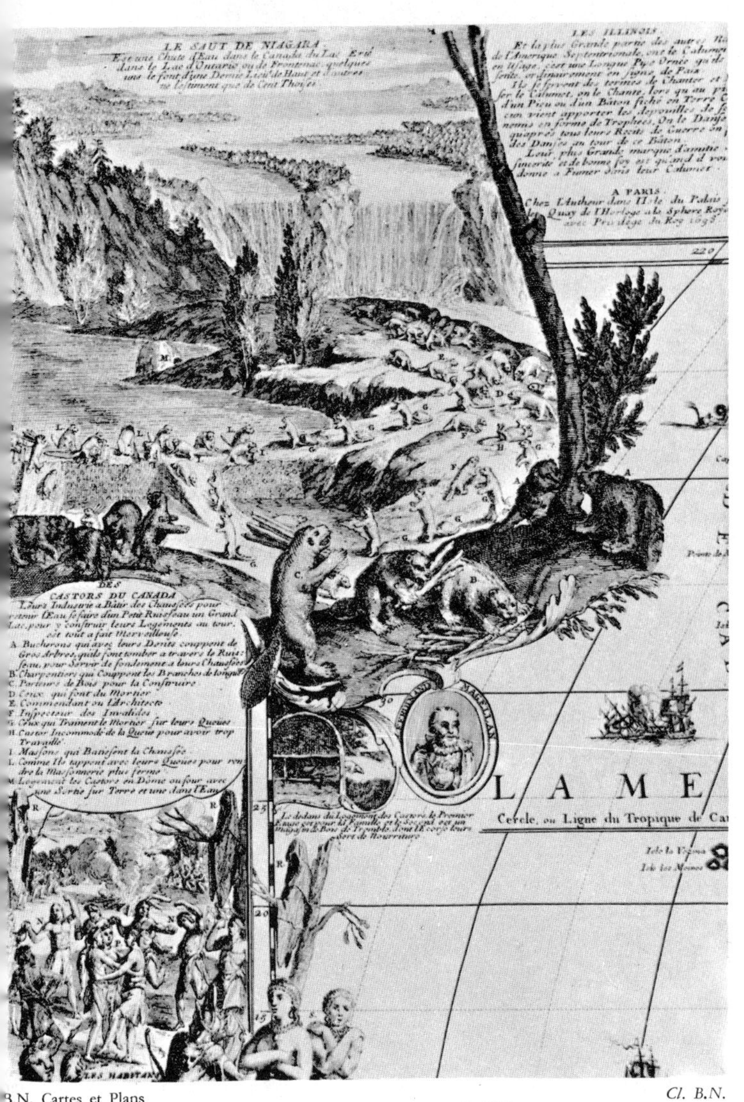

B.N. Cartes et Plans — Cl. B.N.

Discours à Madame de La Sablière
Des castors du Canada, fragment d'une carte de l'Amérique par De Fer, Paris, 1698

Des animaux[37] entre eux ont guerre de tout temps :
Le sang qui se transmet des pères aux enfants
En renouvelle la matière. 125
Ces animaux, dit-il, sont germains[38] du Renard,
Jamais la guerre avec tant d'art
Ne s'est faite parmi les hommes,
Non pas même au siècle où nous sommes.
Corps de garde avancé, vedettes[39], espions, 130
Embuscades, partis[40], et mille inventions
D'une pernicieuse et maudite science,
Fille du Styx, et mère des héros,
Exercent de ces animaux
Le bon sens et l'expérience. 135
Pour chanter leurs combats, l'Achéron nous devrait
Rendre Homère. Ah s'il le rendait,
Et qu'il rendît aussi le rival d'Épicure[41] !
Que dirait ce dernier sur ces exemples-ci[42] ?
Ce que j'ai déjà dit, qu'aux bêtes la nature 140
Peut par les seuls ressorts opérer tout ceci;
Que la mémoire est corporelle,
Et que, pour en venir aux exemples divers
Que j'ai mis en jour dans ces vers,
L'animal n'a besoin que d'elle. 145
L'objet, lorsqu'il revient, va dans son magasin
Chercher, par le même chemin,
L'image auparavant tracée,
Qui sur les mêmes pas revient pareillement,
Sans le secours de la pensée, 150
Causer un même événement[43].
Nous[44] agissons tout autrement,
La volonté nous détermine,
Non l'objet, ni l'instinct[45]. Je parle, je chemine;
Je sens en moi certain agent[46]; 155
Tout obéit dans ma machine[47]
A ce principe intelligent.
Il est distinct du corps, se conçoit nettement,
Se conçoit mieux que le corps même[48] :
De tous nos mouvements c'est l'arbitre suprême[49]. 160
Mais comment le corps l'entend[50]-il ?
C'est là le point : je vois l'outil
Obéir à la main; mais la main, qui la guide ?
Eh ! qui guide les Cieux et leur course rapide ?
Quelque Ange est attaché peut-être à ces grands corps[51]. 165

Un esprit vit en nous, et meut tous nos ressorts[52] :
L'impression se fait[53]. Le moyen, je l'ignore :
On ne l'apprend qu'au sein de la Divinité;
Et, s'il faut en parler avec sincérité,
Descartes l'ignorait encore. 170
Nous et lui là-dessus nous sommes tous égaux[54].
Ce que je sais, Iris, c'est qu'en ces animaux
Dont je viens de citer l'exemple,
Cet esprit n'agit pas, l'homme seul est son temple[55].
Aussi faut-il donner à l'animal un point 175
Que la plante, après tout, n'a point.
Cependant la plante respire[56] :
Mais que répondra-t-on à ce que je vais dire ?

LES DEUX RATS, LE RENARD, ET L'ŒUF[57]

Deux Rats cherchaient leur vie; ils trouvèrent un Œuf.
Le dîné suffisait à gens de cette espèce ! 180
Il n'était pas besoin qu'ils trouvassent un Bœuf.
Pleins d'appétit, et d'allégresse,
Ils allaient de leur œuf manger chacun sa part,
Quand un Quidam parut. C'était maître Renard;
Rencontre incommode et fâcheuse. 185
Car comment sauver l'œuf ? Le bien empaqueter,
Puis des pieds de devant ensemble le porter,
Ou le rouler, ou le traîner,
C'était chose impossible autant que hasardeuse.
Nécessité l'ingénieuse 190
Leur fournit une invention[58].
Comme ils pouvaient gagner leur habitation,
L'écornifleur[59] étant à demi-quart de lieue,
L'un se mit sur le dos, prit l'œuf entre ses bras,
Puis, malgré quelques heurts et quelques mauvais pas, 195
L'autre le traîna par la queue.
Qu'on m'aille soutenir après, un tel récit,
Que les bêtes n'ont point d'esprit.
Pour moi, si j'en étais le maître,
Je leur en donnerais aussi bien qu'aux enfants. 200
Ceux-ci pensent-ils pas dès leurs plus jeunes ans ?
Quelqu'un peut donc penser ne se pouvant connaître[60].
Par un exemple tout égal,

J'attribuerais à l'animal
Non point une raison selon notre manière[61], 205
Mais beaucoup plus aussi qu'un aveugle ressort :
Je subtiliserais un morceau de matière,
Que l'on ne pourrait plus concevoir sans effort,
Quintessence[62] d'atome, extrait de la lumière,
Je ne sais quoi plus vif et plus mobile encor 210
Que le feu : car enfin, si le bois fait la flamme,
La flamme en s'épurant peut-elle pas de l'âme
Nous donner quelque idée, et sort-il pas de l'or[63]
Des entrailles du plomb ? Je rendrais mon ouvrage
Capable de sentir, juger, rien davantage, 215
Et juger imparfaitement,
Sans qu'un Singe jamais fît le moindre argument[64].
A l'égard de nous autres hommes,
Je ferais notre lot infiniment plus fort :
Nous aurions un double trésor[65]; 220
L'un cette âme pareille en tout-tant* que nous sommes,
Sages, fous, enfants, idiots,
Hôtes de l'univers, sous le nom d'animaux;
L'autre encore une autre âme, entre nous et les Anges
Commune en un certain degré 225
Et ce trésor à part créé
Suivrait parmi les airs les célestes phalanges,
Entrerait dans un point sans en être pressé,
Ne finirait jamais quoique ayant commencé :
Choses réelles, quoique étranges. 230
Tant que l'enfance durerait,
Cette fille du Ciel en nous ne paraîtrait
Qu'une tendre et faible lumière;
L'organe étant plus fort, la raison percerait
Les ténèbres de la matière, 235
Qui toujours envelopperait
L'autre âme, imparfaite et grossière.

---

* *En tout-tant* ou *En tout tant :* dans toutes les éditions publiées du vivant de La Fontaine. En tou*s :* correction de 1709. — Correction inutile. (Comparer avec I, 7, 27 : « Tout ce que nous sommes, ... nous nous pardonnons tout. ») Comprendre : en nous tous, si nombreux soyons-nous.

LIVRE DIXIÈME

LIVRE DIXIÈME

FABLE I

L'HOMME ET LA COULEUVRE[1]

Un Homme vit une Couleuvre.
Ah ! méchante, dit-il, je m'en vais faire une œuvre[2]
Agréable à tout l'univers.
A ces mots, l'animal pervers
(C'est le serpent que je veux dire, 5
Et non l'homme : on pourrait aisément s'y tromper),
A ces mots, le serpent, se laissant attraper,
Est pris, mis en un sac; et, ce qui fut le pire,
On résolut sa mort, fût-il coupable ou non.
Afin de le payer toutefois de raison, 10
L'autre lui fit cette harangue :
Symbole des ingrats, être bon aux méchants,
C'est être sot, meurs donc : ta colère et tes dents
Ne me nuiront jamais. Le Serpent, en sa langue,
Reprit du mieux qu'il put : S'il fallait condamner 15
Tous les ingrats qui sont au monde,
A qui pourrait-on pardonner ?
Toi-même tu te fais ton procès. Je me fonde
Sur tes propres leçons; jette les yeux sur toi.
Mes jours sont en tes mains, tranche-les : ta justice, 20
C'est ton utilité, ton plaisir, ton caprice;
Selon ces lois, condamne-moi;
Mais trouve bon qu'avec franchise
En mourant au moins je te dise

Que le symbole des ingrats 25
Ce n'est point le serpent, c'est l'homme. Ces paroles
Firent arrêter l'autre; il recula d'un pas.
Enfin il repartit : Tes raisons sont frivoles :
Je pourrais décider, car ce droit m'appartient;
Mais rapportons-nous-en[3]. — Soit fait, dit le reptile. 30
Une Vache était là, l'on l'appelle, elle vient;
Le cas est proposé; c'était chose facile :
Fallait-il pour cela, dit-elle, m'appeler ?
La Couleuvre a raison; pourquoi dissimuler ?
Je nourris celui-ci depuis longues années; 35
Il n'a sans mes bienfaits passé nulles journées;
Tout n'est que pour lui seul; mon lait et mes enfants
Le font à la maison revenir les mains pleines;
Même j'ai rétabli sa santé, que les ans
Avaient altérée, et mes peines 40
Ont pour but son plaisir ainsi que son besoin.
Enfin me voilà vieille; il me laisse en un coin
Sans herbe; s'il voulait encor me laisser paître !
Mais je suis attachée; et si j'eusse eu pour maître
Un serpent, eût-il su jamais pousser si loin 45
L'ingratitude ? Adieu : j'ai dit ce que je pense.
L'homme, tout étonné d'une telle sentence,
Dit au Serpent : Faut-il croire ce qu'elle dit ?
C'est une radoteuse; elle a perdu l'esprit.
Croyons ce Bœuf. — Croyons, dit la rampante bête. 50
Ainsi dit, ainsi fait. Le Bœuf vient à pas lents.
Quand il eut ruminé tout le cas en sa tête,
Il dit que du labeur des ans
Pour nous seuls il portait les soins les plus pesants,
Parcourant sans cesser ce long cercle de peines 55
Qui, revenant sur soi, ramenait dans nos plaines
Ce que Cérès nous donne, et vend aux animaux[4];
Que cette suite de travaux
Pour récompense avait, de tous tant que nous sommes,
Force coups, peu de gré; puis, quand il était vieux, 60
On croyait l'honorer chaque fois que les hommes
Achetaient de son sang l'indulgence des Dieux.
Ainsi parla le Bœuf. L'Homme dit : Faisons taire
Cet ennuyeux déclamateur;
Il cherche de grands mots, et vient ici se faire, 65
Au lieu d'arbitre, accusateur.
Je le récuse aussi. L'arbre étant pris pour juge,

Ce fut bien pis encore. Il servait de refuge
Contre le chaud, la pluie, et la fureur des vents;
Pour nous seuls il ornait les jardins et les champs. 70
L'ombrage n'était pas le seul bien qu'il sût faire;
Il courbait sous les fruits; cependant pour salaire
Un rustre l'abattait, c'était là son loyer[5],
Quoique pendant tout l'an libéral il nous donne
Ou des fleurs au Printemps, ou du fruit en Automne; 75
L'ombre l'Été, l'Hiver les plaisirs du foyer.
Que ne l'émondait[6]-on, sans prendre la cognée ?
De son tempérament[7] il eût encor vécu.
L'Homme trouvant mauvais que l'on l'eût convaincu,
Voulut à toute force avoir cause gagnée. 80
Je suis bien bon, dit-il, d'écouter ces gens-là.
Du sac et du serpent aussitôt il donna
Contre les murs, tant qu'il tua la bête.
On en use ainsi chez les grands.
La raison les offense; ils se mettent en tête 85
Que tout est né pour eux, quadrupèdes, et gens,
Et serpents.
Si quelqu'un desserre les dents,
C'est un sot. — J'en conviens. Mais que faut-il donc faire ?
— Parler de loin, ou bien se taire. 90

FABLE II

LA TORTUE ET LES DEUX CANARDS[1]

Une Tortue était, à la tête légère,
Qui, lasse de son trou, voulut voir le pays,
Volontiers on fait cas d'une terre étrangère :
Volontiers gens boiteux haïssent le logis.
Deux Canards à qui la commère 5
Communiqua ce beau dessein,
Lui dirent qu'ils avaient de quoi la satisfaire :
Voyez-vous ce large chemin ?
Nous vous voiturerons, par l'air, en Amérique,
Vous verrez mainte République, 10
Maint Royaume, maint peuple, et vous profiterez

Des différentes mœurs que vous remarquerez.
Ulysse en fit autant. On ne s'attendait guère
De voir Ulysse en cette affaire.
La Tortue écouta la proposition.
Marché fait, les oiseaux forgent une machine
Pour transporter la pèlerine[2].
Dans la gueule en travers on lui passe un bâton.
Serrez bien, dirent-ils; gardez de lâcher prise.
Puis chaque Canard prend ce bâton par un bout.
La Tortue enlevée on s'étonne partout
De voir aller en cette guise
L'animal lent et sa maison,
Justement au milieu de l'un et l'autre Oison.
Miracle, criait-on. Venez voir dans les nues
Passer la Reine des Tortues.
— La Reine. Vraiment oui. Je la suis en effet;
Ne vous en moquez point. Elle eût beaucoup mieux fait
De passer son chemin sans dire aucune chose;
Car lâchant le bâton en desserrant les dents,
Elle tombe, elle crève aux pieds des regardants.
Son indiscrétion[3] de sa perte fut cause.
Imprudence, babil, et sotte vanité,
Et vaine curiosité,
Ont ensemble étroit parentage[4].
Ce sont enfants tous d'un lignage[5].

FABLE III

LES POISSONS ET LE CORMORAN[1]

Il n'était point d'étang dans tout le voisinage
Qu'un Cormoran n'eût mis à contribution.
Viviers et réservoirs lui payaient pension.
Sa cuisine allait bien : mais, lorsque le long âge
Eut glacé le pauvre animal,
La même cuisine alla mal.
Tout Cormoran se sert de pourvoyeur[2] lui-même.
Le nôtre, un peu trop vieux pour voir au fond des eaux,
N'ayant ni filets ni réseaux,

Souffrait une disette extrême. 10
Que fit-il ? Le besoin, docteur en stratagème,
Lui fournit celui-ci. Sur le bord d'un Étang
Cormoran vit une Écrevisse.
Ma commère, dit-il, allez tout à l'instant
Porter un avis important 15
A ce peuple. Il faut qu'il périsse :
Le maître de ce lieu dans huit jours pêchera.
L'Écrevisse en hâte s'en va
Conter le cas : grande est l'émute[3].
On court, on s'assemble, on députe 20
A l'Oiseau : Seigneur Cormoran,
D'où vous vient cet avis ? Quel est votre garand ?
Êtes-vous sûr de cette affaire ?
N'y savez-vous remède ? Et qu'est-il bon de faire ?
— Changer de lieu, dit-il. — Comment le ferons-nous ? 25
— N'en soyez point en soin : je vous porterai tous,
L'un après l'autre, en ma retraite.
Nul que Dieu seul et moi n'en connaît les chemins :
Il n'est demeure plus secrète.
Un Vivier que nature y creusa de ses mains, 30
Inconnu des traîtres humains,
Sauvera votre république.
On le crut. Le peuple aquatique
L'un après l'autre fut porté
Sous ce rocher peu fréquenté. 35
Là Cormoran le bon apôtre,
Les ayant mis en un endroit
Transparent, peu creux, fort étroit,
Vous les prenait sans peine, un jour l'un, un jour l'autre.
Il leur apprit à leurs dépens 40
Que l'on ne doit jamais avoir de confiance
En ceux qui sont mangeurs de gens.
Ils y perdirent peu, puisque l'humaine engeance
En aurait aussi bien croqué sa bonne part;
Qu'importe qui vous mange ? homme ou loup; toute panse 45
Me paraît une à cet égard;
Un jour plus tôt, un jour plus tard,
Ce n'est pas grande différence.

FABLE IV

L'ENFOUISSEUR[1] ET SON COMPÈRE[2]

Un Pinsemaille[3] avait tant amassé
Qu'il ne savait où loger sa finance.
L'avarice, compagne et sœur de l'ignorance,
Le rendait fort embarrassé
Dans le choix d'un dépositaire;
Car il en voulait un, et voici sa raison :
L'objet[4] tente; il faudra[5] que ce monceau s'altère,
Si je le laisse à la maison;
Moi-même de mon bien je serai le larron.
Le larron, Quoi jouir, c'est se voler soi-même[6] ! 10
Mon ami, j'ai pitié de ton erreur extrême;
Apprends de moi cette leçon :
Le bien n'est bien qu'en tant que l'on s'en peut défaire.
Sans cela c'est un mal. Veux-tu le réserver
Pour un âge et des temps qui n'en ont plus que faire ? 15
La peine d'acquérir, le soin de conserver,
Otent le prix à l'or, qu'on croit si nécessaire.
Pour se décharger d'un tel soin,
Notre homme eût pu trouver des gens sûrs au besoin;
Il aima mieux la terre, et prenant son compère, 20
Celui-ci l'aide. Ils vont enfouir le trésor.
Au bout de quelque temps, l'homme va voir son or :
Il ne retrouva que le gîte.
Soupçonnant à bon droit le compère, il va vite
Lui dire : Apprêtez-vous; car il me reste encor 25
Quelques deniers : je veux les joindre à l'autre masse.
Le compère aussitôt va remettre en sa place
L'argent volé, prétendant bien
Tout reprendre à la fois sans qu'il y manquât rien.
Mais, pour ce coup, l'autre fut sage : 30
Il retint tout chez lui, résolu de jouir,
Plus n'entasser, plus n'enfouir;
Et le pauvre voleur, ne trouvant plus son gage[7],
Pensa tomber de sa hauteur.
Il n'est pas malaisé de tromper un trompeur. 35

FABLE V

LE LOUP ET LES BERGERS[1]

Un Loup rempli d'humanité
(S'il en est de tels dans le monde)
Fit un jour sur sa cruauté,
Quoiqu'il ne l'exerçât que par nécessité,
Une réflexion profonde. 5
Je suis haï, dit-il, et de qui ? De chacun.
Le Loup est l'ennemi commun :
Chiens, chasseurs, villageois, s'assemblent pour sa perte.
Jupiter est là-haut étourdi de leurs cris;
C'est par là que de loups l'Angleterre[2] est déserte : 10
On y mit notre tête à prix.
Il n'est hobereau qui ne fasse
Contre nous tels bans[3] publier;
Il n'est marmot osant crier
Que du Loup aussitôt sa mère ne menace. 15
Le tout pour un Ane rogneux[4],
Pour un Mouton pourri[5], pour quelque Chien hargneux,
Dont j'aurai passé mon envie.
Et bien, ne mangeons plus de chose ayant eu vie;
Paissons l'herbe, broutons; mourons de faim plutôt. 20
Est-ce une chose si cruelle ?
Vaut-il mieux s'attirer la haine universelle ?
Disant ces mots il vit des Bergers pour leur rôt
Mangeants un agneau cuit en broche.
Oh, oh, dit-il, je me reproche 25
Le sang de cette gent. Voilà ses gardiens
S'en repaissants, eux et leurs chiens;
Et moi, Loup, j'en ferai scrupule ?
Non, par tous les Dieux. Non. Je serais ridicule.
Thibaut[6] l'agnelet passera[7] 30
Sans qu'à la broche je le mette;
Et non seulement lui, mais la mère qu'il tette,
Et le père qui l'engendra.
Ce Loup avait raison. Est-il dit qu'on nous voie
Faire festin de toute proie, 35
Manger les animaux, et nous les réduirons

Aux mets de l'âge d'or[8] autant que nous pourrons ?
Ils n'auront ni croc[9] ni marmite ?
Bergers, bergers, le loup n'a tort
Que quand il n'est pas le plus fort : 4
Voulez-vous qu'il vive en ermite ?

FABLE VI

L'ARAIGNÉE ET L'HIRONDELLE[1]

O Jupiter, qui sus de ton cerveau,
Par un secret d'accouchement nouveau,
Tirer Pallas[2], jadis mon ennemie[3],
Entends ma plainte une fois en ta vie.
Progné me vient enlever les morceaux; 5
Caracolant, frisant l'air et les eaux,
Elle me prend mes mouches à ma porte :
Miennes je puis les dire; et mon réseau
En serait plein sans ce maudit oiseau :
Je l'ai tissu de matière assez forte. 10
Ainsi, d'un discours insolent,
Se plaignait l'Araignée autrefois tapissière,
Et qui, lors étant filandière,
Prétendait enlacer tout insecte volant.
La sœur de Philomèle[4], attentive à sa proie, 15
Malgré le bestion happait mouches dans l'air,
Pour ses petits, pour elle, impitoyable joie,
Que ses enfants gloutons, d'un bec toujours ouvert,
D'un ton demi-formé, bégayante couvée,
Demandaient par des cris encor mal entendus. 20
La pauvre Aragne n'ayant plus
Que la tête et les pieds, artisans superflus,
Se vit elle-même enlevée.
L'Hirondelle, en passant, emporta toile, et tout,
Et l'animal pendant au bout. 25
Jupin pour chaque état mit deux tables au monde.
L'adroit, le vigilant, et le fort sont assis
A la première; et les petits
Mangent leur reste à la seconde.

FABLE VII

LA PERDRIX ET LES COQS[1]

PARMI de certains Coqs incivils, peu galants,
Toujours en noise et turbulents,
Une Perdrix était nourrie.
Son sexe et l'hospitalité,
De la part de ces Coqs peuple à l'amour porté 5
Lui faisaient espérer beaucoup d'honnêteté[2] :
Ils feraient les honneurs de la ménagerie[3].
Ce peuple cependant, fort souvent en furie,
Pour la Dame étrangère ayant peu de respec,
Lui donnait fort souvent d'horribles coups de bec. 10
D'abord elle en fut affligée;
Mais sitôt qu'elle eut vu cette troupe enragée
S'entre-battre elle-même, et se percer les flancs,
Elle se consola : Ce sont leurs mœurs, dit-elle,
Ne les accusons point; plaignons plutôt ces gens. 15
Jupiter sur un seul modèle
N'a pas formé tous les esprits :
Il est des naturels de Coqs et de Perdrix.
S'il dépendait de moi, je passerais ma vie
En plus honnête compagnie. 20
Le maître de ces lieux en ordonne autrement.
Il nous prend avec des tonnelles[4],
Nous loge avec des Coqs, et nous coupe les ailes :
C'est de l'homme qu'il faut se plaindre seulement.

FABLE VIII

LE CHIEN A QUI ON A COUPÉ LES OREILLES[1]

QU'AI-JE fait pour me voir ainsi
Mutilé par mon propre maître ?
Le bel état où me voici !
Devant les autres Chiens oserai-je paraître ?

O rois des animaux, ou plutôt leurs tyrans,
Qui vous ferait choses pareilles ?
Ainsi criait Mouflar[2], jeune dogue; et les gens
Peu touchés de ses cris douloureux et perçants,
Venaient de lui couper sans pitié les oreilles.
Mouflar y croyait perdre; il vit avec le temps
Qu'il y gagnait beaucoup; car étant de nature
A piller[3] ses pareils, mainte mésaventure
L'aurait fait retourner chez lui
Avec cette partie en cent lieux altérée :
Chien hargneux a toujours l'oreille déchirée.
Le moins qu'on peut laisser de prise aux dents d'autrui
C'est le mieux. Quand on n'a qu'un endroit à défendre,
On le munit[4] de peur d'esclandre[5] :
Témoin maître Mouflar armé d'un gorgerin[6],
Du reste ayant d'oreille autant que sur ma main;
Un Loup n'eût su par où le prendre.

FABLE IX

LE BERGER ET LE ROI[1]

DEUX démons[2] à leur gré partagent notre vie,
Et de son[3] patrimoine ont chassé la raison.
Je ne vois point de cœur qui ne leur sacrifie.
Si vous me demandez leur état et leur nom,
J'appelle l'un Amour, et l'autre Ambition.
Cette dernière étend le plus loin son empire;
Car même elle entre dans l'amour.
Je le ferais bien voir; mais mon but est de dire
Comme un Roi fit venir un Berger à sa Cour.
Le conte est du bon temps, non du siècle où nous sommes.
Ce Roi vit un troupeau qui couvrait tous les champs,
Bien broutant, en bon corps[4], rapportant tous les ans,
Grâce aux soins du Berger, de très notables sommes.
Le Berger plut au Roi par ces soins diligents.
Tu mérites, dit-il, d'être Pasteur de gens[5];
Laisse là tes moutons, viens conduire des hommes.
Je te fais Juge Souverain.

Voilà notre Berger la balance à la main.
Quoiqu'il n'eût guère vu d'autres gens qu'un Hermite,
Son troupeau, ses mâtins, le loup, et puis c'est tout, 20
Il avait du bon sens; le reste vient ensuite.
Bref, il en vint fort bien à bout.
L'Hermite son voisin accourut pour lui dire :
Veillé-je ? et n'est-ce point un songe que je vois ?
Vous favori ! vous grand ! Défiez-vous des Rois : 25
Leur faveur est glissante, on s'y trompe; et le pire
C'est qu'il en coûte cher; de pareilles erreurs
Ne produisent jamais que d'illustres malheurs.
Vous ne connaissez pas l'attrait qui vous engage.
Je vous parle en ami. Craignez tout. L'autre rit, 30
Et notre Hermite poursuivit :
Voyez combien déjà la cour vous rend peu sage.
Je crois voir cet Aveugle à qui dans un voyage
Un serpent engourdi de froid
Vint s'offrir sous la main : il le prit pour un fouet. 35
Le sien s'était perdu, tombant de sa ceinture.
Il rendait grâce au Ciel de l'heureuse aventure,
Quand un passant cria : Que tenez-vous, ô Dieux !
Jetez cet animal traître et pernicieux,
Ce Serpent. — C'est un fouet. — C'est un Serpent, vous [dis-je. 40
A me tant tourmenter quel intérêt m'oblige ?
Prétendez-vous garder ce trésor ? — Pourquoi non ?
Mon fouet était usé; j'en retrouve un fort bon;
Vous n'en parlez que par envie.
L'aveugle enfin ne le crut pas; 45
Il en perdit bientôt la vie.
L'animal dégourdi piqua son homme au bras.
Quant à vous, j'ose vous prédire
Qu'il vous arrivera quelque chose de pire.
— Eh ! que me saurait-il arriver que la mort ? 50
— Mille dégoûts viendront, dit le Prophète Hermite.
Il en vint en effet; l'Hermite n'eut pas tort.
Mainte peste de Cour fit tant, par maint ressort,
Que la candeur du Juge, ainsi que son mérite,
Furent suspects au Prince. On cabale, on suscite 55
Accusateurs, et gens grevés par ses arrêts.
De nos biens, dirent-ils, il s'est fait un Palais.
Le Prince voulut voir ces richesses immenses;
Il ne trouva partout que médiocrité,
Louanges[6] du désert et de la pauvreté; 60

C'étaient là ses magnificences.
Son fait, dit-on, consiste en des pierres de prix.
Un grand coffre en est plein, fermé de dix serrures.
Lui-même ouvrit ce coffre, et rendit bien surpris
Tous les machineurs[7] d'impostures.
Le coffre étant ouvert, on y vit des lambeaux,
L'habit d'un gardeur de troupeaux,
Petit chapeau, jupon[8], panetière[9], houlette,
Et, je pense, aussi sa musette.
Doux trésors, ce dit-il, chers gages[10], qui jamais
N'attirâtes sur vous l'envie et le mensonge,
Je vous reprends; sortons de ces riches Palais
Comme l'on sortirait d'un songe.
Sire, pardonnez-moi cette exclamation.
J'avais prévu ma chute en montant sur le faîte.
Je m'y suis trop complu; mais qui n'a dans la tête
Un petit grain[11] d'ambition ?

FABLE X

LES POISSONS ET LE BERGER QUI JOUE DE LA FLUTE[1]

TIRCIS, qui pour la seule Annette
Faisait résonner les accords
D'une voix et d'une musette
Capables de toucher les morts,
Chantait un jour le long des bords
D'une onde arrosant des prairies,
Dont Zéphire habitait les campagnes fleuries.
Annette cependant à la ligne pêchait;
Mais nul poisson ne s'approchait.
La Bergère perdait ses peines.
Le Berger qui par ses chansons,
Eût attiré des inhumaines,
Crut, et crut mal, attirer des poissons.
Il leur chanta ceci : Citoyens de cette onde,
Laissez votre Naïade en sa grotte profonde.
Venez voir un objet mille fois plus charmant.

Ne craignez point d'entrer aux prisons de la Belle :
Ce n'est qu'à nous qu'elle est cruelle :
Vous serez traités doucement,
On n'en veut point à votre vie : 20
Un vivier vous attend, plus clair que fin cristal.
Et, quand à quelques-uns l'appât serait fatal,
Mourir des mains d'Annette est un sort que j'envie.
Ce discours éloquent ne fit pas grand effet :
L'auditoire était sourd aussi bien que muet. 25
Tircis eut beau prêcher : ses paroles miellées[2]
S'en étant aux vents envolées,
Il tendit un long rets. Voilà les poissons pris,
Voilà les poissons mis aux pieds de la Bergère.
O vous Pasteurs d'humains et non pas de brebis, 30
Rois, qui croyez gagner par raisons les esprits
D'une multitude étrangère,
Ce n'est jamais par là que l'on en vient à bout;
Il y faut une autre manière :
Servez-vous de vos rets, la puissance fait tout. 35

FABLE XI

LES DEUX PERROQUETS, LE ROI, ET SON FILS[1]

Deux Perroquets, l'un père et l'autre fils,
Du rôt d'un Roi faisaient leur ordinaire.
Deux demi-dieux, l'un fils et l'autre père,
De ces oiseaux faisaient leurs favoris.
L'âge liait une amitié sincère 5
Entre ces gens : les deux pères s'aimaient;
Les deux enfants, malgré leur cœur frivole,
L'un avec l'autre aussi s'accoutumaient,
Nourris[2] ensemble, et compagnons d'école.
C'était beaucoup d'honneur au jeune Perroquet; 10
Car l'enfant était Prince, et son père Monarque.
Par le tempérament que lui donna la parque[3],
Il aimait les oiseaux. Un Moineau fort coquet,
Et le plus amoureux de toute la Province,

Faisait aussi sa part des délices du Prince.
Ces deux rivaux un jour ensemble se jouants,
Comme il arrive aux jeunes gens,
Le jeu devint une querelle.
Le Passereau, peu circonspec,
S'attira de tels coups de bec,
Que, demi-mort et traînant l'aile,
On crut qu'il n'en pourrait guérir.
Le Prince indigné fit mourir
Son Perroquet. Le bruit en vint au père.
L'infortuné vieillard[4] crie et se désespère,
Le tout en vain; ses cris sont superflus;
L'oiseau parleur est déjà dans la barque[5];
Pour dire mieux, l'Oiseau ne parlant plus
Fait qu'en[6] fureur sur le fils du Monarque
Son père s'en va fondre, et lui crève les yeux.
Il se sauve aussitôt, et choisit pour asile
Le haut d'un Pin. Là dans le sein des Dieux[7]
Il goûte sa vengeance en lieu sûr et tranquille.
Le Roi lui-même y court, et dit pour l'attirer :
Ami, reviens chez moi : que nous sert de pleurer ?
Haine, vengeance, et deuil, laissons tout à la porte.
Je suis contraint de déclarer,
Encor que ma douleur soit forte,
Que le tort vient de nous : mon fils fut l'agresseur.
Mon fils ! non. C'est le sort qui du coup est l'auteur.
La Parque avait écrit de tout temps en son livre
Que l'un de nos enfants devait cesser de vivre,
L'autre de voir, par ce malheur.
Consolons-nous tous deux, et reviens dans ta cage.
Le Perroquet dit : Sire Roi,
Crois-tu qu'après un tel outrage
Je me doive fier à toi ?
Tu m'allègues le sort : prétends-tu par ta foi
Me leurrer de l'appât d'un profane[8] langage ?
Mais que la providence ou bien que le destin
Règle les affaires du monde
Il est écrit là-haut qu'au faîte de ce pin
Ou dans quelque Forêt profonde,
J'achèverai mes jours loin du fatal objet[9]
Qui doit t'être un juste sujet
De haine et de fureur. Je sais que la vengeance
Est un morceau de Roi, car vous vivez en Dieux[10].

Tu veux oublier cette offense :
Je le crois : cependant il me faut pour le mieux
Éviter ta main et tes yeux. 60
Sire Roi mon ami, va-t'en, tu perds ta peine;
Ne me parle point de retour;
L'absence est aussi bien un remède à la haine
Qu'un appareil[11] contre l'amour.

FABLE XII

LA LIONNE ET L'OURSE[1]

Mère Lionne avait perdu son fan[2].
Un chasseur l'avait pris. La pauvre infortunée
Poussait un tel rugissement
Que toute la Forêt était importunée.
La nuit si son obscurité, 5
Son silence et ses autres charmes,
De la Reine des bois n'arrêtait les vacarmes
Nul animal n'était du sommeil visité.
L'Ourse enfin lui dit : Ma commère,
Un mot sans plus; tous les enfants 10
Qui sont passés entre vos dents
N'avaient-ils ni père ni mère ?
— Ils en avaient. — S'il est ainsi,
Et qu'aucun de leur mort n'ait nos têtes rompues,
Si tant de mères se sont tues, 15
Que ne vous taisez-vous aussi ?
— Moi me taire ! moi, malheureuse !
Ah j'ai perdu mon fils ! Il me faudra traîner
Une vieillesse douloureuse !
— Dites-moi, qui vous force à vous y condamner ? 20
— Hélas ! c'est le Destin qui me hait. Ces paroles
Ont été de tout temps en la bouche de tous.
Misérables[3] humains, ceci s'adresse à vous :
Je n'entends résonner que des plaintes frivoles.
Quiconque en pareil cas se croit haï des Cieux, 25
Qu'il considère Hécube[4], il rendra grâce aux Dieux.

FABLE XIII

LES DEUX AVENTURIERS ET LE TALISMAN[1]

AUCUN chemin de fleurs ne conduit à la gloire.
Je n'en veux pour témoin qu'Hercule et ses travaux.
Ce dieu n'a guère de rivaux :
J'en vois peu dans la Fable, encor moins dans l'Histoire.
En voici pourtant un que de vieux Talismans[2]
Firent chercher fortune au pays des Romans[3].
Il voyageait de compagnie.
Son camarade et lui trouvèrent un poteau
Ayant au haut cet écriteau :
Seigneur aventurier, s'il te prend quelque envie
De voir ce que n'a vu nul Chevalier errant,
Tu n'as qu'à passer ce torrent;
Puis, prenant dans tes bras un Éléphant de pierre
Que tu verras couché par terre,
Le porter, d'une haleine, au sommet de ce mont,
Qui menace les Cieux de son superbe front.
L'un des deux chevaliers saigna du nez[4]. Si l'onde
Est rapide autant que profonde,
Dit-il, et supposé qu'on la puisse passer,
Pourquoi de l'Éléphant s'aller embarrasser ?
Quelle ridicule entreprise !
Le sage[5] l'aura fait par tel art et de guise
Qu'on le pourra porter peut-être quatre pas;
Mais jusqu'au haut du mont, d'une haleine, il n'est pas
Au pouvoir d'un mortel, à moins que la figure[6]
Ne soit d'un Éléphant nain, pygmée, avorton,
Propre à mettre au bout d'un bâton :
Auquel cas, où l'honneur[7] d'une telle aventure ?
On nous veut attraper dedans cette écriture :
Ce sera quelque énigme à tromper un enfant.
C'est pourquoi je vous laisse avec votre Éléphant.
Le raisonneur parti, l'aventureux se lance,
Les yeux clos, à travers cette eau.
Ni profondeur ni violence
Ne purent l'arrêter, et, selon l'écriteau,

Il vit son Éléphant couché sur l'autre rive.
Il le prend, il l'emporte, au haut du mont arrive,
Rencontre une esplanade, et puis une cité.
Un cri par l'Éléphant est aussitôt jeté :
Le peuple aussitôt sort en armes. 40
Tout autre Aventurier au bruit de ces alarmes
Aurait fui : celui-ci loin de tourner le dos
Veut vendre au moins sa vie, et mourir en Héros.
Il fut tout étonné d'ouïr cette cohorte
Le proclamer Monarque au lieu de son Roi mort. 45
Il ne se fit prier que de la bonne sorte[8],
Encor que le fardeau fût, dit-il, un peu fort.
Sixte[9] en disait autant quand on le fit saint Père.
(Serait-ce bien une misère
Que d'être Pape ou d'être Roi ?) 50
On reconnut bientôt son peu de bonne foi[10].
Fortune aveugle suit aveugle hardiesse.
Le sage quelquefois fait bien d'exécuter,
Avant que de donner le temps à la sagesse
D'envisager le fait, et sans la consulter. 55

FABLE XIV

DISCOURS

A MONSIEUR LE DUC DE LA ROCHEFOUCAULT[a1]

Je me suis souvent dit, voyant de quelle sorte
L'homme agit et qu'il se comporte
En mille occasions, comme les animaux :
Le Roi de ces gens-là n'a pas moins de défauts
Que ses sujets, et la nature 5
A mis dans chaque créature
Quelque grain d'une masse où puisent les esprits :
J'entends les esprits corps, et pétris de matière[2].
Je vais prouver ce que je dis.

---

a. A partir de 1709 seulement, les éditeurs ont quelquefois intitulé cette fable *Les Lapins*.

A l'heure de l'affût, soit lorsque la lumière
Précipite ses traits dans l'humide séjour,
Soit lorsque le Soleil rentre dans sa carrière,
Et que, n'étant plus nuit, il n'est pas encor jour,
Au bord de quelque bois sur un arbre je grimpe;
Et nouveau Jupiter du haut de cet olympe,
Je foudroie, à discrétion,
Un lapin qui n'y pensait guère[3].
Je vois fuir aussitôt toute la nation
Des lapins qui sur la bruyère,
L'œil éveillé, l'oreille au guet,
S'égayaient, et de thym parfumaient leur banquet.
Le bruit du coup fait que la bande
S'en va chercher sa sûreté
Dans la souterraine cité;
Mais le danger s'oublie, et cette peur si grande
S'évanouit bientôt. Je revois les lapins
Plus gais qu'auparavant revenir sous mes mains.
Ne reconnaît-on pas en cela les humains ?
Dispersés par quelque orage,
A peine ils touchent le port
Qu'ils vont hasarder encor
Même vent, même naufrage.
Vrais lapins, on les revoit
Sous les mains de la fortune.
Joignons à cet exemple une chose commune.
Quand des chiens étrangers passent par quelque endroit,
Qui n'est pas de leur détroit[4],
Je laisse à penser quelle fête.
Les chiens du lieu n'ayants en tête
Qu'un intérêt de gueule, à cris, à coups de dents,
Vous accompagnent ces passants
Jusqu'aux confins du territoire.
Un intérêt de biens, de grandeur, et de gloire,
Aux Gouverneurs d'États[5], à certains courtisans,
A gens de tous métiers en fait tout autant faire.
On nous voit tous, pour l'ordinaire,
Piller[6] le survenant, nous jeter sur sa peau.
La coquette et l'auteur sont de ce caractère[7];
Malheur à l'écrivain nouveau.
Le moins de gens qu'on peut à l'entour du gâteau,
C'est le droit du jeu[8], c'est l'affaire[9].
Cent exemples pourraient appuyer mon discours;

Mais les ouvrages les plus courts
Sont toujours les meilleurs. En cela j'ai pour guides
Tous les maîtres de l'art, et tiens qu'il faut laisser 55
Dans les plus beaux sujets quelque chose à penser :
Ainsi ce discours doit cesser.
Vous qui m'avez donné ce qu'il a de solide,
Et dont la modestie égale la grandeur,
Qui ne pûtes jamais écouter sans pudeur 60
La louange la plus permise,
La plus juste et la mieux acquise,
Vous enfin dont à peine ai-je encore obtenu
Que votre nom reçût ici quelques hommages[10],
Du temps et des censeurs défendant mes ouvrages, 65
Comme un nom qui, des ans et des peuples connu,
Fait honneur à la France, en grands noms plus féconde
Qu'aucun climat de l'Univers,
Permettez-moi du moins d'apprendre à tout le monde
Que vous m'avez donné le sujet de ces Vers. 70

FABLE XV

LE MARCHAND, LE GENTILHOMME, LE PATRE, ET LE FILS DE ROI[1]

Quatre chercheurs de nouveaux mondes,
Presque nus échappés à la fureur des ondes,
Un Trafiquant, un Noble, un Pâtre, un Fils de Roi,
Réduits au sort de Bélisaire*,
Demandaient aux passants de quoi 5
Pouvoir soulager leur misère.
De raconter quel sort les avait assemblés,
Quoique sous divers points[2] tous quatre ils fussent nés,
C'est un récit de longue haleine.

---

* Bélisaire était un grand capitaine, qui ayant commandé les Armées de l'Empereur et perdu les bonnes grâces de son Maître, tomba dans un tel point de misère, qu'il demandait l'aumône sur les grands chemins. » *(Note de La Fontaine.)*

Ils s'assirent enfin au bord d'une fontaine.
Là le conseil se tint entre les pauvres gens.
Le prince s'étendit sur le malheur des grands.
Le Pâtre fut d'avis qu'éloignant la pensée
De leur aventure passée,
Chacun fît de son mieux et s'appliquât au soin
De pourvoir au commun besoin.
La plainte, ajouta-t-il, guérit-elle son homme ?
Travaillons ! c'est de quoi nous mener jusqu'à Rome.
Un Pâtre ainsi parler ! Ainsi parler; croit-on
Que le Ciel n'ait donné qu'aux têtes couronnées
De l'esprit et de la raison,
Et que de tout berger, comme de tout mouton,
Les connaissances soient bornées ?
L'avis de celui-ci fut d'abord[3] trouvé bon
Par les trois échoués au bord de l'Amérique.
L'un (c'était le Marchand) savait l'arithmétique :
A tant par mois, dit-il, j'en donnerai leçon.
— J'enseignerai la politique,
Reprit le Fils de roi. Le Noble poursuivit :
Moi, je sais le blason; j'en veux tenir école :
Comme si devers l'Inde[4], on eût eu dans l'esprit
La sotte vanité de ce jargon frivole.
Le Pâtre dit : Amis, vous parlez bien; mais quoi !
Le mois a trente jours; jusqu'à cette échéance
Jeûnerons-nous, par votre foi ?
Vous me donnez une espérance
Belle, mais éloignée; et cependant j'ai faim.
Qui pourvoira de nous au dîner de demain ?
Ou plutôt sur quelle assurance
Fondez-vous, dites-moi, le souper d'aujourd'hui ?
Avant tout autre, c'est celui
Dont il s'agit : votre science
Est courte là-dessus : ma main y suppléera.
A ces mots, le Pâtre s'en va
Dans un bois : il y fit des fagots dont la vente
Pendant cette journée et pendant la suivante,
Empêcha qu'un long jeûne à la fin ne fît tant
Qu'ils allassent là-bas[5] exercer leur talent.
Je conclus de cette aventure
Qu'il ne faut pas tant d'art pour conserver ses jours,
Et grâce aux dons de la nature,
La main est le plus sûr et le plus prompt secours.

LIVRE ONZIÈME

LIVRE ONZIÈME

FABLE I

LE LION[1]

SULTAN Léopard autrefois
Eut, ce dit-on, par mainte aubaine[2],
Force bœufs dans ses prés, force Cerfs dans ses bois,
Force moutons parmi la plaine.
Il naquit un Lion dans la forêt prochaine. 5
Après les compliments et d'une et d'autre part,
Comme entre grands il se pratique,
Le Sultan fit venir son Vizir le Renard,
Vieux routier, et bon politique.
Tu crains, ce lui dit-il, Lionceau mon voisin; 10
Son père est mort, que peut-il faire ?
Plains plutôt le pauvre orphelin.
Il a chez lui plus d'une affaire,
Et devra beaucoup au destin
S'il garde ce qu'il a, sans tenter de conquête. 15
Le Renard dit, branlant la tête :
Tels orphelins, Seigneur, ne me font point pitié :
Il faut de celui-ci conserver l'amitié,
Ou s'efforcer de le détruire,
Avant que la griffe et la dent 20
Lui soit crue, et qu'il soit en état de nous nuire.
N'y perdez pas un seul moment.
J'ai fait son horoscope : il croîtra par la guerre;
Ce sera le meilleur Lion
Pour ses amis qui soit sur terre : 25
Tâchez donc d'en être, sinon

Tâchez de l'affaiblir. La harangue fut vaine.
Le Sultan dormait lors; et dedans son domaine
Chacun dormait aussi, bêtes, gens : tant qu'enfin
Le Lionceau devient vrai Lion. Le tocsin 30
Sonne aussitôt sur lui, l'alarme se promène
De toutes parts; et le Vizir,
Consulté là-dessus dit avec un soupir :
Pourquoi l'irritez-vous ? La chose est sans remède.
En vain nous appelons mille gens à notre aide : 35
Plus ils sont, plus il coûte; et je ne les tiens bons
Qu'à manger leur part des moutons.
Apaisez le Lion : seul il passe en puissance
Ce monde d'alliés vivants sur notre bien.
Le Lion en a trois qui ne lui coûtent rien, 40
Son courage, sa force, avec sa vigilance.
Jetez-lui promptement sous la griffe un mouton :
S'il n'en est pas content, jetez-en davantage.
Joignez-y quelque bœuf : choisissez pour ce don
Tout le plus gras du pâturage. 45
Sauvez le reste ainsi. Ce conseil ne plut pas.
Il en prit mal[3]; et force états
Voisins du Sultan en pâtirent :
Nul n'y gagna, tous y perdirent.
Quoi que fît ce monde ennemi, 50
Celui qu'ils craignaient fut le maître.
Proposez-vous d'avoir le Lion pour ami,
Si vous voulez le laisser craître[4].

FABLE II

LES DIEUX VOULANT INSTRUIRE UN FILS DE JUPITER[1]

POUR MONSEIGNEUR LE DUC DU MAINE[2]

Jupiter eut un fils, qui, se sentant du lieu
Dont il tirait son origine,
Avait l'âme toute divine.
L'enfance n'aime rien : celle[3] du jeune Dieu
Faisait sa principale affaire 5

Des doux soins d'aimer et de plaire.
En lui l'amour et la raison
Devancèrent le temps, dont les ailes légères
N'amènent que trop tôt, hélas ! chaque saison.
Flore aux regards riants, aux charmantes manières, 10
Toucha d'abord le cœur du jeune Olympien[4].
Ce que la passion peut inspirer d'adresse,
Sentiments délicats et remplis de tendresse,
Pleurs, soupirs, tout en fut : bref, il n'oublia rien.
Le fils de Jupiter devait par sa naissance 15
Avoir un autre esprit, et d'autres dons des Cieux,
Que les enfants des autres Dieux.
Il semblait qu'il n'agît que par réminiscence,
Et qu'il eût autrefois fait le métier d'amant,
Tant il le fit parfaitement[5]. 20
Jupiter cependant voulut le faire instruire.
Il assembla les Dieux, et dit : J'ai su conduire
Seul et sans compagnon jusqu'ici l'Univers;
Mais il est des emplois divers
Qu'aux nouveaux Dieux je distribue. 25
Sur cet enfant chéri j'ai donc jeté la vue :
C'est mon sang; tout est plein déjà de ses Autels.
Afin de mériter le rang des immortels,
Il faut qu'il sache tout. Le maître du Tonnerre
Eut à peine achevé, que chacun applaudit. 30
Pour savoir tout, l'enfant n'avait que trop d'esprit.
Je veux, dit le Dieu de la guerre,
Lui montrer moi-même cet art
Par qui maints héros ont eu part
Aux honneurs de l'Olympe et grossi cet empire. 35
— Je serai son maître de lyre,
Dit le blond et docte Apollon.
— Et moi, reprit Hercule à la peau de Lion,
Son maître à surmonter les vices,
A dompter les transports[6], monstres empoisonneurs, 40
Comme Hydres[7] renaissants sans cesse dans les cœurs :
Ennemi des molles délices[8],
Il apprendra de moi les sentiers peu battus
Qui mènent aux honneurs sur les pas des vertus.
Quand ce vint au Dieu de Cythère, 45
Il dit qu'il lui montrerait tout.
L'Amour avait raison : de quoi ne vient à bout
L'esprit joint au désir de plaire[9] ?

FABLE III

LE FERMIER, LE CHIEN, ET LE RENARD[1]

Le Loup et le Renard sont d'étranges voisins :
Je ne bâtirai point autour de leur demeure.
Ce dernier guettait à toute heure
Les poules d'un Fermier; et quoique des plus fins,
Il n'avait pu donner d'atteinte à la volaille. 5
D'une part l'appétit, de l'autre le danger,
N'étaient pas au compère un embarras léger.
Hé quoi ! dit-il, cette canaille
Se moque impunément de moi ?
Je vais, je viens, je me travaille[2], 10
J'imagine cent tours; le rustre, en paix chez soi,
Vous fait argent de tout, convertit en monnoie[3]
Ses chapons, sa poulaille; il en a même au croc[4] :
Et moi, maître passé, quand j'attrape un vieux coq,
Je suis au comble de la joie ! 15
Pourquoi sire Jupin m'a-t-il donc appelé
Au métier de Renard ? Je jure les puissances
De l'Olympe et du Styx[5], il en sera parlé.
Roulant en son cœur ces vengeances,
Il choisit une nuit libérale en pavots[6] : 20
Chacun était plongé dans un profond repos;
Le maître du logis, les valets, le chien même,
Poules, poulets, chapons, tout dormait. Le Fermier,
Laissant ouvert son poulailler,
Commit une sottise extrême. 25
Le voleur tourne tant qu'il entre au lieu guetté,
Le dépeuple, remplit de meurtres la cité :
Les marques de sa cruauté
Parurent avec l'Aube : on vit un étalage
De corps sanglants et de carnage. 30
Peu s'en fallut que le Soleil
Ne rebroussât d'horreur vers le manoir liquide[7].
Tel, et d'un spectacle pareil,
Apollon irrité contre le fier Atride
Joncha son camp de morts : on vit presque détruit 35
L'ost des Grecs, et ce fut l'ouvrage d'une nuit[8].

Tel encore autour de sa tente
Ajax, à l'âme impatiente,
De moutons et de boucs fit un vaste débris,
Croyant tuer en eux son concurrent Ulysse 40
Et les auteurs de l'injustice
Par qui l'autre emporta le prix[9].
Le Renard autre Ajax aux volailles funeste,
Emporte ce qu'il peut, laisse étendu le reste.
Le Maître ne trouva de recours qu'à crier 45
Contre ses gens, son chien, c'est l'ordinaire usage.
Ah ! maudit animal, qui n'es bon qu'à noyer,
Que n'avertissais-tu dès l'abord du carnage ?
— Que ne l'évitiez-vous ? c'eût été plus tôt fait :
Si vous, maître et fermier, à qui touche le fait, 50
Dormez sans avoir soin que la porte soit close,
Voulez-vous que moi chien qui n'ai rien à la chose,
Sans aucun intérêt je perde le repos ?
Ce Chien parlait très à propos :
Son raisonnement pouvait être 55
Fort bon dans la bouche d'un Maître;
Mais, n'étant que d'un simple chien,
On trouva qu'il ne valait rien.
On vous sangla le pauvre drille[10].
Toi donc, qui que tu sois, ô père de famille[11] 60
(Et je ne t'ai jamais envié cet honneur),
T'attendre aux yeux d'autrui quand tu dors, c'est erreur.
Couche-toi le dernier, et vois fermer ta porte.
Que si quelque affaire t'importe,
Ne la fais point par procureur[12]. 65

FABLE IV

LE SONGE D'UN HABITANT DU MOGOL[1]

JADIS certain Mogol[2] vit en songe un Vizir
Aux champs Élysiens possesseur d'un plaisir
Aussi pur qu'infini, tant en prix qu'en durée;
Le même songeur vit en une autre contrée
Un Ermite entouré de feux, 5

Qui touchait de pitié même les malheureux.
Le cas parut étrange, et contre l'ordinaire :
Minos[3] en ces deux morts semblait s'être mépris.
Le dormeur s'éveilla, tant il en fut surpris.
Dans ce songe pourtant soupçonnant du mystère,
        Il se fit expliquer l'affaire.
L'interprète lui dit : Ne vous étonnez point;
Votre songe a du sens; et, si j'ai sur ce point
        Acquis tant soit peu d'habitude,
C'est un avis des Dieux. Pendant l'humain séjour,
Ce Vizir quelquefois cherchait la solitude;
Cet Ermite aux Vizirs allait faire sa cour.

Si j'osais ajouter au mot de l'interprète,
J'inspirerais ici l'amour de la retraite :
Elle offre à ses amants des biens sans embarras,
Biens purs, présents du Ciel, qui naissent sous les pas.
Solitude où je trouve une douceur secrète,
Lieux que j'aimai toujours, ne pourrai-je jamais,
Loin du monde et du bruit, goûter l'ombre et le frais[4] ?
Oh ! qui m'arrêtera[5] sous vos sombres asiles !
Quand pourront les neuf Sœurs, loin des cours et des villes,
M'occuper tout entier, et m'apprendre des Cieux
Les divers mouvements inconnus à nos yeux[6],
Les noms et les vertus de ces clartés errantes
Par qui sont nos destins et nos mœurs différentes[7] !
Que si je ne suis né pour de si grands projets,
Du moins que les ruisseaux m'offrent de doux objets !
Que je peigne en mes Vers quelque rive fleurie !
La Parque à filets d'or n'ourdira point[8] ma vie;
Je ne dormirai point sous de riches lambris;
Mais voit-on que le somme en perde de son prix ?
En est-il moins profond, et moins plein de délices ?
Je lui voue au désert de nouveaux sacrifices.
Quand le moment viendra d'aller trouver les morts,
J'aurai vécu sans soins, et mourrai sans remords.

FABLE V

LE LION, LE SINGE, ET LES DEUX ANES[1]

Le Lion, pour bien gouverner,
Voulant apprendre la morale,
Se fit un beau jour amener
Le Singe maître ès arts[2] chez la gent animale.
La première leçon que donna le Régent[3] 5
Fut celle-ci : Grand Roi, pour régner sagement,
Il faut que tout Prince préfère
Le zèle de l'État à certain mouvement[4]
Qu'on appelle communément
Amour propre; car c'est le père, 10
C'est l'auteur de tous les défauts
Que l'on remarque aux animaux.
Vouloir que de tout point ce sentiment vous quitte,
Ce n'est pas chose si petite
Qu'on en vienne à bout en un jour : 15
C'est beaucoup de pouvoir modérer cet amour.
Par là, votre personne auguste
N'admettra jamais rien en soi
De ridicule ni d'injuste.
— Donne-moi, repartit le Roi, 20
Des exemples de l'un et l'autre.
— Toute espèce, dit le docteur,
(Et je commence par la nôtre[5])
Toute profession s'estime dans son cœur,
Traite les autres d'ignorantes, 25
Les qualifie impertinentes[6],
Et semblables discours qui ne nous coûtent rien.
L'amour propre, au rebours, fait qu'au degré suprême
On porte ses pareils; car c'est un bon moyen
De s'élever aussi soi-même. 30
De tout ce que dessus j'argumente[7] très bien
Qu'ici-bas maint talent n'est que pure grimace,
Cabale, et certain art de se faire valoir,
Mieux su des ignorants que des gens de savoir.
L'autre jour, suivant à la trace 35
Deux Anes qui, prenant tour à tour l'encensoir

Se louaient tour à tour, comme c'est la manière,
J'ouïs que l'un des deux disait à son confrère :
Seigneur, trouvez-vous pas bien injuste et bien sot
L'homme, cet animal si parfait ? Il profane
    Notre auguste nom, traitant d'âne
Quiconque est ignorant, d'esprit lourd, idiot :
    Il abuse encore d'un mot,
Et traite notre rire, et nos discours de braire.
Les humains sont plaisants de prétendre exceller
Par-dessus nous; non, non; c'est à vous de parler,
    A leurs Orateurs de se taire :
Voilà les vrais braillards; mais laissons là ces gens :
    Vous m'entendez, je vous entends :
    Il suffit; et quant aux merveilles
Dont votre divin chant vient frapper les oreilles,
Philomèle[8] est au prix novice dans cet Art :
Vous surpassez Lambert[9]. L'autre Baudet repart :
Seigneur, j'admire en vous des qualités pareilles.
Ces Anes, non contents de s'être ainsi grattés[10],
    S'en allèrent dans les Cités
L'un l'autre se prôner : chacun d'eux croyait faire,
En prisant ses pareils, une fort bonne affaire,
Prétendant que l'honneur en reviendrait sur lui.
    J'en connais beaucoup aujourd'hui,
Non parmi les baudets, mais parmi les puissances[11]
Que le Ciel voulut mettre en de plus hauts degrés,
Qui changeraient entre eux les simples excellences[12],
    S'ils osaient, en des majestés.
J'en dis peut-être plus qu'il ne faut, et suppose
Que votre majesté gardera le secret.
Elle avait souhaité d'apprendre quelque trait
    Qui lui fît voir entre autre chose
L'amour propre donnant du ridicule aux gens.
L'injuste aura son tour : il y faut plus de temps.
Ainsi parla ce Singe. On ne m'a pas su dire
S'il traita l'autre point; car il est délicat[13];
Et notre maître ès Arts, qui n'était pas un fat[14],
Regardait ce Lion comme un terrible sire.

FABLE VI

LE LOUP ET LE RENARD[1]

Mais d'où vient qu'au Renard Ésope accorde un point ?
C'est d'exceller en tours pleins de matoiserie[2].
J'en cherche la raison, et ne la trouve point.
Quand le Loup a besoin de défendre sa vie,
Ou d'attaquer celle d'autrui, 5
N'en sait-il pas autant que lui ?
Je crois qu'il en sait plus; et j'oserais peut-être
Avec quelque raison contredire mon maître.
Voici pourtant un cas où tout l'honneur échut
A l'hôte des terriers. Un soir il aperçut 10
La Lune au fond d'un puits : l'orbiculaire[3] image
Lui parut un ample fromage.
Deux seaux alternativement
Puisaient le liquide élément :
Notre Renard, pressé par une faim canine, 15
S'accommode en celui qu'au haut de la machine
L'autre seau tenait suspendu.
Voilà l'animal descendu,
Tiré d'erreur, mais fort en peine,
Et voyant sa perte prochaine. 20
Car comment remonter, si quelque autre affamé,
De la même image charmé,
Et succédant à sa misère,
Par le même chemin ne le tirait d'affaire ?
Deux jours s'étaient passés sans qu'aucun vînt au puits. 25
Le temps qui toujours marche avait pendant deux nuits
Échancré selon l'ordinaire
De l'astre au front d'argent la face circulaire.
Sire Renard était désespéré.
Compère Loup, le gosier altéré, 30
Passe par là; l'autre dit : Camarade,
Je veux vous régaler; voyez-vous cet objet ?
C'est un fromage exquis. Le dieu Faune[4] l'a fait,
La vache Io[5] donna le lait.
Jupiter, s'il était malade, 35
Reprendrait l'appétit en tâtant d'un tel mets.

J'en ai mangé cette échancrure,
Le reste vous sera suffisante pâture.
Descendez dans un seau que j'ai mis là exprès.
Bien qu'au moins mal qu'il pût il ajustât l'histoire,
Le Loup fut un sot de le croire.
Il descend, et son poids, emportant l'autre part,
Reguinde[6] en haut maître Renard.
Ne nous en moquons point : nous nous laissons séduire
Sur aussi peu de fondement;
Et chacun croit fort aisément
Ce qu'il craint et ce qu'il désire.

FABLE VII

LE PAYSAN DU DANUBE[1]

Il ne faut point juger des gens sur l'apparence.
Le conseil en est bon; mais il n'est pas nouveau.
Jadis l'erreur du Souriceau[2]
Me servit à prouver le discours que j'avance.
J'ai, pour le fonder à présent,
Le bon Socrate, Ésope[3], et certain Paysan
Des rives du Danube, homme dont Marc-Aurèle[4]
Nous fait un portrait fort fidèle.
On connaît les premiers : quant à l'autre, voici
Le personnage en raccourci.
Son menton nourrissait une barbe touffue,
Toute sa personne velue
Représentait un Ours, mais un Ours mal léché.
Sous un sourcil épais il avait l'œil caché,
Le regard de travers, nez tortu, grosse lèvre,
Portait sayon de poil de chèvre,
Et ceinture de joncs marins[5].
Cet homme ainsi bâti fut député des Villes
Que lave le Danube : il n'était point d'asiles
Où l'avarice[6] des Romains
Ne pénétrât alors, et ne portât les mains.
Le député vint donc, et fit cette harangue :
Romains, et vous, Sénat, assis pour m'écouter,

Je supplie avant tout les Dieux de m'assister[7] :
Veuillent les Immortels, conducteurs de ma langue, 25
Que je ne dise rien qui doive être repris.
Sans leur aide, il ne peut entrer dans les esprits
Que tout mal et toute injustice :
Faute d'y recourir, on viole leurs lois.
Témoin nous, que punit la Romaine avarice : 30
Rome est par nos forfaits, plus que par ses exploits,
L'instrument de notre supplice.
Craignez, Romains, craignez que le Ciel quelque jour
Ne transporte chez vous les pleurs et la misère;
Et mettant en nos mains par un juste retour 35
Les armes dont se sert sa vengeance sévère,
Il ne vous fasse en sa colère
Nos esclaves à votre tour[8].
Et pourquoi sommes-nous les vôtres ? Qu'on me die
En quoi vous valez mieux que cent peuples divers. 40
Quel droit vous a rendus maîtres de l'Univers ?
Pourquoi venir troubler une innocente vie ?
Nous cultivions en paix d'heureux champs, et nos mains
Étaient propres aux Arts[9] ainsi qu'au labourage :
Qu'avez-vous appris aux Germains ? 45
Ils ont l'adresse et le courage;
S'ils avaient eu l'avidité,
Comme vous, et la violence,
Peut-être en votre place ils auraient la puissance,
Et sauraient en user sans inhumanité. 50
Celle que vos Préteurs ont sur nous exercée
N'entre qu'à peine en la pensée.
La majesté de vos Autels
Elle-même en est offensée;
Car sachez que les immortels 55
Ont les regards sur nous. Grâces à vos exemples,
Ils n'ont devant les yeux que des objets d'horreur,
De mépris d'eux, et de leurs Temples,
D'avarice qui va jusques à la fureur.
Rien ne suffit aux gens qui nous viennent de Rome; 60
La terre, et le travail de l'homme
Font pour les assouvir des efforts superflus.
Retirez-les : on ne veut plus
Cultiver pour eux les campagnes;
Nous quittons les cités, nous fuyons aux montagnes; 65
Nous laissons nos chères compagnes;

Nous ne conversons[10] plus qu'avec des Ours affreux,
Découragés de mettre au jour des malheureux[11],
Et de peupler pour Rome un pays qu'elle opprime.
Quant à nos enfants déjà nés,
Nous souhaitons de voir leurs jours bientôt bornés :
Vos préteurs au malheur nous font joindre le crime.
Retirez-les : ils ne nous apprendront
Que la mollesse et que le vice;
Les Germains comme eux deviendront
Gens de rapine et d'avarice.
C'est tout ce que j'ai vu dans Rome à mon abord :
N'a-t-on point de présent à faire ?
Point de pourpre à donner ? C'est en vain qu'on espère
Quelque refuge aux lois[12] : encor leur ministère
A-t-il mille longueurs. Ce discours, un peu fort
Doit commencer à vous déplaire.
Je finis. Punissez de mort
Une plainte un peu trop sincère.
A ces mots, il se couche[13] et chacun étonné
Admire le grand cœur, le bon sens, l'éloquence,
Du sauvage ainsi prosterné.
On le créa Patrice[14]; et ce fut la vengeance
Qu'on crut qu'un tel discours méritait. On choisit
D'autres préteurs, et par écrit
Le Sénat demanda ce qu'avait dit cet homme,
Pour servir de modèle aux parleurs à venir.
On ne sut pas longtemps à Rome
Cette éloquence entretenir.

FABLE VIII

LE VIEILLARD ET LES TROIS JEUNES HOMMES[1]

Un octogénaire plantait[2].
Passe encor de bâtir; mais planter à cet âge !
Disaient trois jouvenceaux, enfants du voisinage;
Assurément il radotait.
Car, au nom des Dieux, je vous prie,

Quel fruit de ce labeur pouvez-vous recueillir ?
Autant qu'un Patriarche il vous faudrait vieillir.
A quoi bon charger votre vie
Des soins d'un avenir qui n'est pas fait pour vous ?
Ne songez désormais qu'à vos erreurs passées : 10
Quittez le long espoir et les vastes pensées[3];
Tout cela ne convient qu'à nous.
— Il ne convient pas à vous-mêmes,
Repartit le Vieillard. Tout établissement[4]
Vient tard et dure peu. La main des Parques blêmes[5] 15
De vos jours et des miens se joue également.
Nos termes sont pareils par leur courte durée.
Qui de nous des clartés de la voûte azurée
Doit jouir le dernier ? Est-il aucun moment
Qui vous puisse assurer d'un second seulement ? 20
Mes arrière-neveux me devront cet ombrage[6] :
Eh bien défendez-vous au Sage
De se donner des soins pour le plaisir d'autrui ?
Cela même est un fruit que je goûte aujourd'hui :
J'en puis jouir demain, et quelques jours encore; 25
Je puis enfin compter l'Aurore
Plus d'une fois sur vos tombeaux.
Le Vieillard eut raison; l'un des trois jouvenceaux
Se noya dès le port allant à l'Amérique;
L'autre, afin de monter aux grandes dignités, 30
Dans les emplois de Mars servant la République,
Par un coup imprévu vit ses jours emportés.
Le troisième tomba d'un arbre
Que lui-même il voulut enter;
Et pleurés du Vieillard, il grava sur leur marbre 35
Ce que je viens de raconter.

FABLE IX

LES SOURIS ET LE CHAT-HUANT[1]

Il ne faut jamais dire aux gens :
Écoutez un bon mot, oyez une merveille.
Savez-vous si les écoutants
En feront une estime à la vôtre pareille ?

Voici pourtant un cas qui peut être excepté :
Je le maintiens prodige, et tel que d'une fable
Il a l'air et les traits, encor que véritable.
On abattit un pin pour son antiquité,
Vieux Palais d'un hibou, triste et sombre retraite
De l'oiseau qu'Atropos[2] prend pour son interprète.
Dans son tronc caverneux, et miné par le temps,
    Logeaient, entre autres habitants,
Force Souris sans pieds, toutes rondes de graisse.
L'Oiseau les nourrissait parmi des tas de blé,
Et de son bec avait leur troupeau mutilé;
Cet Oiseau raisonnait, il faut qu'on le confesse.
En son temps aux Souris le compagnon chassa.
Les premières qu'il prit du logis échappées,
Pour y remédier, le drôle estropia
Tout ce qu'il prit ensuite. Et leurs jambes coupées
Firent qu'il les mangeait à sa commodité,
    Aujourd'hui l'une, et demain l'autre.
Tout manger à la fois, l'impossibilité
S'y trouvait, joint aussi le soin de sa santé.
Sa prévoyance allait aussi loin que la nôtre :
    Elle allait jusqu'à leur porter
    Vivres et grains pour subsister.
    Puis, qu'un Cartésien s'obstine
A traiter ce Hibou de montre et de machine !
    Quel ressort lui pouvait donner
Le conseil de tronquer un peuple mis en mue[3] ?
    Si ce n'est pas là raisonner,
    La raison m'est chose inconnue.
    Voyez que d'arguments il fit :
    Quand ce peuple est pris, il s'enfuit :
Donc il faut le croquer aussitôt qu'on le happe.
Tout : il est impossible. Et puis, pour le besoin
N'en dois-je pas garder ? Donc il faut avoir soin
    De le nourrir sans qu'il échappe.
Mais comment ? Otons-lui les pieds. Or, trouvez-moi
Chose par les humains à sa fin mieux conduite.
Quel autre art de penser Aristote et sa suite
    Enseignent-ils, par votre foi ?

Ceci n'est point une fable; et la chose, quoique merveilleuse et presque incroyable, est véritablement arrivée. J'ai peut-être porté trop loin la prévoyance de ce Hibou; car je ne prétends pas établir dans les bêtes un progrès de raisonnement tel que celui-ci; mais ces exagérations sont permises à la poésie, surtout dans la manière d'écrire dont je me sers.

ÉPILOGUE[1]

C'EST ainsi que ma Muse, aux bords d'une onde pure,
Traduisait en langue des Dieux[2]
Tout ce que disent sous les cieux
Tant d'êtres empruntants la voix de la nature.
Trucheman de peuples divers, 5
Je les faisais servir d'Acteurs en mon ouvrage;
Car tout parle dans l'Univers;
Il n'est rien qui n'ait son langage.
Plus éloquents chez eux qu'ils ne sont dans mes Vers,
Si ceux que j'introduis me trouvent peu fidèle, 10
Si mon œuvre n'est pas un assez bon modèle,
J'ai du moins ouvert le chemin :
D'autres pourront y mettre une dernière main.
Favoris des neuf Sœurs, achevez l'entreprise :
Donnez mainte leçon que j'ai sans doute omise; 15
Sous ces inventions il faut l'envelopper :
Mais vous n'avez que trop de quoi vous occuper :
Pendant le doux emploi de ma Muse innocente,
Louis dompte l'Europe, et d'une main puissante
Il conduit à leur fin les plus nobles projets 20
Qu'ait jamais formés un Monarque[3].
Favoris des neuf Sœurs, ce sont là des sujets
Vainqueurs du temps et de la Parque.

LIVRE DOUZIÈME

LIVRE DOUZIÈME

A MONSEIGNEUR LE DUC DE BOURGOGNE[1]

MONSEIGNEUR,

JE ne puis employer pour mes Fables de protection qui me soit plus glorieuse que la vôtre. Ce goût exquis et ce jugement si solide que vous faites paraître dans toutes choses au delà d'un âge où à peine les autres Princes sont-ils touchés de ce qui les environne avec le plus d'éclat, tout cela, joint au devoir de vous obéir et à la passion de vous plaire, m'a obligé de vous présenter un Ouvrage dont l'original a été l'admiration de tous les siècles aussi bien que celle de tous les sages. Vous m'avez même ordonné de continuer; et, si vous me permettez de le dire, il y a des sujets dont je vous suis redevable[2] et où vous avez jeté des grâces qui ont été admirées de tout le monde. Nous n'avons plus besoin de consulter ni Apollon ni les Muses, ni aucune des Divinités du Parnasse : elles se rencontrent toutes dans les présents que vous a faits la Nature, et dans cette science de bien juger des Ouvrages de l'esprit, à quoi vous joignez déjà celle de connaître toutes les règles qui y conviennent. Les Fables d'Ésope sont une ample matière pour ces talents; elles embrassent toutes sortes d'événements et de caractères. Ces mensonges sont proprement une manière d'histoire où on ne flatte personne. Ce ne sont pas choses de peu d'importance que ces sujets. Les Animaux sont les précepteurs des Hommes dans mon Ouvrage. Je ne m'étendrai pas davantage là-dessus : vous voyez mieux que moi le profit qu'on en peut tirer. Si Vous vous connaissez maintenant en Orateurs et en Poètes, vous vous connaîtrez encore mieux quelque jour en bons Politiques et en bons Généraux d'Armée; et vous vous tromperez aussi peu au choix des Personnes qu'au mérite des Actions. Je ne suis pas d'un âge à espérer d'en être témoin[3]. Il faut que je me contente de travailler sous vos ordres. L'envie de vous plaire me tiendra lieu d'une imagination que les ans ont affaiblie. Quand vous souhaiterez quelque Fable, je la trouverai dans ce fonds-là. Je voudrais bien que vous y puissiez trouver des louanges dignes du Monarque qui fait maintenant le destin de tant de Peuples et de Nations, et qui rend toutes les parties du Monde attentives à ses Conquêtes, à ses Victoires, et à la Paix qui semble se rapprocher, et dont il impose les conditions avec toute la modération que peuvent souhaiter nos Ennemis[4]. Je me le figure comme un Conquérant qui veut mettre des bornes à sa Gloire et à sa Puissance, et de qui on pourrait dire, à meilleur titre qu'on ne l'a dit d'Alexandre, qu'il va tenir les États de l'Univers, en obligeant les Ministres de tant de Princes de s'assembler pour terminer une guerre qui ne peut être que ruineuse à leurs Maîtres. Ce sont des sujets au-dessus de nos paroles : je les laisse à de meilleures Plumes que la mienne, et suis avec un profond respect,

MONSEIGNEUR,

Votre très humble, très obéissant,
et très fidèle serviteur,

DE LA FONTAINE.

FABLE I

LES COMPAGNONS D'ULYSSE*[1]

A MONSEIGNEUR LE DUC DE BOURGOGNE

PRINCE, l'unique objet du soin des Immortels,
Souffrez que mon encens parfume vos Autels.
Je vous offre un peu tard ces Présents de ma Muse;
Les ans et les travaux[a] me serviront d'excuse :
Mon esprit diminue, au lieu qu'à chaque instant 5
On aperçoit le vôtre aller en augmentant.
Il ne va pas, il court, il semble[b] avoir des ailes.
Le Héros[2] dont il tient des qualités si belles
Dans le métier de Mars brûle d'en faire autant :
Il ne tient pas à lui que, forçant la victoire, 10
Il ne marche à pas de géant
Dans la carrière de la Gloire.
Quelque Dieu le retient : c'est notre Souverain,
Lui qu'un mois a rendu maître et vainqueur du Rhin;
Cette rapidité fut alors nécessaire : 15
Peut-être elle serait aujourd'hui téméraire.
Je m'en tais; aussi bien les Ris et les Amours
Ne sont pas soupçonnés d'aimer les longs discours.
De ces sortes de Dieux votre Cour se compose.
Ils ne vous quittent point. Ce n'est pas qu'après tout 20
D'autres Divinités n'y tiennent le haut bout :
Le sens et la raison y règlent toute chose.
Consultez ces derniers sur un fait où les Grecs,
Imprudents et peu circonspects,
S'abandonnèrent à des charmes[3] 25
Qui métamorphosaient en bêtes les humains.

* Texte : Première édition : *Mercure galant,* déc. 1690.
a. mes travaux (M. G.)
b. et semble (M. G.)

Les Compagnons d'Ulysse, après dix ans d'alarmes,
Erraient au gré du vent, de leur sort incertains.
Ils abordèrent un rivage
Où la fille du dieu du jour,
Circé[4], tenait alors sa Cour.
Elle leur fit prendre un breuvage
Délicieux, mais plein d'un funeste poison.
D'abord ils perdent la raison;
Quelques moments après, leur corps et leur visage
Prennent l'air et les traits d'animaux différents[5].
Les voilà devenus Ours, Lions, Éléphants;
Les uns sous une masse énorme,
Les autres sous une autre forme;
Il s'en vit de petits, *exemplum*, *ut talpa*[6].
Le seul Ulysse en échappa.
Il sut se défier de la liqueur traîtresse.
Comme il joignait à la sagesse
La mine d'un Héros et le doux entretien,
Il fit tant que l'Enchanteresse
Prit un autre poison peu différent du sien.
Une Déesse dit tout ce qu'elle a dans l'âme :
Celle-ci déclara sa flamme.
Ulysse était trop fin pour ne pas profiter
D'une pareille conjoncture.
Il obtint qu'on rendrait à ces Grecs leur figure.
Mais la voudront-ils bien, dit la Nymphe, accepter ?
Allez le proposer de ce pas à la troupe.
Ulysse y court, et dit : L'empoisonneuse coupe
A son remède encore; et je viens vous l'offrir :
Chers amis, voulez-vous hommes redevenir ?
On vous rend déjà la parole.
Le Lion dit, pensant rugir :
Je n'ai pas la tête si folle;
Moi renoncer aux dons que je viens d'acquérir ?
J'ai griffe et dent, et mets en pièces qui m'attaque.
Je suis Roi : deviendrai-je un Citadin d'Ithaque ?
Tu me rendras[a] peut-être encor simple Soldat :
Je ne veux point changer d'état.
Ulysse du Lion court à l'Ours : Eh ! mon frère,
Comme te voilà fait ! je t'ai vu si joli !

---

a. Tu me *rendrois* (M. G.)

— Ah ! vraiment nous y voici,
Reprit l'Ours à sa manière.
Comme me voilà fait ? comme doit être un ours.
Qui t'a dit qu'une forme est plus belle qu'une autre[a] ? 70
Est-ce à la tienne à juger de la nôtre ?
Je me rapporte aux yeux d'une Ourse mes amours.
Te déplais-je ? va-t'en, suis ta route et me laisse :
Je vis libre, content, sans nul soin qui me presse;
Et te dis tout net et tout plat[7] : 75
Je ne veux point changer d'état.
Le prince grec au Loup va proposer l'affaire;
Il lui dit, au hasard d'un semblable refus :
Camarade, je suis confus
Qu'une jeune et belle[b] Bergère 80
Conte aux échos les appétits gloutons
Qui t'ont fait manger ses moutons.
Autrefois on t'eût vu sauver sa bergerie :
Tu menais une honnête vie.
Quitte ces bois, et redevien, 85
Au lieu de loup, homme de bien.
— En est-il ? dit le Loup. Pour moi, je n'en vois guère[c].
Tu t'en viens me traiter de bête carnassière :
Toi qui parle, qu'es-tu ? N'auriez-vous pas sans moi
Mangé ces animaux que plaint tout le Village ? 90
Si j'étais Homme, par ta foi,
Aimerais-je moins le carnage ?
Pour un mot quelquefois vous vous étranglez tous :
Ne vous êtes-vous pas l'un à l'autre des Loups[8] ?
Tout bien considéré, je te soutiens en somme 95
Que scélérat pour scélérat,
Il vaut mieux être un Loup qu'un Homme :
Je ne veux point changer d'état.
Ulysse fit à tous une même semonce[9],
Chacun d'eux fit même réponce, 100
Autant le grand que le petit.
La liberté, les bois, suivre leur appétit,
C'était leurs délices suprêmes :
Tous renonçaient au lôs[10] des belles actions.

---

*a. que l'*autre (M. G.)
b. belle et jeune (M. G.)
c. Laissons cette matière (M. G.)

Ils croyaient s'affranchir suivants leurs passions,
Ils étaient esclaves d'eux-mêmes.
Prince, j'aurais voulu vous choisir un sujet
Où je pusse mêler le plaisant à l'utile :
C'était sans doute un beau projet
Si ce choix[a] eût été facile.
Les compagnons d'Ulysse enfin se sont offerts.
Ils ont force pareils en ce bas Univers :
Gens à qui j'impose pour peine
Votre censure et votre haine[b].

FABLE II

LE CHAT ET LES DEUX MOINEAUX[1]

A MONSEIGNEUR LE DUC DE BOURGOGNE

Un Chat contemporain d'un fort jeune Moineau
Fut logé près de lui dès l'âge du berceau;
La Cage et le Panier avaient mêmes Pénates.
Le Chat était souvent agacé par l'Oiseau :
L'un s'escrimait du bec, l'autre jouait des pattes.
Ce dernier toutefois épargnait son ami.
Ne le corrigeant qu'à demi
Il se fût fait un grand scrupule
D'armer de pointes sa férule.
Le Passereau moins circonspect,
Lui donnait force coups de bec.
En sage et discrète[2] personne,

---

a. Si *la chose* (M. G.)

b. Le texte du *Mercure* comportait six vers que La Fontaine a supprimés en 1694 :

Vous raisonnez sur tout : les Ris et les Amours
Tiennent souvent chez vous de solides discours :
Je leur veux proposer bientôt une matière
Noble, d'un très grand art, convenable aux héros ;
C'est la louange ; ses propos
Sont faits pour occuper votre âme toute entière.

Maître Chat excusait ces jeux :
Entre amis, il ne faut jamais qu'on s'abandonne
Aux traits d'un courroux sérieux. 15
Comme ils se connaissaient tous deux dès leur bas âge,
Une longue habitude en paix les maintenait;
Jamais en vrai combat le jeu ne se tournait;
Quand un Moineau du voisinage
S'en vint les visiter, et se fit compagnon 20
Du pétulant Pierrot et du sage Raton.
Entre les deux oiseaux il arriva querelle;
Et Raton de prendre parti.
Cet inconnu, dit-il, nous la vient donner belle
D'insulter ainsi notre ami ! 25
Le Moineau du voisin viendra manger le nôtre ?
Non, de par tous les Chats ! Entrant lors au combat,
Il croque l'étranger. Vraiment, dit maître Chat,
Les Moineaux ont un goût exquis et délicat !
Cette réflexion fit aussi croquer l'autre. 30
Quelle Morale puis-je inférer de ce fait ?
Sans cela toute Fable est un œuvre[3] imparfait.
J'en crois voir quelques traits; mais leur ombre m'abuse,
Prince, vous les aurez incontinent trouvés :
Ce sont des jeux pour vous, et non point pour ma Muse; 35
Elle et ses Sœurs n'ont pas l'esprit que vous avez.

FABLE III

DU THÉSAURISEUR ET DU SINGE*[1]

Un Homme accumulait. On sait que cette erreur
Va souvent jusqu'à la fureur[a].
Celui-ci ne songeait que Ducats[2] et Pistoles.
Quand ces biens sont oisifs, je tiens qu'ils sont frivoles.

---

* Publication : *Mercure galant,* mars 1691. Ce premier état du texte repris dans les *Œuvres posthumes*.

a. Un homme *accumulant* (On sait que cette *ardeur*
Va *toujours* jusqu'à la fureur)
(M. G. et O. P.)

Pour sûreté de son Trésor,
Notre Avare habitait un lieu dont Amphitrite[3]
Défendait aux voleurs de toutes parts l'abord.
Là d'une volupté [4] selon moi fort petite,
Et selon lui fort grande, il entassait toujours :
Il passait les nuits et les jours
A compter, calculer, supputer sans relâche,
Calculant, supputant, comptant comme à la tâche :
Car il trouvait toujours[a] du mécompte à son fait.
Un gros Singe plus sage, à mon sens, que son maître,
Jetait quelque Doublon toujours[b] par la fenêtre,
Et rendait le compte imparfait :
La chambre, bien cadenassée,
Permettait de laisser l'argent sur le comptoir.
Un beau jour dom Bertrand[5] se mit dans la pensée
D'en faire un sacrifice au liquide manoir.
Quant à moi, lorsque je compare
Les plaisirs de ce Singe à ceux de cet Avare,
Je ne sais bonnement auxquels[c] donner le prix.
Dom Bertrand gagnerait près de certains esprits;
Les raisons en seraient trop longues à déduire.
Un jour donc l'animal, qui ne songeait qu'à nuire,
Détachait du monceau, tantôt quelque Doublon,
Un Jacobus, un Ducaton,
Et puis quelque Noble à la rose;
Éprouvait son adresse et sa force à jeter
Ces morceaux de métal qui se font souhaiter
Par les humains sur toute chose.
S'il n'avait entendu son Compteur à la fin
Mettre la clef dans la serrure,
Les Ducats auraient tous pris le même chemin,
Et couru la même aventure;
Il les aurait fait tous voler jusqu'au dernier[d]

---

a. *souvent* (M. G. et O. P.)
b. *quelques doublons souvent* (M. G. et O. P.)
c. *auquel* (M. G. et O. D.)
d. Un jour donc l'Animal, qui ne songeait qu'à nuire,
S'il n'eût ouï l'Homme rentrer,
Eût jeté, sans considérer
L'estime que l'on fait des biens de cette espèce,
Tous ces beaux ducats pièce à pièce ;
Il les eût fait voler tous jusques au dernier
(M. G. et O. D.)

Dans le gouffre enrichi par maint et maint naufrage.
Dieu veuille préserver maint et maint Financier
Qui n'en fait[a] pas meilleur usage. 40

FABLE IV

LES DEUX CHÈVRES*[1]

Dès que les Chèvres ont brouté,
Certain esprit de liberté
Leur fait chercher fortune; elles vont en voyage
Vers les endroits du pâturage
Les moins fréquentés des humains. 5
Là s'il est quelque lieu sans route et sans chemins,
Un rocher, quelque mont pendant en précipices,
C'est où ces Dames vont promener leurs caprices[b];
Rien ne peut arrêter cet animal grimpant.
Deux Chèvres donc s'émancipant, 10
Toutes deux ayant patte blanche,
Quittèrent les bas prés, chacune de sa part.
L'une vers l'autre allait[e] pour quelque bon hasard.
Un ruisseau se rencontre, et pour pont une planche.

---

a. *font* (O. D.)

* Les deux Chèvres. Texte. Un premier état du texte dans le *Mercure galant,* mars 1691 et les *Œuvres posthumes*.

b. *Les Chèvres ont une propriété*
C'est qu'ayant fort longtemps brouté,
Elles prennent l'essor et s'en vont en voyage
Vers les endroits du pâturage
Inaccessibles aux humains.
Est-il quelque lieu[c] *sans chemins,*
Quelque rocher, un mont[d] *pendant en précipices*
Mesdames s'en vont là promener leurs caprices (M. G.)

c. *quelques lieux* (O. P.)

d. *ou mont* (O. P.)

e. Quittèrent *certains prés ; chacune de sa part*
L'une vers l'autre allait (M. G. et O. P.)

Deux Belettes à peine auraient passé de front
Sur ce pont;
D'ailleurs, l'onde rapide et le ruisseau profond
Devaient faire trembler de peur ces Amazones[a].
Malgré tant de dangers, l'une de ces personnes
Pose un pied sur la planche, et l'autre en fait autant.
Je m'imagine voir avec Louis le Grand
Philippe Quatre qui s'avance
Dans l'île de la Conférence[2].
Ainsi s'avançaient pas à pas,
Nez à nez, nos Aventurières,
Qui, toutes deux étant fort fières,
Vers le milieu du pont ne se voulurent pas
L'une à l'autre céder. Elles avaient la gloire
De compter dans leur race (à ce que dit l'Histoire)
L'une certaine Chèvre au mérite sans pair
Dont Polyphème fit présent à Galatée[b][3],
Et l'autre la chèvre Amalthée,
Par qui fut nourri Jupiter.
Faute de reculer, leur chute fut commune;
Toutes deux tombèrent dans[c] l'eau.
Cet accident n'est pas nouveau
Dans le chemin de la Fortune.

A MONSEIGNEUR LE DUC DE BOURGOGNE,

qui avait demandé à M. de la Fontaine
une fable qui fût nommée *le Chat et la Souris.*

POUR plaire au jeune Prince à qui la Renommée
Destine un Temple en mes Écrits,
Comment composerai-je une Fable nommée
Le Chat et la Souris ?

---

a. *nos amazones* (M. G. et O. P.)
b. *Sur le milieu du pont ne se voulurent pas*
L'une à l'autre céder, ayant pour devancières,
L'une, certaine Chèvre, au mérite sans pair,
Dont Polyphème fit présent à Galatée (M. G. et O. P.)
c. *à* (M. G. et O. P.)

B.N. Imprimés

Les deux chèvres
Illustration extraite des *Fables de La Fontaine*
avec les dessins de Gustave Doré, Paris, L. Hachette, 1868

Cl. B.N.

Dois-je représenter dans ces Vers une belle 5
Qui, douce en apparence, et toutefois cruelle,
Va se jouant des cœurs que ses charmes ont pris
Comme le Chat et la Souris ?

Prendrai-je pour sujet les jeux de la Fortune ?
Rien ne lui convient mieux, et c'est chose commune 10
Que de lui voir traiter ceux qu'on croit ses amis
Comme le Chat fait la Souris,

Introduirai-je un Roi qu'entre ses favoris
Elle respecte seul, Roi qui fixe sa roue,
Qui n'est point empêché d'un monde d'Ennemis, 15
Et qui des plus puissants, quand il lui plaît, se joue
Comme le Chat de la Souris ?

Mais insensiblement, dans le tour que j'ai pris,
Mon dessein se rencontre; et si je ne m'abuse,
Je pourrais tout gâter par de plus longs récits. 20
Le jeune Prince alors se jouerait de ma Muse
Comme le Chat de la Souris.

FABLE V

LE VIEUX CHAT ET LA JEUNE SOURIS*[1]

Une jeune Souris de peu d'expérience
Crut fléchir un vieux Chat, implorant sa clémence,
Et payant de raisons le Raminagrobis :
Laissez-moi vivre : une Souris
De ma taille et de ma dépense 5
Est-elle à charge en ce logis ?
Affamerais-je[a], à votre avis,
L'Hôte et l'Hôtesse, et tout leur monde ?

* Texte : Première édition : *Fables,* 1694. Dans les *Œuvres posthumes* elle est donnée comme inédite, à tort.

a. *Affamerai*-je (O. P.)

D'un grain de blé je me nourris;
Une noix me rend toute ronde. 1
A présent je suis maigre; attendez quelque temps.
Réservez ce repas à messieurs vos Enfants.
Ainsi parlait au Chat la Souris attrapée.
L'autre lui dit : Tu t'es trompée.
Est-ce à moi que l'on tient de semblables discours ? 1
Tu gagnerais autant de parler à des sourds.
Chat, et vieux, pardonner ? cela n'arrive guères.
Selon ces lois, descends là-bas,
Meurs, et va-t'en, tout de ce pas,
Haranguer les sœurs Filandières[2]. 2
Mes Enfants trouveront assez d'autres repas.
Il tint parole; Et pour ma Fable
Voici le sens moral qui peut y convenir :
La jeunesse se flatte, et croit tout obtenir;
La vieillesse est impitoyable. 25

FABLE VI

LE CERF MALADE[1]

En pays pleins[2] de Cerfs un Cerf tomba malade.
Incontinent maint camarade
Accourt à son grabat le voir, le secourir,
Le consoler du moins : multitude importune.
Eh ! Messieurs, laissez-moi mourir. 5
Permettez qu'en forme commune
La parque m'expédie, et finissez vos pleurs.
Point du tout : les Consolateurs
De ce triste devoir tout au long s'acquittèrent;
Quand il plut à Dieu s'en allèrent. 10
Ce ne fut pas sans boire un coup,
C'est-à-dire sans prendre un droit de pâturage.
Tout se mit à brouter les bois du voisinage.
La pitance du Cerf en déchut de beaucoup;
Il ne trouva plus rien à frire. 15
D'un mal il tomba dans un pire,
Et se vit réduit à la fin

B.N. Estampes *Cl. B.N.*

Le cerf malade

Gravure par J.-J. Grandville pour les *Fables de La Fontaine*, Paris, H. Fournier, 1838-1840

A jeûner et mourir de faim.
Il en coûte à qui vous réclame,
Médecins du corps et de l'âme. 20
O temps, ô mœurs ! J'ai beau crier,
Tout le monde se fait payer.

FABLE VII

LA CHAUVE-SOURIS, LE BUISSON, ET LE CANARD[1]

Le Buisson, le Canard, et la Chauve-Souris,
Voyant tous trois qu'en leur pays
Ils faisaient petite fortune,
Vont trafiquer au loin, et font bourse commune.
Ils avaient des Comptoirs, des Facteurs, des Agents 5
Non moins soigneux qu'intelligents,
Des Registres exacts de mise[2] et de recette.
Tout allait bien; quand leur emplette,
En passant par certains endroits
Remplis d'écueils, et fort étroits, 10
Et de Trajet très difficile,
Alla tout emballée au fond des magasins
Qui du Tartare sont voisins.
Notre Trio poussa maint regret inutile;
Ou plutôt il n'en poussa point, 15
Le plus petit Marchand est savant sur ce point;
Pour sauver son crédit, il faut cacher sa perte.
Celle que par malheur nos gens avaient soufferte
Ne put se réparer : le cas fut découvert.
Les voilà sans crédit, sans argent, sans ressource, 20
Prêts à porter le bonnet vert[3].
Aucun ne leur ouvrit sa bourse.
Et le sort[4] principal, et les gros intérêts,
Et les Sergents[5], et les procès,
Et le créancier à la porte, 25
Dès devant la pointe du jour,
N'occupaient le Trio qu'à chercher maint détour
Pour contenter cette cohorte.

Le Buisson accrochait les passants à tous coups.
Messieurs, leur disait-il, de grâce, apprenez-nous
En quel lieu sont les marchandises
Que certains gouffres nous ont prises.
Le plongeon[6] sous les eaux s'en allait les chercher.
L'oiseau Chauve-Souris n'osait plus approcher
Pendant le jour nulle demeure :
Suivi de Sergents à toute heure,
En des trous il s'allait cacher.
Je connais maint detteur[7] qui n'est ni souris-chauve[8],
Ni Buisson, ni Canard, ni dans tel cas tombé,
Mais simple grand Seigneur, qui tous les jours se sauve
Par un escalier dérobé.

FABLE VIII

LA QUERELLE DES CHIENS ET DES CHATS, ET CELLE DES CHATS ET DES SOURIS*[1]

La Discorde[2] a toujours régné dans l'Univers;
Notre monde en fournit mille exemples divers :
Chez nous cette Déesse a plus d'un Tributaire[3].
Commençons par les Éléments[4] :
Vous serez étonnés de voir qu'à tous moments
Ils seront appointés contraire[a 5].
Outre ces quatre potentats,

---

* Texte : Les *Œuvres Posthumes* donnent un premier état du texte.

a. *La Discorde aux yeux de travers*
Reine du monde sublunaire,
Rit de voir que notre Univers
Est devenu son tributaire.
Commençons par les Éléments :
Vous trouverez qu'à tous moments
Ils sont en appointé contraire. (O. P.)

Combien d'êtres de tous états
Se font une guerre éternelle !
Autrefois un logis plein de Chiens et de Chats, 10
Par cent Arrêts rendus en forme solennelle[6],
Vit terminer tous leurs débats.
Le Maître ayant réglé leurs emplois[a], leurs Repas,
Et menacé du fouet quiconque aurait querelle,
Ces animaux vivaient entr'eux comme cousins. 15
Cette union[b] si douce, et presque fraternelle,
Édifiait tous les voisins.
Enfin elle cessa. Quelque plat[c] de potage[7],
Quelque os par préférence à quelqu'un d'eux donné,
Fit que l'autre parti s'en vint[d] tout forcené 20
Représenter[8] un tel outrage.
J'ai vu des chroniqueurs attribuer le cas
Aux passe-droits qu'avait une chienne en gésine.
Quoi qu'il en soit, cet altercas[9]
Mit en combustion la salle et la cuisine; 25
Chacun se déclara pour son Chat, pour son Chien.
On fit un Règlement dont les Chats se plaignirent,
Et tout le quartier étourdirent.
Leur Avocat disait qu'il fallait bel et bien
Recourir aux Arrêts. En vain ils les cherchèrent. 30
Dans un coin où d'abord leurs Agents les cachèrent,
Les Souris enfin les mangèrent[e].
Autre procès nouveau : Le peuple Souriquois
En pâtit. Maint vieux Chat, fin, subtil, et narquois[10],
Et d'ailleurs en voulant à toute cette race, 35
Les guetta, les prit, fit main basse[11]
Le Maître du logis ne s'en trouva que mieux.
J'en reviens à mon dire. On ne voit, sous les Cieux
Nul animal, nul être, aucune Créature,
Qui n'ait son opposé : c'est la loi de Nature. 40
D'en chercher la raison, ce sont soins superflus.

---

a. *leur emploi* (O. P.)
b. *Une* union (O. P.)
c. quelque *plus* (O. P.)
d. s'en *vient* (O. P.)
e. ... *En vain ils les cherchèrent :*
Car en certain cabas où leurs gens les cachèrent,
Les Souris enfin les mangèrent.

Dieu fit bien ce qu'il fit, et je n'en sais pas plus.
Ce que je sais, c'est qu'aux grosses paroles[a]
On en vient sur un rien, plus des trois quarts du temps.
Humains, il vous faudrait encore à soixante ans
Renvoyer chez les Barbacoles[12].

FABLE IX

LE LOUP ET LE RENARD[1]

D'ou vient que personne en la vie
N'est satisfait de son état ?
Tel voudrait bien être Soldat
A qui le Soldat porte envie[2].

Certain Renard voulut, dit-on,
Se faire Loup. Hé ! qui peut dire
Que pour le métier de Mouton
Jamais aucun Loup ne soupire ?

Ce qui m'étonne est qu'à huit ans
Un Prince en Fable ait mis la chose,
Pendant que sous mes cheveux blancs
Je fabrique à force de temps
Des Vers moins sensés que sa Prose.

Les traits dans sa Fable semés
Ne sont en l'ouvrage du poète[3]
Ni tous, ni si bien exprimés.
Sa louange en est plus complète.

De la chanter sur la Musette,
C'est mon talent; mais je m'attends
Que mon Héros, dans peu de temps,
Me fera prendre la trompette[4].

---

a. *Ce que j'ai toujours vu,* c'est qu'aux grosses paroles

Je ne suis pas un grand Prophète;
Cependant je lis dans les Cieux
Que bientôt ses faits glorieux
Demanderont plusieurs Homères; 25
Et ce temps-ci n'en produit guères.
Laissant à part tous ces mystères,
Essayons de conter la Fable avec succès.

Le Renard dit au Loup : Notre cher, pour tous mets
J'ai souvent un vieux Coq, ou de maigres Poulets; 30
C'est une viande qui me lasse.
Tu fais meilleure chère avec moins de hasard.
J'approche des maisons, tu te tiens à l'écart.
Apprends-moi ton métier, Camarade, de grâce;
Rends-moi le premier de ma race 35
Qui fournisse son croc de quelque Mouton gras :
Tu ne me mettras point au nombre des ingrats.
— Je le veux, dit le Loup; il m'est mort un mien frère :
Allons prendre sa peau, tu t'en revêtiras.
Il vint, et le Loup dit : Voici comme il faut faire, 40
Si tu veux écarter les Mâtins du troupeau.
Le Renard, ayant mis la peau,
Répétait les leçons que lui donnait son maître.
D'abord il s'y prit mal, puis un peu mieux, puis bien;
Puis enfin il n'y manqua rien. 45
A peine il fut instruit autant qu'il pouvait l'être,
Qu'un Troupeau s'approcha. Le nouveau Loup y court
Et répand la terreur dans les lieux d'alentour.
Tel, vêtu des armes d'Achille,
Patrocle[5] mit l'alarme au Camp et dans la Ville : 50
Mères, Brus et Vieillards au Temple couraient tous.
L'ost au Peuple bêlant[6] crut voir cinquante Loups.
Chien, Berger, et Troupeau, tout fuit vers le Village,
Et laisse seulement une Brebis pour gage.
Le larron s'en saisit. A quelque pas de là 55
Il entendit chanter un Coq du voisinage.
Le Disciple aussitôt droit au Coq s'en alla,
Jetant bas sa robe de classe,
Oubliant les Brebis, les leçons, le Régent,
Et courant d'un pas diligent. 60
Que sert-il qu'on se contrefasse ?
Prétendre ainsi changer est une illusion :
L'on reprend sa première trace

A la première occasion.
De votre esprit, que nul autre n'égale, 65
Prince, ma Muse tient tout entier ce projet :
Vous m'avez donné le sujet,
Le dialogue, et la morale.

FABLE X

L'ÉCREVISSE ET SA FILLE[1]

Les Sages quelquefois, ainsi que l'Écrevisse,
Marchent à reculons, tournent le dos au port.
C'est l'art des Matelots; c'est aussi l'artifice
De ceux qui, pour couvrir quelque puissant effort,
Envisagent un point directement contraire, 5
Et font vers ce lieu-là courir leur adversaire.
Mon sujet est petit, cet accessoire[2] est grand.
Je pourrais l'appliquer à certain Conquérant
Qui tout seul déconcerte une Ligue à cent têtes[3].
Ce qu'il n'entreprend pas, et ce qu'il entreprend, 10
N'est d'abord qu'un secret[4], puis devient des conquêtes.
En vain l'on a les yeux sur ce qu'il veut cacher;
Ce sont arrêts du sort qu'on ne peut empêcher :
Le torrent, à la fin, devient insurmontable.
Cent dieux sont impuissants contre un seul Jupiter. 15
Louis et le Destin me semblent de concert
Entraîner l'Univers. Venons à notre Fable.

Mère Écrevisse un jour à sa Fille disait :
Comme tu vas, bon Dieu ! ne peux-tu marcher droit ?
— Et comme vous allez vous-même ! dit la fille. 20
Puis-je autrement marcher que ne fait ma famille ?
Veut-on que j'aille droit quand on y va tortu ?
Elle avait raison; la vertu
De tout exemple domestique
Est universelle, et s'applique 25
En bien, en mal, en tout; fait des sages, des sots :
Beaucoup plus de ceux-ci. Quant à tourner le dos
A son but, j'y reviens; la méthode en est bonne,
Surtout au métier de Bellone;
Mais il faut le faire à propos. 30

B.N. Estampes — *Cl. B.N.*

L'écrevisse et sa fille
Gravure par J.-J. Grandville pour les *Fables de La Fontaine*,
Paris, H. Fournier, 1838-1840

FABLE XI

L'AIGLE ET LA PIE[1]

L'Aigle, Reine des airs, avec Margot la Pie,
Différentes d'humeur, de langage, et d'esprit
Et d'habit,
Traversaient un bout de prairie.
Le hasard les assemble en un coin détourné. 5
L'Agasse[2] eut peur; mais l'Aigle, ayant fort bien dîné,
La rassure, et lui dit : Allons de compagnie;
Si le Maître des Dieux assez souvent s'ennuie,
Lui qui gouverne l'Univers,
J'en puis bien faire autant, moi qu'on sait qui le sers. 10
Entretenez-moi donc, et sans cérémonie.
Caquet bon-bec[3] alors de jaser au plus dru,
Sur ceci, sur cela, sur tout. L'homme d'Horace[4],
Disant le bien, le mal, à travers champs[5], n'eût su
Ce qu'en fait de babil y savait notre Agasse. 15
Elle offre d'avertir de tout ce qui se passe,
Sautant, allant de place en place,
Bon espion, Dieu sait. Son offre ayant déplu,
L'Aigle lui dit tout en colère :
Ne quittez point votre séjour, 20
Caquet bon-bec, ma mïe : adieu. Je n'ai que faire
D'une babillarde à ma Cour :
C'est un fort méchant caractère.
Margot ne demandait pas mieux.
Ce n'est pas ce qu'on croit, que d'entrer chez les Dieux : 25
Cet honneur a souvent de mortelles angoisses.
Rediseurs, Espions, gens à l'air gracieux,
Au cœur tout différent, s'y rendent odieux,
Quoiqu'ainsi que la Pie il faille dans ces lieux
Porter habit de deux paroisses[6]. 30

FABLE XII

LE MILAN, LE ROI, ET LE CHASSEUR*[1]

A SON ALTESSE SÉRÉNISSIME
MONSEIGNEUR LE PRINCE DE CONTI

COMME les Dieux sont bons, ils veulent que les Rois
Le soient aussi : c'est l'indulgence
Qui fait le plus beau de leurs droits,
Non les douceurs de la vengeance :
Prince, c'est votre avis. On sait que le courroux
S'éteint en votre cœur sitôt qu'on l'y voit naître.
Achille qui du sien ne put se rendre maître,
Fut par là moins Héros que vous.
Ce titre n'appartient qu'à ceux d'entre les hommes
Qui, comme en l'âge d'or, font cent biens ici-bas[a]. 10
Peu de Grands sont nés tels en cet âge où nous sommes,
L'Univers leur sait gré du mal qu'ils ne font pas[2].
Loin que vous suiviez ces exemples,
Mille actes généreux vous promettent des Temples.
Apollon, Citoyen de ces Augustes lieux, 15
Prétend y célébrer votre nom sur sa Lyre[b].
Je sais qu'on vous attend dans le Palais des Dieux :
Un siècle de séjour doit ici vous suffire[c].
Hymen[3] veut séjourner tout un siècle chez vous.
Puissent ses plaisirs[d] les plus doux 20
Vous composer des destinées
Par ce temps à peine bornées !

---

* *Les Œuvres posthumes* ont conservé un état du texte que nous croyons antérieur. Les variantes que nous donnons viennent de ce texte.

a. *Ce titre n'appartient qu'aux bienfaiteurs des hommes :*
L'Age d'Or en fit voir quelques-uns ici-bas

b. *Ils devraient de bonté nous donner plus d'exemples ;*
Car la valeur chez eux s'acquiert assez de Temples
Vous avez l'un et l'autre et ces dons précieux
Font qu'il n'est point d'honneurs où votre cœur n'aspire

c. *ici doit* vous suffire

d. *les* plaisirs

Et la Princesse et vous n'en méritez pas moins :
J'en prends ses charmes pour témoins;
Pour témoins j'en prends les merveilles 25
Par qui le Ciel, pour vous prodigue en ses présents,
De qualités[a] qui n'ont qu'en vous seuls leurs pareilles
Voulut orner vos[b] jeunes ans.
Bourbon de son esprit ces grâces[c] assaisonne.
Le Ciel joignit en sa personne 30
Ce qui sait se faire estimer
A ce qui sait se faire aimer[d].
Il ne m'appartient pas d'étaler votre joie;[e]
Je me tais donc, et vais rimer
Ce que fit un Oiseau de proie[f]. 35

Un Milan, de son nid antique possesseur,
Étant pris vif par un Chasseur,
D'en faire au Prince un don cet homme se propose.

---

a. *Des* qualités
b. *ses*
c. *d'un rare esprit ses* grâces
d. Ce qui sait *la* faire estimer
A ce qui sait *la* faire aimer
e. *de dire* votre joie.
f. Les dix-neuf vers suivants figurent dans O. P. :
Je change un peu la chose. Un peu? J'y change tout.
La Critique en cela me va pousser à bout,
Car c'est une étrange femelle ;
Rien ne nous sert d'entrer en raison avec elle.
Elle va m'alléguer que tout fait est sacré ;
Je n'en disconviens pas, et me sais pourtant gré
D'altérer celui-ci ; c'est à cette licence
Que je dois l'acte de clémence,
Par qui je donne aux Rois des leçons de bonté.
Tous ne ressemblent pas au nôtre.
Le monde est un marchand mêlé ;
L'on y voit de l'un et de l'autre.
Ici-bas le beau ni le bon
Ne sont estimés tels que par comparaison.
Louis seul est incomparable.
Je ne lui donne point un éloge affecté ;
L'on sait que j'ai toujours entre-mêlé la Fable
De quelque trait de vérité.
Revenons à l'Oiseau, le fait est mémorable.
Un Milan, de son nid

La rareté du fait donnait prix à la chose,
L'Oiseau, par le Chasseur humblement présenté, 4[illegible]
Si ce conte n'est apocriphe,
Va tout droit imprimer sa griffe
Sur le nez de sa Majesté.
— Quoi ! sur le nez du Roi ? — Du Roi même en personne.
— Il n'avait donc alors ni Sceptre ni Couronne[a] ? 4[illegible]
— Quand il en aurait eu, ç'aurait été tout un :
Le nez Royal fut pris comme un nez du commun.
Dire des Courtisans les clameurs et la peine
Serait se consumer en efforts impuissants,
Le Roi n'éclata point : les cris sont indécents 5[illegible]
A la Majesté Souveraine.
L'Oiseau garda son poste : on ne put seulement
Hâter son départ d'un moment.
Son Maître le rappelle, et crie, et se tourmente,
Lui présente le leurre[4], et le poing[5]; mais en vain[b]. 5[illegible]
On crut que jusqu'au lendemain
Le maudit[c] animal à la serre insolente
Nicherait là malgré le bruit
Et sur le nez sacré voudrait passer la nuit.
Tâcher de l'en tirer irritait son caprice. 6[illegible]
Il quitte enfin le Roi, qui dit: Laissez aller
Ce Milan, et celui qui m'a cru régaler[6].
Ils se sont acquittés tous deux de leur office,
L'un en Milan, et l'autre en Citoyen des bois :
Pour moi, qui sais comment doivent agir les Rois, 6[illegible]
Je les affranchis du supplice.
Et la Cour d'admirer. Les Courtisans ravis,
Élèvent de tels faits, par eux si mal suivis[d] :
Bien peu, même des Rois, prendraient un tel modèle;
Et le Veneur l'échappa belle, 70
Coupable seulement, tant lui que l'animal,
D'ignorer le danger d'approcher trop du Maître.
Ils n'avaient appris à connaître
Que les hôtes des bois : était-ce un si grand mal ?

---

a. *Peut-être il n'avait lors* ni Sceptre ni Couronne
b. *Chacun s'empresse et tous en vain*
c. *Ce* maudit
d. *Et la Cour d'admirer, et Courtisans ravis*
D'admirer de tels traits, par eux si mal suivis

Pilpay fait près du Gange arriver l'aventure. 75
Là, nulle humaine Créature[a]
Ne touche aux animaux pour leur sang épancher.
Le Roi même ferait scrupule d'y toucher.
Savons-nous, disent-ils, si cet Oiseau de proie
N'était point au siège de Troie[7] ? 80
Peut-être y tint-il lieu d'un Prince ou d'un Héros[b]
Des plus huppés et des plus hauts :
Ce qu'il fut autrefois il pourra l'être encore.
Nous croyons, après[8] Pythagore,
Qu'avec les Animaux de forme nous changeons : 85
Tantôt Milans, tantôt Pigeons,
Tantôt Humains, puis Volatilles
Ayant dans les airs leurs familles.

Comme l'on conte en deux façons
L'accident du Chasseur, voici l'autre manière. 90
Un certain Fauconnier ayant pris, ce dit-on,
A la chasse un Milan (ce qui n'arrive guère),
En voulut au Roi faire un don,
Comme de chose singulière.
Ce cas n'arrive pas quelquefois en cent ans; 95
C'est le *non plus ultra* de la Fauconnerie.
Ce Chasseur perce donc un gros de Courtisans,
Plein de zèle, échauffé, s'il le fut de sa vie.
Par ce parangon[9] des présents
Il croyait sa fortune faite : 100
Quand l'Animal porte-sonnette[10],
Sauvage encore et tout grossier,
Avec ses ongles tout d'acier,
Prend le nez du Chasseur, happe le pauvre sire :
Lui de crier; chacun de rire[c], 105

---

a. était-ce un si grand mal ?

Si je craignois quelque censure,
Je citerais Pilpay touchant cette aventure,
Ses récits en ont l'air : il me serait aisé
De la tirer d'un lieu par le Gange arrosé.
Là, nulle humaine Créature

b. de Prince ou de Héros

c. *Il croyait sa fortune faite,*
Lorsque sur ce chasseur l'animal se rejette,

Monarque et Courtisans. Qui n'eût ri ? Quant à moi,
Je n'en eusse quitté[11] ma part pour un empire.
Qu'un Pape rie, en bonne foi
Je ne l'ose assurer; mais je tiendrais un Roi
Bien malheureux, s'il n'osait rire : 11
C'est le plaisir des Dieux[12]. Malgré son noir souci,
Jupiter et le Peuple Immortel rit aussi.
Il en fit des éclats, à ce que dit l'Histoire,
Quand Vulcain, clopinant, lui vint donner à boire.
Que le peuple immortel se montrât sage ou non[a], 11
J'ai changé mon sujet avec juste raison;
Car, puisqu'il s'agit de morale,
Que nous eût du Chasseur l'aventure fatale
Enseigné de nouveau ? L'on a vu de tout temps
Plus de sots Fauconniers que de rois indulgents. 12

FABLE XIII

LE RENARD, LES MOUCHES, ET LE HÉRISSON[b 1]

Aux traces de son sang, un vieux hôte des bois,
Renard fin, subtil et matois,
Blessé par des Chasseurs, et tombé dans la fange[2],
Autrefois attira ce Parasite ailé
Que nous avons mouche appelé.

Et de ses ongles tout d'acier,
Sauvage encor et tout grossier,
Hape le nez du pauvre Sire :
Lui de crier, chacun de rire

a. *C'est le plaisir des Dieux. Jupiter rit aussi,*
Bien qu'Homère en ses vers lui donne un noir soucy,
Ce Poète assure en son Histoire
Qu'un Ris inextinguible en l'Olympe éclata.
Petit ni grand n'y résista,
Quand Vulcain clopinant s'en vint verser à boire.
Que le peuple immortel fût assez grave ou non

b. Walckenaer avait trouvé un manuscrit autographe de La Fontaine, qui conservait une première version de la fable :

Il accusait les Dieux, et trouvait fort étrange
Que le Sort à tel point le voulût affliger[3],
Et le fît aux Mouches manger.
Quoi ! se jeter sur moi, sur moi le plus habile
De tous les Hôtes des Forêts ! 10
Depuis quand les Renards sont-ils un si bon mets ?
Et que me sert ma queue ? Est-ce un poids inutile ?
Va ! le Ciel te confonde, animal importun.
Que ne vis-tu sur le commun[4] ?
Un Hérisson du voisinage, 15
Dans mes vers nouveau personnage,
Voulut le délivrer de l'importunité
Du Peuple plein d'avidité :
Je les vais de mes dards enfiler par centaines,
Voisin Renard, dit-il, et terminer tes peines. 20
— Garde-t'en bien, dit l'autre; ami, ne le fais pas;
Laisse-les, je te prie, achever leurs repas.
Ces animaux sont soûls; une troupe nouvelle
Viendrait fondre sur moi, plus âpre et plus cruelle.
Nous ne trouvons que trop de mangeurs ici-bas : 25
Ceux-ci sont courtisans, ceux-là sont magistrats.
Aristote appliquait cet apologue aux hommes.
Les exemples en sont communs,
Surtout au pays où nous sommes.
Plus telles gens sont pleins, moins ils sont importuns. 30

Le Renard et les Mouches.

Un Renard tombé dans la fange
Et des Mouches presque mangé,
Trouvait Jupiter fort étrange
De souffrir qu'à ce point le sort l'eut outragé.
Un hérisson du voisinage
Dans mes vers nouveau personnage
Voulut le délivrer de l'importun exaim.
Le Renard aima mieux les garder, et fut sage.
Vois-tu pas, dit-il, que la faim
Va rendre une autre troupe encore plus importune ?
Celle-ci déjà soule aura moins d'âpreté.
Trouver à cette fable une moralité
Me semble chose assez commune,
On peut sans grand effort d'esprit
En appliquer l'exemple aux hommes :
Que de mouches voit-on dans le siècle où nous sommes.
Cette fable est d'Ésope, Aristote le dit.

FABLE XIV

L'AMOUR ET LA FOLIE*[1]

Tout est mystère dans l'Amour,
Ses Flèches, son Carquois, son Flambeau, son Enfance[2].
Ce n'est pas l'ouvrage d'un jour
Que d'épuiser cette Science.
Je ne prétends donc point tout expliquer ici.
Mon but est seulement de dire, à ma manière,
Comment l'Aveugle que voici
(C'est un Dieu), comment, dis-je, il perdit la lumière;
Quelle suite eut ce mal, qui peut-être est un bien;
J'en fais juge un Amant, et ne décide rien.
La Folie et l'Amour jouaient un jour ensemble.
Celui-ci n'était pas encor privé des yeux.
Une dispute vint : l'Amour veut qu'on assemble
Là-dessus le Conseil des Dieux.
L'autre n'eut pas la patience;
Elle lui donne un coup si furieux,
Qu'il en perd la clarté des Cieux.
Vénus en demande vengeance.
Femme et mère, il suffit pour juger de ses cris :
Les Dieux en furent étourdis,
Et Jupiter, et Némésis[3],
Et les Juges d'Enfer, enfin toute la bande.
Elle représenta l'énormité du cas.
Son fils, sans un bâton, ne pouvait faire un pas :
Nulle peine n'était pour ce crime assez grande.
Le dommage devait être aussi réparé.
Quand on eut bien considéré
L'intérêt du Public[4], celui de la Partie,
Le résultat[5] enfin de la suprême Cour
Fut de condamner la Folie
A servir de guide à l'Amour.

---

* Première édition : *Ouvrages de prose...*, 1685.

FABLE XV

LE CORBEAU, LA GAZELLE, LA TORTUE, ET LE RAT[a1]

A MADAME DE LA SABLIÈRE

Je vous gardais un Temple dans mes vers :
Il n'eût fini qu'avecque l'Univers.
Déjà ma main en fondait la durée
Sur ce bel Art qu'ont les Dieux inventé,
Et sur le nom de la Divinité 5
Que dans ce Temple on aurait adorée[2].
Sur le portail j'aurais ces mots écrits
PALAIS SACRÉ DE LA DÉESSE IRIS[3];
Non celle-là qu'a Junon à ses gages;
Car Junon même et le Maître des Dieux 10
Serviraient[4] l'autre, et seraient glorieux
Du seul honneur de porter ses messages.
L'Apothéose à la voûte eût paru;
Là, tout l'Olympe en pompe eût été vu
Plaçant Iris sous un Dais de lumière. 15
Les murs auraient amplement contenu
Toute sa vie, agréable matière,
Mais peu féconde en ces événements
Qui des États font les renversements.
Au fond du Temple eût été son image, 20
Avec ses traits, son souris, ses appas,
Son art de plaire et de n'y penser pas,
Ses agréments à qui tout rend hommage.
J'aurais fait voir à ses pieds des mortels
Et des Héros, des demi-Dieux encore, 25
Même des Dieux[5]; ce que le Monde adore
Vient quelquefois parfumer ses Autels.
J'eusse en ses yeux fait briller de son âme

---

a. Texte : Un premier état dans *Ouvrages de prose...*, 1685. 1685, titre : *Le Rat, le Corbeau, la Gazelle et la Tortue.*

Tous les trésors, quoique imparfaitement :
Car ce cœur vif et tendre infiniment, 30
Pour ses amis et non point autrement,
Car cet esprit, qui, né du Firmament,
A beauté d'homme avec grâces de femme,
Ne se peut pas, comme on veut, exprimer.
O vous, Iris, qui savez tout charmer, 35
Qui savez plaire en un degré suprême,
Vous que l'on aime à l'égal de soi-même
(Ceci soit dit sans nul soupçon d'amour;
Car c'est un mot banni de votre Cour;
Laissons-le donc), agréez que ma Muse 40
Achève un jour cette ébauche confuse.
J'en ai placé l'idée et le projet,
Pour plus de grâce, au devant d'un sujet
Où l'amitié donne de telles marques,
Et d'un tel prix, que leur simple récit 45
Peut quelque temps amuser votre esprit.
Non que ceci se passe entre Monarques :
Ce que chez vous nous voyons estimer
N'est pas un Roi qui ne sait point aimer :
C'est un Mortel qui sait mettre[6] sa vie 50
Pour son ami. J'en vois peu de si bons.
Quatre animaux, vivants de compagnie,
Vont aux humains en donner des leçons.

La Gazelle, le Rat, le Corbeau, la Tortue,
Vivaient ensemble unis : douce société. 55
Le choix d'une demeure aux humains inconnue
  Assurait leur félicité.
Mais quoi ! l'homme découvre enfin toutes retraites.
  Soyez au milieu des déserts,
  Au fond des eaux, en haut des airs, 60
Vous n'éviterez point ses embûches secrètes.
La Gazelle s'allait ébattre innocemment,
  Quand un chien, maudit instrument
  Du plaisir barbare des hommes,
Vint sur l'herbe éventer les traces de ses pas. 65
Elle fuit, et le Rat à l'heure du repas
Dit aux amis restants : D'où vient que nous ne sommes
  Aujourd'hui que trois conviés ?
La Gazelle déjà nous a-t-elle oubliés ?

A ces paroles, la Tortue 70
S'écrie[7], et dit : Ah ! si j'étais
Comme un Corbeau d'ailes pourvue,
Tout de ce pas je m'en irais
Apprendre au moins quelle contrée,
Quel accident tient arrêtée 75
Notre compagne au pied léger :
Car, à l'égard du cœur, il en faut mieux juger.
Le Corbeau part à tire d'aile :
Il aperçoit de loin l'imprudente Gazelle
Prise au piège, et se tourmentant. 80
Il retourne avertir les autres à l'instant.
Car de lui demander quand, pourquoi, ni comment
Ce malheur est tombé sur elle[a],
Et perdre en vains discours[b] cet utile moment,
Comme eût fait un Maître d'École[8], 85
Il avait trop de jugement.
Le Corbeau donc vole et revole.
Sur son rapport, les trois amis
Tiennent conseil. Deux sont d'avis
De se transporter sans remise 90
Aux lieux où la Gazelle est prise.
L'autre, dit le Corbeau, gardera le logis :
Avec son marcher lent[c], quand arriverait-elle ?
Après la mort de la Gazelle.
Ces mots à peine dits, ils s'en vont secourir 95
Leur chère et fidèle Compagne,
Pauvre Chevrette de montagne.
La Tortue y voulut courir :
La voilà comme eux en campagne,
Maudissant ses pieds courts avec juste raison, 100
Et la nécessité de porter sa maison.
Rongemaille (le Rat eut à bon droit ce nom)
Coupe les nœuds du lacs : on peut penser la joie.
Le Chasseur vient et dit : Qui m'a ravi ma proie ?
Rongemaille, à ces mots, se retire en un trou, 105
Le Corbeau sur un arbre, en un bois la Gazelle;
Et le Chasseur, à demi fou

---

a. Ce vers manque dans *O. P.*, 1685.
b. *maint* discours (O. P.)
c. *Avecque sa lenteur* (O. P.)

De n'en avoir nulle nouvelle,
Aperçoit la Tortue, et retient son courroux.
D'où vient, dit-il, que je m'effraie ? 11
Je veux qu'à mon souper celle-ci me défraie[a].
Il la mit dans son sac. Elle eût payé pour tous,
Si le Corbeau n'en eût averti la Chevrette.
Celle-ci, quittant sa retraite,
Contrefait la boiteuse, et vient se présenter. 11
L'homme de suivre, et de jeter
Tout ce qui lui pesait : si bien que Rongemaille
Autour des nœuds du sac tant opère et travaille
Qu'il délivre encor l'autre sœur,
Sur qui s'était fondé le souper du Chasseur. 12

Pilpay conte qu'ainsi la chose s'est passée.
Pour peu que je voulusse invoquer Apollon,
J'en ferais, pour vous plaire, un Ouvrage aussi long
Que l'Iliade ou l'Odyssée.
Rongemaille ferait le principal héros, 12
Quoiqu'à vrai dire ici chacun soit nécessaire.
Portemaison l'Infante[9] y tient de tels propos
Que Monsieur du Corbeau va faire
Office d'Espion, et puis de Messager.
La Gazelle a d'ailleurs l'adresse d'engager 130
Le Chasseur à donner du temps à Rongemaille.
Ainsi chacun en son endroit[10]
S'entremet, agit, et travaille.
A qui donner le prix ? Au cœur si l'on m'en croit[b][11].

---

a. *Aperçoit la Tortue ; il dit : Consolons-nous :*
Nous souperons, malgré que Jupiter en aie.
Je prétends qu'aujourd'hui celle-ci me défraie (O. P.)

b. *A qui donner le prix ? Au cœur si l'on m'en croit.*
Que n'ose et que ne peut l'amitié violente ?
Cet autre sentiment que l'on appelle Amour
Mérite moins d'honneurs ; cependant chaque jour
Je le célèbre et je le chante ;
Hélas ! il n'en rend pas mon âme plus contente.
Vous protégez sa sœur, il suffit ; et mes vers
Vont s'engager pour elle à des tons tout divers.
Mon maître était l'Amour ; j'en vais servir un autre,
Et porter par tout l'univers
Sa gloire aussi bien que la vôtre. (O. P.)

FABLE XVI

LA FORÊT ET LE BUCHERON*[1]

Un Bûcheron venait de rompre ou d'égarer
Le bois dont il avait emmanché sa cognée.
Cette perte ne put sitôt se réparer
Que la Forêt n'en fût quelque temps épargnée.
    L'Homme enfin la prie humblement 5
    De lui laisser tout doucement
    Emporter une unique branche,
    Afin de faire un autre manche.
Il irait employer ailleurs son gagne-pain;
Il laisserait debout maint chêne et maint sapin 10
Dont chacun respectait la vieillesse et les charmes.
L'innocente Forêt lui fournit d'autres armes.
Elle en eut du regret. Il emmanche son fer.
    Le misérable ne s'en sert
    Qu'à dépouiller sa bienfaitrice 15
    De ses principaux ornements.
    Elle gémit à tous moments :
    Son propre don fait son supplice.

Voilà le train du Monde et de ses Sectateurs :
On s'y sert du bienfait contre les bienfaiteurs. 20
Je suis las d'en parler; mais que de doux ombrages
    Soient exposés à ces outrages,
    Qui ne se plaindrait là-dessus ?
Hélas ! j'ai beau crier et me rendre incommode :
    L'ingratitude et les abus 25
    N'en seront pas moins à la mode.

---

* Première édition : *Ouvrages de prose...*, 1685.

FABLE XVII

LE RENARD, LE LOUP, ET LE CHEVAL*[1]

UN Renard, jeune encor, quoique des plus madrés,
Vit le premier Cheval qu'il eût vu de sa vie.
Il dit à certain Loup, franc novice : Accourez :
Un Animal paît dans nos prés,
Beau, grand; j'en ai la vue encor toute ravie.
— Est-il plus fort que nous ? dit le Loup en riant.
Fais-moi son Portrait, je te prie.
— Si j'étais quelque Peintre ou quelque Étudiant,
Repartit le Renard, j'avancerais la joie
Que vous aurez en le voyant.
Mais venez. Que sait-on ? peut-être est-ce une proie
Que la Fortune nous envoie.
Ils vont; et le Cheval, qu'à l'herbe on avait mis,
Assez peu curieux de semblables amis,
Fut presque sur le point d'enfiler la venelle[2].
Seigneur, dit le Renard, vos humbles serviteurs
Apprendraient volontiers comment on vous appelle.
Le Cheval, qui n'était dépourvu de cervelle,
Leur dit : Lisez mon nom, vous le pouvez, Messieurs :
Mon Cordonnier l'a mis autour de ma semelle.
Le Renard s'excusa sur son peu de savoir.
Mes parents, reprit-il, ne m'ont point fait instruire;
Ils sont pauvres et n'ont qu'un trou pour tout avoir.
Ceux du Loup, gros Messieurs, l'ont fait apprendre à lire.
Le Loup, par ce discours flatté,
S'approcha; mais sa vanité
Lui coûta quatre dents : le Cheval lui desserre[3]
Un coup; et haut le pied[4]. Voilà mon Loup par terre
Mal en point, sanglant et gâté[5].
Frère, dit le Renard, ceci nous justifie
Ce que m'ont dit des gens d'esprit :
Cet animal vous a sur la mâchoire écrit
Que de tout inconnu le Sage se méfie.

---

* Première édition : *Ouvrages de prose...*, 1685.

Le renard, le loup et le cheval
Lithographie d'Engelmann d'après Carle Vernet pour les
Fables choisies de La Fontaine, Paris, Engelmann, 1818

FABLE XVIII

LE RENARD ET LES POULETS D'INDE*[1]

Contre les assauts d'un Renard
Un arbre à des Dindons servait de citadelle.
Le perfide ayant fait tout le tour du rempart,
Et vu chacun en sentinelle,
S'écria : Quoi ! Ces gens se moqueront de moi ! 5
Eux seuls seront exempts de la commune loi !
Non, par tous les Dieux, non. Il accomplit son dire.
La lune, alors luisant, semblait, contre le sire,
Vouloir favoriser la dindonnière gent.
Lui, qui n'était novice au métier d'assiégeant, 10
Eut recours à son sac de ruses scélérates,
Feignit vouloir gravir, se guinda sur ses pattes,
Puis contrefit le mort, puis le ressuscité.
Harlequin[2] n'eût exécuté
Tant de différents personnages. 15
Il élevait sa queue, il la faisait briller,
Et cent mille autres badinages.
Pendant quoi nul Dindon n'eût osé sommeiller :
L'ennemi les lassait en leur tenant la vue
Sur même objet toujours tendue. 20
Les pauvres gens étant à la longue éblouis
Toujours il en tombait quelqu'un : autant de pris,
Autant de mis à part; près de moitié succombe.
Le compagnon les porte en son garde-manger.
Le trop d'attention qu'on a pour le danger 25
Fait le plus souvent qu'on y tombe.

---

* Première édition : *Ouvrages de prose...*, 1685.

FABLE XIX

LE SINGE*[1]

Il est un Singe dans Paris
A qui l'on avait donné femme.
Singe en effet d'aucuns maris,
Il la battait : la pauvre Dame
En a tant soupiré qu'enfin elle n'est plus.
Leur fils se plaint d'étrange sorte,
Il éclate en cris superflus :
Le père en rit; sa femme est morte.
Il a déjà d'autres amours
Que l'on croit qu'il battra toujours. 10
Il hante la taverne et souvent il s'enivre.
N'attendez rien de bon du Peuple imitateur,
Qu'il soit Singe ou qu'il fasse un Livre :
La pire espèce, c'est l'Auteur.

FABLE XX

LE PHILOSOPHE SCYTHE*[1]

Un Philosophe austère, et né dans la Scythie[2],
Se proposant de suivre une plus douce vie,
Voyagea chez les Grecs, et vit en certains lieux
Un Sage assez semblable au vieillard de Virgile[3],
Homme égalant les Rois, homme approchant des Dieux, 5
Et, comme ces derniers satisfait et tranquille.
Son bonheur consistait aux beautés d'un Jardin.
Le Scythe l'y trouva, qui la serpe à la main,
De ses arbres à fruit retranchait l'inutile,

---

* Première édition : *Ouvrages de prose...*, 1685.
* Première édition : *Ouvrages de prose...*, 1685.

B.N. Estampes *Le singe* Cl. B.N.

Gravure par Fessard d'après Bardin pour les *Fables choisies... Nouvelle édition gravée en taille douce par le Sr Fessard,* Paris, chez l'auteur, 1765-1775

Ébranchait, émondait[4], ôtait ceci, cela, 10
Corrigeant partout la Nature,
Excessive à payer ses soins avec usure[5].
Le Scythe alors lui demanda :
Pourquoi cette ruine. Était-il d'homme sage
De mutiler ainsi ces pauvres habitants ? 15
Quittez-moi votre serpe, instrument de dommage;
Laissez agir la faux du temps :
Ils iront aussi tôt[a] border le noir rivage[6].
— J'ôte le superflu, dit l'autre, et l'abattant,
Le reste en profite[7] d'autant. 20
Le Scythe, retourné dans sa triste demeure,
Prend la serpe à son tour, coupe et taille à toute heure;
Conseille à ses voisins, prescrit à ses amis
Un universel abatis.
Il ôte de chez lui les branches les plus belles, 25
Il tronque son Verger contre toute raison,
Sans observer temps ni saison,
Lunes ni vieilles ni nouvelles.
Tout languit et tout meurt. Ce Scythe exprime bien
Un indiscret[8] Stoïcien : 30
Celui-ci retranche de l'âme
Désirs et passions, le bon et le mauvais,
Jusqu'aux plus innocents souhaits.
Contre de telles gens, quant à moi, je réclame.
Ils ôtent à nos cœurs le principal ressort; 35
Ils font cesser de vivre avant que l'on soit mort.

FABLE XXI

L'ÉLÉPHANT ET LE SINGE DE JUPITER*[1]

Autrefois l'Éléphant et le Rinocéros,
En dispute du pas[2] et des droits de l'Empire,
Voulurent terminer la querelle en champ clos.
Le jour en était pris, quand quelqu'un vint leur dire

---

a. *assez* tôt (1685)
* Première édition : *Ouvrages de prose...*, 1685.

Que le Singe de Jupiter,
Portant un Caducée, avait paru dans l'air.
Ce Singe avait nom Gille, à ce que dit l'Histoire.
Aussitôt l'Éléphant de croire
Qu'en qualité d'Ambassadeur
Il venait trouver sa Grandeur. 10
Tout fier de ce sujet de gloire,
Il attend maître Gille, et le trouve un peu lent
A lui présenter sa créance[3].
Maître Gille enfin, en passant,
Va saluer son Excellence. 15
L'autre était préparé sur la légation;
Mais pas un mot : l'attention
Qu'il croyait que les Dieux eussent à sa querelle
N'agitait pas encor chez eux cette nouvelle.
Qu'importe à ceux du Firmament 20
Qu'on soit Mouche ou bien Éléphant ?
Il se vit donc réduit à commencer lui-même :
Mon cousin[4] Jupiter, dit-il, verra dans peu
Un assez beau combat, de son Trône suprême.
Toute sa Cour verra beau jeu. 25
— Quel combat ? dit le Singe avec un front sévère.
L'Éléphant repartit : Quoi ! vous ne savez pas
Que le Rinocéros me dispute le pas;
Qu'Éléphantide a guerre avecque Rinocère[5] ?
Vous connaissez ces lieux, ils ont quelque renom. 30
— Vraiment je suis ravi d'en apprendre le nom,
Repartit Maître Gille : on ne s'entretient guère
De semblables sujets dans nos vastes Lambris.
L'Éléphant, honteux et surpris,
Lui dit : Et parmi nous que venez-vous donc faire ? 35
— Partager un brin d'herbe entre quelques Fourmis :
Nous avons soin de tout. Et quant à votre affaire,
On n'en dit rien encor dans le conseil des Dieux :
Les petits et les grands sont égaux à leurs yeux.

FABLE XXII

UN FOU ET UN SAGE*[1]

CERTAIN Fou poursuivait à coups de pierre un Sage.
Le Sage se retourne et lui dit : Mon ami,
C'est fort bien fait à toi; reçois cet écu-ci :
Tu fatigues assez pour gagner davantage.
Toute peine, dit-on, est digne de loyer[2]. 5
Vois cet homme qui passe; il a de quoi payer.
Adresse-lui tes dons, ils auront leur salaire.
Amorcé par le gain, notre Fou s'en va faire
Même insulte à l'autre Bourgeois.
On ne le paya pas en argent cette fois. 10
Maint estafier[3] accourt; on vous happe notre homme,
On vous l'échine, on vous l'assomme.
Auprès des Rois il est de pareils fous :
A vos dépens ils font rire le Maître.
Pour réprimer leur babil, irez-vous 15
Les maltraiter ? Vous n'êtes pas peut-être
Assez puissant. Il faut les engager
A s'adresser à qui peut se venger.

FABLE XXIII

LE RENARD ANGLAIS*[1]

A MADAME HARVEY [2]

LE bon cœur est chez vous compagnon du bon sens
Avec cent qualités trop longues à déduire,
Une noblesse d'âme, un talent pour conduire
Et les affaires et les gens,
Une humeur franche et libre, et le don d'être amie 5

---

* Première édition : *Ouvrages de prose...*, 1685.
* Première édition : *Ouvrages de prose...*, 1685.

Malgré Jupiter même et les temps orageux[3].
Tout cela méritait un éloge pompeux;
Il en eût été moins selon votre génie :
La pompe vous déplaît, l'éloge vous ennuie.
J'ai donc fait celui-ci court et simple. Je veux 10
Y coudre encore un mot ou deux
En faveur de votre patrie :
Vous l'aimez. Les Anglais pensent profondément[4];
Leur esprit, en cela, suit leur tempérament.
Creusant dans les sujets, et forts d'expériences, 15
Ils étendent partout l'empire des Sciences.
Je ne dis point ceci pour vous faire ma cour.
Vos gens à pénétrer l'emportent sur les autres;
Même les Chiens de leur séjour
Ont meilleur nez que n'ont les nôtres[5]. 20
Vos Renards sont plus fins. Je m'en vais le prouver.
Par un d'eux, qui, pour se sauver
Mit en usage un stratagème
Non encor pratiqué, des mieux imaginés.
Le scélérat, réduit en un péril extrême, 25
Et presque mis à bout par ces Chiens au bon nez,
Passa près d'un patibulaire[6].
Là, des animaux ravissants[7],
Blaireaux, Renards, Hiboux, race encline à mal faire,
Pour l'exemple pendus, instruisaient les passants. 30
Leur confrère aux abois entre ces morts s'arrange.
Je crois voir Annibal[8] qui, pressé des Romains
Met leurs chefs en défaut, ou leur donne le change[9],
Et sait en vieux Renard s'échapper de leurs mains.
Les clefs[10] de Meute, parvenues 35
A l'endroit où pour mort le traître se pendit,
Remplirent l'air de cris : leur maître les rompit[11],
Bien que de leurs abois ils perçassent les nues.
Il ne put soupçonner ce tour assez plaisant.
Quelque terrier, dit-il, a sauvé mon galant 40
Mes chiens n'appellent point au delà des colonnes
Où sont tant d'honnêtes personnes[12].
Il y viendra, le drôle ! Il y vint, à son dam[13].
Voilà maint basset clabaudant[14];
Voilà notre Renard au charnier se guindant. 45
Maître pendu croyait qu'il en irait de même
Que le jour qu'il tendit de semblables panneaux[15];
Mais le pauvret, ce coup, y laissa ses houseaux[16].

Tant il est vrai qu'il faut changer de stratagème.
Le Chasseur, pour trouver sa propre sûreté, 50
N'aurait pas cependant un tel tour inventé;
Non point par peu d'esprit; est-il quelqu'un qui nie
Que tout Anglais n'en ait bonne provision ?
Mais le peu d'amour pour la vie[17]
Leur nuit en mainte occasion. 55

Je reviens à vous, non pour dire
D'autres traits sur votre sujet
Trop abondant pour ma Lyre[a] :
Peu de nos chants, peu de nos Vers,
Par un encens flatteur amusent l'Univers 60
Et se font écouter des nations étranges[18].
Votre Prince[19] vous dit un jour
Qu'il aimait mieux un trait d'amour
Que quatre Pages de louanges.
Agréez seulement le don que je vous fais 65
Des derniers efforts de ma Muse.
C'est peu de chose; elle est confuse
De ces Ouvrages imparfaits.
Cependant ne pourriez-vous faire
Que le même hommage pût plaire 70
A celle qui remplit vos climats d'habitants
Tirés de l'Ile de Cythère ?
Vous voyez par là que j'entends
Mazarin[20], des Amours Déesse tutélaire.

---

a. On voit mal pourquoi La Fontaine a apporté en 1694 une modification qui laisse *sujet* sans rime. Peut-être faut-il revenir au texte des *Ouvrages de rose...* :

D'autres traits sur votre sujet ;
Tout long éloge est un projet
Peu favorable pour ma lyre.

FABLE XXIV

DAPHNIS ET ALCIMADURE*[1]

IMITATION DE THÉOCRITE
A MADAME DE LA MÉSANGÈRE[2]

AIMABLE fille d'une mère
A qui seule[3] aujourd'hui mille cœurs font la cour,
Sans ceux que l'amitié rend soigneux de vous plaire,
Et quelques-uns encor que vous garde l'Amour,
Je ne puis[4] qu'en cette Préface 5
Je ne partage entre elle et vous
Un peu de cet encens qu'on recueille au Parnasse,
Et que j'ai le secret de rendre exquis et doux.
Je vous dirai donc... Mais tout dire,
Ce serait trop; il faut choisir, 10
Ménageant ma voix et ma Lyre,
Qui bientôt vont manquer de force et de loisir.
Je louerai seulement un cœur[a], plein de tendresse,
Ces nobles sentiments, ces grâces, cet esprit :
Vous n'auriez en cela ni Maître ni Maîtresse, 15
Sans celle dont sur vous l'éloge rejaillit.
Gardez d'environner ces roses
De trop d'épines, si jamais
L'Amour vous dit les mêmes choses :
Il les dit mieux que je ne fais; 20
Aussi[5] sait-il punir ceux qui ferment l'oreille
A ses conseils. Vous l'allez voir.

Jadis une jeune merveille
Méprisait de ce Dieu le souverain pouvoir :
On l'appelait Alcimadure : 25
Fier et farouche objet, toujours courant aux bois,
Toujours sautant aux prés, dansant sur la verdure,
Et ne connaissant autres lois
Que son caprice; au reste, égalant les plus belles,
Et surpassant les plus cruelles; 30

---

* Première édition : *Ouvrages de prose...*, 1685.
a. 1685 : *ce* cœur

N'ayant trait qui ne plût, pas même en ses rigueurs :
Quelle l'eût-on trouvée au fort de ses faveurs !
Le jeune et beau Daphnis, Berger de noble race,
L'aima pour son malheur : jamais la moindre grâce
Ni le moindre regard, le moindre mot enfin, 35
Ne lui fut accordé par ce cœur inhumain.
Las de continuer une poursuite vaine,
Il ne songea plus qu'à mourir;
Le désespoir le fit courir
A la porte de l'Inhumaine. 40
Hélas ! ce fut aux vents qu'il raconta sa peine;
On ne daigna lui faire ouvrir
Cette maison fatale, où parmi ses Compagnes,
L'Ingrate, pour le jour de sa nativité[6],
Joignait aux fleurs de sa beauté 45
Les trésors des jardins et des vertes campagnes.
J'espérais, cria-t-il, expirer à vos yeux;
Mais je vous suis trop odieux,
Et ne m'étonne pas qu'ainsi que tout le reste
Vous me refusiez même un plaisir si funeste. 50
Mon père, après ma mort, et je l'en ai chargé,
Doit mettre à vos pieds l'héritage
Que votre cœur a négligé.
Je veux que l'on y joigne aussi le pâturage,
Tous mes troupeaux, avec mon chien, 55
Et que du reste de mon bien
Mes Compagnons fondent un Temple
Où votre image se contemple,
Renouvelants de fleurs l'Autel à tout moment.
J'aurai près de ce temple un simple monument; 60
On gravera sur la bordure :
Daphnis mourut d'amour. Passant, arrête-toi;
Pleure, et dis : « Celui-ci succomba sous la loi
« De la cruelle Alcimadure. »
A ces mots, par la Parque il se sentit atteint. 65
Il aurait poursuivi; la douleur le prévint.
Son ingrate sortit triomphante et parée.
On voulut, mais en vain, l'arrêter un moment
Pour donner quelques pleurs au sort de son amant :
Elle insulta toujours au fils de Cythérée, 70
Menant dès ce soir même, au mépris de ses lois,
Ses compagnes danser autour de sa statue.
Le dieu tomba sur elle et l'accabla du poids :

Une voix sortit de la nue,
Écho redit ces mots dans les airs épandus : 75
Que tout aime à présent : l'insensible n'est plus.
Cependant de Daphnis l'Ombre au Styx descendue
Frémit et s'étonna la voyant accourir.
Tout l'Érèbe[7] entendit cette Belle homicide
S'excuser au Berger, qui ne daigna l'ouïr 80
Non plus qu'Ajax Ulysse, et Didon son perfide[8].

XXV

PHILÉMON ET BAUCIS[1]

SUJET TIRÉ DES MÉTAMORPHOSES D'OVIDE

A MONSEIGNEUR LE DUC DE VENDOME[a] [2]

Ni l'or ni la grandeur ne nous rendent heureux;
Ces deux Divinités n'accordent à nos vœux
Que des biens peu certains, qu'un plaisir peu tranquille :
Des soucis dévorants c'est l'éternel asile;
Véritables Vautours, que le fils de Japet 5
Représente, enchaîné sur son triste sommet[3].
L'humble toit est exempt d'un tribut si funeste :
Le sage y vit en paix, et méprise le reste;
Content de ces douceurs, errant parmi les bois,
Il regarde à ses pieds les favoris des Rois; 10
Il lit au front de ceux qu'un vain luxe environne
Que la Fortune vend ce qu'on croit qu'elle donne[4].
Approche-t-il du but, quitte-t-il ce séjour,
Rien ne trouble sa fin : c'est le soir d'un beau jour.
Philémon et Baucis nous en offrent l'exemple : 15
Tous deux virent changer leur Cabane en un Temple.
Hyménée et l'Amour, par des désirs constants,
Avaient uni leurs cœurs dès leur plus doux Printemps.
Ni le temps ni l'hymen n'éteignirent leur flamme;

---

* Première édition : *Ouvrages de prose...*, 1685.
a. 1685 : *Poème dédié à Mgr le duc de Vendôme.*

Clothon prenait plaisir à filer cette trame[5]. 20
Ils surent cultiver, sans se voir assistés,
Leur enclos et leur champ par deux fois vingt Étés.
Eux seuls ils composaient toute leur République :
Heureux de ne devoir à pas un domestique
Le plaisir ou le gré[6] des soins qu'ils se rendaient ! 25
Tout vieillit : sur leur front les rides s'étendaient;
L'amitié modéra leurs feux sans les détruire,
Et par des traits d'amour sut encor se produire.
Ils habitaient un bourg plein de gens dont le cœur
Joignait aux duretés un sentiment moqueur. 30
Jupiter résolut d'abolir cette engeance.
Il part avec son fils, le Dieu de l'Éloquence[7];
Tous deux en Pèlerins vont visiter ces lieux :
Mille logis y sont, un seul ne s'ouvre aux Dieux.
Prêts enfin à quitter un séjour si profane, 35
Ils virent à l'écart une étroite cabane,
Demeure hospitalière, humble et chaste maison.
Mercure frappe : on ouvre; aussitôt Philémon
Vient au-devant des dieux, et leur tient ce langage :
Vous me semblez tous deux fatigués du voyage, 40
Reposez-vous. Usez du peu que nous avons;
L'aide des Dieux a fait que nous le conservons;
Usez-en; saluez ces Pénates d'argile :
Jamais le Ciel ne fut aux humains si facile
Que quand Jupiter même était de simple bois; 45
Depuis qu'on l'a fait d'or, il est sourd à nos voix.
Baucis, ne tardez point : faites tiédir cette onde;
Encor que le pouvoir au désir ne réponde,
Nos Hôtes agréront les soins qui leur sont dus.
Quelques restes de feu sous la cendre épandus 50
D'un souffle haletant par Baucis s'allumèrent :
Des branches de bois sec aussitôt s'enflammèrent.
L'onde tiède, on lava les pieds des Voyageurs.
Philémon les pria d'excuser ces longueurs;
Et, pour tromper l'ennui d'une attente importune, 55
Il entretint les Dieux, non point sur la Fortune,
Sur ses jeux, sur la pompe et la grandeur des rois,
Mais sur ce que les champs, les vergers et les bois
Ont de plus innocent, de plus doux, de plus rare.
Cependant par Baucis le festin se prépare. 60
La table où l'on servit le champêtre repas
Fut d'ais non façonnés à l'aide du compas :

Encore assure-t-on, si l'histoire en est crue,
Qu'en un de ses supports le temps l'avait rompue.
Baucis en égala les appuis chancelants
Du débris d'un vieux vase, autre injure des ans.
Un tapis tout usé couvrit deux escabelles :
Il ne servait pourtant qu'aux fêtes solennelles.
Le linge orné de fleurs fut couvert, pour tous mets,
D'un peu de lait, de fruits, et des dons de Cérès[8].
Les divins Voyageurs, altérés de leur course,
Mêlaient au vin grossier le cristal d'une source.
Plus le vase versait, moins il s'allait vidant :
Philémon reconnut ce miracle évident;
Baucis n'en fit pas moins : tous deux s'agenouillèrent;
A ce signe d'abord leurs yeux se dessillèrent.
Jupiter leur parut avec ces noirs sourcis
Qui font trembler les Cieux sur leurs Pôles assis.
Grand Dieu, dit Philémon, excusez notre faute :
Quels humains auraient cru recevoir un tel Hôte ?
Ces mets, nous l'avouons, sont peu délicieux :
Mais, quand nous serions Rois, que donner à des Dieux ?
C'est le cœur qui fait tout : que la terre et que l'onde
Apprêtent un repas pour les Maîtres du monde;
Ils lui préféreront les seuls présents du cœur.
Baucis sort à ces mots pour réparer l'erreur.
Dans le verger courait une perdrix privée,
Et par de tendres soins dès l'enfance élevée;
Elle en veut faire un mets, et la poursuit en vain :
La volatille échappe à sa tremblante main;
Entre les pieds des Dieux elle cherche un asile.
Ce recours à l'oiseau ne fut pas inutile :
Jupiter intercède. Et déjà les vallons
Voyaient l'ombre en croissant tomber du haut des monts[9].
Les Dieux sortent enfin, et font sortir leurs Hôtes.
De ce Bourg, dit Jupin, je veux punir les fautes :
Suivez-nous. Toi, Mercure, appelle les vapeurs.
O gens durs ! vous n'ouvrez vos logis ni vos cœurs !
Il dit : et les Autans troublent déjà la plaine.
Nos deux Époux suivaient, ne marchant qu'avec peine;
Un appui de roseau soulageait leurs vieux ans :
Moitié secours des Dieux, moitié peur, se hâtants,
Sur un mont assez proche enfin ils arrivèrent;
A leurs pieds aussitôt cent nuages crevèrent.
Des ministres du Dieu les escadrons flottants[10]

Entraînèrent, sans choix, animaux, habitants,
Arbres, maisons, vergers, toute cette demeure;
Sans vestige du Bourg[a], tout disparut sur l'heure.
Les vieillards déploraient ces sévères destins.
Les animaux périr ! car encor les humains, 110
Tous avaient dû[11] tomber sous les célestes armes.
Baucis en répandit en secret quelques larmes.
Cependant l'humble Toit devient Temple, et ses murs
Changent leur frêle enduit aux marbres les plus durs.
De pilastres massifs les cloisons revêtues 115
En moins de deux instants s'élèvent jusqu'aux nues;
Le chaume devient or; tout brille en ce pourpris[12];
Tous ces événements sont peints sur le lambris.
Loin, bien loin les tableaux de Zeuxis et d'Apelle[13] !
Ceux-ci furent tracés d'une main immortelle. 120
Nos deux Époux, surpris, étonnés, confondus,
Se crurent, par miracle, en l'Olympe rendus.
Vous comblez, dirent-ils, vos moindres créatures;
Aurions-nous bien le cœur et les mains assez pures
Pour présider ici sur les honneurs divins, 125
Et Prêtres vous offrir les vœux des Pèlerins ?
Jupiter exauça leur prière innocente.
Hélas ! dit Philémon, si votre main puissante
Voulait favoriser jusqu'au bout deux mortels,
Ensemble nous mourrions en servant vos Autels : 130
Clothon ferait d'un coup ce double sacrifice;
D'autres mains nous rendraient un vain et triste office :
Je ne pleurerais point celle-ci, ni ses yeux
Ne troubleraient non plus de leurs larmes ces lieux.
Jupiter à ce vœu fut encor favorable. 135
Mais oserai-je dire un fait presque incroyable ?
Un jour qu'assis tous deux dans le sacré parvis
Ils contaient cette histoire aux pèlerins ravis,
La troupe, à l'entour d'eux, debout prêtait l'oreille;
Philémon leur disait : Ce lieu plein de merveille 140
N'a pas toujours servi de Temple aux Immortels :
Un Bourg était autour, ennemi des Autels,
Gens barbares, gens durs, habitacle[14] d'impies;
Du céleste courroux tous furent les hosties[15].
Il ne resta que nous d'un si triste débris : 145

---

a. 1685 : *de bourg*

Vous en verrez tantôt la suite en nos lambris;
Jupiter l'y peignit. En contant ces Annales,
Philémon regardait Baucis par intervalles;
Elle devenait arbre, et lui tendait les bras;
Il veut lui tendre aussi les siens, et ne peut pas.
Il veut parler, l'écorce a sa langue pressée.
L'un et l'autre se dit adieu de la pensée :
Le corps n'est tantôt plus que feuillage et que bois.
D'étonnement la Troupe, ainsi qu'eux, perd la voix,
Même instant, même sort à leur fin les entraîne;
Baucis devient Tilleul, Philémon devient Chêne.
On les va voir encore, afin de mériter
Les douceurs qu'en hymen Amour leur fit goûter :
Ils courbent sous le poids des offrandes sans nombre.
Pour peu que des Époux séjournent sous leur ombre,
Ils s'aiment jusqu'au bout, malgré l'effort des ans.
Ah ! si... Mais autre part j'ai porté mes présents[16].
Célébrons seulement cette Métamorphose.
Des fidèles témoins m'ayant conté la chose,
Clio[17] me conseilla de l'étendre en ces Vers,
Qui pourront quelque jour l'apprendre à l'Univers :
Quelque jour on verra chez les Races futures
Sous l'appui d'un grand nom passer ces Aventures.
Vendôme, consentez au los que j'en attends :
Faites-moi triompher de l'Envie et du Temps;
Enchaînez ces démons, que sur nous ils n'attentent,
Ennemis des Héros et de ceux qui les chantent.
Je voudrais pouvoir dire en un style assez haut
Qu'ayant mille vertus vous n'avez nul défaut.
Toutes les célébrer serait œuvre infinie;
L'entreprise demande un plus vaste génie :
Car quel mérite enfin ne vous fait estimer ?
Sans parler de celui qui force à vous aimer ?
Vous joignez à ces dons l'amour des beaux Ouvrages,
Vous y joignez un goût plus sûr que nos suffrages :
Don du Ciel, qui peut seul tenir lieu des présents
Que nous font à regret le travail et les ans.
Peu de gens élevés, peu d'autres encor même,
Font voir par ces faveurs que Jupiter les aime.
Si quelque enfant des Dieux les possède, c'est vous;
Je l'ose dans ces Vers soutenir devant tous.
Clio, sur son giron, à l'exemple d'Homère,
Vient de les retoucher, attentive à vous plaire :

On dit qu'elle et ses sœurs, par l'ordre d'Apollon[17],
Transportent dans Anet[18] tout le sacré Vallon : 190
Je le crois. Puissions-nous chanter sous les ombrages
Des arbres dont ce lieu va border ses rivages !
Puissent-ils[a] tout d'un coup élever leurs sourcis[19],
Comme on vit autrefois Philémon et Baucis !

FABLE XXVI

LA MATRONE D'ÉPHÈSE[b]

S'il est un conte usé, commun et rebattu[1],
C'est celui qu'en ces vers j'accommode à ma guise.
— Et pourquoi donc le choisis-tu ?
Qui t'engage à cette entreprise ?
N'a-t-elle point déjà produit assez d'écrits ? 5
Quelle grâce aura ta Matrone
Au prix de celle de Pétrone ?
Comment la rendras-tu nouvelle à nos esprits ?
— Sans répondre aux censeurs, car c'est chose infinie,
Voyons si dans mes vers je l'aurai rajeunie. 10

Dans Éphèse il fut autrefois
Une dame en sagesse et vertus sans égale,
Et selon la commune voix
Ayant su raffiner sur l'amour conjugale.
Il n'était bruit que d'elle et de sa chasteté : 15
On l'allait voir par rareté :
C'était l'honneur du sexe : heureuse sa patrie:
Chaque mère à sa bru l'alléguait pour patron[2];
Chaque époux la prônait à sa femme chérie;
D'elle descendent ceux de la prudoterie[3], 20
Antique et célèbre maison.
Son mari l'aimait d'amour folle.

---

a. 1685 : *Pussent-ils*

b. Éditions : 1682, avec le poème *Quinquina*. — 1685, avec les *Ouvrages de prose et de poésie des Srs de Maucroix et de La Fontaine*. — 1694, avec les *Fables choisies* (l'actuel livre XII).

Il mourut. De dire comment,
Ce serait un détail frivole;
Il mourut, et son testament
N'était plein que de legs qui l'auraient consolée,
Si les biens réparaient la perte d'un mari
Amoureux autant que chéri.
Mainte veuve pourtant fait la déchevelée[4],
Qui n'abandonne pas le soin du demeurant[5],
Et du bien qu'elle aura fait le compte en pleurant.
Celle-ci par ses cris mettait tout en alarme;
Celle-ci faisait un vacarme,
Un bruit, et des regrets à percer tous les cœurs;
Bien qu'on sache qu'en ces malheurs
De quelque désespoir qu'une âme soit atteinte,
La douleur est toujours moins forte que la plainte,
Toujours un peu de faste entre parmi les pleurs.
Chacun fit son devoir de dire à l'affligée
Que tout a sa mesure, et que de tels regrets
Pourraient pécher par leur excès :
Chacun rendit par là sa douleur rengrégée[6].
Enfin ne voulant plus jouir de la clarté
Que son époux avait perdue,
Elle entre dans sa tombe, en ferme volonté
D'accompagner cette ombre aux enfers descendue.
Et voyez ce que peut l'excessive amitié;
(Ce mouvement aussi va jusqu'à la folie)
Une esclave en ce lieu la suivit par pitié,
Prête à mourir de compagnie.
Prête, je m'entends bien; c'est-à-dire en un mot
N'ayant examiné qu'à demi ce complot,
Et jusques à l'effet[7] courageuse et hardie.
L'esclave avec la dame avait été nourrie[8].
Toutes deux s'entraimaient, et cette passion
Était crue avec l'âge au cœur des deux femelles :
Le monde entier à peine eût fourni deux modèles
D'une telle inclination.

Comme l'esclave avait plus de sens que la dame,
Elle laissa passer les premiers mouvements,
Puis tâcha, mais en vain, de remettre cette âme
Dans l'ordinaire train des communs sentiments.
Aux consolations la veuve inaccessible
S'appliquait seulement à tout moyen possible

De suivre le défunt aux noirs et tristes lieux : 65
Le fer aurait été le plus court et le mieux,
Mais la dame voulait paître encore ses yeux
Du trésor qu'enfermait la bière,
Froide dépouille et pourtant chère.
C'était là le seul aliment 70
Qu'elle prît en ce monument.
La faim donc fut celle des portes
Qu'entre d'autres de tant de sortes,
Notre veuve choisit pour sortir d'ici-bas.
Un jour se passe, et deux sans autre nourriture 75
Que ses fréquents soupirs, que ses fréquents hélas,
Qu'un inutile et long murmure
Contre les dieux, le sort, et toute la nature.
Enfin sa douleur n'omit rien,
Si la douleur doit s'exprimer si bien. 80

Encore un autre mort faisait sa résidence
Non loin de ce tombeau, mais bien différemment,
Car il n'avait pour monument
Que le dessous d'une potence.
Pour exemple aux voleurs on l'avait là laissé. 85
Un soldat bien récompensé
Le gardait avec vigilance.
Il était dit par ordonnance
Que si d'autres voleurs, un parent, un ami
L'enlevaient, le soldat nonchalant, endormi, 90
Remplirait aussitôt sa place,
C'était trop de sévérité;
Mais la publique utilité
Défendait que l'on fît au garde aucune grâce.
Pendant la nuit il vit aux fentes du tombeau 95
Briller quelque clarté, spectacle assez nouveau.
Curieux, il y court, entend de loin la dame
Remplissant l'air de ses clameurs.
Il entre, est étonné, demande à cette femme, 100
Pourquoi ces cris, pourquoi ces pleurs,
Pourquoi cette triste musique,
Pourquoi cette maison noire et mélancolique.
Occupée à ses pleurs à peine elle entendit
Toutes ces demandes frivoles, 105
Le mort pour elle y répondit;
Cet objet sans autres paroles

Disait assez par quel malheur
La dame s'enterrait ainsi toute vivante.
Nous avons fait serment, ajouta la suivante,
De nous laisser mourir de faim et de douleur.
Encore que le soldat fût mauvais orateur,
Il leur fit concevoir ce que c'est que la vie.
La dame cette fois eut de l'attention;
Et déjà l'autre passion
Se trouvait un peu ralentie.
Le temps avait agi. Si la foi du serment,
Poursuivit le soldat, vous défend l'aliment,
Voyez-moi manger seulement,
Vous n'en mourrez pas moins. Un tel tempérament[9]
Ne déplut pas aux deux femelles :
Conclusion qu'il obtint d'elles
Une permission d'apporter son soupé;
Ce qu'il fit; et l'esclave eut le cœur fort tenté
De renoncer dès lors à la cruelle envie
De tenir au mort compagnie.
Madame, ce dit-elle, un penser m'est venu :
Qu'importe à votre époux que vous cessiez de vivre ?
Croyez-vous que lui-même il fût homme à vous suivre
Si par votre trépas vous l'aviez prévenu ?
Non Madame, il voudrait achever sa carrière.
La nôtre sera longue encor si nous voulons.
Se faut-il à vingt ans enfermer dans la bière ?
Nous aurons tout loisir d'habiter ces maisons.
On ne meurt que trop tôt; qui nous presse ? attendons;
Quant à moi je voudrais ne mourir que ridée.
Voulez-vous emporter vos appas chez les morts ?
Que vous servira-t-il d'en être regardée ?
Tantôt en voyant les trésors
Dont le Ciel prit plaisir d'orner votre visage,
Je disais : hélas ! c'est dommage,
Nous-mêmes nous allons enterrer tout cela.
A ce discours flatteur la dame s'éveilla.
Le Dieu qui fait aimer prit son temps; il tira
Deux traits de son carquois; de l'un il entama
Le soldat jusqu'au vif; l'autre effleura la dame :
Jeune et belle elle avait sous ses pleurs de l'éclat,
Et des gens de goût délicat
Auraient bien pu l'aimer, et même étant leur femme.
Le garde en fut épris : les pleurs et la pitié,

Sorte d'amour ayant ses charmes, 150
Tout y fit : une belle, alors qu'elle est en larmes
En est plus belle de moitié.
Voilà donc notre veuve écoutant la louange,
Poison qui de l'amour est le premier degré;
La voilà qui trouve à son gré 155
Celui qui le lui donne; il fait tant qu'elle mange,
Il fait tant que de plaire, et se rend en effet
Plus digne d'être aimé que le mort le mieux fait.
Il fait tant enfin qu'elle change;
Et toujours par degrés, comme l'on peut penser : 160
De l'un à l'autre il fait cette femme passer;
Je ne le trouve pas étrange.
Elle écoute un Amant, elle en fait un Mari;
Le tout au nez du mort qu'elle avait tant chéri.
Pendant cet hyménée un voleur se hasarde 165
D'enlever le dépôt commis aux soins du garde.
Il en entend le bruit; il y court à grands pas;
Mais en vain, la chose était faite.
Il revient au tombeau conter son embarras,
Ne sachant où trouver retraite. 170
L'Esclave alors lui dit le voyant éperdu :
L'on vous a pris votre pendu ?
Les lois ne vous feront, dites-vous, nulle grâce ?
Si Madame y consent j'y remédierai bien.
Mettons notre mort en la place, 175
Les passants n'y connaîtront rien.
La Dame y consentit. O volages femelles !
La femme est toujours femme; il en est qui sont belles,
Il en est qui ne le sont pas.
S'il en était d'assez fidèles, 180
Elles auraient assez d'appas.

Prudes vous vous devez défier de vos forces.
Ne vous vantez de rien. Si votre intention
Est de résister aux amorces,
La nôtre est bonne aussi; mais l'exécution 185
Nous trompe également[10]; témoin cette Matrone.
Et n'en déplaise au bon Pétrone,
Ce n'était pas un fait tellement merveilleux
Qu'il en dût proposer l'exemple à nos neveux.
Cette veuve n'eut tort qu'au bruit qu'on lui vit faire; 190
Qu'au dessein de mourir, mal conçu, mal formé;

Car de mettre au patibulaire,
Le corps d'un mari tant aimé,
Ce n'était pas peut-être une si grande affaire.
Cela lui sauvait l'autre; et tout considéré,
Mieux vaut goujat[11] debout qu'Empereur enterré.

XXVII

BELPHÉGOR

NOUVELLE TIRÉE DE MACHIAVEL[1] [a]

Un jour Satan, Monarque des enfers,
Faisait passer ses sujets en revue.
Là confondus tous les états divers,
Princes et Rois, et la tourbe menue,
Jetaient maint pleur, poussaient maint et maint cri,
Tant que Satan en était étourdi.
Il demandait en passant à chaque âme :

---

a. Éditions : comme *La Matrone d'Éphèse, Belphégor* a été imprimé d'abord en 1682 avec *Le Quinquina,* puis en 1685 avec les *Ouvrages de prose et de poésie ;* enfin en 1694 avec les *Fables nouvelles*. Dans cette dernière édition, La Fontaine, converti, a supprimé la dédicace à la Champmeslé. La voici :

A MADEMOISELLE DE CHAMMELLAY[2]

De votre nom j'orne le frontispice
Des derniers vers que ma Muse a polis.
Puisse le tout, ô charmante Philis,
Aller si loin que notre los franchisse
La nuit des temps : nous la saurons dompter,
Moi par écrire, et vous par réciter.
Nos noms unis perceront l'ombre noire ;
Vous régnerez longtemps dans la mémoire
Après avoir régné jusques ici
Dans les esprits, dans les cœurs même aussi[3].
Qui ne connaît l'inimitable actrice
Représentant ou Phèdre ou Bérénice,
Chimène en pleurs, ou Camille en fureur ?

Qui t'a jetée en l'éternelle flamme ?
L'une disait : hélas c'est mon mari;
L'autre aussitôt répondait : c'est ma femme. 10
Tant et tant fut ce discours répété,
Qu'enfin Satan dit en plein consistoire[5] :
Si ces gens-ci disent la vérité
Il est aisé d'augmenter notre gloire.
Nous n'avons donc qu'à le vérifier. 15
Pour cet effet, il nous faut envoyer
Quelque démon plein d'art et de prudence;
Qui non content d'observer avec soin
Tous les hymens dont il sera témoin,
Y joigne aussi sa propre expérience[6]. 20
Le Prince ayant proposé sa sentence,
Le noir Sénat suivit tout d'une voix.
De Belphégor aussitôt on fit choix.
Ce diable était tout yeux et tout oreilles,
Grand éplucheur, clairvoyant à merveilles, 25
Capable enfin de pénétrer dans tout,
Et de pousser l'examen jusqu'au bout.
Pour subvenir aux frais de l'entreprise,
On lui donna mainte et mainte remise,
Toutes à vue[7], et qu'en lieux différents 30
Il pût toucher par des correspondants.
Quant au surplus, les fortunes humaines,
Les biens, les maux, les plaisirs et les peines,
Bref ce qui suit notre condition,

Est-il quelqu'un que votre voix n'enchante ?
S'en trouve-t-il une autre aussi touchante,
Une autre enfin allant si droit au cœur ?
N'attendez pas que je fasse l'éloge
De ce qu'en vous on trouve de parfait ;
Comme il n'est point de grâce qui n'y loge,
Ce serait trop ; je n'aurais jamais fait.
De mes Philis vous seriez la première.
Vous auriez eu mon âme toute entière,
Si de mes vœux j'eusse plus présumé[4] ;
Mais en aimant, qui ne veut être aimé ?
Par des transports n'espérant pas vous plaire,
Je me suis dit seulement votre ami ;
De ceux qui sont amants plus d'à demi :
Et plût au sort que j'eusse pu mieux faire !
Ceci soit dit : venons à notre affaire.

Fut une annexe à sa légation.
Il se pouvait tirer d'affliction [8],
Par ses bons tours et par son industrie,
Mais non mourir, ni revoir sa patrie,
Qu'il n'eût ici consumé certain temps :
Sa mission devait durer dix ans.
Le voilà donc qui traverse et qui passe
Ce que le Ciel voulut mettre d'espace
Entre ce monde et l'éternelle nuit;
Il n'en [9] mit guère, un moment y conduit.
Notre démon s'établit à Florence,
Ville pour lors de luxe et de dépense.
Même il la crut propre pour le trafic.
Là sous le nom du seigneur Roderic,
Il se logea, meubla, comme un riche homme [10];
Grosse maison, grand train, nombre de gens;
Anticipant tous les jours sur la somme
Qu'il ne devait consumer qu'en dix ans.
On s'étonnait d'une telle bombance.
Il tenait table, avait de tous côtés
Gens à ses frais, soit pour ses voluptés,
Soit pour le faste et la magnificence.
L'un des plaisirs où plus il dépensa
Fut la louange : Apollon l'encensa [11];
Car il est maître en l'art de flatterie.
Diable n'eut onc tant d'honneurs en sa vie.
Son cœur devint le but de tous les traits
Qu'amour lançait : il n'était point de belle
Qui n'employât ce qu'elle avait d'attraits
Pour le gagner, tant sauvage fût-elle :
Car de trouver une seule rebelle,
Ce n'est la mode à gens de qui la main
Par les présents s'aplanit tout chemin.
C'est un ressort en tous desseins utile.
Je l'ai jà dit [12], et le redis encor;
Je ne connais d'autre premier mobile [13]
Dans l'Univers, que l'argent et que l'or.
Notre envoyé cependant tenait compte
De chaque hymen, en journaux [14] différents;
L'un, des époux satisfaits et contents,
Si peu rempli que le diable en eut honte.
L'autre journal incontinent fut plein.
A Belphégor il ne restait enfin

Que d'éprouver la chose par lui-même.
Certaine fille à Florence était lors;
Belle, et bien faite, et peu d'autres trésors; 80
Noble d'ailleurs, mais d'un orgueil extrême;
Et d'autant plus que de quelque vertu
Un tel orgueil paraissait revêtu.
Pour Roderic on en fit la demande.
Le Père dit que Madame Honnesta, 85
C'était son nom, avait eu jusques là
Force partis; mais que parmi la bande
Il pourrait bien Roderic préférer,
Et demandait temps pour délibérer.
On en convient. Le poursuivant s'applique 90
A gagner celle où ses vœux s'adressaient.
Fêtes et bals, sérénades, musique,
Cadeaux[15], festins, bien fort appetissaient,
Altéraient fort le fonds de l'ambassade.
Il n'y plaint rien, en use en grand Seigneur, 95
S'épuise en dons : l'autre se persuade
Qu'elle lui fait encor beaucoup d'honneur.
Conclusion, qu'après force prières,
Et des façons de toutes les manières,
Il eut un oui de Madame Honnesta. 100
Auparavant le Notaire y passa :
Dont Belphégor se moquant en son âme :
Hé quoi, dit-il, on acquiert une femme
Comme un château ! Ces gens ont tout gâté.
Il eut raison : ôtez d'entre les hommes 105
La simple foi, le meilleur est ôté.
Nous nous jetons, pauvres gens que nous sommes,
Dans les procès en prenant le revers[16].
Les si, les cas, les contrats sont la porte
Par où la noise entra dans l'univers : 110
N'espérons pas que jamais elle en sorte.
Solennités et lois n'empêchent pas
Qu'avec l'hymen amour n'ait des débats.
C'est le cœur seul qui peut rendre tranquille.
Le cœur fait tout, le reste est inutile. 115
Qu'ainsi ne soit[17], voyons d'autres états.
Chez les amis tout s'excuse, tout passe;
Chez les Amants tout plaît, tout est parfait;
Chez les Époux tout ennuie et tout lasse. 120
Le devoir nuit : chacun est ainsi fait.

Mais, dira-t-on, n'est-il en nulles guises
D'heureux ménage ? Après mûr examen,
J'appelle un bon, voire un parfait hymen,
Quand les conjoints se souffrent leurs sottises.

Sur ce point-là c'est assez raisonné
Dès que chez lui le Diable eut amené
Son épousée, il jugea par lui-même
Ce qu'est l'hymen avec un tel démon :
Toujours débats, toujours quelque sermon
Plein de sottise en un degré suprême.
Le bruit fut tel que Madame Honnesta
Plus d'une fois les voisins éveilla :
Plus d'une fois on courut à la noise[18] :
Il lui fallait quelque simple bourgeoise,
Ce disait-elle : un petit trafiquant
Traiter ainsi les filles de mon rang !
Méritait-il femme si vertueuse ?
Sur mon devoir je suis trop scrupuleuse :
J'en ai regret et si je faisais bien...
Il n'est pas sûr qu'Honnesta ne fît rien :
Ces prudes-là nous en font bien accroire.
Nos deux Époux, à ce que dit l'histoire,
Sans disputer n'étaient pas un moment.
Souvent leur guerre avait pour fondement
Le jeu, la jupe[19] ou quelque ameublement[20],
D'été, d'hiver, d'entre-temps, bref un monde
D'inventions propres à tout gâter.
Le pauvre diable eut lieu de regretter
De l'autre enfer la demeure profonde.
Pour comble enfin Roderic épousa
La parenté de Madame Honnesta,
Ayant sans cesse et le père et la mère,
Et la grand'sœur avec le petit frère;
De ses deniers mariant la grand'sœur,
Et du petit payant le précepteur.
Je n'ai pas dit la principale cause
De sa ruine infaillible accident[21];
Et j'oubliais qu'il eut un intendant.
Un intendant ? Qu'est-ce que cette chose ?
Je définis cet être un animal
Qui comme on dit sait pécher en eau trouble,
Et plus le bien de son maître va mal,

Plus le sien croît, plus son profit redouble;
Tant qu'aisément lui-même achèterait
Ce qui de net au Seigneur resterait : 165
Dont par raison bien et dûment déduite
On pourrait voir chaque chose réduite
En son état, s'il arrivait qu'un jour
L'autre devînt l'Intendant à son tour,
Car regagnant ce qu'il eut étant maître, 170
Ils reprendraient tous deux leur premier être.
Le seul recours du pauvre Roderic,
Son seul espoir, était certain trafic
Qu'il prétendait devoir remplir sa bourse,
Espoir douteux, incertaine ressource. 175
Il était dit que tout serait fatal
A notre époux, ainsi tout alla mal.
Ses agents tels que la plupart des nôtres,
En abusaient : il perdit un vaisseau,
Et vit aller le commerce à vau-l'eau, 180
Trompé des uns, mal servi par les autres.
Il emprunta. Quand ce vint à payer,
Et qu'à sa porte il vit le créancier,
Force lui fut d'esquiver par la fuite,
Gagnant les champs, où de l'âpre poursuite 185
Il se sauva chez un certain fermier,
En certain coin remparé de fumier.
A Matheo, c'était le nom du Sire,
Sans tant tourner il dit ce qu'il était;
Qu'un double mal chez lui le tourmentait, 190
Ses créanciers et sa femme encor pire :
Qu'il n'y savait remède que d'entrer
Au corps des gens, et de s'y remparer,
D'y tenir bon : irait-on là le prendre ?
Dame Honnesta viendrait-elle y prôner 195
Qu'elle a regret de se bien gouverner ?
Chose ennuyeuse et qu'il est las d'entendre.
Que de ces corps trois fois il sortirait
Sitôt que lui Matheo l'en prierait;
Trois fois sans plus et ce pour récompense 200
De l'avoir mis à couvert des Sergens.
Tout aussitôt l'Ambassadeur [22] commence
Avec grand bruit d'entrer au corps des gens.
Ce que le sien, ouvrage fantastique [23],
Devint alors, l'histoire n'en dit rien. 205

Son coup d'essai fut une fille unique
Où le galant se trouvait assez bien;
Mais Matheo moyennant grosse somme
L'en fit sortir au premier mot qu'il dit.
C'était à Naples, il se transporte à Rome;
Saisit un corps : Matheo l'en bannit,
Le chasse encore : autre somme nouvelle.
Trois fois enfin, toujours d'un corps femelle,
Remarquez bien, notre Diable sortit.
Le Roi de Naples avait lors une fille,
Honneur du sexe, espoir de sa famille;
Maint jeune prince était son poursuivant.
Là d'Honnesta Belphégor se sauvant,
On ne le put tirer de cet asile.
Il n'était bruit aux champs comme à la ville
Que d'un manant qui chassait les esprits.
Cent mille écus d'abord lui sont promis.
Bien affligé de manquer cette somme
(Car ces trois fois l'empêchaient d'espérer
Que Belphégor se laissât conjurer)
Il la refuse : il se dit un pauvre homme,
Pauvre pécheur, qui sans savoir comment,
Sans dons du Ciel, par hasard seulement,
De quelques corps a chassé quelque Diable,
Apparemment chétif, et misérable,
Et ne connaît celui-ci nullement.
Il a beau dire; on le force, on l'amène,
On le menace, on lui dit que sous peine
D'être pendu, d'être mis haut et court
En un gibet, il faut que sa puissance
Se manifeste avant la fin du jour.
Dès l'heure même on vous met en présence
Notre Démon et son Conjurateur.
D'un tel combat le Prince est spectateur.
Chacun y court : n'est fils de bonne mère
Qui pour le voir ne quitte toute affaire.
D'un côté sont le gibet et la hart,
Cent mille écus bien comptés d'autre part.
Matheo tremble, et lorgne la finance.
L'esprit malin voyant sa contenance,
Riait sous cape, alléguait les trois fois;
Dont Matheo suait en son harnois,
Pressait, priait, conjurait avec larmes.

Le tout en vain : plus il est en alarmes,
Plus l'autre rit. Enfin le manant dit 250
Que sur ce Diable il n'avait nul crédit.
On vous le happe et mène à la potence.
Comme il allait haranguer l'assistance[24],
Nécessité lui suggéra ce tour :
Il dit tout bas qu'on battît le tambour, 255
Ce qui fut fait; de quoi l'esprit immonde
Un peu surpris au manant demanda :
Pourquoi ce bruit ? coquin, qu'entends-je là ?
L'autre répond : C'est Madame Honnesta
Qui vous réclame, et va pour tout le monde 260
Cherchant l'époux que le Ciel lui donna.
Incontinent le Diable décampa,
S'enfuit au fond des enfers et conta
Tout le succès qu'avait eu son voyage :
Sire, dit-il, le nœud du mariage 265
Damne aussi dru qu'aucuns autres états.
Votre grandeur voit tomber ici-bas[25],
Non par flocons, mais menu comme pluie,
Ceux que l'hymen fait de sa confrérie,
J'ai par moi-même examiné le cas. 270
Non que de soi la chose ne soit bonne :
Elle eut jadis un plus heureux destin;
Mais comment tout se corrompt à la fin,
Plus beau fleuron n'est en votre couronne.
Satan le crut : il fut récompensé; 275
Encore qu'il eût son retour avancé;
Car qu'eût-il fait ? Ce n'était pas merveilles
Qu'ayant sans cesse un Diable[26] à ses oreilles,
Toujours le même et toujours sur un ton[27],
Il fût contraint d'enfiler la venelle[28]; 280
Dans les enfers encore en change-t-on[29];
L'autre peine est à mon sens plus cruelle.
Je voudrais voir quelque Saint y durer.
Elle eût à Job fait tourner la cervelle[30].
De tout ceci que prétends-je inférer ? 285
Premièrement je ne sais pire chose
Que de changer son logis en prison;
En second lieu si par quelque raison
Votre ascendant à l'hymen vous expose,
N'épousez point d'Honnesta s'il se peut; 290
N'a pas pourtant une Honnesta qui veut.

XXVIII

LES FILLES DE MINÉE[1]

SUJET TIRÉ DES MÉTAMORPHOSES D'OVIDE

Je chante dans ces vers les filles de Minée,
Troupe aux arts de Pallas dès l'enfance adonnée[2],
Et de qui le travail fit entrer en courroux
Bacchus, à juste droit de ses honneurs jaloux.
Tout dieu veut aux humains se faire reconnaître[3] :
On ne voit point les champs répondre aux soins du maître,
Si dans les jours sacrés, autour de ses guérets,
Il ne marche en triomphe[4] à l'honneur de Cérès.
La Grèce était en jeux pour le fils de Sémèle[5];
Seules on vit trois sœurs condamner ce saint zèle.
Alcithoé, l'aînée, ayant pris ses fuseaux,
Dit aux autres : Quoi donc ! toujours les dieux nouveaux !
L'Olympe ne peut plus contenir tant de têtes,
Ni l'an fournir de jours assez pour tant de fêtes[6].
Je ne dis rien des vœux dus aux travaux divers
De ce dieu qui purgea de monstres l'univers :
Mais à quoi sert Bacchus[7], qu'à causer des querelles ?
Affaiblir les plus sains ? enlaidir les plus belles ?
Souvent mener au Styx par de tristes chemins ?
Et nous irions chommer la peste des humains ?
Pour moi, j'ai résolu de poursuivre ma tâche.
Se donne qui voudra ce jour-ci du relâche :
Ces mains n'en prendront point. Je suis encor d'avis
Que nous rendions le temps moins long par des récits :
Toutes trois, tour à tour, racontons quelque histoire.
Je pourrais retrouver sans peine en ma mémoire
Du monarque des dieux les divers changements;
Mais, comme chacun sait tous ces événements,
Disons ce que l'amour inspire à nos pareilles,
Non toutefois qu'il faille, en contant ses merveilles,
Accoutumer nos cœurs à goûter son poison;
Car, ainsi que Bacchus, il trouble la raison :
Récitons-nous les maux que ses biens nous attirent.
Alcithoé se tut, et ses sœurs applaudirent.
Après quelques moments, haussant un peu la voix :

Dans Thèbes, reprit-elle, on conte qu'autrefois
Deux jeunes cœurs s'aimaient d'une égale tendresse :
Pirame, c'est l'amant, eut Thisbé pour maîtresse.
Jamais couple ne fut si bien assorti qu'eux :
L'un bien fait, l'autre belle, agréables tous deux, 40
Tous deux dignes de plaire, ils s'aimèrent sans peine;
D'autant plus tôt épris, qu'une invincible haine
Divisant leurs parents ces deux amants unit,
Et concourut aux traits dont l'Amour se servit.
Le hasard, non le choix, avait rendu voisines 45
Leurs maisons, où régnaient ces guerres intestines :
Ce fut un avantage à leurs désirs naissants.
Le cours en commença par des jeux innocents :
La première étincelle eut embrasé leur âme,
Qu'ils ignoraient encor ce que c'était que flamme. 50
Chacun favorisait leurs transports mutuels,
Mais c'était à l'insu de leurs parents cruels.
La défense est un charme : on dit qu'elle assaisonne
Les plaisirs, et surtout ceux que l'amour nous donne.
D'un des logis à l'autre, elle instruisit du moins 55
Nos amants à se dire avec signes leurs soins.
Ce léger réconfort ne les put satisfaire;
Il fallut recourir à quelque autre mystère.
Un vieux mur entr'ouvert séparait leurs maisons;
Le temps avait miné ses antiques cloisons : 60
Là souvent de leurs maux ils déploraient la cause;
Les paroles passaient, mais c'était peu de chose.
Se plaignant d'un tel sort, Pirame dit un jour :
Chère Thisbé, le Ciel veut qu'on s'aide en amour;
Nous avons à nous voir une peine infinie : 65
Fuyons de nos parents l'injuste tyrannie.
J'en ai d'autres en Grèce; ils se tiendront heureux
Que vous daigniez chercher un asile chez eux;
Leur amitié, leurs biens, leur pouvoir, tout m'invite
A prendre le parti dont je vous sollicite[8]. 70
C'est votre seul repos qui me le fait choisir,
Car je n'ose parler, hélas ! de mon désir.
Faut-il à votre gloire en faire un sacrifice
De crainte de vains bruits faut-il que je languisse ?
Ordonnez, j'y consens; tout me semblera doux; 75
Je vous aime, Thisbé, moins pour moi que pour vous.
— J'en pourrais dire autant, lui repartit l'Amante :
Votre amour étant pure, encor que véhémente,

Je vous suivrai partout; notre commun repos
Me doit mettre au-dessus de tous les vains propos;
Tant que de ma vertu je serai satisfaite,
Je rirai des discours d'une langue indiscrète,
Et m'abandonnerai sans crainte à votre ardeur,
Contente que je suis des soins de ma pudeur[9].

Jugez ce que sentit Pirame à ces paroles;
Je n'en fais point ici de peintures frivoles :
Suppléez au peu d'art que le Ciel mit en moi;
Vous-mêmes peignez-vous cet Amant hors de soi.
Demain, dit-il, il faut sortir avant l'Aurore;
N'attendez point les traits que son char fait éclore.
Trouvez-vous aux degrés du Terme[10] de Cérès;
Là, nous nous attendrons : le rivage est tout près,
Une barque est au bord; les rameurs, le vent même.
Tout pour notre départ montre une hâte extrême;
L'augure en est heureux, notre sort va changer;
Et les dieux sont pour nous, si je sais bien juger.
Thisbé consent à tout; elle en donne pour gage
Deux baisers, par le mur arrêtés au passage,
Heureux mur ! tu devais[11] servir mieux leur désir :
Ils n'obtinrent de toi qu'une ombre de plaisir.
Le lendemain Thisbé sort, et prévient[12] Pirame;
L'impatience, hélas ! maîtresse de son âme,
La fait arriver seule et sans guide aux degrés.
L'ombre et le jour luttaient dans les champs azurés.
Une lionne vient, monstre imprimant la crainte;
D'un carnage récent sa gueule est toute teinte.
Thisbé fuit; et son voile, emporté par les airs,
Source d'un sort cruel, tombe dans ces déserts.
La lionne le voit, le souille, le déchire;
Et, l'ayant teint de sang, aux forêts se retire.
Thisbé s'était cachée en un buisson épais.
Pirame arrive, et voit ces vestiges tout frais :
O dieux ! que devient-il ? Un froid court dans ses veines;
Il aperçoit le voile étendu dans ces plaines;
Il se lève; et le sang, joint aux traces des pas,
L'empêche de douter d'un funeste trépas.
Thisbé ! s'écria-t-il, Thisbé, je t'ai perdue !
Te voilà, par ma faute, aux Enfers descendue !
Je l'ai voulu : c'est moi qui suis le monstre affreux
Par qui tu t'en vas voir le séjour ténébreux :

Attends-moi, je te vais rejoindre aux rives sombres;
Mais m'oserai-je à toi présenter chez les ombres ?
Jouis au moins du sang que je te vais offrir,
Malheureux de n'avoir qu'une mort à souffrir.
Il dit, et d'un poignard coupe aussitôt sa trame. 125
Thisbé vient; Thisbé voit tomber son cher Pirame.
Que devint-elle aussi ? Tout lui manque à la fois,
Le sens et les esprits, aussi bien que la voix.
Elle revient enfin; Clothon[13], pour l'amour d'elle,
Laisse à Pirame ouvrir sa mourante prunelle. 130
Il ne regarde point la lumière des cieux;
Sur Thisbé seulement il tourne encor les yeux.
Il voudrait lui parler, sa langue est retenue :
Il témoigne mourir content de l'avoir vue.
Thisbé prend le poignard; et, découvrant son sein : 135
Je n'accuserai point, dit-elle, ton dessein,
Bien moins encor l'erreur de ton âme alarmée :
Ce serait t'accuser de m'avoir trop aimée.
Je ne t'aime pas moins : tu vas voir que mon cœur
N'a, non plus que le tien, mérité son malheur. 140
Cher Amant ! reçois donc ce triste sacrifice.
Sa main et le poignard font alors leur office;
Elle tombe, et, tombant range ses vêtements :
Dernier trait de pudeur même aux derniers moments.
Les Nymphes d'alentour lui donnèrent des larmes, 145
Et du sang des Amants teignirent par des charmes
Le fruit d'un mûrier proche, et blanc jusqu'à ce jour,
Éternel monument d'un si parfait amour.
Cette histoire attendrit les filles de Minée.
L'une accusait l'Amant, l'autre la Destinée; 150
Et toute d'une voix conclurent que nos cœurs
De cette passion devraient être vainqueurs :
Elle meurt quelquefois avant qu'être contente;
L'est-elle, elle devient aussitôt languissante;
Sans l'hymen on n'en doit recueillir aucun fruit, 155
Et cependant l'hymen est ce qui la détruit.
Il y joint, dit Clymène, une âpre jalousie,
Poison le plus cruel dont l'âme soit saisie :
Je n'en veux pour témoin que l'erreur de Procris.
Alcithoé ma sœur, attachant vos esprits, 160
Des tragiques amours vous a conté l'élite :
Celles que je vais dire ont aussi leur mérite.
J'accourcirai le temps, ainsi qu'elle, à mon tour.

Peu s'en faut que Phébus ne partage le jour;
A ses rayons perçants opposons quelques voiles.
Voyons combien nos mains ont avancé nos toiles :
Je veux que, sur la mienne, avant que d'être au soir,
Un progrès tout nouveau se fasse apercevoir.
Cependant donnez-moi quelque heure de silence :
Ne vous rebutez point de mon peu d'éloquence;
Souffrez-en les défauts, et songez seulement
Au fruit qu'on peut tirer de cet événement.

Céphale aimait Procris; il était aimé d'elle :
Chacun se proposait leur hymen pour modèle.
Ce qu'Amour fait sentir de piquant et de doux
Comblait abondamment les vœux de ces Époux.
Ils ne s'aimaient que trop ! leurs soins et leur tendresse
Approchaient des transports d'Amant et de Maîtresse.
Le Ciel même envia cette félicité :
Céphale eut à combattre une Divinité.
Il était jeune et beau; l'Aurore en fut charmée,
N'étant pas à ces biens chez elle accoutumée.
Nos belles cacheraient un pareil sentiment :
Chez les Divinités on en use autrement.
Celle-ci déclara ses pensers à Céphale;
Il eut beau lui parler de la foi conjugale :
Les jeunes Déités qui n'ont qu'un vieil Époux
Ne se soumettent point à ces lois comme nous :
La Déesse enleva ce Héros si fidèle.
De modérer ces feux il pria l'Immortelle :
Elle le fit; l'amour devint simple amitié.
Retournez, dit l'Aurore, avec votre moitié;
Je ne troublerai plus votre ardeur ni la sienne :
Recevez seulement ces marques de la mienne.
(C'était un javelot toujours sûr de ses coups.)
Un jour cette Procris qui ne vit que pour vous
Fera le désespoir de votre âme charmée,
Et vous aurez regret de l'avoir tant aimée.
Tout oracle est douteux, et porte un double sens :
Celui-ci mit d'abord notre Époux en suspens.
J'aurai regret aux vœux que j'ai formés pour elle !
Et comment ? n'est-ce point qu'elle m'est infidèle ?
Ah ! finissent mes jours plutôt que de le voir !
Éprouvons toutefois ce que peut son devoir.

Des Mages aussitôt consultant la science, 205
D'un feint adolescent il prend la ressemblance,
S'en va trouver Procris, élève jusqu'aux Cieux
Ses beautés, qu'il soutient être dignes des Dieux;
Joint les pleurs aux soupirs, comme un Amant sait faire,
Et ne peut s'éclaircir par cet art ordinaire. 210
Il fallut recourir à ce qui porte coup,
Aux présents : il offrit, donna, promit beaucoup,
Promit tant, que Procris lui parut incertaine[14];
Toute chose a son prix. Voilà Céphale en peine :
Il renonce aux cités, s'en va dans les forêts, 215
Conte aux vents, conte aux bois ses déplaisirs secrets,
S'imagine en chassant dissiper son martyre.
C'était pendant ces mois où le chaud qu'on respire
Oblige d'implorer l'haleine des Zéphirs.
Doux Vents, s'écriait-il, prêtez-moi des soupirs ! 220
Venez, légers Démons par qui nos champs fleurissent;
Aure[15], fais-les venir; je sais qu'ils t'obéissent :
Ton emploi dans ces lieux est de tout ranimer.
On l'entendit : on crut qu'il venait de nommer
Quelque objet de ses vœux, autre que son Épouse. 225
Elle en est avertie; et la voilà jalouse.
Maint voisin charitable entretient ses ennuis.
Je ne le puis plus voir, dit-elle, que les nuits !
Il aime donc cette Aure, et me quitte pour elle ?
— Nous vous plaignons; il l'aime, et sans cesse il l'appelle : 230
Les échos de ces lieux n'ont plus d'autres emplois
Que celui d'enseigner le nom d'Aure à nos bois;
Dans tous les environs le nom d'Aure résonne.
Profitez d'un avis qu'en passant on vous donne :
L'intérêt qu'on y prend est de vous obliger. 235
Elle en profite, hélas ! et ne fait qu'y songer.
Les Amants sont toujours de légère croyance.
S'ils pouvaient conserver un rayon de prudence,
(Je demande un grand point, la prudence en amours)
Ils seraient aux rapports insensibles et sourds; 240
Notre Épouse ne fut l'une ni l'autre chose.
Elle se lève un jour; et lorsque tout repose,
Que de l'aube au teint frais la charmante douceur
Force tout au sommeil, hormis quelque chasseur,
Elle cherche Céphale : un bois l'offre à sa vue. 245
Il invoquait déjà cette Aure prétendue :
Viens me voir, disait-il, chère Déesse, accours !

Je n'en puis plus, je meurs; fais que par ton secours
La peine que je sens se trouve soulagée.
L'épouse se prétend par ces mots outragée :
Elle croit y trouver, non le sens qu'ils cachaient,
Mais celui seulement que ses soupçons cherchaient.
O triste jalousie ! ô passion amère !
Fille d'un fol amour, que l'erreur a pour mère !
Ce qu'on voit par tes yeux cause assez d'embarras
Sans voir encor par eux ce que l'on ne voit pas !
Procris s'était cachée en la même retraite
Qu'un fan de biche avait pour demeure secrète.
Il en sort; et le bruit trompe aussitôt l'Époux.
Céphale prend le dard toujours sûr de ses coups,
Le lance en cet endroit, et perce sa jalouse :
Malheureux assassin d'une si chère Épouse !
Un cri lui fait d'abord soupçonner quelque erreur;
Il accourt, voit sa faute; et, tout plein de fureur,
Du même javelot il veut s'ôter la vie.
L'Aurore et les Destins arrêtent cette envie;
Cet office lui fut plus cruel qu'indulgent :
L'infortuné Mari sans cesse s'affligeant
Eût accru par ses pleurs le nombre des fontaines,
Si la déesse enfin, pour terminer ses peines,
N'eût obtenu du Sort que l'on tranchât ses jours :
Triste fin d'un hymen bien divers en son cours !
Fuyons ce nœud, mes sœurs, je ne puis trop le dire :
Jugez par le meilleur quel peut être le pire.
S'il ne nous est permis d'aimer que sous ses lois,
N'aimons point. Ce dessein fut pris par toutes trois.
Toutes trois, pour chasser de si tristes pensées,
A revoir leur travail se montrent empressées.
Clymène, en un tissu riche, pénible et grand,
Avait presque achevé le fameux différend
D'entre le dieu des eaux et Pallas la savante.
On voyait en lointain une ville naissante;
L'honneur de la nommer, entre eux deux contesté,
Dépendait du présent[16] de chaque déité.
Neptune fit le sien d'un symbole de guerre :
Un coup de son trident fit sortir de la terre
Un animal fougueux, un Coursier plein d'ardeur :
Chacun de ce présent admirait la grandeur.
Minerve l'effaça, donnant à la contrée
L'Olivier, qui de paix est la marque assurée.

Elle emporta le prix, et nomma la cité :
Athène offrit ses vœux à cette déité;
Pour les lui présenter on choisit cent pucelles,
Toutes sachant broder, aussi sages que belles. 295
Les premières portaient force présents divers;
Tout le reste entourait la déesse aux yeux pers;
Avec un doux souris elle acceptait l'hommage.
Clymène ayant enfin reployé son ouvrage,
La jeune Iris commence en ces mots son récit : 300

Rarement pour les pleurs mon talent réussit;
Je suivrai toutefois la matière imposée.
Télamon pour Cloris avait l'âme embrasée,
Cloris pour Télamon brûlait de son côté.
La naissance, l'esprit, les grâces, la beauté, 305
Tout se trouvait en eux, hormis ce que les hommes
Font marcher avant tout dans ce siècle où nous sommes :
Ce sont les biens, c'est l'or, mérite universel.
Ces Amants, quoique épris d'un désir mutuel,
N'osaient au blond Hymen sacrifier encore, 310
Faute de ce métal que tout le monde adore.
Amour s'en passerait; l'autre état[17] ne le peut :
Soit raison, soit abus, le Sort ainsi le veut.
Cette loi, qui corrompt les douceurs de la vie,
Fut par le jeune Amant d'une autre erreur suivie. 315
Le Démon des Combats vint troubler l'Univers :
Un Pays contesté par des Peuples divers
Engagea Télamon dans un dur exercice;
Il quitta pour un temps l'amoureuse milice.
Cloris y consentit, mais non pas sans douleur : 320
Il voulut mériter son estime et son cœur.
Pendant que ses exploits terminent la querelle,
Un parent de Cloris meurt, et laisse à la belle
D'amples possessions et d'immenses trésors.
Il habitait les lieux où Mars régnait alors. 325
La belle s'y transporte; et partout révérée,
Partout des deux partis Cloris considérée,
Voit de ses propres yeux les champs où Télamon
Venait de consacrer un trophée à son nom.
Lui de sa part accourt; et, tout couvert de gloire, 330
Il offre à ses amours les fruits de sa victoire.
Leur rencontre se fit non loin de l'élément

Qui doit être évité de tout heureux amant.
Dès ce jour l'âge d'or les eût joints sans mystère;
L'âge de fer en tout a coutume d'en faire.
Cloris ne voulut donc couronner tous ces biens
Qu'au sein de sa patrie, et de l'aveu des siens.
Tout chemin, hors la mer, allongeant leur souffrance,
Ils commettent aux flots cette douce espérance.
Zéphyre[18] les suivait quand, presque en arrivant[19],
Un pirate survient, prend le dessus du vent[20],
Les attaque, les bat. En vain, par sa vaillance,
Télamon jusqu'au bout porte la résistance :
Après un long combat son parti fut défait,
Lui pris; et ses efforts n'eurent pour tout effet
Qu'un esclavage indigne. O dieux ! qui l'eût pu croire ?
Le sort, sans respecter ni son sang ni sa gloire,
Ni son bonheur prochain, ni les vœux de Cloris,
Le fit être forçat aussitôt qu'il fut pris.

Le Destin ne fut pas à Cloris si contraire.
Un célèbre Marchand l'achète du Corsaire :
Il l'emmène; et bientôt la Belle, malgré soi,
Au milieu de ses fers range tout sous sa loi.
L'Épouse du Marchand la voit avec tendresse.
Ils en font leur Compagne, et leur fils sa Maîtresse.
Chacun veut cet hymen : Cloris à leurs désirs
Répondait seulement par de profonds soupirs.
Damon, c'était ce fils, lui tient ce doux langage :
Vous soupirez toujours, toujours votre visage
Baigné de pleurs nous marque un déplaisir secret.
Qu'avez-vous ? vos beaux yeux verraient-ils à regret
Ce que peuvent leurs traits et l'excès de ma flamme ?
Rien ne vous force ici; découvrez-nous votre âme :
Cloris, c'est moi qui suis l'esclave, et non pas vous.
Ces lieux, à votre gré, n'ont-ils rien d'assez doux ?
Parlez; nous sommes prêts à changer de demeure :
Mes parents m'ont promis de partir tout à l'heure.
Regrettez-vous les biens que vous avez perdus ?
Tout le nôtre est à vous; ne le dédaignez plus.
J'en sais qui l'agréeraient; j'ai su plaire à plus d'une;
Pour vous, vous méritez toute une autre fortune[21].
Quelle que soit la nôtre, usez-en : vous voyez
Ce que nous possédons, et nous-même à vos pieds.

Ainsi parle Damon; et Cloris tout en larmes
Lui répond en ces mots, accompagnés de charmes : 375
Vos moindres qualités, et cet heureux séjour
Même aux filles des dieux donneraient de l'amour;
Jugez donc si Cloris, esclave et malheureuse,
Voit l'offre de ces biens d'une âme dédaigneuse.
Je sais quel est leur prix : mais de les accepter, 380
Je ne puis; et voudrais vous pouvoir écouter;
Ce qui me le défend, ce n'est point l'esclavage :
Si toujours la naissance éleva mon courage,
Je me vois, grâce aux Dieux, en des mains où je puis
Garder ces sentiments malgré tous mes ennuis; 385
Je puis même avouer (hélas ! faut-il le dire ?)
Qu'un autre a sur mon cœur conservé son empire.
Je chéris un Amant, ou mort, ou dans les fers;
Je prétends le chérir encor dans les enfers.
Pourriez-vous estimer le cœur d'une inconstante ? 390
Je ne suis déjà plus aimable ni charmante;
Cloris n'a plus ces traits que l'on trouvait si doux,
Et doublement esclave est indigne de vous.
Touché de ce discours, Damon prend congé d'elle.
Fuyons, dit-il en soi; j'oublierai cette Belle : 395
Tout passe, et même un jour ses larmes passeront :
Voyons ce que l'absence et le temps produiront.
A ces mots il s'embarque; et, quittant le rivage,
Il court de mer en mer, aborde en lieu[a] sauvage,
Trouve des malheureux de leurs fers échappés, 400
Et sur le bord d'un bois à chasser occupés.
Télamon, de ce nombre, avait brisé sa chaîne :
Aux regards de Damon il se présente à peine,
Que son air, sa fierté, son esprit, tout enfin
Fait qu'à l'abord Damon admire son destin; 405
Puis le plaint, puis l'emmène, et puis lui dit sa flamme.
D'une Esclave, dit-il, je n'ai pu toucher l'âme :
Elle chérit un mort ! Un mort ! ce qui n'est plus
L'emporte dans son cœur ! mes vœux sont superflus.
Là-dessus, de Cloris il lui fait la peinture. 410
Télamon dans son âme admire l'aventure,
Dissimule, et se laisse emmener au séjour
Où Cloris lui conserve un si parfait amour.

---

a. 1685 : *un* lieu

Comme il voulait cacher avec soin sa fortune[22],
Nulle peine pour lui n'était vile et commune.
On apprend leur retour et leur débarquement; 41
Cloris, se présentant à l'un et l'autre Amant,
Reconnaît Télamon sous un faix qui l'accable.
Ses chagrins le rendaient pourtant méconnaissable;
Un œil indifférent à le voir eût erré,
Tant la peine et l'amour l'avaient défiguré ! 42
Le fardeau qu'il portait ne fut qu'un vain obstacle,
Cloris le reconnaît, et tombe à ce spectacle :
Elle perd tous ses sens et de honte et d'amour
Télamon, d'autre part, tombe presque à son tour.
On demande à Cloris la cause de sa peine : 42
Elle la dit; ce fut sans s'attirer de haine.
Son récit ingénu redoubla la pitié
Dans des cœurs prévenus d'une juste amitié.
Damon dit que son zèle avait changé de face[23] :
On le crut. Cependant, quoi qu'on dise et qu'on fasse, 43
D'un triomphe si doux l'honneur et le plaisir
Ne se perd qu'en laissant des restes de désir.
On crut pourtant Damon. Il restreignit son zèle
A sceller de l'Hymen une union si belle;
Et, par un sentiment à qui rien n'est égal, 43
Il pria ses parents de doter son rival :
Il l'obtint, renonçant dès lors à l'Hyménée.
Le soir étant venu de l'heureuse journée,
Les noces se faisaient à l'ombre d'un ormeau;
L'enfant d'un voisin vit s'y percher un corbeau : 44
Il fait partir de l'arc une flèche maudite,
Perce les deux époux d'une atteinte subite.
Cloris mourut du coup, non sans que son Amant
Attirât ses regards en ce dernier moment.
Il s'écrie, en voyant finir ses destinées : 44
Quoi ! la Parque a tranché le cours de ses années !
Dieux, qui l'avez voulu, ne suffisait-il pas
Que la haine du Sort avançât mon trépas ?
En achevant ces mots, il acheva de vivre :
Son amour, non le coup, l'obligea de la suivre : 450
Blessé légèrement[24], il passa chez les morts :
Le Styx vit nos Époux accourir sur ses bords.
Même accident finit leurs précieuses trames;
Même tombe eut leurs corps, même séjour leurs âmes.
Quelques-uns ont écrit (mais ce fait est peu sûr) 455

Que chacun d'eux devint statue et marbre dur :
Le couple infortuné face à face repose.
Je ne garantis point cette métamorphose :
On en doute. — On la croit plus que vous ne pensez, 460
Dit Climène; et, cherchant dans les siècles passés
Quelque exemple d'amour et de vertu parfaite,
Tout ceci me fut dit par un sage[a] Interprète[25].
J'admirai, je plaignis ces Amants malheureux :
On les allait unir; tout concourait pour eux; 465
Ils touchaient au moment; l'attente en était sûre :
Hélas ! il n'en est point de telle en la nature;
Sur le point de jouir tout s'enfuit de nos mains :
Les Dieux se font un jeu de l'espoir des humains.
— Laissons, reprit Iris, cette triste pensée. 470
La Fête est vers sa fin, grâce au Ciel, avancée;
Et nous avons passé tout ce temps en récits
Capables d'affliger les moins sombres esprits :
Effaçons, s'il se peut, leur image funeste.
Je prétends de ce jour mieux employer le reste, 475
Et dire un changement, non de corps, mais de cœur.
Le miracle en est grand; Amour en fut l'auteur :
Il en fait tous les jours de diverse manière;
Je changerai de style en changeant de matière.
Zoon plaisait aux yeux; mais ce n'est pas assez : 480
Son peu d'esprit, son humeur sombre,
Rendaient ces talents mal placés.
Il fuyait les cités, il ne cherchait que l'ombre,
Vivait parmi les bois, concitoyen des ours.
Et passait sans aimer les plus beaux de ses jours. 485
Nous avons condamné l'amour, m'allez-vous dire:
J'en blâme en nous l'excès; mais je n'approuve pas
Qu'insensible aux plus doux appas
Jamais un homme ne soupire.
Hé quoi ! ce long repos est-il d'un si grand prix ? 490
Les morts sont donc heureux ? Ce n'est pas mon avis :
Je veux des passions; et si l'état le pire
Est le néant, je ne sais point
De néant plus complet qu'un cœur froid à ce point.
Zoon n'aimant donc rien, ne s'aimant pas lui-même, 495
Vit Iole endormie, et le voilà frappé :

---

a. 1685 : par *le* sage

Voilà son cœur développé[26].
Amour, par son savoir suprême,
Ne l'eut pas fait amant, qu'il en fit un héros.
Zoon rend grâce au Dieu qui troublait son repos :
Il regarde en tremblant cette jeune merveille. 500
A la fin Iole s'éveille;
Surprise et dans l'étonnement,
Elle veut fuir, mais son Amant
L'arrête, et lui tient ce langage :
Rare et charmant objet, pourquoi me fuyez-vous ? 505
Je ne suis plus celui qu'on trouvait si sauvage :
C'est l'effet de vos traits, aussi puissants que doux;
Ils m'ont l'âme et l'esprit et la raison donnée.
Souffrez que, vivant sous vos lois,
J'emploie à vous servir des biens que je vous dois. 510
Iole, à ce discours encor plus étonnée,
Rougit, et sans répondre elle court au hameau,
Et raconte à chacun ce miracle nouveau[27].
Ses compagnes d'abord s'assemblent autour d'elle :
Zoon suit en triomphe, et chacun applaudit. 515
Je ne vous dirai point, mes sœurs, tout ce qu'il fit,
Ni ses soins pour plaire à la belle :
Leur hymen se conclut. Un Satrape[28] voisin,
Le propre jour de cette fête,
Enlève à Zoon sa conquête : 520
On ne soupçonnait point qu'il eût un tel dessein.
Zoon accourt au bruit, recouvre ce cher gage,
Poursuit le ravisseur, et le joint et l'engage
En un combat de main à main.
Iole en est le prix aussi bien que le juge. 525
Le Satrape, vaincu, trouve encor du refuge
En la bonté de son rival.
Hélas ! cette bonté lui devint inutile;
Il mourut du regret de cet hymen fatal :
Aux plus infortunés la tombe sert d'asile. 530
Il prit pour héritière, en finissant ses jours,
Iole, qui mouilla de pleurs son mausolée.
Que sert-il d'être plaint quand l'âme est envolée ?
Ce satrape eût mieux fait d'oublier ses amours.
La jeune Iris à peine achevait cette histoire; 535
Et ses sœurs avouaient qu'un chemin à la gloire,
C'est l'amour : on fait tout pour se voir estimé;
Est-il quelque chemin plus court pour être aimé ?

Les filles de Minée

Gravure par J. Ménil d'après Oudry pour les
Fables choisies de La Fontaine,
Paris, Desaint et Saillant, 1755-1759

Quel charme de s'ouïr louer par une bouche
Qui même sans s'ouvrir nous enchante et nous touche. 540
Ainsi disaient ces sœurs. Un orage soudain
Jette un secret remords dans leur profane sein.
Bacchus entre, et sa cour, confus et long cortège :
Où sont, dit-il, ces sœurs à la main sacrilège ?
Que Pallas les défende, et vienne en leur faveur 545
Opposer son Ægide à ma juste fureur[29] :
Rien ne m'empêchera de punir leur offense.
Voyez : et qu'on se rie après de ma puissance !
Il n'eut pas dit, qu'on vit trois monstres au plancher,
Ailés, noirs et velus, en un coin s'attacher. 550
On cherche les trois Sœurs; on n'en voit nulle trace :
Leurs métiers sont brisés; on élève en leur place
Une Chapelle au Dieu, père du vrai Nectar.
Pallas a beau se plaindre, elle a beau prendre part
Au destin de ces Sœurs par elle protégées; 555
Quand quelque dieu, voyant ses bontés négligées,
Nous fait sentir son ire, un autre n'y peut rien :
L'Olympe s'entretient en paix par ce moyen.
Profitons, s'il se peut, d'un si fameux exemple :
Chommons : c'est faire assez qu'aller de Temple en Temple 560
Rendre à chaque immortel les vœux qui lui sont dus :
Les jours donnés aux Dieux ne sont jamais perdus.

FABLE XXIX

LE JUGE ARBITRE, L'HOSPITALIER, ET LE SOLITAIRE*[1]

TROIS Saints, également jaloux de leur salut,
Portés d'un même esprit, tendaient à même but.
Ils s'y prirent tous trois par des routes diverses[a] :
Tous chemins vont à Rome : ainsi nos Concurrents

* Textes : *Recueil de vers choisis* [du P. Bouhours], achevé 1er juin 1693. — *Fables*, 1694. — *Œuvres posthumes*, 1696.

a. *Ils suivirent pourtant des routes bien diverses* (Rec. et O. P.)

Crurent pouvoir choisir des sentiers différents.
L'un, touché des soucis, des longueurs, des traverses,
Qu'en apanage on voit aux Procès attachés
S'offrit de les juger sans récompense aucune,
Peu soigneux d'établir ici-bas sa fortune[2].
Depuis qu'il est des Lois, l'Homme, pour ses péchés,
Se condamne à plaider la moitié de sa vie[a].
La moitié ? les trois quarts, et bien souvent le tout.
Le Conciliateur crut qu'il viendrait à bout
De guérir cette folle et détestable envie[b].
Le second de nos Saints choisit les Hôpitaux.
Je le loue; et le soin de soulager ces maux[c]
Est une charité que je préfère aux autres.
Les Malades d'alors, étant tels que les nôtres[3],
Donnaient de l'exercice[4] au pauvre Hospitalier;
Chagrins, impatients, et se plaignant sans cesse :
Il a pour tels et tels[d] un soin particulier;
Ce sont ses amis; il nous laisse.
Ces plaintes[e] n'étaient rien au prix de l'embarras
Où se trouva réduit l'appointeur de débats[5] :
Aucun n'était content; la sentence arbitrale
A nul des deux ne convenait :
Jamais le Juge ne tenait
A leur gré la balance égale.
De semblables discours rebutaient l'Appointeur :[f]
Il court aux Hôpitaux, va voir leur Directeur :[g]
Tous deux ne recueillant que plainte et que murmure,

---

a. *L'un touché des soucis, des longueurs, des traverses*
Qu'en apanage on voit aux procès attachés,
Se fit arbitre-né. L'homme, pour ses péchés,
Se condamne à plaider la moitié de sa vie
(Rec. et O. P. — mais O. P. v. 6 : *troublé*)

b. De guérir cette *aveugle et perverse manie* (Rec. et O. P.)

c. *les* maux (O. P.)

d. *Chagrins, impatients et se plaignant sans cesse.*
On les entendait s'écrier :
Il a pour tel et tel... .
(O. P. seulement)

e. Ces *propos* (Rec. et O. P.)

f. Les vers 25-29 sont remplacés dans Rec. et O. P. par deux vers :
Nul ne lui savait gré, l'arbitrale sentence
Toujours, selon leur compte, inclinait la balance.

g. *le directeur* (Rec. et O. P.)

Affligés, et contraints de quitter ces emplois,
Vont confier leur peine au silence des bois[a].
Là, sous d'âpres rochers, près d'une source pure,
Lieu respecté des vents, ignoré du Soleil, 35
Ils trouvent l'autre Saint, lui demandent conseil.
Il faut, dit leur ami, le prendre de soi-même.
Qui mieux que vous sait vos besoins ?
Apprendre à se connaître est le premier des soins[6]
Qu'impose à tous mortels la Majesté[b] suprême. 40
Vous êtes-vous connus dans le monde habité ?
L'on ne le peut qu'aux lieux pleins de tranquillité :
Chercher ailleurs ce bien est une erreur extrême.
Troublez l'eau : vous y voyez-vous ?
Agitez celle-ci. — Comment nous verrions-nous ? 45
La vase est un épais nuage
Qu'aux effets du cristal nous venons d'opposer.
— Mes Frères, dit le Saint, laissez-la reposer,
Vous verrez alors votre image.
Pour vous mieux contempler demeurez au désert[c][7]. 50
Ainsi parla le Solitaire.
Il fut cru; l'on suivit ce conseil salutaire.
Ce n'est pas qu'un emploi ne doive être souffert.
Puisqu'on plaide, et qu'on meurt, et qu'on devient malade,
Il faut des Médecins, il faut des Avocats. 55
Ces secours, grâce à Dieu, ne nous manqueront pas :
Les honneurs et le gain, tout me le persuade.
Cependant on s'oublie en ces communs besoins[d].
O vous dont le Public emporte tous les soins,
Magistrats, Princes et Ministres, 60

---

a. *Pour ne point retomber dans ce qu'ils ont souffert,*
Cherchent à s'établir dans le fond d'un désert
(Rec. et O. P.)

b. la *Puissance* (Rec. et O. P.)

c. *Pour mieux vous contempler habitez un lieu coi* (Rec.)
Pour mieux vous contenter habitez un lieu coi (O. P.)

d. *Ce n'est pas que chacun doive fuir tout emploi.*
Puisqu'on plaide et qu'on meurt, il faut qu'on se propose
D'avoir des appointeurs et d'autres gens aussi.
On n'en manque pas, Dieu merci :
L'ambition d'agir, et l'or, sur toute chose,
N'en font naître que trop pour les communs besoins.
(Rec. et O. P.)

Vous que doivent troubler mille accidents sinistres,
Que le malheur abat, que le bonheur corrompt,
Vous ne vous voyez point, vous ne voyez personne.
Si quelque bon moment à ces pensers vous donne,
    Quelque flatteur vous interrompt.
Cette leçon sera la fin de ces Ouvrages :
Puisse-t-elle être utile aux siècles à venir !
Je la présente aux Rois, je la propose aux Sages :
    Par où saurais-je mieux finir ?

FABLES

PUBLIÉES DU VIVANT DE

LA FONTAINE,

MAIS NON ADMISES PAR LUI DANS LE LIVRE DES *FABLES*

LE SOLEIL ET LES GRENOUILLES

Les Filles du limon tiraient du Roi des Astres
Assistance et protection.
Guerre ni pauvreté, ni semblables désastres
Ne pouvaient approcher de cette Nation.
Elle faisait valoir en cent lieux son empire. 5
Les reines des étangs, Grenouilles veux-je dire,
Car que coûte-t-il d'appeler
Les choses par noms honorables ?
Contre leur bienfaiteur osèrent cabaler,
Et devinrent insupportables. 10
L'imprudence, l'orgueil, et l'oubli des bienfaits [1],
Enfants de la bonne fortune,
Firent bientôt crier cette troupe importune;
On ne pouvait dormir en paix :
Si l'on eût cru leur murmure, 15
Elles auraient par leurs cris
Soulevé grands et petits
Contre l'œil de la Nature.
Le Soleil, à leur dire, allait tout consumer;
Il fallait promptement s'armer, 20
Et lever des troupes puissantes.
Aussitôt qu'il faisait un pas,
Ambassades Croassantes
Allaient dans tous les États.
A les ouïr, tout le monde, 25
Toute la machine ronde
Roulait sur les intérêts
De quatre méchants marais.
Cette plainte téméraire
Dure toujours; et pourtant 30

Grenouilles devraient se taire,
Et ne murmurer pas tant :
Car si le Soleil se pique,
Il le leur fera sentir;
La République aquatique 3
Pourrait bien s'en repentir.

LA LIGUE DES RATS*

UNE Souris craignait un Chat
Qui dès longtemps la guettait au passage.
Que faire en cet état ? Elle, prudente et sage,
Consulte son Voisin : c'était un maître Rat,
Dont la rateuse Seigneurie
S'était logée en bonne Hôtellerie,
Et qui cent fois s'était vanté, dit-on,
De ne craindre de Chat ou Chatte[a]
Ni coup de dent, ni coup de patte.
Dame Souris, lui dit ce fanfaron, 10
Ma foi, quoi que je fasse,
Seul, je ne puis chasser le Chat qui vous menace;
Mais assemblant[b] tous les Rats d'alentour,
Je lui pourrai jouer d'un mauvais tour.
La Souris fait une humble révérence; 15
Et le Rat court en diligence
A l'Office, qu'on nomme autrement la Dépense,
Où maints Rats assemblés
Faisaient, aux frais de l'Hôte, une entière bombance.
Il arrive les sens troublés, 20
Et les poumons tout essoufflés[c].
Qu'avez-vous donc ? lui dit un de ces Rats. Parlez.
— En deux mots, répond-il, ce qui fait mon voyage,
C'est qu'il faut promptement secourir la Souris,
Car Raminagrobis 25
Fait en tous lieux un étrange ravage[d].

---

* Texte : *Mercure galant*, déc. 1692. — *Œuvres posthumes*, 1696.
a. De ne craindre de Chat *ni* Chatte (1696)
b. 1696 : *assemblons* *c*. 1696 : *Et tous les poumons essoufflez*
d. 1696 : *carnage*

Ce Chat, le plus diable des Chats,
S'il manque de Souris, voudra manger des Rats.
Chacun dit : Il est vrai. Sus, sus, courons aux armes. 30
Quelques Rates, dit-on, répandirent des larmes.
N'importe, rien n'arrête un si noble projet;
Chacun se met en équipage;
Chacun met dans son sac un morceau de fromage,
Chacun promet enfin de risquer le paquet. 35
Ils allaient tous comme à la fête,
L'esprit content, le cœur joyeux.
Cependant le Chat, plus fin qu'eux,
Tenait déjà la Souris par la tête.
Ils s'avancèrent à grands pas 40
Pour secourir leur bonne Amie.
Mais le Chat, qui n'en démord pas,
Gronde et marche au-devant de la troupe ennemie.
A ce bruit, nos très prudents Rats,
Craignant mauvaise destinée, 45
Font, sans pousser plus loin leur prétendu fracas[1],
Une retraite fortunée.
Chaque Rat rentre dans son trou;
Et si quelqu'un en sort, gare encor le Matou.

FABLES
RESTÉES INÉDITES
DU VIVANT DE
LA FONTAINE[1]

LE RENARD ET L'ÉCUREUIL*

Il ne se faut jamais moquer des misérables,
Car qui peut s'assurer d'être toujours heureux ?
Le sage Ésope dans ses fables
Nous en donne un exemple ou deux[1]; 5
Je[a] ne les cite point, et certaine chronique
M'en fournit un plus authentique.
Le Renard se moquait un jour de l'écureuil
Qu'il voyait assailli d'une forte tempête :
Te voilà, disait-il, près d'entrer au cercueil 10
Et de ta queue en vain tu te couvres la tête.
Plus tu t'es approché du faîte,
Plus l'orage te trouve en butte à tous ses coups.
Tu cherchais les lieux hauts et voisins de la foudre :
Voilà ce qui t'en prend; moi qui cherche des trous, 15
Je ris, en attendant que tu sois mis en poudre.
Tandis qu'ainsi le renard se gabait[2],
Il prenait maint pauvre poulet
Au gobet[3];
Lorsque l'ire du Ciel à l'écureuil pardonne : 20
Il n'éclaire plus ni ne tonne;
L'orage cesse et le beau temps venu,
Un chasseur ayant aperçu
Le train de ce renard autour de sa tanière :
Tu paieras, dit-il, mes poulets. 25
Aussitôt nombre de bassets
Vous fait déloger le compère.
L'écureuil l'aperçoit qui fuit
Devant la meute qui le suit.

---

* Texte : Manuscrit Conrart.

P. p. P. Lacroix, *Œuvres inédites de La Fontaine.*

a. Ms. : *Il* (*Je* correction de P. Lacroix; certaine : l'erreur du copiste est très explicable.)

Ce plaisir ne lui dure guère,
Car bientôt il le voit aux portes du trépas. 3
Il le voit; mais il n'en rit pas,
Instruit par sa propre misère.

LA POULE ET LE RENARD

UNE poule jeune et sage,
Toute faite pour charmer,
Qui pouvait se faire aimer
De tous les coqs du village,
Marchait d'un pas fort galant, 5
Et comme poule qui veut plaire,
Portait pour habit d'ordinaire
Un petit drap d'or volant.
Se voyant posséder des beautés sans égales,
Malgré mille rivales, 10
Du mari qu'elle aimait elle croyait aussi
Être aimée, et sans doute il le fallait ainsi.
Mais bientôt du contraire elle se vit certaine,
Car cet emplumé sultan,
Suivi de son sérail qu'il menait dans la plaine, 15
Se faisait chaque jour des autres une reine,
Quand celle-ci recevait à peine
Le mouchoir [1] qu'une fois l'an.
Un juste désespoir s'empare de son âme,
Et suivant le dépit qui l'entraîne et l'enflamme, 20
Elle court à venger de si cruels dédains;
Mille desseins elle roule,
Mais elle est poule,
Et la crainte lui fait emprunter d'autres mains.
Sottement elle s'adresse 25
Au renard son ennemi,
Et non sans avoir frémi,
Lui dit le mal qui la presse,
Et pourvu que par lui son cœur soit satisfait,
Avec serment lui promet 30
Que dans les broussailles voisines
Elle saura bientôt lui livrer en secret

Le coq et les concubines.
Il lui promet à son tour
De bien venger son amour, 35
De secourir sa faiblesse,
L'assure qu'elle aura raison,
Et, comme il est adroit et rempli de finesse,
Il flatte la trahison,
Pour attraper la traîtresse. 40
D'abord il s'alla poster
Sur le détour obscur d'une route secrète,
Par où sans qu'on le vît, il pouvait attenter
Sur toute la troupe coquette.
Après avoir en tapinois 45
Fait longtemps le pied de grue,
La poule retourne au bois
Lui conter, toute éperdue,
Que, par un cas imprévu,
Des soldats dont la faim est toujours insensée, 50
Avaient mis à son insu
Le sérail en fricassée.
Non, non, je n'aurai point attendu vainement,
Dit le renard en colère :
Du temps que j'ai perdu tu seras le salaire ! 55
Et l'approchant finement
L'étrangla comme il sait faire.

Quand on veut venger une offense
Et que seul on ne peut se venger qu'à demi,
C'est une grande imprudence 60
D'employer son ennemi.

L'ANE JUGE

Un baudet fut élu, par la gent animale,
Juge d'une chambre royale :
C'est l'homme qu'il nous faut ! disaient autour de lui
Ses amis accourus tout exprès au concile;
Simple dans son maintien et dans ses goûts facile, 5
Il sera de Thémis l'incomparable appui;

Et de plus il rendra sentences non pareilles,
Puisque, tenant du Ciel les plus longues oreilles,
Il se doit mieux entendre aux affaires d'autrui.
Bientôt l'industrieuse avette 1
Devant cet arbitre imposant,
Se plaignit que la guêpe allait partout disant
Que le trésor doré des filles de l'Hymette,
Loin de valoir son miel âcre et rousseau
N'était bon qu'à sucrer potage de pourceau : 1
Contre cette menteuse, impudente et traîtresse,
J'implore à genoux Votre Altesse !
Dit l'abeille tremblante au juge au gros museau.
A ses mots l'âne se redresse
Dans son tribunal 2
Et, prenant un air magistral,
Décorum ordinaire aux gens de son espèce,
Il ordonne à l'huissier d'étendre au bord d'un muid
Égale part de l'un et de l'autre produit.
Le grison en goûta au fin bout de sa langue, 2
Pas une fois mais deux et tint cette harangue,
La gloire de la robe et du bonnet carré :
La plaignante ayant fait une cuisine fade,
Nous déclarons, tout très considéré,
Qu'à sa compote de malade 3
Le miel guépin est par nous préféré.
Quelle saveur au palais agréable !
C'est le piquant des mets délicieux,
Dont Hébé parfume la table
De Jupin, le maître des Dieux ! 35
Et chacun de blâmer cet arrêt vicieux.
Mais Sire Goupillet, renard de forte tête,
Leur dit : De votre choix vous avez les guerdons;
Je n'attendais pas moins de ce croque-chardons.
Selon ses goûts juge la bête ! 40

NOTES

FABLES

Page 3

A MONSEIGNEUR LE DAUPHIN

1. Le fils de Louis XIV et de Marie-Thérèse a six ans et demi.

2. « Un homme débite = il dit bien ce qu'il dit. » (Fur.)

3. Socrate. Cf. *Préface*, p. 5.

4. Le président de Périgny, qui sera remplacé à sa mort (1670) par Bossuet.

5. La campagne de Flandre, 1667, et la prise de Douai, Tournai, Oudenarde, Alost, Lille.

6. Campagne de Franche-Comté, 1668.

7. La campagne de Franche-Comté a eu lieu au début de février.

8. Le roi entend refondre le droit français (Institution du Conseil de Justice. L'Ordonnance civile touchant la réformation de la justice a déjà paru (1667). On travaille à l'Ordonnance criminelle.)

Page 5

PRÉFACE

1. Ces mots attestent que les *Fables* ont été connues avant leur publication par des lectures, ou des copies qui ont circulé.

2. L'avocat Patru (1604-1681), académicien. Il était un des aînés que respectaient les « Chevaliers de la Table Ronde »; une autorité en matière de langue et de goût : « L'homme du Royaume qui savait le mieux notre langue. Un autre Quintilien... Tous ceux qui sont aujourd'hui nos maîtres par leurs écrits se firent honneur d'être ses disciples. » (Le P. Bouhours dans *Histoire de l'Académie française*, 1743, I, 211.)

3. Brèveté est en train d'être supplanté par brièveté; il est encore dans Richelet, mais plus dans Furetière.

4. *Les Grâces lacédémoniennes* » : la concision compatible avec la poésie française. La Fontaine débutant s'en laisse encore imposer par la tradition de concision de la fable ésopique.

5. « Livrée : couleur qu'une personne aime et qu'elle prend pour se distinguer des autres. Les... Chevaliers dans les tournois se faisaient distinguer par les livrées de leurs dames qu'ils portaient. » (Fur.) Socrate a donné aux fables ésopiques un nouveau costume, celui des Muses : le vers. — Ces fables de Socrate sont perdues.

6. Platon, *Phédon*, 60 d-61 c. La Fontaine peut bien avoir trouvé lui-même le passage. Mais il est aussi allégué par Audin, *Fables héroïques,* 1648, *Apologie en faveur des fables.*

7. Cébès : disciple de Socrate; c'est un des interlocuteurs du dialogue de Platon, *Phédon.* Son *Tableau* (récit de la naissance, de la vie, de la mort des hommes) avait été traduit par Gilles Boileau (1653).

8. La musique (μουσική), c'est en grec les lettres, les arts, les sciences. La poésie est une de ses parties.

9. Ce passage joue sur les deux sens de fiction : imposture et imagination poétique. Ainsi apparaît le thème du « mensonge » poétique qui reviendra souvent dans les *Fables*, volontiers exprimé par le couple de rimes : songe et mensonge.

10. Un moyen terme.

11. Phèdre compose ses fables entre 14 après J.-C. et sa mort, 69 : « Ésope, créateur de la fable, en a trouvé la matière; et moi je l'ai polie en vers senaires. » (I, prol.)

12. Avienus : vivait au IIe ou au IVe siècle. Ses 42 fables en distiques élégiaques étaient jointes à beaucoup des recueils ésopiques.

13. *Nos gens* : nos compatriotes (cf. latin *nostri*). On voit que La Fontaine fait très peu de cas des fabulistes français du XVIe siècle ou des siècles antérieurs.

14. En compensation.

15. Égayer. « Se dit figurément en plusieurs choses. Il faut pour faire un ouvrage agréable qu'il soit un peu égayé, que le style en soit égayé, divertissant. » (Fur.) — « Égayment : gayeté. Le style de ce poète est fort fleuri, a beaucoup d'égayment. » (Fur.) — Le renvoi à Quintilien, *Institution oratoire*, IV, 2, 116-118 précise. La Fontaine prend le mot gaîté dans un sens presque technique : l'agrément apporté au style par la rhétorique.

16. L'idée peut venir d'Audin, *Fables héroïques,* 1648, *Apologie en faveur des fables.*

17. La Fontaine a, pour écrire ces lignes, condensé et rapproché des passages divers de la *République* de Platon, qui contient à plusieurs endroits un long réquisitoire contre Homère (II, 377 d; III début; X 606 d). Au livre III, 398 a, Platon souhaite qu'un poète qui se présenterait dans sa république soit couronné de fleurs et renvoyé dans une autre cité. L'inspiration

anti-homérique, si générale dans l'ouvrage, engage à penser que ce bannissement toucherait aussi Homère. Ésope n'est pas nommé dans *La République ;* mais on peut bien le voir dans le paragraphe suivant (II, 377 c) : « Il faut veiller sur les faiseurs de fables et s'ils en font de bonnes les adopter, de mauvaises les rejeter. Nous engagerons ensuite les nourrices et les mères à conter aux enfants celles que nous aurons adoptées et à leur façonner l'âme avec leurs fables beaucoup plus soigneusement que le corps avec leurs mains. Quant aux fables qu'elles racontent à présent, il faut en rejeter le plus grand nombre. » [La suite conclut à rejeter en particulier Homère et Hésiode.] — Cf. aussi Cicéron (*République,* IV, 5) [Homère] que Platon « couronne de fleurs, inonde de parfums et chasse de sa cité ».

18. L'idée que Prométhée a fait l'homme en prenant quelque qualité aux différentes espèces animales s'esquisse dans Horace, *Odes,* I, 16. La Fontaine en avait pu voir une expression plus nette et plus récente chez Vion d'Alebray, qui joint à cette idée la notion de microcosme :

> Autrefois Prométhée ayant à donner l'être
> A l'homme, l'abrégé de tout ce qu'on voit naître,
> De tous les animaux quelque chose emprunta.
>
> *Métamorphose de Gomor en marmite,* 1643.

La notion de microcosme, ancienne (Démocrite d'Abdère), a connu une très grande fortune au XIIe siècle. L'idée que l'homme, microcosme, reflète le monde, macrocosme, a servi ensuite de fondement aux doctrines ésotériques de Paracelse, Corneille Agrippa, Fludd. Elle est devenue assez banale au temps de La Fontaine pour se rencontrer, par exemple, dans les quatrains de Pibrac, IX, et dans un livret populaire, un almanach, *Le grand Calendrier et Compost des bergers* (1633) : « Aucuns bergers disent que l'homme est un petit monde à part soi, pour les convenances et similitudes qu'il a au grand monde. » On notera également qu'un livre d'emblèmes que La Fontaine a dû connaître avait pris ce titre : *Le Microcosme contenant divers emblèmes de la vie humaine,* Amsterdam, s.d., in-4°. En se référant à cette notion de microcosme, La Fontaine a voulu, non sans sourire sans doute, donner un fondement philosophique à son entreprise : peindre les hommes derrière les bêtes.

19. Rien de tel dans le texte d'Aristote. Mais Aphthonius dans ses *Progymnasmata* divise les fables en logiques (qui présentent des hommes), morales (qui présentent des êtres non doués de la voix), mixtes. Ce texte, qui ne donne aucune place aux plantes, mal interprété par La Fontaine, est-il à l'origine de son affirmation ? — D'autre part, Phèdre se justifiait aussi d'avoir fait parler les plantes. (I, *Prologue.*)

20. Horace, *Art poétique,* v. 150.

21. Planude, moine byzantin du XIVe siècle. Compilateur, traducteur des *Métamorphoses* d'Ovide, éditeur des fables d'Ésope, auteur d'une vie d'Ésope, qui figure dans à peu près tous les recueils ésopiques des XVIe et XVIIe siècles. La vie d'Ésope par Planude avait été sévèrement critiquée par l'érudit Méziriac qui lui avait opposé sa propre vie d'Ésope (1632, plusieurs réimpressions). Entre ces deux vies, La Fontaine a opté pour la vie fabuleuse. On trouvera dans le *Dictionnaire* de Bayle (à *Ésope*) une critique serrée de La Fontaine.

22. « *Spécieux :* qui a belle apparence, surtout en matière de raisonnement. » (Fur.)

23. Comprendre : « On y trouve trop de niaiseries » [diront ceux qui refusent à la vie d'Ésope par Planude toute valeur historique]. — « Et [répond La Fontaine] qui est le sage... » — Donner à *et* une valeur adversative; ou supposer que *et* est en réalité non la conjonction de coordination, mais l'interjection que nous écrivons *Eh*, ou *Hé*, mais qui se confondait très ordinairement avec *et* au XVIIe siècle. Le sens dans les deux cas reste le même.

Page 13

LA VIE D'ÉSOPE LE PHRYGIEN

1. Sur Planude voir note 21 à la *Préface* des *Fables*. La Fontaine a rapproché Planude et Ésope dans le temps avec quelque désinvolture : Planude vivait au XIVe siècle après J.-C.; Ésope, selon La Fontaine (cf. *Vie d'Ésope*, paragraphe 2), vers 552 avant J.-C. La Fontaine a surestimé la valeur de la Vie d'Ésope par Planude pour pouvoir transcrire un texte amusant (cf. note 21 de la *Préface*).

2. Les deux orthographes, puéril et puérile, au masculin, coexistent au XVIIe siècle. Puéril l'emporte à la fin du siècle (Richelet, Furetière, 1re éd., ignorent puérile).

3. Rome a été fondée en 753 avant J.-C. La 57e olympiade correspond à 552-549.

4. *Pour le prévenir :* pour le devancer.

5. « Une nourrice dit à son enfant qui crie : « Je ferai venir la bête. » (Fur.)

6. « Jouer pièce à quelqu'un, lui faire pièce : lui faire quelque supercherie, quelque affront, lui causer quelque dommage ou raillerie. » (Fur.)

7. Le second service. « *L'entremets :* plat de ragoût [qui ravive l'appétit] qu'on met sur la table entre les services et particulièrement entre le rôt et le fruit. » (Fur.)

8. « Donner les mains : consentir, approuver. » (Fur.)

9. « Dénoncer : faire savoir par un acte ou cri public ce qu'on veut faire connaître au peuple, aux étrangers. Dénoncer la guerre, la paix, la publier. » (Fur.)

10. Cf. La Fontaine, *Fables,* III, XII.

11. « Soudre : éclaircir une difficulté. » (Fur.)

12. « Hanir ou hennir... L'Académie en écrivant hennir dit qu'il faut prononcer hannir. » (Rich.)

13. « *Devers* a vieilli et tout au plus peut trouver sa place dans le langage le plus bas. » (Fur.)

14. « Cédule : petit morceau de papier où l'on écrit quelque chose pour servir de mémoire. » (Fur.)

15. Source de ces considérations sur Ésope et Rhodopé, Hérodote, II, 134. C'est lui qui conte et réfute la légende qui veut que Rhodopis ait fait bâtir la petite pyramide de Guizah, celle de Mykerinos. Il affirme par contre qu'Ésope a été le compagnon d'esclavage de la courtisane.

16. Cf. La Fontaine, *Fables,* IV, x.

17. Dans diverses villes de l'antiquité, les condamnés à mort étaient précipités dans un gouffre, ou du haut d'un rocher.

18. Cf. La Fontaine, *Fables,* IV, XI.

19. Cf. La Fontaine, *Fables* II, VIII.

LIVRE PREMIER

Page 35

I. LA CIGALE ET LA FOURMI

1. Source : Ésope, *La cigale et les fourmis ; La fourmi et l'escarbot.*

2. « Aoust... on prononce oust... signifie aussi la récolte, la moisson des blés. » (Fur.)

Page 36

II. LE CORBEAU ET LE RENARD

1. Source : Ésope, *Le corbeau et le renard.* Les recueils ésopiques donnent quatre versions de cette fable; dans une d'entre elles le corbeau tient un fromage; dans les trois autres de la viande. — Phèdre, I, 13.

Page 36

III. LA GRENOUILLE QUI SE VEUT FAIRE AUSSI GROSSE QUE LE BŒUF

1. Source : Phèdre, *Rana rupta et bos.* (I, 24). Mais La Fontaine suit Horace (*Satires,* II, III, 316-320) qui institue un dialogue entre la grenouille ambitieuse et sa sœur.

2. « *Pécore :* bête, stupide, qui a du mal à concevoir quelque chose. » (Fur.)

Page 37

IV. LES DEUX MULETS

1. Source : Phèdre, II, *Les deux mulets.*

Page 38

V. LE LOUP ET LE CHIEN

1. Source : Ésope, *L'âne sauvage et l'âne domestique ; Le loup et le chien.* — Mais La Fontaine s'est surtout inspiré de Phèdre, *Le loup et le chien* (III, 7).

2. « *Dogue,* gros chien, mastin qui sert à garder les maisons ou à combattre contre les taureaux ou autres bêtes. » (Fur.)

3. « Puissant se dit aussi de la corpulence d'un homme vigoureux ou fort gras. Voilà un puissant coquin... Cet enfant est bien puissant pour son âge. » (Fur.)

4. « *Cancre,* se dit proverbialement d'un homme pauvre qui n'est capable de faire ni bien ni mal. » (Fur.)

5. « *Hère :* homme qui est sans bien ou sans crédit. » (Fur.)

6. « *Lippée :* ne se dit qu'en cette phrase proverbiale : un chercheur de franches lippées, un escornifleur, qui cherche des repas qui ne lui coûtent rien. » (Fur.)

7. *Portants, mendiants :* l'Académie déclarera en 1679 seulement que le participe présent reste invariable.

Page 39

VI. LA GÉNISSE, LA CHÈVRE ET LA BREBIS EN SOCIÉTÉ AVEC LE LION

1. Source : Ésope, *Le lion et l'onagre.* Phèdre : *La vache et la chèvre, la brebis et le lion* (I, 5) a donné le titre et l'idée de prendre comme gibier un cerf. Ce paraît être la vraie source.

2. « Les *ongles* des lions, des ours, des tigres et des chats sont longs... » (Fur.)

Page 40

VII. LA BESACE

1. Source : Avienus, *La guenon et Jupiter* (Nevelet 464) : Jupiter a institué un concours des plus beaux enfants. Une guenon apporte un nourrisson informe et prétend qu'il est le plus beau. L'idée d'un défilé d'animaux, tous satisfaits de leur personne et critiquant le voisin, peut avoir été suggérée par la vignette qui orne la fable d'Avienus dans Nevelet : Jupiter sur son trône reçoit des oiseaux, la guenon et son petit, le bœuf, la chèvre, etc. — Pour les vers 26 sqq, source : Ésope, *Les deux besaces*. (Même version dans Phèdre, IV, 10.)

2. La guenon, dans Avienus, a le plus sujet de se plaindre, étant la plus laide (*turpissima*).

Page 41

VIII. L'HIRONDELLE ET LES PETITS OISEAUX

1. Source : Rapports lointains avec Ésope. Source véritable, l'Anonyme de Nevelet : [l'hirondelle avertit les oiseaux du danger que constituent les semailles, puis la croissance du lin. Ils refusent d'arracher les plants. L'hirondelle conclut alors la paix avec l'homme et va habiter près de lui, chante pour lui. Avec le lin, l'homme fait des filets et prend les oiseaux.] — L'allusion à Cassandre atteste que La Fontaine avait lu son devancier Baudoin (f.18).

2. « L'hirondelle... disparaît en automne, soit qu'elle aille aux pays chauds..., soit qu'elle se cache dans des trous pour y passer l'hiver, comme croient les Modernes. » (Fur.)

3. *Couverts :* cf. La Fontaine, *Le Diable de Papefiguière :* « Il faut les couvrir de touselle ». — Quand les semailles [couvrailles] d'automne sont faites, les paysans ont le temps de chasser.

4. « Les oiseliers de Paris ne connaissent pas le mot de *reginglette* qui, apparemment, est un mot de Château-Thierry où est né le charmant et l'ingénieux La Fontaine. » (Rich.) — La reginglette doit être un collet monté au bout d'une branchette qui fait ressort. — Les *réseaux* sont soit des panneaux en filet qui se rabattent, soit des manières de nasses, des « tonnelles ». Cf. v. 15 et 16 « engins à vous envelopper » et « lacets ».

5. Cassandre, fille de Priam, avait reçu le double don de prophétiser et de n'être jamais crue.

6. « *Il en prit* » semble être un abrégé de « mal leur en prit ». — On peut comprendre aussi : il en arriva aux uns [aux oisillons] comme aux autres [aux Troyens].

Page 42

IX. LE RAT DE VILLE ET LE RAT DES CHAMPS

1. Source : Les deux versions ésopiques n'étaient pas publiées du vivant de La Fontaine. Ses sources sont peut-être Aphthonius (f. 26; Nevelet, p. 342) ou l'Anonyme de Nevelet (p. 494) et plus probablement encore Horace, *Satires,* II, VI, 79-117.

Page 43

X. LE LOUP ET L'AGNEAU

1. Source : Ésope, *Le loup et l'agneau.* Phèdre, I, 1. — Cette fable est l'une de celles que le P. Pomey, *Novus candidatus rhetoricae,* avait choisies comme exemple pour un exercice « d'amplification ».

2. *Tout à l'heure :* immédiatement.

3. *Vas* et *vais* coexistent sans nuance stylistique appréciable.

Page 44

XI. L'HOMME ET SON IMAGE

1. Source : Cette fable est une manière d'emblème ou d'énigme créé par La Fontaine pour symboliser les *Maximes.* Il part du mythe de Narcisse (Ovide, *Métamorphoses,* III, 339-520). Narcisse s'était épris de son image, vue dans l'eau d'une source; il ne pouvait la saisir et mourut de cet amour insatisfait. Mais La Fontaine prend le contrepied du mythe : son Narcisse se croit beau; les miroirs le montrent laid, il les fuit donc. — L'application de l'emblème ou le mot de l'énigme ? Ce nouveau Narcisse, c'est notre âme avec ses complaisances pour elle-même. Les miroirs : ce sont les autres qui nous ressemblent si cruellement et en qui nous refusons de nous reconnaître. Le canal : ce livre des *Maximes,* miroir séduisant et implacablement sincère.

2. A La Rochefoucauld La Fontaine dédiera dans le second recueil la fable X, XIV. Lorsque La Fontaine publie les premières Fables, les *Maximes* viennent de paraître.

3. Souvenir du langage précieux : le miroir est « le conseiller des grâces » (Somaize, *Dictionnaire des Précieuses*).

4. Cf. Corneille, *La Place Royale,* II, 2 : « Il lui présente aux yeux un miroir qu'elle porte à sa ceinture. »

5. « *Canal,* le lit d'une rivière, d'un ruisseau que la nature a fait pour écouler les eaux, pour arroser les terres, etc. » (Fur.)

Page 45

XII. LE DRAGON A PLUSIEURS TÊTES ET LE DRAGON A PLUSIEURS QUEUES

1. Source : Inconnue. — Le labyrinthe de Versailles était orné de fontaines inspirées des fables d'Ésope. L'une de ces fontaines représentait aussi le dragon à plusieurs têtes et le dragon à plusieurs queues, sujet qui ne vient pas d'Ésope. Mais l'on ignore si cette fontaine existait avant la présente fable. — Cette allégorie a été rapportée par Galland dans ses *Paroles remarquables des Orientaux*. Mais l'ouvrage est de 1694. — La Fontaine a pu connaître cet apologue par tradition orale, ou par quelque récit de voyage non retrouvé.

Le voisinage de la fable *Les Voleurs et l'Ane,* outre le fait que la fable est contée par un Turc à un Allemand, invite à la rapporter aux conflits d'Europe centrale. La Turquie, réorganisée par un vizir énergique, Ahmed Kœprili, a pris l'offensive. Sa poussée a été contenue de justesse à la bataille de Saint-Gothard (1664) où se sont illustrés les Français commandés par Coligny. Des dissensions n'ont pas tardé à s'élever entre les vainqueurs français et impériaux, ce qui peut expliquer que cette fable soit favorable à la Turquie.

D'autre part, au moment de la publication (mai 1668), Louis XIV cherche à faire valoir les droits de la reine à la succession d'Espagne (guerre de Dévolution). Un Français au courant de la politique, comme La Fontaine, sait que le roi va être en conflit avec la Triple Alliance (Hollande, Angleterre, Suède); peut-être avec l'Empereur. Il sait aussi que l'Empereur a des vassaux peu sûrs dans ses « dépendants » (v. 5), les Électeurs, qui malgré leur appartenance à l'Empire sont pensionnés par la France et organisés en une Ligue du Rhin d'obédience française. — Plusieurs raisons engagent donc les curieux de politique à s'interroger sur les valeurs militaires respectives des coalitions et d'un État comme la France, unie et centralisée.

2. « Le *grand Seigneur* que le peuple appelle le grand Turc. » (Fur.)

3. « L'*Empereur*... Ce nom est restreint à celui qui commande en Allemagne. » (Fur.)

4. « *Chiaoux*... officier de la Porte [la Cour] du grand Seigneur, qui fait office d'huissier. Le grand Seigneur a coutume d'en choisir quelqu'un de ce rang pour envoyer en ambassade vers les autres princes. » (Fur.)

Page 46

XIII. LES VOLEURS ET L'ANE

1. Source : L'idée vient d'Ésope, *Le lion, l'ours et le renard.* Cette fable ne figure pas dans Nevelet, mais elle est dans l'*Ésope* de Gryphe, Lyon 1536, p. 63. — Haudent, 2e partie, f. 51, *D'un mulet et de deux viateurs*, et Corrozet, f. 103, *De deux compagnons et d'un âne,* ont les premiers donné figure humaine aux personnages et sont la source directe de La Fontaine. — A cet apologue, La Fontaine confère une portée politique. La Transylvanie est le théâtre de luttes confuses : la Hongrie impériale est en conflit avec l'Empire. La Transylvanie a élu un prince sous la pression des Turcs. La bataille de Saint-Gothard (1664) a décidé de la guerre. Cependant la Transylvanie est restée enfin vassale de l'Empire ottoman. Ces « jeux de princes » ont valu à 80 000 chrétiens d'être emmenés en esclavage. Les Français étaient renseignés par la *Gazette* sur la misère des populations. Ils s'intéressaient au reste à cette région parce qu'un corps expéditionnaire français avait largement contribué à la victoire de Saint-Gothard.

Page 47

XIV. SIMONIDE PRÉSERVÉ PAR LES DIEUX

1. Source : Phèdre, IV, 26.

2. Malherbe ne l'a pas écrit, mais, même après sa mort, son crédit était resté considérable et ses boutades gardaient leur célébrité. Un « Malherbiana » oral subsistait.

3. *Quelquefois :* en une certaine occasion.

4. Simonide (558-468), poète lyrique grec. Son œuvre est perdue. La chute de la salle, la mort des convives et de l'athlète, le salut du poète seraient véritables, selon Quintilien (*Institution oratoire,* IX, II, 11-17).

5. *Nus :* qui ne se prêtaient pas aux embellissements poétiques.

6. Castor et Pollux, fils de Jupiter et de Léda, devenus dans le ciel la constellation des Gémeaux, excellaient dans l'équitation et la lutte et ont ainsi mérité de devenir les protecteurs des athlètes. — Sur la façon dont les poètes lyriques enrichissaient un sujet mince en faisant appel à la mythologie, voir, à défaut des Odes de Simonide, celles de Pindare.

7. Le talent, même d'argent, et à plus forte raison d'or, représentait une valeur variable suivant les cités grecques, mais toujours considérable.

8. *Gré :* reconnaissance.

9. « *Cohorte*... une bande de gens armés. Mais il ne se dit guère qu'en raillerie. » (Fur.)

10. *Il n'était fils de bonne mère :* expression de Rabelais.

11. « *Texte :* un passage singulier et choisi par un orateur pour être le sujet d'un discours, d'un sermon. » (Fur.) Le « texte », ici, ce sont les deux premiers vers que l'histoire de Simonide est venue illustrer.

12. « *Manquer :* faire quelque faute. Il est d'infirmité humaine de manquer. » (Fur.) — On ne saurait commettre une faute en louant largement...

13. Melpomène, muse de la tragédie, représente souvent la poésie en général.

14. Le poète [*Melpomène*] peut vendre ses vers [*trafique de sa peine*] sans perdre sa noblesse pour autant [*sans déroger*].

15. *Faire grâce :* faire une faveur.

16. Les Dieux résidant sur l'Olympe [c'est-à-dire les grands, cf. v. 66] et les poètes habitant du Parnasse étaient autrefois frères. Où La Fontaine place-t-il cet âge d'or pendant lequel les poètes étaient bien traités par la royauté : au temps de Malherbe ? Ne songerait-il pas à Richelieu dont on regrettait beaucoup le mécénat (cf. la *Nouvelle allégorique* de son ami Furetière) ? Ou au temps de Fouquet ? Ne se plaindrait-il pas discrètement de ne pas participer aux gratifications royales récemment instituées (1663) ?

Page 49

XV. LA MORT ET LE MALHEUREUX

1. Source : Des vers de Mécène, conservés par Sénèque (*A Lucilius*, CI). Ils ont été cités par Montaigne (*Essais*, II, XXXVII). La Fontaine a certainement connu Montaigne : l'emploi de la forme Mécénas l'atteste. Il a également connu Sénèque. Celui-ci, en effet, proteste vigoureusement contre le manque de fermeté de Mécène devant la mort : « Il mendie honteusement quelques jours de vie supplémentaires. » La Fontaine connaît cette protestation : il la blâme et réhabilite d'un mot Mécène, le « galant homme ». Le poète prend ainsi parti pour la pauvre et faible humanité contre l'inhumain stoïcisme. — Ces vers de Mécène ont été traduits littéralement par La Fontaine pour la traduction de Sénèque élaborée par son cousin Pintrel (*O.D.* 765) et publiée en 1681 :

« Qu'on me rende manchot, cul-de-jatte, impotent,
« Qu'on ne me laisse aucune dent,
« Je me consolerai : c'est assez que de vivre. »

2. Phrase mystérieuse et restée inexpliquée.

3. Ce « quelqu'un » qui a ramené La Fontaine à la stricte observance d'Ésope est, selon Brossette, Boileau (cf. Brossette, édition de B. I, p. 459). Boudhors (*Œuvres de B., Poésies diverses,* p. 164) suggère Patru. Nous croirions quant à nous que c'est Patru : il a traduit déjà en prose la fable d'Ésope (*Lettre à Olinde,* 29 oct. 1659) et La Fontaine a plus probablement déféré au conseil de l'aîné prestigieux que de Boileau encore bien jeune et sans grande autorité.

4. Ce « trait » c'est la plaisante réflexion finale : « Je veux que tu m'aides à me charger. »

Page 49

XVI. LA MORT ET LE BUCHERON

1. Source : Ésope, *Le vieillard et le mort.* — Ésope avait été traduit par Patru, cf. ci-dessus n. 3. — Boileau (en qui certains ont vu le « quelqu'un » de la note en prose de La Fontaine) a rivalisé avec le fabuliste. (Brossette, I, 459 : « La Fontaine refit la fable... et M. Despréaux fit celle-ci en même temps. ») La fable de Boileau ne devait pas être publiée avant 1701.

2. « Chaumière : on disait autrefois *chaumine.* » (Fur.)

3. Le logement des gens de guerre était si redouté au XVIIe siècle qu'envoyer des soldats loger chez l'habitant était un des moyens de briser les révoltes populaires.

Page 50

XVII. L'HOMME ENTRE DEUX AGES ET SES DEUX MAITRESSES

1. Source : Ésope, *Le grison et ses maîtresses.* — Phèdre, II, 2.

2. « *Adresser :* aller droit au but. » (Fur.)

3. « *Testonner :* accommoder la tête et les cheveux. » (Fur.)

4. Quoique vous m'ayez rendu chauve, je vous suis reconnaissant...

Page 51

XVIII. LE RENARD ET LA CIGOGNE

1. Source : Fable ésopique conservée par Plutarque, *Symposiaques,* I, I, paragraphe V, et Phèdre, I, 26, *Le renard et la cigogne.*

2. *Besogne* : au XVIe siècle encore le mot est très employé

au sens très vague de chose. L'emploi qu'en fait ici La Fontaine paraît archaïque.

3. « *Brouet :* bouillon qu'on portait autrefois aux nouvelles mariées le lendemain de leurs noces..., se dit aussi d'un méchant potage. » (Fur.)

Page 52

XIX. L'ENFANT ET LE MAITRE D'ÉCOLE

1. Source : Dans les éditions modernes d'Ésope existe une fable, *L'enfant qui se baigne,* qui correspond à la fable de La Fontaine. Mais je ne vois pas qu'elle figure dans les éditions d'Ésope avant le recueil de Coray (ou Koraïs) publié sans date (Coray publiait entre 1800 et 1830). Quant à la référence à Nevelet, donnée par Regnier, je ne vois pas à quoi elle correspond. Faut-il penser à saint Augustin, *Lettre* CLXVII à saint Jérôme : les curieux qui cherchent les causes du péché originel ressemblent à cet homme tombé dans un puits à qui un autre venait demander: « Comment es-tu tombé là ? » L'homme tombé répond : « Je t'en prie, songe à me tirer d'ici; et ne te demande pas comment je suis tombé. » — On peut aussi se dire que La Fontaine a transposé la fable d'Abstemius ou de Faerne ou de Verdizotti, qui met en scène un loup et un renard. — Il a pu songer également à la scène de Rabelais où frère Jean des Entommeures, pendu à une branche par la visière de son casque, s'impatiente contre Eudémon et Gargantua, qui tardent à le dépendre. (*Gargantua,* I, 42). — Pour ma part je me demande si le sujet ne vient pas d'une de ces multiples éditions d'Ésope, imprimées au XVIe ou au XVIIe siècle, et qui n'ont pas toutes été dépouillées.

Page 53

XX. LE COQ ET LA PERLE

1. Source : Phèdre, III, 12. La seconde partie de la fable est de La Fontaine seul.

2. *Détourna :* mit au jour en grattant.

Page 53

XXI. LES FRELONS ET LES MOUCHES A MIEL

1. Source : Phèdre, III, 13, *Les abeilles et les bourdons jugés par la guêpe.*

2. « *S'opposer :* en termes du Palais se dit des obstacles qu'on forme à des actions, à des procédures qui se font contre notre intérêt. » (Fur.)

3. « *Traduire :* en termes du Palais mener ou renvoyer en une autre juridiction que l'ordinaire. » (Fur.) — Le choix de la guêpe comme juge serait donc déjà de la part des frelons une manœuvre dolosive. De fait, la guêpe traînera le procès en longueur.

4. « *Tanné*... une espèce de roux fort brun. » (Fur.)

5. « *Enseigne,* marque qu'on donne afin de reconnaître une personne ou une chose. » (Rich.). Signe distinctif.

6. « Point se dit en matière d'affaire et de question de l'endroit où consiste la difficulté. » (Fur.)

7. Souvenir de Rabelais : « Un procès à sa naissance première me semble... informe et imparfait. Comme un ours naissant n'a pieds, ne mains, peau, poil, ne teste : ce n'est qu'une pièce de chair, rude et informe; l'ourse, à force de lécher, le met en perfection des membres... ainsi voy-je... naître les procès à leurs commencements informes et sans membres. Ils n'ont qu'une pièce ou deux : c'est pour lors une laide bête. Mais lorsqu'ils sont bien entassés, enchâssés et ensachés, on les peut vraiment dire membrus et formés. » (III, 42.)

8. « *Contredit :* terme de Palais. Écritures par lesquelles on contredit les pièces produites par la partie adverse. » (Rich.) — « *Interlocutoires :* terme de Palais, sentence ou arrêt qui, ne jugeant pas une affaire au fond, ordonne qu'on prouvera quelque incident par titres ou par témoins. » (Fur.)

9. Le caractère expéditif de la justice chez les Turcs était célèbre. Thévenot, *Voyage fait au Levant* (1664), donne un exemple d'exécution sommaire. — Cette fable était d'actualité : le roi avait réuni un conseil de justice (ouverture 25 sept. 1665) qui devait réformer la procédure. De ses travaux allait sortir l'*Ordonnance civile touchant la réformation de la justice* (1667); suivie par l'*Ordonnance criminelle* (1670), l'*Ordonnance du commerce* (1673).

10. La Fontaine annonce sa fable *L'Huître et les Plaideurs* (IX, IX).

Page 55

XXII. LE CHÊNE ET LE ROSEAU

1. Source : Ésope, *Le roseau et le chêne.*

2. *Aquilon* : vent du nord... « En poésie généralement tous les vents orageux et que les nautoniers appréhendent. » — *Zéphir* : vent d'ouest. « Se dit poétiquement des vents doux et agréables et de ceux qui viennent au printemps. » (Fur.)

3. Imitation de Virgile, *Énéide,* IV, 445-6 : « Il pousse autant vers les Cieux par son sommet que vers le Tartare par sa racine. »

LIVRE DEUXIÈME

Page 59

I. CONTRE CEUX QUI ONT LE GOUT DIFFICILE

1. Source : Phèdre, IV, 7.

2. Calliope est la muse de la poésie épique, la plus haute selon la hiérarchie des genres admise au XVIIe siècle.

3. *Mensonge :* fiction poétique (cf. v 6).

4. Les lexicographes ne permettent pas de donner à *orner* et *donner du lustre* des sens très différents. Le contexte paraît indiquer qu'*orner* désigne un effort plus ambitieux (ornements de la rhétorique) qui modifie plus profondément la fiction poétique prise par le poète comme canevas.

5. « Enchantement : charme, effet merveilleux procédant d'une puissance magique, d'un art diabolique. » (Fur.)

6. Authentique : solennel, célèbre,... qui a de l'autorité. (Fur.)

7. Pour tout ce passage où il imite le style épique, La Fontaine s'inspire de Virgile, *Énéide,* II, 13-20, 260-264.

8. Amarylle et Alcippe sont des noms de pastorale.

Page 61

II. CONSEIL TENU PAR LES RATS

1. Source : Abstemius, f. 196, *Les souris qui voulaient pendre une sonnette au cou du chat.* « Les souris réunies délibéraient : par quel moyen ingénieux pourraient-elles éviter les pièges du chat ? La plus âgée et la plus expérimentée : « J'ai trouvé, dit-elle, le moyen d'échapper sans dommage à ces grands dangers, si vous voulez m'écouter. Pendons-lui un grelot au cou. À son tintement nous saurons que le chat arrive. » Toutes alors unanimement louèrent cet avis si salutaire et dire qu'il fallait le mettre en pratique. Un vieux rat se dressa alors et demanda le silence : « Moi aussi, j'approuve ton avis. Mais qui sera celui qui osera pendre le grelot au cou du chat ? » Et comme tous déclinaient cette mission, la proposition resta sans effet. — La fable montre que beaucoup approuvent ce qu'il faut faire, mais pour le faire, il s'en trouve peu. »

2. Le nom de Rodilardus vient de Rabelais.

3. « *Nécessité :* besoin, disette, pauvreté, misère. » (Fur.) (Cf. v. 6.)

Page 62

III. LE LOUP PLAIDANT CONTRE LE RENARD PAR-DEVANT LE SINGE

1. Source : Phèdre, I, 10.

2. « *Appeler :* citer en jugement » ou « assigner une partie devant un juge supérieur quand on prétend avoir été mal jugé par un juge inférieur. » (Fur.) Le contexte engage à adopter le premier sens.

3. Le lit de justice est une séance du Parlement de Paris présidée par le Roi. Le mot est employé ici avec une impropriété voulue, pour être comique.

4. *Manquer :* intransitif : commettre une erreur. — *Condamnant :* gérondif. — En condamnant un pervers [le loup et le renard le sont l'un et l'autre], on ne saurait commettre une erreur judiciaire.

Page 63

IV. LES DEUX TAUREAUX ET UNE GRENOUILLE

1. Source : Phèdre, I, 30.

2. Les lexicographes contemporains (Furetière, Richelet, Académie) distinguent coasser et croasser. La Fontaine ne distingue pas.

3. Souvenir d'Horace : « Pour toutes les folies délirantes des rois, les Grecs reçoivent des coups. » (*Épîtres,* I, II, 14.)

Page 63

V. LA CHAUVE-SOURIS ET LES DEUX BELETTES

1. Source : Ésope, *La chauve-souris et les belettes.*

2. « *Fiction :* mensonge, imposture. » (Fur.)

3. *Qui* est un neutre : « Qu'est-ce qui fait l'oiseau ? »

4. « *Escharpe :* grande pièce de taffetas large que portent les gens de guerre, tantôt en guise de ceinture, tantôt à la manière d'un baudrier. On s'en sert souvent pour marquer et distinguer les partis. » (Fur.) Les ligueurs portaient l'écharpe verte; les royalistes la blanche. — Plus près de La Fontaine, pendant la Fronde, les changements d'écharpe avaient aussi été fréquents.

Page 64

VI. L'OISEAU BLESSÉ D'UNE FLÈCHE

1. Source : Ésope, *L'aigle frappé d'une flèche.*

2. « *Empenné :* vieux mot... se disait autrefois des flèches

au bout desquelles on attachait quelques plumes pour les conduire en l'air et les faire aller plus droit. » (Fur.)

3. Japet était le père de Prométhée, le créateur de l'homme.

Page 65

VII. LA LICE ET SA COMPAGNE

1. Source : Phèdre, I, 19.

2. « *Lice :* femelle de chien de chasse, destinée à faire race. » (Rich.)

Page 66

VIII. L'AIGLE ET L'ESCARBOT

1. Source : Ésope, *L'aigle et l'escarbot.* Les plaintes de l'aigle sont de l'invention de La Fontaine.

2. *Escarbot :* Furetière semble comprendre sous ce nom tous les coléoptères. — Le héros de la fable pourrait être le cerf-volant.

3. « On dit bassement à celui qui a rompu, brisé ou fait quelque désordre dans la maison qu'il a fait un beau *mesnage.* » (Fur.)

4. Ganymède avait été emporté au ciel par l'aigle de Jupiter pour devenir échanson des dieux.

Page 67

IX. LE LION ET LE MOUCHERON

1. Source : Ésope, *Le cousin et le lion.* — Dans Ésope, le moucheron attaque le lion sans provocation de sa part.

2. Parodie de Malherbe : « Va-t'en à la malheure, excrément de la terre. » (Stance contre le maréchal d'Ancre.)

3. « *Puissant* se dit de la corpulence d'un homme vigoureux ou fort gras. » (Fur.)

4. « *Abord :* se dit d'une attaque d'ennemi. » (Fur.) *L'abord* : la prise de contact avec l'adversaire.

5. « *Prendre son temps :* se servir du moment favorable pour faire réussir quelque chose. » (Acad.)

6. « On dit aussi qu'on est *sur les dents,* que le grand travail a mis quelqu'un sur les dents, pour dire qu'il est las et fatigué, qu'il n'en peut plus. » (Fur.)

Page 69

X. L'ANE CHARGÉ D'ÉPONGES ET L'ANE CHARGÉ DE SEL

1. Source : Ésope, *L'âne qui porte du sel.* Un même âne est chargé d'abord de sel, puis d'éponges. L'idée de mettre en scène deux animaux vient de Faerne, *Centum Fabulae,* 1583, p. 15. Verdizotti avait repris le sujet (p. 91). Faerne ou Verdizotti sont la source de La Fontaine.

2. *Coursiers à longues oreilles :* « Coursier : cheval de batailles. » (Fur.) *A longues oreilles* indique qu'il s'agit d'ânes. — Effet de burlesque à l'intérieur même de cette expression.

3. «*Courrier :* postillon qui fait métier de courir la poste.» (Fur.)

4. «*Pélerin :* qui voyage par la campagne.., se dit plus particulièrement des voyages de dévotion. » (Fur.)

5. Allusion aux moutons de Panurge. (Rabelais, IV, 8.)

6. « On dit *boire d'autant* pour dire boire beaucoup... style familier. » (Acad.)

7. « Un âne s'appelle absolument un grison parce qu'il est ordinairement gris. » (Fur.)

8. « *Raison* se dit en débauche des verres de vin qu'un homme boit pour satisfaire aux santés qu'on lui a portées. Les Allemands s'offensent beaucoup lorsqu'on ne leur fait pas raison en beuvant, qu'on ne boit pas autant qu'eux. » (Fur.)

Page 70

XI. LE LION ET LE RAT

1. Source : Ésope, *Le lion et le rat reconnaissant.* — Le thème avait été repris par Marot, *Épître à Lyon Jamet.*

Page 70

XII. LA COLOMBE ET LA FOURMI

1. Source : Ésope, *La fourmi et la colombe.*

2. « *Croquant :* gueux, misérable, qui n'a aucun bien, qui en temps de guerre n'a pour toutes armes qu'un croc. Les paysans qui se révoltent sont de pauvres croquants. » (Fur.)

3. « *Vilain :* dans le vieux langage, signifiait un roturier, un paysan. » (Rich.) Furetière ne donne pas ce sens. Donc archaïsme caractérisé.

4. « *Tirer de long* signifie s'enfuir. » (Fur.)

Page 71

XIII. L'ASTROLOGUE QUI SE LAISSE TOMBER DANS UN PUITS

1. Source : Ésope, *L'astronome.*

2. Homère ne parle pas du Livre du Destin. Mais les représentations figurées du Destin sous forme d'une femme tenant un rouleau (un *volumen*) à la main ne manquent pas.

3. *Qu'est-ce que ?* Qu'est-ce d'autre sinon le hasard (selon les Anciens) ou la Providence (pour les Chrétiens) ?

4. Sphère [céleste] et globe [terrestre].

5. Les événements heureux connus d'avance (« ces biens prévenus ») ne provoqueront que désillusion et satiété (« dégoût »).

6. « *Firmament :* le premier et le plus haut des cieux sur lesquels les étoiles fixes sont attachées. » (Fur.) — *Les Astres :* ici les planètes qui ont *leur* cours particulier indépendant du mouvement du firmament et des étoiles (étoiles dites « fixes » parce que leurs positions respectives ne varient pas).

7. « *Influence :* qualité qu'on dit s'écouler du corps des astres, ou l'effet de leur chaleur et de leur lumière, à qui les Astrologues attribuent tous les événements qui arrivent sur la terre. » (Fur.) — La Fontaine ne croit pas à l'astrologie judiciaire et à ses prédictions mais il garde l'idée d'une influence astrale aux effets inconnus et inconnaissables (« certaines influences »).

8. *Charlatans, faiseurs d'horoscope, souffleurs :* tous les tenants de sciences occultes, exploiteurs des crédulités populaires et princières.

« *Charlatan :* faux médecin qui monte sur le théâtre en place publique... » (Fur.) — Mais il existait aussi toute une tradition de la médecine fondée sur la doctrine du microcosme et de ses correspondances avec le macrocosme. Tradition dont les grands tenants avaient été Corneille Agrippa, Paracelse, Robert Fludd. La Fontaine, qui a parlé du microcosme dans sa *Préface,* les connaissait peut-être. Les englobe-t-il dans sa réprobation pour les charlatans ?

« *Souffleur :* un chercheur de pierre philosophale, qui a un fourneau et qui convertit son bien en charbon à la persuasion de quelques charlatans qui lui font entendre qu'ils ont de beaux secrets. » (Fur.)

L'influence de tous ces personnages était grande : à la naissance de Louis XIV on avait fait son horoscope. Des tireurs d'horoscope avaient été consultés par Mazarin. « La Cour est pleine de charlatans », écrit Guy Patin (10 sept. 1660). Les grandes affaires d'empoisonnement et de sorcellerie devaient un peu plus tard montrer la profondeur et la puissance de cet esprit irrationaliste.

9. « *Spéculateur :* celui qui s'attache à la contemplation des choses relevées et difficiles. » (Rich.)

Page 72

XIV. LE LIÈVRE ET LES GRENOUILLES

1. Source : Ésope, *Les lièvres et les grenouilles.*

2. « *Assaut :* en morale, toutes les attaques et surprises qu'on fait à quelqu'un. Sa vertu a soutenu un terrible assaut par une si forte tentation. » (Fur.)

3. *Douteux* : rongé par le doute, l'inquiétude.

4. « *Mélancolie :* maladie qui cause une rêverie sans fièvre, accompagnée d'une frayeur et tristesse sans occasion apparente, qui provient d'une humeur ou vapeur mélancolique, laquelle occupe le cerveau et altère sa température. » (Fur.) — « Il y a des animaux mélancoliques de tempérament. » (Fur.)

Page 73

XV. LE COQ ET LE RENARD

1. Source : Ésope et ses imitateurs (Faerne, Haudent, etc.) mettent en scène le coq, le renard et un chien caché qui étranglera le renard. La Fontaine a suivi Guéroult, *Premier livre des Emblèmes*, Lyon, 1550, p. 8. Le renard cherche pâture; il trouve le coq qui s'envole sur une haute branche. Le renard le rassure : « Tous les animaux | Laids et beaux | Ont fait entre eux alliance. » Il trace de la paix un tableau enchanteur : « Tu pourras voir ici-bas | Grands ébats | Démener chacune bête. | Descendre donc il te faut | De là-haut | Pour solenniser la fête. » Le coq « bien subtil » remercie et annonce qu'il aperçoit trois chiens. « Lors respond le renard caut : Il me faut | Prendre la course bien vite. » Le coq s'étonne : et l'alliance nouvelle entre les bêtes ? — Le renard réplique : « Ha (dit-il) ceux-ci n'ont pas | Su le cas | Tout ainsi comme il se passe : | Et pourtant pour cette fois | Je m'en vois : | De peur que je n'aye la chasse. » — Guéroult est le seul à donner pour motif à son affection soudaine pour le coq la paix générale conclue entre les animaux.

2. « *Matois :* rusé, difficile à être trompé, adroit à tromper les autres. » (Fur.)

3. *Poste :* « Chaque poste est d'une lieue et demie ou de deux lieues. » (Fur.)

4. *Feux* d'artifice ou feux de joie.

5. *Baiser d'amour fraternelle* : c'est le baiser de paix qui symbolise la fraternité chrétienne : il était échangé dans les

communautés chrétiennes et survit dans un rite de la messe : dans l'Église romaine il précède la communion.

6. *Je m'assure* : je suis sûr.

7. « *Grègues :* haut-de-chausses qui serre les fesses et les cuisses, que tous les hommes portaient au siècle passé... Tirez vos grègues, ou tirez vos chausses, allez-vous-en. » (Fur.)

8. « Gagner le haut, gagner au pied : s'enfuir. » (Fur.)

Page 74

XVI. LE CORBEAU VOULANT IMITER L'AIGLE

1. Source : Ésope, *L'aigle, le choucas et le berger*. — A Corrozet, *De l'aigle et du corbeau*, La Fontaine a emprunté un détail : le corbeau donné aux enfants comme jouet.

2. « *Gaillard :* un homme qui se porte bien, dispos et vigoureux... Aussi : adroit, fourbe, dont il faut se défier. » (Fur.)

3. Cf. Rabelais, IV, 8 : « Reste-t-il ici nulle âme moutonnière ? »

4. Allusion à I, 2, *Le Corbeau et le Renard*.

5. Le cyclope Polyphème est représenté par les poètes, par Ovide notamment, comme hirsute (*Métamorphoses*, XIII, 760).

6. *Volereau*, cf. poétereau. Non attesté ailleurs que chez La Fontaine au XVIIe siècle.

7. Souvenir de Rabelais : « Nos lois [dit Grippeminaud] sont comme toiles d'araignées, or çà, les simples moucherons et petits papillons y sont prins, or çà, les gros taons malfaisants les rompent, or çà, et passent à travers, or çà, » (Rabelais, V, 12.)

Page 75

XVII. LE PAON SE PLAIGNANT A JUNON

1. Source : Phèdre, III, 18.

2. Le paon était l'oiseau de Junon.

3. « *Nuer :* disposer des couleurs selon leurs nuances, les diminuer ou augmenter insensiblement. » (Fur.)

4. « *Se panader :* se carrer, montrer à la démarche qu'on est superbe... Ce mot vient apparemment de paon, vu que c'est le propre de cet oiseau de marcher superbement. » (Fur.)

Page 76

XVIII. LA CHATTE MÉTAMORPHOSÉE EN FEMME

1. Source : Ésope, *La chatte et Aphrodite*.

2. *Charme :* puissance magique.

3. « *Hypocondre :* adj. Hypocondriaque. Bizarre, fou, capricieux. » (Rich.)

4. « *Amadouer :* flatter avec des paroles douces et attirantes. » (Fur.)

5. « *Natte :* il n'y a pas longtemps que toutes les murailles des maisons n'étaient tapissées que de nattes... Maintenant ne sert plus que pour couvrir des planchers. » (Fur.)

6. *Son aventure :* sa tentative, son essai.

7. *En posture* de chasse.

8. *Ce* [la chasse aux souris] la tenta toujours.

9. « *Étrivière :* courroie de cuir par laquelle les étriers sont suspendus... Donner des étrivières, c'est châtier les valets, les fouetter avec ces étrivières. » (Fur.)

10. « *Embastonné :* vieux mot qui signifiait autrefois un homme armé d'un bâton. » (Fur.)

Page 77

XIX. LE LION ET L'ANE CHASSANT

1. Source : Ésope, *Le lion et l'âne chassant de compagnie.* — La Fontaine a emprunté plusieurs détails à Phèdre, I, 11.

2. « *Giboyer :* mot qui ne se dit qu'en riant et dans le burlesque. » (Rich.)

3. Au siège de Troie, le guerrier grec Stentor avait la voix aussi puissante que celle de cinquante hommes à la fois. (*Iliade,* V, 785.)

4. *Messer* : mot italien, employé par les satiriques français.

5. *Bravement* : avec courage. — « Quelquefois il ne signifie autre chose que bien et comme il faut : Il joua bravement son personnage. » (Acad.) — La Fontaine joue sur ce double sens.

6. *Leur :* accord par syllepse entraîné par l'idée de collectif, donc de pluriel, contenue dans *un* âne fanfaron. — « *Caractère :* marque qui distingue une personne ou une chose d'une autre. » (Rich.)

Page 78

XX. TESTAMENT EXPLIQUÉ PAR ÉSOPE

1. Source : Phèdre, IV, 5.

2. La sagesse de ce tribunal suprême d'Athènes était célèbre.

3. *Essai* : exemple.

4. *Les Lois municipales :* les lois particulières de la ville.

5. « *Contingent :* la portion qui peut convenir à chacun. » (Rich.)

6. « On dit en raillerie qu'une femme rusée est une fine *femelle*... Hors de là on le dit peu des femmes. » (Fur.)

7. *Chacun :* l'emploi comme adjectif est un archaïsme judiciaire.

8. « *Consulter :* demander avis à des gens sages et expérimentés dans un art... Il est allé consulter sa donation à des avocats. » (Fur.)

9. *Ils jettent leur bonnet :* ils renoncent à comprendre.

10. Forme archaïque convenant à une consultation juridique.

11. *Traité :* contrat.

12. « *A volonté :* les promesses payables à volonté sont à tous moments exigibles. » (Fur.)

13. *Maisons de bouteille :* « Maison de plaisance, maison de campagne : chez les bourgeois on l'appelle maison de bouteille parce qu'ils sont obligés d'y recevoir leurs amis et leur faire bonne chère. » (Fur.)

14. « *Cuvette,* petit vaisseau en forme de cuve... qu'on met dans les lieux où on mange auprès d'un buffet pour y jeter les eaux sales et superflues. » (Fur.)

« *Brocs :* on a chez les Grands des brocs d'argent où on met du vin ou de l'eau quand on en doit servir en quantité sur les tables. » (Fur.)

15. « *Malvoisie :* vin grec ou de Candie, — est aussi un vin muscat qui vient de Provence, qu'on fait cuire. » (Fur.)

16. « *Bouche :* chez le Roi et les Princes, ce qui regarde leur boire et leur manger. Les officiers de la *bouche.* » (Fur.)

17. « *Exquis :* excellent, rare, précieux, choisi. » (Fur.)

18. « *Inclination :* se dit aussi pour la chose qui est l'objet du penchant ou de l'affection de quelqu'un. » (Acad.)

19. *A l'estimation :* en acceptant l'évaluation et le partage de l'héritage précédemment établis.

20. « *Rencontre :* tout ce qui s'offre et se présente à nous sans être prévu. » (Fur.)

21. « *Ménager, ménagère :* bon économe de son bien, qui ne fait point de dépense superflue... On devient souvent avare [cf. v. 10 de la fable], pour vouloir être trop bon ménager. » (Fur.)

LIVRE TROISIÈME

Page 83

I. LE MEUNIER, SON FILS ET L'ANE

1. Source : La Fontaine renvoie aux *Mémoires* de Racan sur Malherbe (1re édition connue : 1672 seulement. Mais La Fontaine pouvait les connaître par ses amis : Pellisson, qui les avait lus — cf. son *Histoire de l'Académie française,* 1653 — ou Tallemant des Réaux, qui les tenait de Racan lui-même — cf. son *Historiette* de Malherbe.) — L'épisode de l'âne porté « comme un lustre » vient de Faerne ou de Verdizotti. Chez eux le père, furieux de déchaîner un rire universel, jette l'âne dans la rivière.

2. *A M. D. M.* Pas de doute qu'il s'agisse de Maucroix. Walckenaer a eu en main un manuscrit autographe qui portait : « A mon amy M. de Maucroix. » — Maucroix sur qui nous manque une étude — et une édition de ses œuvres aussi — a été l'ami le plus fidèle du fabuliste. Même s'ils ne se sont pas rencontrés au collège de Château-Thierry (cf. Clarac, *La Fontaine,* p. 7), ils se connaissent depuis 1645 au moins (cf. Maucroix, *Mémoires,* éd. Paris, II, 355). Ils ont fréquenté ensemble (vers 1646) l'Académie des Jeudis (Clarac, pp. 12-13).

Date de la fable : selon Brossette (éd. de Boileau, 1716, t. II, p. 324) *Le Meunier, son Fils et l'Ane* aurait été écrit pour Maucroix au moment où il se demandait quelle carrière choisir. Maucroix choisit l'Église et achète un canonicat à Reims en 1647. La fable serait donc antérieure et nous aurions donc là peut-être la première des fables : ce qui ne veut pas dire nécessairement que le texte n'ait pas été remanié de 1647 à 1668. Le témoignage de Brossette est sujet à caution. Notons pourtant que Brossette, très récusable lorsqu'il rapportait ces propos, volontiers tendancieux, de Boileau vieilli, avait recueilli une partie des papiers de Maucroix (*O.D.*, p. 1045) : ce qui lui donne de l'autorité en la circonstance.

D'autre part, Maucroix a eu une vie sentimentale traversée par un impossible amour pour Mlle de Joyeuse. Il a eu aussi du mal à trouver sa voie : il a été avocat (cf. B.N. manuscrit fr. 19142, fol. 92). Il a songé, ou on a songé pour lui, au mariage (cf. ses *Œuvres diverses,* I, 44). Il est devenu chanoine et ses amis l'ont plaisanté (La Fontaine, *OD,* p. 479. — Cassandre dans le manuscrit 19142, fol. 99). La fable trouverait très bien sa place dans la vie de Maucroix avant son canonicat (3 avril 1647). — Vers le même temps, au reste, le problème du choix d'une carrière s'était présenté à La Fontaine de la même façon : après avoir tâté de l'Oratoire, et du barreau, il allait prendre femme (nov. 1647), et emploi par la même occasion (son père lui donne dans le contrat de mariage un des offices de maître particulier). Pourquoi cette fable, qui évoque les problèmes de la vingt-cinquième année, du temps où il faut se fixer, ne serait-elle pas de ces années mêmes ?

3. Imitation du satirique du Lorrens (Paris, 1646, p. 181, *Satire* XXIII) :

« Or ce champ ne se peut en sorte moissonner
« Que d'autres après nous n'y trouvent à glaner. »

4. *Feinte :* « Le principal point de la poésie est de savoir bien feindre, bien inventer un sujet. » (Fur.) — Les lexicographes du XVIIe siècle ignorent ce sens que La Fontaine donne au mot feinte; ils emploient « fiction ».

5. *Nos Maîtres :* maîtres de notre génération ? ou plus précisément maîtres de Maucroix et de La Fontaine ? Une anecdote a été transmise par d'Olivet : un officier lut devant La Fontaine une ode de Malherbe. « Il écouta cette ode avec des transports mécaniques de joie, d'admiration et d'étonnement... Il se mit aussitôt à lire Malherbe... Il ne tarda pas à vouloir l'imiter. » (D'Olivet, *Histoire de l'Académie française,* p. 303.) La Fontaine avait alors 22 ans. — « Je me souviens d'avoir compté avec MM. Pellisson et de la Fontaine près de quatre-vingts stances dans Malherbe, qui nous paraissaient inimitables; peut-être que je n'y en trouverais pas autant aujourd'hui », écrit Maucroix le 30 mars 1704, en se rappelant peut-être les temps de l'Académie des Jeudis.

6. « *Talent :* qualité excellente, disposition qui se trouve en quelque personne pour réussir en quelque chose. » (Fur.)

7. « *Buter :* viser à un but. » (Fur.)

8. « *Objet :* ce qui est opposé à notre vue, ou qui frappe nos autres sens. » (Fur.)

9. La chanson nous est connue par une édition, mais tardive (1703) :

Adieu, cruelle Jeanne ;
Si vous ne m'aimez pas,
Je monte sur mon âne
Pour galoper au trépas
— Courez, ne bronchez pas,
Nicolas ;
Surtout n'en revenez pas.

(2e couplet.)

Page 85

II. LES MEMBRES ET L'ESTOMAC

1. Source : Dans Tite-Live (II, XXXII), Ménénius Agrippa conte cette fable à la plèbe qui a fait sécession. L'apologue

« insigne entre les Fables » se trouve encore en bien des endroits : Ésope, Baudouin, etc. — Rapports assez nets avec l'Anonyme de Nevelet (p. 525). — Le nom de Messer Gaster vient de Rabelais, IV, 57.

2. *Je devais :* j'aurais dû; emploi normal au XVIIe siècle.

3. « *Besoin :* manque de quelque chose. » (Fur.)

4. *En* reprend l'idée de nourriture exprimée précédemment.

5. « *Maintenir :* donner secours et protection. » (Fur.)

6. On notera que dans la pensée de La Fontaine se juxtaposent deux doctrines contradictoires. L'une montre l'interdépendance de toutes les parties d'une société : roi, artisans, laboureurs... L'autre réserve au roi un rôle quasi divin (« ses *grâces* souveraines »).

7. Ménénius Agrippa (consul en 503 avant J.-C.). La plèbe (« la Commune », v. 34) avait fait sécession. Ménénius lui conta l'apologue des membres et de l'estomac et l'amena ainsi à reprendre sa place dans la cité.

8. « *Tribut :* une contribution personnelle que les Princes lèvent sur leurs sujets par capitation pour soutenir les dépenses de l'État. En latin, il s'appelle *tributum* et en cela il diffère de l'*impôt* qui se lève sur les marchandises et qu'on appelle vectigal. » (Fur.) — Donc tribut : impôt personnel; impôt : impôts indirects.

9. Cette fable a été contée dans l'antiquité par Tite-Live, Florus, Denys d'Halicarnasse, Plutarque.

Page 87

III. LE LOUP DEVENU BERGER

1. Source : Verdizotti : *Il lupo e le pecore* (*Cento Favole,* p. 111). [Le loup a pris les habits du berger, son fiasque, sa trompette et s'est approché du troupeau voisin. Il espère le conduire dans la bergerie faite par lui d'une grotte obscure, se préparant ainsi une année de nourriture dont il pourrait profiter sans se fatiguer. Mais quand l'impie fut arrivé au milieu du troupeau, qui ne le craignait pas, croyant à son vêtement que c'était son berger, il voulut donner de la voix pour leur faire suivre le chemin qu'il voulait; mais il poussa un cri si féroce que les peureuses brebis s'enfuirent vers les abris voisins de leur étable natale et lui resta ridicule et triste...]

2. *S'aider de la peau du Renard :* employer la ruse. Cf. Furetière : « Coudre la peau du renard à celle du lion : user de finesse. »

3. « Hoqueton : saye courte, sans manches, que portent assez communément les hommes de village. » (Nicot.) « Anciennement habit de paysan. » (Fur.)

4. « Parce que les bêtes se retirent toujours dans l'endroit du bois le plus épais, on appelle le lieu de leur repaire, de leur retraite, *leur fort. Le sanglier est dans son fort.* » (Acad.)

5. « *Esclandre :* vieux mot qui signifiait autrefois un accident fâcheux qui troublait ou interrompait le cours d'une affaire. » (Fur.)

Page 88

IV. LES GRENOUILLES QUI DEMANDENT UN ROI

1. Source : Ésope, *Les grenouilles qui demandent un roi.* — Phèdre, I, 2.

2. « Soliveau ou solive : pièce de bois... qu'on pose sur les poutres. » (Fur.)

3. *Vous avez dû :* vous auriez dû.

Page 89

V. LE RENARD ET LE BOUC

1. Source : Ésope, *Le renard et le bouc.* — A la fable de Phèdre, beaucoup plus sèche, La Fontaine n'a rien emprunté.

2. *En* renvoie à l'idée de boisson contenue dans *se désaltère.*

3. *Par ma barbe :* formule de serment des romans de chevalerie.

4. *Il :* neutre : *cela.*

5. *Par excellence* se joint d'ordinaire à un nom ou un adjectif : *un sot par excellence, beau par excellence.*

Page 90

VI. L'AIGLE, LA LAIE, ET LA CHATTE

1. Source : Phèdre, II, 4. *L'aigle, la laie et la chatte sauvage.*

2. *Tripotage :* ménage. — « Ce mot ne peut entrer que dans la conversation en plaisantant et dans le style le plus bas. » (Rich.)

3. « *Possible,* adverbe : *Peut-être.* Le mot possible en ce sens est un peu suranné. » (Rich.)

4. « *Gésine :* vieux mot qui signifie l'état d'une femme en couche. Il est hors d'usage. » (Fur.)

5. *Renfort :* supplément de vivres. « Ils fournirent une nourriture abondante aux petits chats. » (Phèdre.)

6. Pandore avait été envoyée aux hommes pour les punir d'avoir bénéficié du feu, volé en leur faveur par Prométhée. Sa boîte contenait tous les maux qui, lorsqu'elle l'ouvrit, s'échappèrent pour fondre sur les hommes. Au fond resta seule l'espérance.

Page 91

VII. L'IVROGNE ET SA FEMME

1. Source : Ésope, *La femme et l'ivrogne.* — Le sujet se prêtait aux considérations morales. « L'amplification » de cette fable par le P. Pomey, *Candidatus rhetoricae* (multiples éditions à partir de 1661), est un curieux exemple de l'utilisation et de l'importance scolaires des fables.

2. « *Suppôt :* n'est ordinairement en usage que dans le burlesque, le comique, le satirique et le style le plus familier... Suppôts de l'Université, suppôt d'Hippocrate. » (Rich.) — Ici : les ivrognes.

3. *Alecton :* l'une des Furies.

4. « *Chaudeau :* bouillon qu'on porte aux mariés le lendemain de leurs noces. » (Fur.)

5. *Cellerière :* la religieuse qui a soin des provisions dans un couvent.

Page 92

VIII. LA GOUTTE ET L'ARAIGNÉE

1. Source : origine de la fable, Pétrarque, qui la présente comme un conte de vieille femme. Elle n'est pas dans Nevelet, mais La Fontaine a pu la lire dans les éditions d'Ésope du XVIe siècle : Gerbel (Paris, 1535, p. 96), S. Gryphe (Lyon, 1536, pp. 196-7), Camerarius (Lyon, 1571, p. 569) plusieurs fois réimprimées.

2. « *Case :* une méchante petite maison. » (Rich.)

3. *Étrètes :* étroites. Graphie ancienne, conservée pour sa commodité en vers.

4. Deux brindilles de bois permettront de tirer à la courte paille.

5. « On dit figurément qu'un homme *a planté le piquet* en quelque lieu quand il est venu y demeurer et s'y établir. » (Fur.)

6. Les pauvres gens n'ont pas recours à Hippocrate, à la médecine.

7. *A demeurer :* de façon à établir sa résidence.

8. *Bestion :* le mot est vieux (pas dans Fur. ni Rich.) La Fontaine l'emploie de nouveau pour une araignée dans la fable X, VI, v. 16.

9. *Fouir* semble désigner une façon en profondeur, *houer* une façon plus superficielle. (Cf. Fur.)

Page 93

IX. LE LOUP ET LA CIGOGNE

1. Source : Ésope, *Le loup et le héron.* — Phèdre, I, 8.

2. « *Frairie :* terme populaire qui signifie débauche, réjouissance. » (Fur.)

3. *Opératrice :* féminin de opérateur. Les opérateurs étaient des médecins-charlatans qui vendaient en plein vent, dans les rues, ou sur les places, leurs drogues, après avoir attiré autour de leurs tréteaux la clientèle par les farces de quelques comédiens ; ainsi opéraient Mondor et Tabarin et tant d'autres.

Page 94

X. LE LION ABATTU PAR L'HOMME

1. Source : Ésope, *L'homme et le lion voyageant de compagnie.*

2. *Artisan* au sens de artiste semble être un archaïsme. Corneille : *Épître* de *La Suite du Menteur :* « Ceux... qui mettent si haut le but de l'art sont injurieux à l'artisan » (1645). Mais Furetière : « Ouvrier qui gagne sa vie en travaillant aux arts mécaniques comme cordonniers, serruriers, menuisiers, chapeliers, etc. »

3. *Ouvrier* au sens de artiste paraît aussi vieilli. Furetière et Richelet donnent déjà au mot son sens moderne.

Page 94

XI. LE RENARD ET LES RAISINS

1. Source : Ésope, *Le renard et les raisins.* — Phèdre a repris le sujet sans rien ajouter, IV, 3.

2. « *Apparemment :* d'une manière apparente. — *Apparent :* visible, certain, évident, dont on ne peut douter. » (Fur.)

3. *Goujat :* valet de soldat, ou valet de maçon.

Page 95

XII. LE CYGNE ET LE CUISINIER

1. Source : Ésope, *Le cygne pris pour l'oie.* Mais le thème ésopique avait été traité par Verdizotti *(Il cigno e l'occa).* La Fontaine lui a emprunté au moins son début : « Dans le jardin d'un altier palais vivaient nourris ensemble une oie et un cygne, l'un pour réjouir de son doux chant les délicates oreilles de son maître, l'autre pour réjouir avec sa grasse chair sa bouche et son ventre. » — Grande parenté également dans la morale : « Un beau parler au bon moment est d'un grand profit. »

2. *Ménagerie :* lieu destiné à nourrir des bestiaux et à faire

le ménage des champs. Il ne se dit qu'à l'égard des châteaux des princes et des grands seigneurs qui en ont plutôt par curiosité et magnificence que pour le profit.

3. « Galerie, lieu couvert d'une maison, qui est d'ordinaire sur les ailes et où on se promène. » (Fur.)

4. Souvenir des *Géorgiques*, I, 383sqq : On voyait les oiseaux, tantôt plonger leur tête dans les flots, tantôt s'élancer sur les eaux, tantôt se laisser aller en vain [sans pouvoir s'en rassasier] au plaisir de se baigner. »

5. Ayant bu un coup de trop.

6. *Prêt à* au sens de sur le point de, près de : emploi normal au XVIIe siècle.

7. Que le cygne au moment de mourir chante mélodieusement est une légende très répandue dans l'antiquité. (Cf. Platon, *Phédon,* 84e et *O.D.,* p. 98 sqq.)

8. Souvenir d'Horace, *Odes*, III, 1 : « Derrière le cavalier se tient en croupe le noir souci. »

Page 95

XIII. LES LOUPS ET LES BREBIS

1. Source : Ésope, *Les loups et les moutons*, Nevelet, p. 282. — L'idée que les loups donnent eux aussi en otages leurs louveteaux vient de l'*Anonyme* (Nevelet, p. 524). — Le conseil de ne pas se fier à des ennemis sans foi peut venir d'Aphthonius : *Fable des brebis qui avertit de ne pas se fier aux trompeurs,* f. 21.

2. *Apparemment :* manifestement. (Cf. III, XI, n. 2.)

3. *Louvat :* ce mot ne s'emploie que dans le style burlesque, dit Richelet qui donne en exemple les vers de La Fontaine.

4. *Sur leur foi :* confiants en la parole de leurs anciens ennemis. (Cf. Furetière : « Les Carthaginois renvoyèrent Régulus *sur sa foy.* » Cf. aussi le dernier vers de la fable.)

Page 96

XIV. LE LION DEVENU VIEUX

1. Source : Phèdre, I, 21.

2. « *Prouesse :* bravoure... Les délicats du temps ne veulent plus qu'on use de ce mot et disent qu'il est vieux. » (Fur.)

Page 97

XV. PHILOMÈLE ET PROGNÉ

1. Source : Babrias (Nevelet, p. 379). Le thème était traité d'une façon très sèche dans Ésope, *Le rossignol et l'hirondelle* (Nevelet, p. 213).

2. Le roi de Thrace Térée (cf. v. 18) avait outragé sa belle-sœur Philomèle dans un bois écarté (cf. v. 19-20); puis il lui coupa la langue et l'enferma. Progné, femme de Térée et sœur de Philomèle, délivra Philomèle et pour la venger tua son propre fils Itys et le fit manger à Térée. Ils furent métamorphosés, Philomèle en rossignol, Progné en hirondelle, Térée en huppe. — La Fontaine utilisera de nouveau ce mythe dans *Le Milan et le Rossignol,* IX, XVIII.

3. *Rustique :* paysan. Se dit normalement au XVIe siècle et au début du XVIIe siècle mais Richelet signale qu'il s'emploie toujours en mauvaise part.

Page 98

XVI. LA FEMME NOYÉE

1. Source : Cette vieille plaisanterie se trouve à tellement d'endroits (recueils facétieux, fabliaux, Pogge, Faerne, Verdizotti, etc.) qu'il est impossible de déterminer la source de La Fontaine. Voici la traduction de Faerne par Perrault :

> Un laboureur, le long des bords
> D'une impétueuse rivière
> De sa femme noyée allait cherchant le corps,
> Et s'y prenait d'une étrange manière.
> Au lieu d'aller en bas, il remontait en haut.
> Vous ne cherchez pas comme il faut,
> Lui dirent ses voisins; les flots l'ont entraînée,
> Du fleuve elle a suivi le cours.
> Nullement, leur dit-il, cette vieille obstinée
> A fait, et fait encor toute chose à rebours.
> « Femme contrariante, envieuse et colère
> Ne quitte pas son caractère. »

2. « *Disgrâce :* malheur, accident. » (Fur.)

Page 99

XVII. LA BELETTE ENTRÉE DANS UN GRENIER

1. Source : Ésope, *Le renard au ventre gonflé.* — Horace (*Épîtres,* I, VII) met en scène un mulot.

2. « *Damoiselle :* vieux mot qui signifie fille noble. Il ne se dit plus qu'en terme de pratique [dans le langage juridique]. On dit maintenant demoiselle. — Demoiselle se dit aujourd'hui de toutes les filles qui ne sont point mariées, pourvu qu'elles ne soient pas de la lie du peuple ou nées d'artisans. » (Fur.)

3. « *Floüet :* corps délicat, de mauvaise constitution et peu robuste. Quelques-uns disent fluet. » (Fur.)

4. « On dit proverbialement *faire chère lie* pour dire faire grande chère. » (Fur.)

5. *Maflue*. Richelet et Furetière ne connaissent que maflé : qui a le visage plein, la taille grossière.

6. Lors de la grande réaction contre les gens de finance, dont le procès Fouquet fut l'épisode le plus éclatant, une chambre de justice avait été instituée pour examiner les comptes des « traitants » depuis 1635. Des financiers avaient été obligés de rendre gorge. L'affaire finit d'ailleurs obscurément par des transactions à l'amiable. La Fontaine a traité le sujet d'actualité, mais avec une réserve (v. 20 : *ne pas trop approfondir*) que lui imposaient ses relations avec Fouquet.

Page 99

XVIII. LE CHAT ET UN VIEUX RAT

1. Source : Dans Ésope, *Le chat et les rats,* le chat se pend ; dans Phèdre, IV, 2, une belette s'enfarine pour tromper les souris. La Fontaine a joint les deux tours.

2. Le premier Rodilard a figuré, avec le nom latinisé qui lui venait de Rabelais, dans II, II, *Conseil tenu par les Rats*.

3. Cerbère : le redoutable chien à trois têtes qui gardait l'entrée des Enfers.

4. « *Plancher :* on le dit tant du sol sur lequel on marche... que de ce qui est sur la tête... Ce lustre est attaché au plancher. » (Fur.)

5. *Plus d'un* [tour] : cf. vers suivant.

6. « C'est un tour de vieille guerre. » (Rabelais, IV, 8.)

7. *Mitis :* en latin *doux*.

8. « *Affiner :* se dit figurément en morale des niais qu'on rend plus fins en leur faisant quelque tromperie. » (Fur.) Donc tromper.

9. « *Routier* se dit figurément en morale des gens prudents qui connaissent les choses par pratique et expérience. Ce capitaine est un vieux routier... » (Fur.)

LIVRE QUATRIÈME

Page 105

I. LE LION AMOUREUX

1. Source : Ésope, *Le lion amoureux et le laboureur.*

2. La Fontaine a dû connaître Mme de Sévigné et sa fille chez Fouquet ou dans quelque salon (chez Mme du Plessis-Guénégaud ?) La froideur de Mlle de Sévigné est aussi notoire que sa beauté. Saint-Pavin la dit méprisante. Benserade assure « Qu'elle verrait mourir le plus fidèle amant/Faute de l'assister d'un regard seulement » (*Ballet de la naissance de Vénus,* 1665). Dans les ballets de cour, elle tient des rôles en conséquence : une amazone, Omphale. Le duc de Saint-Aignan l'appelle « la belle lionne » (*Lettres de Mme de Sévigné,* Grands Écrivains, I, 497).

Qui est le lion qu'elle a su dompter ? — Le Roi ? — Certains (dont Bussy-Rabutin) espèrent qu'elle succédera à La Vallière (cf. *Lettres de Mme de Sévigné,* I, 98-99). Le roi la courtise certainement (ibid., p. 499). La Fontaine avertit-il la belle du danger des amours léonines, c'est-à-dire royales ?

Elle a 23 ans. Sa mère n'a pas encore trouvé à la marier. Des projets d'alliance avec le duc de Caderousse, puis le comte d'Étauges, puis le fils du comte de Mérinville ont échoué. Mme de Sévigné désespère du mariage de « la plus belle fille de France ». Quelques mois après la publication de la fable, Grignan se présente. Mme de Sévigné est ravie : il est « tel que nous le pouvons souhaiter. Nous ne le *marchandons* point comme on a accoutumé de le faire. » (4 déc. 1668.) — Le lion serait-il le futur mari ? — Il faudra, suggère La Fontaine, qu'il soit débonnaire et il peut s'attendre à être sévèrement mené. La fable aurait-elle même été composée à l'occasion des « marchandages » qui ont accompagné un projet de mariage ? Au XVIIe siècle, on parlait de ces tractations préliminaires au mariage avec une franchise assez brutale pour que cette interprétation ne soit pas impossible.

3. « Hure : tête d'un sanglier, d'un ours et autres bêtes mordantes... se dit au figuré d'une tête mal peignée, des cheveux rudes, droits et mal en ordre. » (Fur.)

Page 107

II. LE BERGER ET LA MER

1. Source : Ésope, *Le berger et la mer.*

2. Un riverain de la mer. Amphitrite est la déesse de la mer.

3. Coridon et Tircis sont des noms de bergers dans les *Bucoliques*. Ils représentent l'aristocratie de leur corporation. Pierrot est un nom de valet.

Page 108

III. LA MOUCHE ET LA FOURMI

1. Source : Phèdre, IV, 25.

2. *Devant toi* : avant toi. Cf. Phèdre : « praegusto », cf. aussi vers 24 de La Fontaine.

3. « *Mouche* : un petit morceau de taffetas ou de velours noir que les dames mettent sur leur visage par ornement ou pour faire paraître leur teint plus blanc. » (Fur.)

4. Cf. Plaute *Poenulus,* III, 3, 77. Cet emploi de mouche n'existe pas en français.

5. « *Mouche:* se dit figurément d'un espion. » (Fur.)

6. *Mouchard* : espion qu'on met auprès de quelqu'un, ou dans une famille, ou dans un lieu public. » (Fur.)

Page 109

IV. LE JARDINIER ET SON SEIGNEUR

1. Source : L'idée d'un gardien qui fait plus de dégâts que n'en pourraient causer les malfaiteurs est dans Camerarius, *Fabulae aesopicae,* Leipzig, 1564, f. 414. — Mais tout ce tableau de mœurs rurales est purement de La Fontaine; pourquoi l'aventure ne serait-elle pas réelle ?

2. Il habite tantôt la ville, tantôt sa « maison des champs », « en certain village ».

3. Le jasmin d'Espagne était d'importation récente et de culture délicate.

4. *Serpolet.* « Le serpolet de jardin ne rampe point mais croît à la hauteur d'un bon palme [empan, longueur de la main étendue] et quand il trouve de l'aide pour s'agrafer, comme un arbre ou une haie, il croît tant qu'on veut. » (Fur.)

5. *Au Seigneur* : le demi-bourgeois, demi-manant n'a pas droit de chasse. Ce droit est réservé au seigneur.

6. « *Goulée* : grande bouchée; ce qu'on avale tout d'un coup sans reprendre haleine. » (Rich.)

7. « *Mouchoir* [de col] : « linge d'ordinaire garni de dentelles exquises dont les dames se servent pour cacher et parer leur gorge ». (Fur.)

8. *Se ruer en cuisine* vient de Rabelais (I, 11; IV, 10).

9. « *Famille :* un ménage composé d'un chef et de ses domestiques, soit femmes, enfants ou serviteurs. » (Fur.)

10. « *Étonner :* épouvanter. » (Rich.)

11. *Jeux de Prince :* proverbe ancien. « Ce sont jeux de prince, ils plaisent à ceux qui les font. » (H. Estienne, *Apologie pour Hérodote.*)

Page 111

V. L'ANE ET LE PETIT CHIEN

1. Source : Ésope, *L'âne et le petit chien ou le chien et son maître.*

2. *Martin bâton* figure dans Rabelais, III, 12. Il désigne un homme armé d'un bâton ou le bâton lui-même. La Fontaine l'appellera aussi Martin, tout court (V, XXI, v. 7-9).

Page 112

VI. LE COMBAT DES RATS ET DES BELETTES

1. Source : L'aventure des rats partis en guerre contre les belettes est dans Ésope, *Les rats et les belettes ;* mais plus développée et plus proche de La Fontaine encore dans Phèdre, IV, 6. — On observera aussi que certaines éditions d'Ésope du XVIe siècle joignaient aux fables d'Ésope, d'Avienus, etc., deux parodies épiques : la *Batrachomyomachie,* considérée au XVIIe siècle encore comme d'Homère et une *Galéomyomachie*, c'est-à-dire combat des belettes (ou chats) contre les rats. En plus de 300 hexamètres grecs, ce dernier texte de date inconnue conte la lutte du roi rat Creïllus contre le chat. A ces parodies épiques, La Fontaine a emprunté les noms de ses rats : Psicarpax (dévore-miette), Méridarpax (voleur de morceaux); il a fabriqué Artapax (voleur de pain) sur leur modèle.

2. *Étrètes :* écriture correspondant à une prononciation ancienne, conservée pour la commodité des poètes.

3. *Déployèrent l'étendard :* commencèrent la guerre. Les rois de France « levaient l'oriflamme » conservée normalement à Saint-Denis, quand ils partaient en guerre.

4. Sur l'origine de ces noms voir ci-dessus : *Source.*

5. *Au plus fort :* le plus fort qu'il put. (Cf. au plus vite.)

6. « *Jonchée :* herbes, fleurs ou joncs qu'on épanche sur le chemin quand on veut faire honneur au passage de quelque personne. » (Rich.) Le sens figuré de litière de cadavres ne se trouve pas, chez les lexicographes au moins, avant La Fontaine.

Page 113

VII. LE SINGE ET LE DAUPHIN

1. Source : Ésope, *Le singe et le dauphin.*

2. Pline (*Hist. nat.*, IX, VIII) donne plusieurs exemples d'amitié des dauphins pour les hommes, dont l'aventure d'Arion (cf. ci-dessous vers 18). Les matelots avaient voulu jeter à la mer Arion pour s'emparer de ses biens. Il obtint de chanter une dernière fois avant de se jeter lui-même à la mer. Mais un dauphin l'avait entendu. Il le prit sur son dos et le sauva.

3. Arion (cf. n. 2).

4. Le juge mage ou juge maire était dans certaines villes un officier de justice.

5. Vaugirard était au temps de La Fontaine un village de la banlieue parisienne.

6. *Au plus dru :* locution adverbiale, gaillardement, abondamment. — L'expression caqueter au plus dru pourrait être une création de La Fontaine.

Page 114

VIII. L'HOMME ET L'IDOLE DE BOIS

1. Source : Ésope, *L'homme qui a brisé une statue.*

2. Souvenir des *Psaumes* (CXV, verset 6) : « Ils ont des oreilles et n'entendent pas », est-il dit à propos des idoles des païens.

3. « *Idole :* quelques-uns font ce mot *masculin,* mais tous ceux qui parlent et écrivent le mieux le font toujours féminin. » (Rich.)

4. « *Pitance :* ce qu'on donne à chaque religieux pour son repas... L'usage du mot est dans le style simple et comique. » (Rich.)

Page 115

IX. LE GEAI PARÉ DES PLUMES DU PAON

1. Source : Rapports plus étroits avec Phèdre I, 3, qu'avec Ésope, *Le choucas et les oiseaux.* — La Fontaine s'en prend-il à quelque plagiaire contemporain, dont il a eu personnellement à souffrir ? On ne sait.

Page 116

X. LE CHAMEAU ET LES BATONS FLOTTANTS

1. Source : La Fontaine a joint deux fables d'Ésope : *Le chameau vu pour la première fois* et *Les voyageurs et les broussailles.*

2. *Objet :* au sens philosophique, ce qui est perçu par les sens.

3. « Le chameau arabesque a une bosse sur le dos, le médois [persan] en a deux. » — « Dromadaire : espèce de chameau qui a deux bosses... Mais M. Perrault appelle au contraire dromadaire celui qui n'a qu'une bosse. » (Fur. aux mots chameau et dromadaire.) Les sens étaient donc mal fixés.

4. *S'apprivoiser avec :* se rendre familier à la vue.

5. *A la continue :* à la fin, après bien du temps.

6. *Brûlot :* un vieux bateau rempli de matières combustibles, qu'on lance contre le navire ennemi.

Page 116

XI. LA GRENOUILLE ET LE RAT

1. Source : Ésope, *Le rat et la grenouille.*

2. L'enchanteur Merlin tient un grand rôle dans les romans de la Table Ronde, qui s'impriment encore beaucoup au XVIIe siècle sous la forme de livrets populaires. La phrase « Tels cuident engigner un autre qui s'engignent eux-mêmes » a été retrouvée dans le *Premier volume de Merlin* (imprimé à Paris avant 1535). Mais La Fontaine pouvait bien avoir entre les mains quelque réimpression plus récente, que nous ne connaissons pas. — Le sens : Tel croit monter un piège pour autrui, qui souvent s'y prend lui-même.

3. *L'Avent :* les quatre semaines qui précèdent Noël. « Les religieux et les dévots jeûnent l'Avent comme le Carême. » (Fur.) — *Le Carême :* les quarante jours qui précèdent Pâques.

4. « *Esprits :* ce mot au pluriel signifie quelquefois une substance chaude, légère et déliée d'où procèdent les mouvements du corps. » (Rich.)

5. *Point :* difficulté.

6. « Gorge-chaude : la viande chaude qu'on donne aux oiseaux [de fauconnerie] du gibier qu'ils ont pris. » (Fur.) — *Curée :* terme de vénerie : « le repas qu'on fait faire aux chiens et aux oiseaux après qu'ils ont pris quelque gibier. » (Fur.)

Page 118

XII. TRIBUT ENVOYÉ PAR LES ANIMAUX A ALEXANDRE

1. Source : En dépit du premier vers de La Fontaine, une seule source a été trouvée à cette fable : Gilb. Cognati, *Narra-*

tionum Sylva, p. 98, *de Jovis Ammonis oraculo,* Bâle, 1567. (Voir Grands Écrivains, I, p. 458.) [Le bruit court qu'Alexandre doit venir consulter l'oracle d'Amon. Les princes — des hommes — lui envoient des présents. Ptolomée envoie ce qu'ont produit les droits d'entrée dans les bouches du Nil et les douanes de Memphis pendant un jour. Le mulet, l'âne, le chameau, le cheval s'offrent pour le transport. Pas de singe : il est de l'invention de La Fontaine... Le reste de la fable comme chez La Fontaine.]

2. Lorsque Alexandre alla consulter l'oracle de Jupiter Amon (dans l'actuelle oasis de Siwah) il fut proclamé par les prêtres fils de Jupiter et futur maître de toute la terre. (Quinte-Curce, IV, 7.)

3. La déesse aux cents bouches : la Renommée.

4. *Lige :* terme du droit féodal (cf. v. 20 : *hommage* et *tribut*), désigne le lien qui unit le vassal à son suzerain. — Les animaux n'étaient, avant la parution de l'édit, soumis qu'à leur propre appétit : « liges de [leur] seul appétit ».

5. « *Fait :* une part de quelque chose qu'on a partagée ensemble. » (Fur.)

6. *Malgré le héros... :* au détriment d'Alexandre, fils de Jupiter Amon, dont le tribut sera amputé par les dépenses du lion, le lion se nourrit, et bien (« faisant chère ».)

7. « *Croît :* augmentation d'un troupeau par le moyen des petits qui y naissent. » (Fur.)

8. « Sommier... se dit d'un cheval ou d'autres bêtes de somme. » (Fur.)

9. Ce proverbe se trouve dans les *Proverbes espagnols traduits en français* par César Oudin, 2e édition, 1609. Mais il termine aussi la *Satire XII* de Régnier.

Page 120

XIII. LE CHEVAL S'ÉTANT VOULU VENGER DU CERF

1. Source : Aristote, *Rhétorique,* II, 20 (à propos de l'utilité de la fable pour l'orateur). Le thème a été repris ensuite avec des variantes par Gabrias, Phèdre, Verdizotti, etc. Un résumé très sec dans Horace, *Épîtres,* I, X, 34-38.

2. « *Chaise :* une voiture pour aller assis et à couvert, tant à la ville qu'à la campagne. » (Fur.)

3. « *Usage :* service, utilité qu'on tire de quelque chose. » (Fur.)

Page 121

XIV. LE RENARD ET LE BUSTE

1. Source : Ésope, *Le renard et le masque.* Sujet repris par Phèdre, I, 7.

2. Ésope, Phèdre et leurs imitateurs mettent le renard en présence d'un masque, qu'Haudent le premier remplace par un buste. La fable de La Fontaine paraît donc attester qu'il connaissait Haudent.

Page 121

XV et XVI. LE LOUP, LA CHÈVRE, ET LE CHEVREAU LE LOUP, LA MÈRE ET L'ENFANT

1. La Fontaine a réuni ces deux fables. La gravure de Chauveau se présente comme un diptyque : une moitié pour chaque fable.

Sources : XV, *Le chevreau et le loup* (dans divers recueils ésopiques : S. Gryphe, 1536, p. 103; Nevelet, p. 507). — XVI, Ésope, *Le loup et la vieille.* Chez Ésope et ses imitateurs, le loup se retire sans être inquiété, ni même avoir manifesté sa présence. Les vers 22 et suivants, avec le dénouement tragique, sont du seul La Fontaine.

2. *Die :* forme ancienne du subjonctif.

3. « *Enseigne :* les marques qu'on se donne réciproquement pour reconnaître la vérité d'une chose, pour n'être point trompé. » (Fur.)

4. « *Foin :* sorte d'interjection burlesque qui marque une manière d'imprécation : Foin du fat. » (Rich.)

5. *De fortune :* par hasard.

6. « *Papelard,* adj. : hypocrite, faux dévot. » (Fur.)

7. *Tout d'un coup :* en même temps.

8. « On dit qu'un homme cherche *chape-chute,* qu'il a trouvé *chape-chute* pour dire qu'il cherche ou qu'il a trouvé quelque occasion, quelque hasard, quelque rencontre avantageuse, ou quelquefois mauvaise. » (Fur.) (Étymologiquement : chape-chute : un manteau tombé.)

9. « *Provende :* la provision de vivres dans une communauté. Quand un religieux va à la quête, on dit qu'il va à la provende... mot bas. » (Fur.)

10. « *Géniture :* terme burlesque qui se dit des enfants. » (Fur.)

11. « *Fourche fière :* fourche qui est de fer par un bout à deux ou trois pointes, qui sert à remuer le fumier et à autres usages. » (Fur.)

12. « *Ajuster :* terme de maître d'armes, porter justement son coup où l'on veut donner. » (Rich.)

13. *Merci de moi :* formule de protestation. Cf. « Merci de ma vie : manière de jurer dont se servent les femmes de la lie du peuple. » (Fur.)

14. « Beaux sires loups n'écoutez pas une mère qui gronde son fils qui pleure. » (Ou peut-être : beau sire loup au singulier si La Fontaine connaissait la déclinaison de l'ancien français.)

Page 123

XVII. PAROLE DE SOCRATE

1. Source : Phèdre, III, 9.

2. « *Face :* se dit du devant d'un bâtiment. » (Fur.) *Façade* semble réservée à un *grand* bâtiment : la façade du Louvre. (Cf. Fur.)

3. « *Appartement :* portion d'un grand logis où une personne loge ou peut loger séparément. » (Fur.) Donc peut signifier une seule pièce, comme ici.

Page 124

XVIII. LE VIEILLARD ET SES ENFANTS

1. Source : Ésope, *Les enfants désunis du laboureur.*

2. Ésope, cf. sa *Vie.*

3. L'aventure était présentée par Plutarque comme véritablement arrivée à Scilure, roi des Scythes *(Apophthegmes des rois et des capitaines).*

4. *Je vous expliquerai le nœud :* le *sens* du nœud.

5. De ces dards (des javelots) aucun ne s'éclate, c'est-à-dire ne se fend.

6. « Affaires : signifie quelquefois *dettes, embarras.* » (Fur.)

7. « *Consultant :* homme expérimenté que l'on consulte au besoin, il ne se dit guère que des anciens avocats et médecins. » (Fur.)

8. *Reviennent :* les trois frères ont trouvé une succession embarrassée (cf. *affaires,* v. 33). Ils ont résisté victorieusement au premier assaut des créanciers (v. 35). Puis ils se sont brouillés lorsqu'ils ont renoncé à l'indivision (v. 37-41). Les créanciers ont alors fait une seconde attaque : « reviennent ». Ils ont fait appel des jugements qui les avaient condamnés en alléguant un vice de forme *(erreur)* ou en appelant d'un jugement par défaut (v. 43).

Page 125

XIX. L'ORACLE ET L'IMPIE

1. Source : Ésope, *Le fourbe.*

2. *La Terre :* un habitant de la terre.

3. Le Labyrinthe de Crète avait été bâti par Dédale, d'où son nom. La Fontaine le considère encore comme un nom propre et lui donne la majuscule. — *Enserrer* est vieux et poétique, selon l'Académie.

4. *D'abord :* immédiatement.

5. « Croire en Dieu par bénéfice d'inventaire » est dit sur le modèle de : accepter une succession sous bénéfice d'inventaire. Le mot avait déjà été dit de Jodelle (L'Estoile, *Mémoires*). — *Mot :* bon mot.

6. Les épithètes homériques d'Apollon insistent sur son habileté d'archer.

Page 126

XX. L'AVARE QUI A PERDU SON TRÉSOR

1. Source : Ésope, *L'avare.*

2. *Là-bas :* aux Enfers.

3. *Ici-haut :* l'expression paraît très rare. Les lexicographes du XVIIe siècle l'ignorent, Littré ne donne que cet exemple.

4. *Déduit :* passe-temps, plaisir.

5. « *Chevance :* vieux mot et hors d'usage, qui signifiait autrefois le bien d'une personne. » (Fur.)

6. *On l'eût pris de bien court :* prendre de court n'est pas chez les lexicographes du XVIIe siècle; Littré donne le texte de La Fontaine comme seul exemple. Sens : pour le surprendre à un moment où il ne songeait pas à son trésor, il aurait fallu saisir une occasion bien fugitive = il songeait sans cesse...

7. *Cabinet :* soit la petite pièce « où l'on étudie et où l'on serre ce qu'on a de plus précieux » (Fur.); soit « un buffet où il y a plusieurs volets et tiroirs pour enfermer les choses les plus précieuses » .(Fur.)

Page 127

XXI. L'ŒIL DU MAITRE

1. Source : Phèdre, II, 8, *Le cerf et les bœufs.*

2. *D'abord :* tout de suite.

3. *A toutes fins,* ou à toutes fins utiles, ou à toute fin :

formule juridique. Par la promesse à toute fin, le prometteur s'engage mais sans garantir le résultat.

4. « *Fourrage :* paille ou herbe sèche qui sert à nourrir les bestiaux. » (Fur.)

5. « *Rameure,* terme de chasse qui se dit du bois du cerf. » (Fur.)

6. L'expression « l'homme aux cent yeux » vient de Phèdre.

7. « *Épieu :* arme fait en forme de hallebarde qui est garnie au bout d'un fer large et pointu, et qui sert particulièrement à la chasse du sanglier. » (Fur.)

8. Que le cerf aux abois verse des larmes est une tradition ancienne. (Pline.)

9. *S'éjouit :* ne se trouve pas dans les dictionnaires du XVIIe siècle. Pascal cependant l'emploie.

Page 128

XXII. L'ALOUETTE ET SES PETITS AVEC LE MAITRE D'UN CHAMP

1. Source : La fable ésopique est perdue. La Fontaine a suivi soit Aulu-Gelle, *Nuits attiques,* II, 29, soit Faerne, f. 96, *Cassita.* Plus probablement Aulu-Gelle (la référence à Ésope est chez lui, non chez Faerne). La très belle évocation du printemps s'inspire de Lucrèce *(Invocation à Vénus).* Les épisodes successifs sont très fidèlement imités de Faerne ou Aulu-Gelle.

2. *Ne t'attends qu'à toi seul :* « Je me suis attendu, reposé sur mon procureur. » (Fur.)

3. La fable d'Ésope est perdue, mais Aulu-Gelle se réfère à lui.

4. Cf. Lucrèce, *De Natura rerum,* invocation à Vénus.

5. Les lexicographes du XVIIe siècle ignorent *nitée.* Forme dialectale ?

6. « *Servir :* rendre service, assister. » (Rich.)

7. « *Famille :* un ménage composé d'un chef et de ses domestiques, soit femme, enfants, serviteurs. » (Fur.)

8. Les lexicographes du XVIIe siècle ne connaissent que *culbuter.* Mais la forme *culebuter* est attestée chez Régnier. La Fontaine l'a sans doute trouvée plus expressive.

LIVRE CINQUIÈME

Page 133

I. LE BUCHERON ET MERCURE

1. Source : Ésope, *Le bûcheron et Hermès*. Le sujet a été aussi traité par Rabelais, *Nouveau prologue du livre IV ;* mais La Fontaine ne lui a pas fait d'emprunt particulier.

2. Walckenaer reconnaissait sous ces initiales le chevalier de Bouillon (Constantin-Ignace, 1646-1670). — Louis Roche (*Vie de La Fontaine,* p. 228) estime qu'il s'agit plutôt du comte de Brienne. De fait, les propos de La Fontaine s'adressent à un connaisseur en littérature. Ce que nous savons de Brienne, de ses liens avec La Fontaine, de leur collaboration au *Recueil de Poésies chrétiennes et diverses* (cf. la notice de P. Clarac, *O.D.*, pp. 939-946) permet d'affirmer à coup sûr, selon nous, que Roche avait vu juste. — Sur Brienne (1636-1698) voir ses *Mémoires* p. p. Bonnefon. (Société Histoire de France.)

3. *Curieux :* au XVIIe siècle remplit les emplois de « méticuleux » et de « minutieux » (entrés dans la langue au XVIIIe siècle et à la fin du XVIIe siècle seulement).

4. Le *principal but :* instruire et plaire (cf. v. 11).

5. Allusion à I, III.

6. « *Image :* au sens figuré, idée, représentation, figure de quelque chose. » (Rich.) L'agneau, le loup, la mouche, la fourmi sont dans I, X, et IV, III, les images de l'innocence, de la rapacité, de la fausse gloire, de l'activité prévoyante.

7. Mercure portait les messages, même amoureux, de Jupiter, comme le savaient bien les spectateurs d'*Amphitryon* (janvier 1668).

8. *De cela :* de message aux Belles.

9. *Je n'y demande :* comprendre demande comme un terme de jurisprudence : je ne la réclame pas comme mienne.

10. *Boquillon* est inconnu des lexicographes du XVIIe siècle, mais attesté au Moyen Age.

Page 135

II. LE POT DE TERRE ET LE POT DE FER

1. Source : Ésope, *Les pots*. — L'expression « la peau dure » du pot de fer atteste la lecture de Faerne, fab. 1.

2. *Faire que sage :* faire ce qu'un sage [ferait].

3. *Débris :* ruine.

4. *Hoquet* au sens de heurt et au sens figuré de difficulté est attesté dans la langue du Moyen Age, mais pas dans Furetière, Richelet ou l'Académie.

Page 136

III. LE PETIT POISSON ET LE PÊCHEUR

1. Source : Ésope, *Le pêcheur et le picarel.*

2. *Il :* neutre.

3. « *Fretin :* poisson de rebut. » (Rich.)

4. Élision de l'*e.*

5. *Partisan :* les financiers qui se chargeaient du recouvrement des impôts.

6. *Tien* est la forme ancienne de l'impératif : *tiens.* — Ce proverbe se trouve chez Corrozet, *Fable du rossignol et l'oiseleur.*

Page 137

IV. LES OREILLES DU LIÈVRE

1. Source : Faerne, 97, *Vulpes et Simius.* Un lion a, sans motif, ordonné l'exil pour tous animaux dépourvus de queue. Le renard fait ses bagages. Le singe veut le rassurer : il a plus de queue qu'il ne lui en faut. — « Mais si le lion veut me comprendre parmi les animaux sans queue ? » — La Fontaine a motivé l'ordre d'exil : un animal cornu a blessé le lion.

2. « *Inquisiteur :* un des juges établi pour connaître des hérétiques. » (Rich.) Le mot ne s'emploie jamais pour un juge séculier. Le choix du mot, alors que La Fontaine disposait de *enquesteur,* est, par son impropriété même, significatif : il songe à un tribunal ecclésiastique.

3. « *Les petites maisons :* c'est un hôpital pour les fous et pour de certains pauvres de Paris. » (Rich.)

Page 137

V. LE RENARD AYANT LA QUEUE COUPÉE

1. Source : Ésope, *Le renard écourté.*

2. « *Franc :* exempt des charges et impositions publiques ou particulières. » (Fur.)

3. « *Gage :* nantissement, sûreté que l'on donne pour quelque prêt ou pour quelque dette. » (Fur.)

4. « *Écourté :* se dit d'un chien à qui on coupe la queue, d'un cheval à qui on coupe les oreilles. » (Fur.)

Page 138

VI. LA VIEILLE ET LES DEUX SERVANTES

1. Source : Ésope, *La femme et ses servantes.* — L'allusion à Charybde et Scylla atteste la lecture de Corrozet, fab. 66.

2. « *Filandière :* terme poétique que nos vieux poètes donnaient pour épithète aux Parques qu'ils s'imaginaient présider à la vie et en filer le cours. » (Fur.)

3. « *Brouiller :* mettre les choses en désordre, en confusion. » (Fur.)

4. *Téthys* est la déesse de la mer. Les poètes grecs et latins représentent le char du soleil sortant de la mer au matin, s'y replongeant au soir. Selon Ovide Téthys lui ouvre la barrière. — La Fontaine écrit son nom Téth*i*s, comme s'il la confondait avec une divinité marine plus humble, la néréide Téthis, mère d'Achille.

5. « *Crin :* se dit quelquefois des cheveux lorsqu'on en parle par mépris. » (Fur.) — Ici, il ne s'agit pas de mépris, mais d'un emploi archaïque du mot, qui se dit très normalement pour cheveux au XVIe siècle.

6. « *Touret :* petit tour ou roue qui se meut avec grande impétuosité par le moyen d'une plus grande roue qui se tourne avec une manivelle. » (Fur.) — C'est dans un rouet la petite bobine. Les deux chambrières utiliseraient donc, concurremment avec le rouet, le fuseau. — La gravure de Chauveau suggère une autre explication possible de touret : elle ne représente en effet pas de rouet mais, à côté de fuseaux, un dévidoir qui permet de transformer les pelotes de laine en écheveaux. Le touret serait-il ce dévidoir ?

7. Vous aurez [du travail] de tous les côtés.

8. « *Gripper :* prendre avec rapacité comme avec une griffe ou main crochue. » (Fur.)

9. « On dit qu'un homme n'amende pas son *marché,* quand il surseoit seulement la condamnation par un appel ou autre délai. » (Fur.)

Page 139

VII. LE SATYRE ET LE PASSANT

1. Source : Ésope, *L'homme et le satyre.*

2. *Prendre l'écuelle aux dents :* n'est pas chez les lexicographes. Formule familière ? ou création de La Fontaine.

3. « *Brouet :* se dit d'un méchant potage. » (Fur.) — *Potage :* viande, légumes bouillis avec leur bouillon.

4. « *Semondre :* vieux mot qui signifie avertir, inviter. » (Fur.)

Page 140

VIII. LE CHEVAL ET LE LOUP

1. Source : Ésope, *L'âne faisant semblant de boiter et le loup.*

2. *Qui l'aurait :* si on l'avait (emploi ancien du relatif).

3. « *Croc :* ustensile de cuisine qui a plusieurs pointes recourbées où on attache la viande. Le croc d'un juge de campagne est toujours bien garni de volailles, de gibier. » (Fur.)

4. « On dit proverbialement *cela m'est hoc* pour dire : Je suis assuré de gagner ce procès, d'avoir cette succession, de faire mon coup. » (Fur.)

5. *Écolier d'Hippocrate :* élève du dieu de la médecine.

6. « *Simple :* substantif masculin. Nom général qu'on donne à toutes les herbes et plantes parce qu'elles ont toutes leur vertu particulière pour servir d'un remède simple. » (Fur.)

7. « *Dom :* titre d'honneur emprunté de l'espagnol : Dom Jean d'Autriche... Il est en usage en France parmi quelques ordres religieux comme Chartreux, Bénédictins... » (Fur.)

8. « *Apostume,* les médecins disent aposthème : tumeur qui vient à quelque partie du corps. » (Fur.)

9. « *Mandibule :* terme populaire qui signifie mâchoire. » (Fur.)

10. « *Herboriste, arboriste, herboliste,* ces trois mots se disent. Le peuple dit arboriste, quelques savants hommes disent herboliste, et d'autres, du sentiment desquels j'ose me mettre, disent herboriste. L'herboriste est celui qui va chercher des herbes et des racines pour s'en servir dans les maladies. » (Rich.)

Page 141

IX. LE LABOUREUR ET SES ENFANTS

1. Source : Ésope, *Le laboureur et ses enfants.*

2. *Fonds :* soit un capital, soit une propriété foncière. — *Manquer* se dit d'une entreprise qui échoue, d'une semence qui n'a pas levé. — Le travail est la propriété dont il y a le moins à craindre qu'elle reste improductive.

3. « *Laboureur :* celui qui cultive la terre avec la charrue. » (Rich.) — Dans l'usage du XVIIe et du XVIIIe siècle, laboureur désigne toujours un paysan aisé.

4. « *Aoust...* on prononce oût sans faire sentir le t... C'est la moisson qui se fait durant le mois d'août. » (Rich.)

Page 142

X. LA MONTAGNE QUI ACCOUCHE

1. Source : Phèdre, IV, 24, *La montagne qui accouche.*

2. Horace et Boileau ont déjà utilisé cet apologue pour railler les grandiloquences épiques. Boileau visait particulièrement l'*Alaric* de Scudéry, dont le début est très emphatique. Est-ce à Scudéry que pense aussi La Fontaine ?

3. Les Titans combattant contre Jupiter tâchèrent d'escalader le ciel.

Page 142

XI. LA FORTUNE ET LE JEUNE ENFANT

1. Source : Ésope, *Le voyageur et la fortune* et variante *L'enfant et la fortune.* La Fontaine a pu aussi se souvenir de Régnier, *Satire XIV*, 85-92.

2. « *Durant mes classes,* c'est-à-dire pendant que j'étais au collège. » (Fur.)

3. *Nous la faisons de tous Échos :* les éditeurs adoptent généralement la leçon de 1668, *escots,* et expliquent ainsi : *escot,* la contribution de chacun à un repas pris en commun. Donc : nous l'obligeons à payer sa part de toutes nos aventures et mésaventures. — Le texte *Échos* (toutes éd. sauf 1668 in 4°) s'explique mal. Est-ce une coquille qui s'est perpétuée ? Ou La Fontaine a-t-il voulu jouer sur les deux mots *Écho, escot ; Écho* étant appelé par *réponde* (v. 18) et suggérant le sens : nous voulons que la Fortune soit l'écho docile de nos voix ?

Page 143

XII. LES MÉDECINS

1. Source : Ressemblance lointaine avec Ésope, *Le médecin et le malade.* En fait, source inconnue.

2. « *Gisant,* ante, adj., qui est détenu au lit par la maladie. » (Fur.)

Page 143

XIII. LA POULE AUX ŒUFS D'OR

1. Source : Ésope, *La poule aux œufs d'or.*

2. La Fontaine invite son lecteur à chercher des applications de la fable dans un passé récent. S'agit-il des difficultés que connaissaient les compagnies coloniales ? Plus probablement des remboursements auxquels la Chambre de Justice a contraint les gens de finance.

Page 144

XIV. L'ANE PORTANT DES RELIQUES

1. Source : Ésope, *L'âne qui porte une statue de dieu.*

2. « *Se carrer :* marcher les bras aux côtés et d'un air fier et orgueilleux. » (Rich.)

3. *Reliques, idole :* La Fontaine avait-il lu le *Traité des Reliques* de Calvin ? Au moins insinue-t-il discrètement que le culte des reliques est une idolâtrie.

4. *Et que :* rupture de construction. La Fontaine construit la seconde proposition relative comme si la principale était : « ce n'est pas à vous que la gloire... »

Page 144

XV. LE CERF ET LA VIGNE

1. Source : Ésope, *La biche et la vigne.*

2. *En faute,* cf. V, xv, v. 11 : *en défaut.* Les chiens sont en faute quand ils ont perdu la piste.

3. Sur les pleurs du cerf, cf. IV, xxi, v. 34. — *Aux :* donner à la préposition à un sens de but (pleurer pour les veneurs) ou un sens de temporel (pleurer à l'arrivée des veneurs...).

Page 145

XVI. LE SERPENT ET LA LIME

1. Source : Ésope, *La belette et la lime* contaminée avec *La vipère et la lime.* Phèdre, IV, 8.

2. « Obole : en termes de médecine est un poids de dix grains. » (Fur.)

Page 146

XVII. LE LIÈVRE ET LA PERDRIX

1. Source : Phèdre, I, 9, *Le moineau et le lièvre.* — Abstemius *(Le loup tombé dans une fosse)* donne une morale très analogue. La Fontaine a pu la lui emprunter, ou la dégager lui-même, l'idée n'étant pas d'une telle originalité qu'il faille absolument chercher une source. — On observera que les quatre premiers vers se trouvent également au début du *Renard et l'Écureuil.* Cette fable écrite au moment de l'affaire Fouquet a été gardée par La Fontaine en portefeuille (cf. notre édition p. 558). Ne pouvant publier *Le Renard et l'Écureuil,* La Fontaine a au moins voulu sauver les quatre premiers vers. Cette reprise paraît bien indiquer qu'en écrivant *Le Lièvre et la Perdrix* il songeait encore à Fouquet.

2. « *Misérable :* qui est dans la douleur, dans la pauvreté et dans l'affliction. » (Fur.)

3. « *Fort :* terme de chasse, buisson fort et épais où quelques bêtes de chasse se retirent. » (Rich.)

4. « *Défaut :* la perte que le chien a faite des voies [de la piste] de la bête qu'on chasse. » (Rich.)

5. *Esprit* employé au sens non de la physiologie (esprits animaux) mais plutôt de la chimie : une vapeur légère qui sort du corps échauffé.

6. « *Vite,* adjectif : léger, prompt à la course. » (Fur.)

Page 147

XVIII. L'AIGLE ET LE HIBOU

1. Source : On cite à tort Abstemius (l'aigle se choisit des commensaux; le hibou affirme que ses enfants sont les plus beaux; rire général. — Mais rien sur la rivalité du hibou et de l'aigle ni sur la fin tragique des petits hiboux.) La source réelle est Verdizotti (f. 17).

[L'aigle et le hibou ont juré alliance. Le hibou demande à l'aigle de faire attention à ses enfants. L'aigle demande leur signalement.] « Ceux qu'il verrait dépasser tous les autres de loin en charme, gentillesse, grâce et beauté, ceux-là seraient ses enfants. » [L'aigle entend un jour crier les petits de son nouveau compagnon] « presque encore sans plume dans leur rude nid... Jugeant que c'étaient les plus vilains qu'il ait jamais vus » [il les mange]. [Lamentations du hibou; l'aigle comprend son erreur] « et accuse l'amour paternel du hibou qui lui avait faussé le jugement jusqu'à lui faire donner de ses enfants un faux signalement ».

2. « *Prou :* beaucoup, vieux mot qu'on dit quelquefois en riant. » (Rich.)

3. La chouette (« espèce de hibou », dit Fur.) est consacrée à Minerve.

4. *Triste :* les oiseaux de nuit sont considérés comme de mauvais augure.

5. *Qui ni quoi :* ni les êtres, ni les choses.

6. « *Géniture :* terme burlesque qui se dit des enfants. » (Fur.)

7. Mégère était l'une des furies.

Page 148

XIX. LE LION S'EN ALLANT EN GUERRE

1. Source : Abstemius, f. 95. *L'âne joueur de trompette et le lièvre estafette.* « Le lion, roi des quadrupèdes, voulant combattre les oiseaux, prenait ses dispositions de combat. L'ours lui demanda en quoi la lourdeur de l'âne ou la couardise du lièvre pouvaient contribuer à la victoire, eux qu'il voyait présents parmi les combattants. Le lion répondit : L'âne, par le fracas de sa trompette, excitera les soldats au combat et le lièvre grâce à la vitesse de ses pieds remplira les fonctions d'estafette. —

La fable signifie que personne n'est totalement méprisable et incapable de tout service. »

2. *Prévot :* nombreux sens dont celui-ci : « dans les ordres militaires, officier qui a soin des cérémonies. » (Rich.)

3. *Dessein :* projet. Le mot s'emploie pour désigner un grand projet politique (cf. le Grand Dessein de Richelieu : l'abaissement de la maison d'Autriche).

4. *Guise :* non au sens habituel de fantaisie, volonté, mais au sens de nature, possibilités, dons, « talents » (v. 19).

5. « *Pratiques :* intrigues, cabales. » (Rich.)

Page 149

XX. L'OURS ET LES DEUX COMPAGNONS

1. Source : Dans Ésope, *Les voyageurs et l'ours,* les voyageurs rencontrent l'ours par hasard. Le premier auteur chez lequel une chasse à l'ours est organisée est Commines, *Mémoires,* IV, III, année 1475. La même histoire est contée par Abstemius, 49 : *Le tanneur qui achetait à un chasseur la peau d'un ours non encore capturé.* La Fontaine reste plus près de Commines. Éditions nombreuses (1605, 1610, 1634, 1648, 1649, 1661) de Commines.

2. Dans Rabelais, IV, 5-8, le marchand Dindenault fait de ses moutons l'éloge le plus enthousiaste pour allécher et railler Panurge, disposé à en acheter un.

3. « *Résoudre :* en terme de Palais, casser, détruire ou annuler un acte par un acte contraire. Ce mineur a fait résoudre un contrat où il avait été lésé. » (Fur.)

4. L'ours, en se refusant à céder sa peau, a obligé les compagnons à annuler leur contrat de vente au fourreur. Ils seraient en droit de réclamer à l'ours des dommages et intérêts.

5. « *Vent :* l'haleine, l'air qu'on respire. » (Fur.)

Page 150

XXI. L'ANE VÊTU DE LA PEAU DU LION

1. Source : Ésope, *L'âne revêtu de la peau du lion et le renard.*

2. *Vertu,* au sens de courage, est un mot du langage noble (tragédie, épopée).

3. *Martin :* cf. Martin bâton (IV, v, v. 27).

4. « Équipage : tout ce qui est nécessaire pour s'entretenir honorablement ou voyager : valets, chevaux, carrosses, habits, armes. » (Fur.) — « *Cavalier :* adjectif : aisé, galant, honnête, noble. » (Rich.)

LIVRE SIXIÈME

Page 153

I et II. LE PATRE ET LE LION
LE LION ET LE CHASSEUR

1. Source : La Fontaine les indique lui-même : 1re fable, Ésope, *Le bouvier et le lion ;* 2e, Gabrias [Babrias], fable 92, *Le chasseur effrayé.*

2. *Aucuns :* au sens de quelques-uns était déjà archaïque (comparer les deux articles de Furetière qui enregistre le sens négatif et le sens affirmatif, et de Richelet, qui ne connaît que le sens négatif).

3. Les fables de Babrias (La Fontaine et ses contemporains disaient Gabrias), IIIe siècle avant J.-C., n'étaient connues au XVIIe siècle que par une transcription en quatrains grecs due au moine Ignatius (IXe siècle après J.-C.). Ces quatrains figurent dans les éditions d'Ésope du XVIe et du XVIIe, notamment dans Nevelet. Le texte authentique de Babrias retrouvé au XIXe siècle a été publié pour la première fois en 1844 par Boissonnade.

4. Élision de l'*e* alors normale.

5. *J'ai suivi leur projet... :* j'ai suivi la trame de leur récit en ce qui concerne le déroulement des faits [l'événement].

6. « Lacs : un ou plusieurs cordons lacés, noués ou entremêlés pour servir à prendre... quelque chose » (Fur.) — Comprendre ici non un collet mais plutôt à cause du pluriel un filet dans lequel l'animal serait pris vivant.

7. « *Tribut :* redevance qu'un État est obligé de payer à un autre en vertu de quelque traité qu'il a fait avec lui pour acheter la paix. » (Fur.)

Page 155

III. PHÉBUS ET BORÉE

1. Source : Ésope, *Borée et le Soleil,* ne se trouve pas dans Nevelet, mais Nevelet donne la version d'Avienus (p. 456). — La Fontaine peut bien aussi s'être inspiré de Verdizotti, f. 18.

2. *Borée :* le vent du Nord.

3. Iris, messagère des dieux, a pour écharpe l'arc-en-ciel.

4. *Incertis mensibus :* Virgile, *Géorgiques,* I, 115.

5. *Souffleur à gage :* deux sens, voisins, possibles. Il souffle comme s'il recevait des gages pour le faire. — Il a fait une gageure, donné des gages.

6. *Se tourmenter :* se donner de la peine et de la fatigue. Mais La Fontaine joue aussi de la parenté entre se tourmenter et tourmente (orage).

7. *Balandras* [Fur. et Rich., balandran] : « manteau de campagne qui est doublé depuis les épaules jusque sur le devant. On passe les bras entre les deux étoffes par une ouverture qu'on y fait exprès. Ils sont ainsi à couvert des injures de l'air. » (Fur.)

Page 156

IV. JUPITER ET LE MÉTAYER

1. Source : Faerne, *Rusticus et Jupiter* (fable 98) ou Verdizotti, fable 99, *Del contadino e Giove.*

« *Métayer :* qui cultive et fait valoir des terres ou une métairie, soit à moisson ou à moitié fruit, soit comme domestique au profit du maître. » (Fur.) Le mot englobe donc selon Furetière les sens des mots actuels fermier et métayer. — Dans la fable, il s'agit sans doute plutôt d'un fermier : il a promis « d'en rendre tant ».

2. « *Frayant :* de frayer : fournir aux frais et à la dépense de quelque chose. » (Fur.) Le contexte impose le sens : qui nécessite des frais. Sens non attesté ailleurs. Est-ce un provincialisme ? — *Rude :* désigne la nature du sol, difficile.

3. « *Si* est quelquefois substantif : condition, difficulté. » (Fur.)

4. « *Vinée :* ce qu'on a recueilli ou qu'on espère recueillir de vin... On a eu pleine vinée l'an passé. » (Fur.)

5. Entre le v. 20 et le v. 21, l'absence d'une conjonction de coordination (asyndète) indique une forte opposition : « Monsieur le Receveur *au contraire...* » — « *Receveur :* les fermiers des terres seigneuriales s'appellent receveur. » (Fur.) « Monsieur le Receveur » est le métayer.

6. « *Température :* constitution, disposition de l'air, selon qu'il est froid ou chaud, sec ou humide. » (Acad.)

Page 157

V. LE COCHET, LE CHAT ET LE SOURICEAU

1. Source : Ce n'est pas Abstemius [Les souris admirent la douceur du chat et veulent faire connaissance; l'une s'avance, est croquée; les autres concluent qu'il ne faut pas se fier à la mine], mais Verdizotti, f. 56.

« Une souris toute jeune, sortie du trou où sa mère l'avait laissée depuis sa naissance, rencontra par hasard un jeune coq et un chat qui sitôt qu'il la vit se tapit au milieu du sentier pour attendre la souris qui tout doucement venait vers lui pour jouer, et qui allait devenir sa proie. Mais le petit coq qui la vit aussi courut rapidement en battant des ailes à sa rencontre pour son passe-temps et son amusement. » [Effrayée la souris court à sa mère.] « J'ai vu, mère, tandis que j'allais me promener, deux animaux. L'un a un pelage couleur d'œuf mais il en diffère par diverses taches de couleur plus foncée; ses beaux yeux semblaient de l'or brillant et ils sont dans leur miroitement tout pleins de douceur. Il a quatre pattes, une longue queue fourrée jusqu'au bout de poils de diverses couleurs. Et (ce qui me plaît le plus) il est si plein de mansuétude qu'à ma vue il ne fit aucun mouvement et s'arrêta dans une attitude humble et respectueuse et me donna grande assurance. Je m'avançai, ayant grand désir de mieux voir sa belle apparence. Mais l'autre, qui de loin ne le vaut pas, a deux pattes seulement, une crête sur la tête, rouge de sang, des yeux sauvages pleins de feu, et son dos est couvert de plumes noires. Du plus loin qu'il me vit, ce grand impie orgueilleux se mit à courir vers moi et, avec une superbe que je ne saurais dire, m'aborda de façon si sauvage qu'il m'emplit d'un profond effroi... [La mère s'inquiète de la naïveté du souriceau et dit :] « Sache que l'animal qui t'est apparu d'abord si humble et si plein de bonté est le plus grand bandit qui se trouve sur terre, perfide, inique, sauvage, discourtois et de ton espèce le naturel ennemi. Il ne s'est montré à toi sous une apparence douce que pour donner confiance à ta naïveté... Ne te fie pas à son faux-semblant... Quant à l'autre... il est sans malice, comme toi sans malice, toute bénignité, ne songeant qu'à des badinages sans méchanceté... — Ne juge pas sur la mine le bien du mal. »

« *Cochet :* petit coq qui n'est pas encore châtré. » (Fur.)

2. « Inquiétude : chagrin, tristesse, soin. » (Rich.) Ici le mot pris au sens physique : agitation.

3. « *Doucet :* diminutif de doux; se dit proprement d'une mine doucette, où il entre un peu du niais et de l'hypocrite. » (Fur.)

Page 158

VI. LE RENARD, LE SINGE, ET LES ANIMAUX

1. Source : Ésope, *Le renard et le singe élu roi.*

2. « *Chartre :* en termes du Palais est un vieux mot qui signifiait autrefois une prison. Il est encore en usage en cette phrase : Il est défendu de tenir une personne en chartre privée, c'est-à-dire en dehors d'une prison publique. » (Fur.)

3. *Tiare :* mitre ou couronne des anciens rois de Perse; tiare du Souverain Pontife.

4. *Grimacerie :* mot créé par La Fontaine.

5. « *Bâiller :* il veut dire aspirer avidement après quelque chose; mais en ce sens il est bas et un peu comique. » (Rich.)

6. « Démettre : déposer quelqu'un de sa charge. » (Rich.)

Page 159

VII. LE MULET SE VANTANT DE SA GÉNÉALOGIE

1. Source : Ésope, *La mule.*
2. *Servant :* gérondif sans *en,* fréquent au XVIIe siècle.

Page 160

VIII. LE VIEILLARD ET L'ANE

1. Source : Phèdre, I, 15.
2. La Fontaine joue peut-être sur les divers sens de paillard. Sens étymologique : qui se vautre sur la paille. (Gargantua « paillardait parmi le lit quelque temps ». — *Gargantua* I, 21.) — Sens dérivé : adonné aux plaisirs charnels.

Page 160

IX. LE CERF SE VOYANT DANS L'EAU

1. Source : Ésope, *Le cerf à la source et le lion.*
2. « Objet : chose où l'on arrête les yeux. » (Rich.) Ici l'image dans l'eau.
3. *Détruire :* causer la perte.

Page 161

X. LE LIÈVRE ET LA TORTUE

1. Source : Ésope, *La tortue et le lièvre.* Nevelet, p. 316. « *La tortue et le lièvre.* La tortue et le lièvre rivalisaient à propos de leur vitesse. Le jour et le lieu fixés, ils prirent le départ. Le lièvre que sa rapidité naturelle à la course rendait négligent se coucha sur le chemin et s'endormit. La tortue consciente de sa lenteur marcha sans interruption. Et de la sorte, dépassant le lièvre endormi, elle remporta le prix de la victoire. »
2. « On dit proverbialement qu'un homme a besoin de deux grains d'ellébore, pour dire qu'il est fou; parce qu'on se servait autrefois d'ellébore pour guérir la folie. » (Fur.) On voit que le lièvre conseille à la tortue double dose. — *Grains :* l'unité de poids pour les petites pesées.
3. « On dit proverbialement : Renvoyer un homme aux calendes grecques, pour dire le remettre à un temps qui ne viendra point parce que les calendes ont été de tous temps inconnues en Grèce. » (Fur.)

Page 162

XI. L'ANE ET SES MAITRES

1. Source : Ésope, *L'âne et le jardinier.*
2. *État :* la liste des officiers qui composent la maison d'un roi ou d'un très grand seigneur. — Les mots être couché sur l'état évoquaient pour le lecteur du XVIIe siècle des plaisanteries familières à Marot.
3. *Placet :* requête abrégée ou prière qu'on présente au roi, aux ministres, ou aux juges pour leur demander quelque grâce, quelque audience.

Page 163

XII. LE SOLEIL ET LES GRENOUILLES

1. Source : Ésope, *Le soleil et les grenouilles.* Repris par Phèdre, I, 6.
2. *Tyran :* le lieu de la scène (en Grèce puisque Ésope intervient) invite à donner au mot son sens grec, non défavorable, de souverain absolu.
3. « Liesse : vieux mot qui signifie joie et qui entre encore dans le burlesque et le style le plus simple. » (Rich.)

Page 164

XIII. LE VILLAGEOIS ET LE SERPENT

1. Source : Non Ésope, *Le laboureur et le serpent,* mais Phèdre (IV, 20, *L'homme et le serpent*) dont La Fontaine a modifié le dénouement.
2. « *Héritage :* se dit plus particulièrement des fonds de terre, des maisons. » (Fur.)
3. « *Loyer :* signifie aussi salaire, récompense. Si nous faisons des bonnes œuvres, nous en recevrons quelque jour le loyer en paradis. » (Fur.)
4. *L'âme :* la vie. On attendrait : « la colère lui revint en même temps [avecque] l'âme. » La Fontaine a renversé l'ordre attendu; donnant ainsi à l'expression une grande vigueur : la colère est revenue presque avant la vie.
5. « On a aussi appelé *insectes* les animaux qui vivent après qu'ils sont coupés en plusieurs parties, comme la grenouille qui vit sans cœur et sans tête, les lézards, serpents, vipères. » (Fur.)
6. « *Point...* l'endroit où consiste la difficulté. » (Fur.)

Page 165

XIV. LE LION MALADE ET LE RENARD

1. Source : Ésope, *Le lion vieilli et le renard.*

Page 165

XV. L'OISELEUR, L'AUTOUR, ET L'ALOUETTE

1. Source : Abstemius, fable 3, *L'autour poursuivant la colombe.* Comme un autour poursuivait une colombe d'un vol précipité, il entra dans une ferme et fut pris par le paysan. Comme il le suppliait de le lâcher en disant : « Je ne t'ai pas fait de mal », le paysan répondit : « La colombe non plus ne t'avait pas fait de mal. » — La fable signifie que sont à bon droit punis ceux qui tâchent de nuire aux innocents.

2. « *Fantôme :* une vaine apparence que nous croyons voir, qui nous trouble, qui nous épouvante. » (Fur.) — Ce sont les feux que jette le miroir aux alouettes.

3. « *Main* en termes de fauconnerie se dit proprement du faucon... On dit aussi ses doigts et ses ongles... Pour les autours, on dit le *pied* et non pas la main. » (Fur.)

Page 166

XVI. LE CHEVAL ET L'ANE

1. Source : Ésope, *Le cheval et l'âne.*

2. « *Voiture...* la charge des charrettes, des bêtes de somme, des vaisseaux. » (Fur.)

Page 167

XVII. LE CHIEN QUI LACHE SA PROIE POUR L'OMBRE

1. Source : Ésope, *Le chien qui portait de la viande.* Repris par Phèdre, I, 4.

2. « *Renvoyer :* adresser à quelque autre lieu pour avoir éclaircissement ou confirmation. » (Fur.)

Page 167

XVIII. LE CHARTIER EMBOURBÉ

1. Source : Ésope, *Le bouvier et Héraklès* (Nevelet, p. 259 et Avianus, Nevelet, p. 492).

2. Phaéton avait obtenu du Soleil, son père, de conduire une fois son char. Il approcha trop près de la terre, qu'il brûla. Jupiter le foudroya. — Effet de burlesque entre Phaéton et voiture à foin.

3. Les routes de Bretagne étaient particulièrement riches en fondrières. — Quimper apparaissait comme le bout du monde; c'est là qu'avait failli être exilé en 1648 le P. Desmares, condis-

ciple et ami de La Fontaine, au temps où le poète était novice à l'Oratoire. A Quimper avait été effectivement exilé un des juges favorables à Fouquet, Roquesante.

4. « *Charetier, chartier,* ce mot est de trois ou de deux syllabes mais plus ordinairement de trois. » (Rich.)

5. « *Détester :* faire des imprécations, pester. » (Fur.) « Après avoir juré comme un charretier embourbé. » (Ch. Sorel, *Francion*).

Page 168

XIX. LE CHARLATAN

1. Source : Abstemius, fable 133. *Le maître de grammaire qui instruisait un âne* (Nevelet, p. 592). Un maître de grammaire se vantait d'exceller dans son art au point que, moyennant un salaire satisfaisant, il s'engageait à instruire non seulement les enfants, mais les ânes. Le prince, apprenant la téméraire assurance du personnage, lui demande si moyennant cinquante pièces d'or, il instruirait en dix années un âne. L'impudent personnage répondit qu'il donnait sa tête à couper si son âne n'était pas capable de lire et d'écrire au bout de ce délai. Ses amis s'étonnaient et le blâmaient, craignant que le délai expiré le prince ne le fît mettre à mort. Lui leur répondait : avant que ce temps ne soit écoulé, ou bien l'âne mourra, ou le prince, ou moi-même. — La fable montre aux gens en danger que gagner du temps est souvent utile.

Sens de la fable :

Après quelques railleries contre les charlatans de la médecine, La Fontaine s'en prend aux charlatans de la rhétorique. A la même époque ils sont attaqués aussi par G. Guéret : « Tous les carrefours sont tapissés des affiches [« des faiseurs de rhétorique »] et j'en ai vu une qui doit persuader tout le monde de l'extravagance de ces orateurs en chambre. » Guéret donne ensuite le texte même de l'affiche (*Parnasse réformé,* 8e édition, 1669, p. 61). Trois noms de ces charlatans-orateurs sont connus : Lesclache (*La philosophie divisée en cinq parties,* 1648-1650, 1651-1656, 1664. — *L'art de discourir des passions,* 1665. — *Les avantages que les femmes peuvent recevoir de la philosophie,* 1665), René Bary (*L'esprit de cour,* 1662. — *La fine philosophie accommodée à l'intelligence des dames*, 1660), Richesource (*L'art de bien dire,* 1662. — *Conférences académiques et oratoires*, 1661, 1662, 1665. — *Le masque des orateurs*, 1665. — *La méthode des orateurs*, 1668. — *La rhétorique du barreau,* 1668). La Fontaine en a-t-il particulièrement à l'un des trois, ou à quelqu'un de leurs émules ?

2. « *Charlatan :* faux médecin qui monte sur le théâtre en place publique pour vendre de la thériaque et autres drogues et qui amasse le peuple par des tours de passe-passe et des bouffonneries, pour en avoir plus facilement le débit. » (Fur.) —

Les plus fortunés de ces « opérateurs » ou charlatans entretenaient une petite troupe de comédiens qui jouaient des prologues et des farces pour attirer la clientèle. Mondor et Tabarin sont les plus célèbres. Molière a peut-être débuté au service d'un opérateur qui vendait un remède contre les piqûres de vipère. (Cf. « affronte l'Achéron ».) Nombre des acteurs comiques du XVIIe siècle ont été formés dans ces troupes au service des opérateurs.

3. « *Théâtre :* lieu élevé où l'on fait des représentations. Les vendeurs de mithridate [contrepoison] vendent leurs drogues sur le théâtre. » (Fur.) — Les opérateurs dressaient leurs théâtres aux endroits les plus fréquentés de Paris : Pont-Neuf, place Dauphine.

4. *Passe-Cicéron :* un orateur qui surpasse Cicéron.

5. « *Passer :* se dit aussi en parlant des examens qu'il faut subir... *Maître passé* en quelque art : fort habile. » (Fur.) — La maîtrise dont il s'agit ici : la maîtrise ès arts : « le premier degré qui donne droit aux bénéfices en qualité de gradué ». (Fur.)

6. « *Soutane :* se dit en parlant d'ecclésiastiques, de prêtres et quelques autres gens de profession de lettres. » (Rich.) — Le nouveau maître va donc porter le costume des gens d'études, et plus particulièrement peut-être de ceux qui recherchent les bénéfices ecclésiastiques.

7. *Roussin d'Arcadie :* le roussin est un cheval robuste. Mais l'Arcadie ne nourrit que des ânes. Un effet de surprise burlesque est donc établi à l'intérieur même de la formule.

8. « *Banc :* se dit en parlant des actes qu'on soutient en Sorbonne, lorsqu'on prend ses degrés. » (Rich.) — L'âne sera donc en mesure, au bout de dix ans, de subir ses premiers examens dans l'enseignement supérieur.

Hart : la corde du pendu. — Tout ce cérémonial de l'exécution capitale correspond à la procédure en usage. Deux écriteaux sur le condamné indiquent normalement son crime : ici l'un d'eux est remplacé par les oreilles de l'âne. L'autre porte le mot « rhéteur » (« sa Rhétorique »); ou peut-être faut-il entendre que le cours de rhétorique enseigné à l'élève par le maître est accroché au cou du supplicié. — Le condamné à mort est soumis à l'amende honorable : avant l'exécution, il demande pardon à Dieu, au Roi et à la Justice de ses fautes (cf. v. 31-32). Celui-ci, étant orateur, fera une amende honorable si belle qu'elle deviendra une formule digne d'être répétée sans modification. — Voir un exemple de ces harangues dans F. de Calvi, *Histoire des Larrons,* 1640, 3e livre, p. 220 : « Mes amis, il ne faut point douter que je sois conduit ici par un jugement du Ciel, car à même heure et à même jour que vous me voyez en ce lieu, j'ai tué misérablement celle qui m'a porté dans ses flancs... Au reste, je vous supplie de prier Dieu pour moi. »

Page 169

XX. LA DISCORDE

1. Source : L'allégorie de la Discorde dans Corrozet, *Hécatomgraphie,* 1540, p. 62.

> *Discorde un jour se voulut entremettre,*
> *Entre les Dieux et Déesses se mettre*
> *Là-haut es cieux...*

Elle y provoque tant de troubles que la puissance divine la précipite sur la terre

> *Où elle émut contention et guerre*
> *Entre les gens par longs plaids et procès.*

Les hommes devraient donc souhaiter sa mort. — La Fontaine remplace cette conclusion plate par des réflexions qui font épigramme. L'une de ces épigrammes est suggérée par l'Arioste : l'archange Michel, chargé de rechercher la Discorde, a la surprise de la trouver non aux enfers parmi les damnés, mais dans un couvent. Les autres railleries sont de La Fontaine lui-même.

2. « Là-haut » [dans l'Olympe] trois déesses, Junon, Vénus, Minerve, se disputaient le prix de la beauté. Un mortel, Pâris, fils de Priam, fut choisi pour juge; il attribua le prix, une pomme, à Vénus. De ce jugement sortit la guerre de Troie.

3. *Que-si-que-non :* l'humeur contredisante. — *Tien-et-mien :* l'amour de la propriété.

4. *Prévenait :* devançait.

5. On a rappelé qu'un procès fameux avait opposé les religieuses de l'Hôtel-Dieu de Pontoise et leur supérieure. — Mais les déchirements à l'intérieur des maisons religieuses étaient si fréquents que La Fontaine pouvait bien songer à d'autres incidents encore.

Page 170

XXI. LA JEUNE VEUVE

1. Source : Abstemius, fable 14, *La femme qui pleurait son mari mourant et son père qui la consolait.* — La Fontaine avait déjà raillé une veuve inconsolable dans sa *Relation d'un voyage en Limousin* (deuxième lettre; histoire de Mlle Barigny); il devait le faire encore dans *La Matrone d'Éphèse.* On notera qu'Abstemius avait conté aussi une historiette, qui faisait la contrepartie, d'un mari inconsolable, et consolé (fable 103, *Le mari pleurant sa femme morte*). La Fontaine a eu la malice d'ignorer ce sujet-là.

Regnier avait eu en main un manuscrit, dont il était « loin de garantir l'authenticité ». Ce manuscrit ne contenait pas de variantes, mais seulement un billet adressé, sans doute à Maucroix, par La Fontaine (ou « imitant » l'écriture de La Fontaine : « En voicy encore, et je n'y trouve plus rien à changer. Il ne me semble pas que je doive me rendre à tes scrupules; ma Veuve est également sincère dans les [*ou* ses] deux états. Adieu. De La Fontaine. »

2. *Tout à l'heure :* à l'instant.

3. « Il est parlé de cette fontaine dans le roman de Huon de Bordeaux où il est dit que c'était une fontaine dans un lieu désert, qui venait du Nil et du Paradis terrestre, qui avait une telle vertu que si un homme malade en buvait, ou en lavait ses mains, il était aussitôt sain, guéri, et s'il était vieil et décrépit, il venait à l'âge de trente ans, et une femme était aussi fraîche qu'une pucelle. » (Fur.)

Page 172

ÉPILOGUE

1. Source : Phèdre, *Épilogue* du livre IV.

2. *Carrière :* la course qu'on peut faire faire à un cheval jusqu'à ce que le souffle lui manque; d'où course, entreprise. — Il s'agit des fables que La Fontaine va abandonner.

3. *Il s'en va temps :* sens non douteux, il va être temps que. — Outre cet exemple de La Fontaine, Littré n'en donne qu'un autre, de P.-L. Courier, qui a bien pu imiter La Fontaine. — La valeur stylistique de la formule est donc malaisée à établir : provincialisme ?

4. La Fontaine joue sur deux sens du mot amour. 1° Le dieu Amour, époux de Psyché, amène le poète à quitter le genre de la fable pour travailler aux *Amours de Psyché et de Cupidon* (cf. note suivante). — 2° La Fontaine craint que l'amour « tyran de sa vie » ne lui cause encore bien des peines. Nous connaissons trop mal sa vie sentimentale pour commenter.

5. La Fontaine revient aux *Amours de Psyché et de Cupidon,* déjà en chantier. Mais l'œuvre a dû traîner. L'inspiration viendra-t-elle enfin ? (cf. v. 14.) — De fait, La Fontaine prend un privilège pour ses *Amours de Psyché et de Cupidon* le 2 mai 1668 (un mois après la parution du 1er recueil de *Fables*) et le livre est achevé d'imprimer le 31 janvier 1669.

6. On a pensé que Damon était Maucroix, l'ami le plus intime de La Fontaine. De fait, dans le *Recueil des Poésies chrétiennes et diverses* (1671) un églogue met en scène un Damon qui pourrait être Maucroix : ce Damon se fait le guide d'un Parisien et lui montre les splendeurs de Reims. — Mais on pourra objecter que Maucroix lui-même donne le nom de Damon à Tallemant des Réaux, ami commun de La Fontaine et Maucroix, l'un des « Palatins ». (Cf. Maucroix, *Œuvres diverses* p. p. P. Paris, 1854, t. I, p. 79 et n° 1.)

LIVRE SEPTIÈME

Page 175

AVERTISSEMENT

1. *Les deux autres Parties :* les six premiers livres ont paru d'abord en une luxueuse édition in-4° (achevé d'imprimer 31 mars 1668); puis en une plus modeste édition in-12 (achevée 19 oct. 1668), divisée en 2 parties. C'est celle-là qui vient d'être réimprimée pour aller avec les 5 livres qui paraissent en 1678.

2. Sur la méthode d'amplification (« enrichissements ») par les « circonstances », voir G. Couton, *Poétique de La Fontaine,* p. 33.

3. La Fontaine utilisait très probablement *Le Livre des lumières ou la conduite des roys, composé par le sage Pilpay, indien, traduit en français par David Sahib d'Ispahan, ville capitale de la Perse,* Paris, 1644. David Sahib serait l'orientaliste Gaulmin.

4. L'avis au lecteur du *Livre des lumières* n'invite pas à confondre Bidpaï et Lockman, mais suggère que Lockman et Ésope ne font qu'un. Que Lockman et Ésope soient le même personnage, c'est aussi ce que disait Huet, *Lettre à Segrais sur l'origine des romans,* publiée avec *Zaïde,* 1670.

5. Voir les notices des fables pour les sources de chacune.

Page 177

A MADAME DE MONTESPAN

1. En 1678, Mme de Montespan a trente-sept ans. Elle est la maîtresse en titre depuis dix ans. Sa puissance sur le roi est encore incontestée. La Fontaine lui fait sa cour depuis plusieurs années. Mme de Montespan et sa sœur, Mme de Thiange, l'ont imposé comme librettiste à Lulli : de là *Daphné* et la rupture entre La Fontaine et Lulli. Mme de Thiange a en 1675 fait figurer La Fontaine dans la *Chambre du sublime,* un ingénieux jouet qu'elle offrait au fils du roi et de Mme de Montespan, le jeune duc du Maine. Ce jouet représentait dans un salon le duc du Maine, La Rochefoucauld, Bossuet, Mme de La Fayette, Despréaux, Racine, La Fontaine. Ce même recueil des actuels livres VII-XI, que La Fontaine place sous le patronage de Mme de Montespan, contient (XI, II) une allégorie sur l'éducation du duc de Maine. — Mme de Montespan sera supplantée dans la faveur royale par Mlle de Fontanges à qui La Fontaine adressera aussi des vers. (*O.D.*, 631-635.)

2. La Fontaine s'étonnait (cf. *Préface* du premier recueil, p. 8) que les Anciens n'aient pas fait descendre du ciel les fables. Il leur attribue maintenant cette origine prestigieuse. Est-ce

de sa propre autorité et parce que le succès de ses propres fables lui a donné de l'assurance ? Est-ce pour avoir lu l'ouvrage d'un ancien, Philostrate ? Celui-ci, dans *Apollonius de Tyane sa vie, ses voyages, ses prodiges,* montre le dieu Mercure distribuant à ceux qui lui ont offert des présents les dons de l'éloquence, de la poésie ïambique, de la poésie héroïque. Pour Ésope, oublié, il ne reste que l'art des fables.

3. *Le Sage :* Ésope.

4. Il ne semble pas que le nom d'Olympe ait couramment été donné à Mme de Montespan comme nom de Parnasse. — Son sens n'est pas douteux : elle est déesse, entendez maîtresse d'un dieu, Louis XIV. Cette dédicace tout entière est faite d'un jeu ingénieux d'équivoques : les dieux de l'Olympe, les dieux du Louvre tour à tour se confondent ou sont distingués.
Olympe imite Ésope, qui mériterait l'apothéose, par des récits captivants (v. 11). De fait, la brillante et mordante conversation d'Olympe, et de sa famille, les Mortemart, était célèbre.

5. Double sens : la muse de La Fontaine est digne de charmer les dieux dans leurs banquets (cf. Homère, *Iliade,* I, 604). — La poésie de La Fontaine a plu au roi et à sa famille (dédicace du premier recueil au Dauphin).

6. Double sens malicieux sur ce vers. Un poète pratiquant un genre plus relevé que l'humble fable est nécessaire pour dire la louange de Mme de Montespan. Le maître, Louis XIV, peut seul faire la louange de Montespan. Des allusions de ce genre au roi et à ses amours ne sont pas rares dans la littérature à cette époque (les *Ballets* de Benserade).

7. Favori est ambigu. Favori de Mme de Montespan ? ou de La Fontaine ? (cf. Boileau et son « édition favorite ».)

Page 179

I. LES ANIMAUX MALADES DE LA PESTE

1. Source : La Fontaine connaissait-il les sermonnaires qui utilisaient cette fable au XVe et au XVIe siècle pour flétrir les confesseurs iniques ? On ne sait. Mais la fable était contée par Haudent (*Apologues,* 1547, II, 60) et par Guéroult (*Emblèmes,* 1550, pp. 40-44), de qui La Fontaine se rapproche le plus. — L'idée de réunir tous les animaux en un conseil, motivé par la peste, est de La Fontaine seul, qui donne à sa fable une portée politique qu'elle n'avait pas jusqu'à lui. — On notera que le *Livre des lumières,* que pratique alors La Fontaine, montre dans *Le lion, ses ministres et le chameau* (pp. 118-122) la justice bafouée par des ministres artificieux. — On observera aussi que la fable évoque (vers 38) une question grave de droit constitutionnel, qui fut notamment beaucoup agitée pendant la Fronde : dans quelle mesure et dans quelles conditions le roi a-t-il droit de vie

et de mort sur ses sujets ? Cf. G. Couton, *La leçon politique d'une fable* dans *Information littéraire,* mars-avril 1960.

Date : manuscrit Trallage (biblioth. de l'Arsenal) : « Par M. de La Fontaine, 1674. »

2. Les descriptions de pestes sont nombreuses chez les classiques : Homère, *Iliade,* I, pp. 48-54; Sophocle, *Œdipe roi,* début; Thucydide; Lucrèce, VI, 1139, 599; Virgile, *Géorgiques,* III, pp. 474-566. — *Capable d'enrichir en un jour l'Achéron* [de peupler en un seul jour les Enfers] vient de Sophocle.

3. « *Dévouer :* une cérémonie qui se faisait chez les Romains, quand un homme se sacrifiait pour la patrie, comme fit Décius, qui après s'être dévoué se jeta à corps perdu sur les ennemis où il fut tué. » (Fur.)

4. « *Flatter :* excuser par complaisance les défauts qui sont en quelqu'un. » (Fur.)

5. « *Offense :* tort qu'on fait à quelqu'un... En théologie, péché. » (Fur.)

6. *Mâtins :* chiens qui gardent la basse-cour.

7. « *Souvenance :* on ne le dit guère qu'en cette phrase : rire de souvenance, ... de quelque agréable pensée. » (Fur.)

8. *Haro :* procédure spéciale à la coutume de Normandie qui autorise le plaignant à mener sa partie devant le juge. (Voir Fur.)

Page 180

II. LE MAL MARIÉ

1. Source : Ésope, *Le mari et la femme acariâtre.*

2. Philis est un nom de la pastorale et de la poésie galante. Le voisinage de « cochons » établit un effet de burlesque.

Page 182

III. LE RAT QUI S'EST RETIRÉ DU MONDE

1. Source : Aucune des sources proposées n'est satisfaisante. Le sujet paraît inventé par La Fontaine.

Date : Le manuscrit Trallage intitule la fable : « Allégorie; Le rat qui s'est retiré du monde »; et la date : « Mai 1675 ». — L'absence d'une source livresque, la date suggèrent une explication très vraisemblable de la fable : en 1675, le clergé régulier avait vivement protesté contre une contribution de 300 000 livres que lui imposait l'Assemblée du Clergé. Cette contribution entrait dans le « don gratuit » par lequel le Clergé contribuait aux dépenses de la guerre de Hollande.

2. « *Dervis :* religieux turc. Les dervis font profession de pauvreté et mènent une vie fort austère. » (Rich.)

Page 183

IV. LE HÉRON. — LA FILLE

1. Sources : *Le Héron :* Abstemius (fable 39, *L'oiseleur et le pinson,* — imitée par Haudent, II, 98, *D'un oiseleur et d'une bérée*) met en scène un oiseleur qui n'est jamais disposé à rabattre ses panneaux, trouvant les oiseaux trop peu nombreux. Il se contente à la fin d'un seul pinson. Une idée analogue dans Camerarius (*Fabulae...* Leipsig, 1544, p. 263). Le choix du personnage, le héron, est en tout cas du seul La Fontaine.

La Fille : L'idée peut venir de Martial, V, XVII. Des vers de Conrart exprimaient la même idée. Ils étaient inédits. Mais La Fontaine et ses amis étaient assez liés avec Conrart pour les connaître :

« Au-dessous de vingt ans, la fille en priant Dieu,
Dit : « Donne-moi, Seigneur, un mari de bon lieu,
Qui soit doux, opulent, libéral, agréable. »
A vingt-cinq ans : « Seigneur, un qui soit supportable,
Ou qui parmi le monde au moins puisse passer. »
Enfin quand par les ans elle se voit presser,
Qu'elle se voit vieillie, qu'elle approche de trente :
« Un tel qui te plaira, Seigneur, je m'en contente. »

2. La Fontaine et ses contemporains aimaient encore Voiture. Ces mots font certainement allusion à sa lettre de la carpe au brochet.

3. Le rat de ville, invité par le rat des champs, prend des airs dédaigneux (cf. Horace, *Satire II*, VI, 87).

4. Les minauderies et les dédains des précieuses faisaient la joie et l'agacement des railleurs. La Fontaine doit se souvenir en particulier des *Précieuses ridicules,* sc. 1 et 4.

5. *Médiocre :* moyen, ordinaire.

6. « *Chagrin :* inquiétude, ennui, mélancolie. » (Fur.)

7. « *Malotru :* terme populaire qui se dit des gens malfaits, malbâtis et incommodés [infirmes]. » (Fur.)

Page 185

V. LES SOUHAITS

1. Source : L'existence et les attributions des démons pouvaient être connues de La Fontaine par Ronsard :

On dit qu'en Norvège ils se louent à gages
Et font comme valets des maisons les mesnages.
Ils pansent les chevaux, ils vont tirer du vin,
Ils font cuire le rôt...

Hymne des Démons, v. 207.

Ou encore par Olaus Magnus, *Histoire des pays septentrionaux...* 1561; ou bien par Le Loyer, *Discours des spectres ou visions et apparitions d'esprits,* 1608, p. 329 (cf. Gohin, *Études et recherches,* p. 245).

Quant au conte même des trois souhaits, La Fontaine doit le tenir du folklore. En effet, il n'avait, semble-t-il, pris encore forme écrite que dans les *Paraboles de Sendabar* (en hébreu; imprimé notamment à Venise, 1605); une traduction en latin était due à l'orientaliste Gaulmin, mais elle était inédite.

2. *Mogol :* désigne à la fois le « Prince mahométan qui est le plus puissant des *Indes* » et son royaume « fort étendu et fort riche ». (Fur.)

3. « *Follet :* esprit follet, un démon ou lutin. » (Fur.)

4. « *Équipage :* tout le meuble d'un particulier. » (Rich.)

5. « *Démon :* les Anciens ont ainsi appelé certains esprits ou génies qui apparaissent aux hommes tantôt pour leur servir, tantôt pour leur nuire. » (Fur.)

6. Cf. ci-dessus *Source*, la citation de Ronsard.

7. « *Chevance :* vieux mot et hors d'usage qui signifiait autrefois le bien d'une personne. » (Fur.)

8. *Taxer :* faire une imposition et régler ce que chacun doit en porter pour sa part. — On notera que sont mis au même rang, parmi les ennemis de la fortune acquise, les voleurs, les grands seigneurs qui ne paient pas leurs dettes, le roi qui lève des impôts. — Récemment encore, pendant la Fronde, était soutenue la thèse ancienne que le roi doit, pour faire marcher l'État, se contenter des revenus du domaine de la couronne.

Page 186

VI. LA COUR DU LION

1. Source : On indique Phèdre, *Leo regnans* (IV, 14). Erreur : le texte de Phèdre est mutilé jusqu'à devenir incompréhensible. Plus proche de La Fontaine, Romulus (Nevelet, 435) : le lion est devenu végétarien, pour se faire bien venir des animaux, ses sujets. Il regrette la viande et attire dans son antre les animaux pour leur demander si sa bouche sent mauvais. Il dévore ceux qui disent que oui, et tout aussi bien ceux qui disent que non. Le singe déclare qu'elle sent la cinnamome et comme les autels des dieux. Le lion l'épargne mais trouve une ruse : il se fait recommander par les médecins une nourriture légère. Il mange donc le singe.

Plus proche encore de La Fontaine, Guéroult, *Premier livre des emblèmes,* pp. 31-33. *Du lion, du renard et de la brebis.* L'haleine infecte du lion le rend « fort odieux » à tous les animaux. Il les convoque « pour comparoir devant Sa Majesté »; il sait qu'ils le fuient parce que son haleine est puante. La brebis invitée à approcher est happée avant d'avoir dit un mot. Le renard est appelé : un grand mal de tête l'empêche de « discerner de l'odeur gracieuse la vicieuse. »

La source véritable me paraît être Jacques Régnier, *Apologi Phaedrii,* 1643 : *Leo, Asinus, Lupus et Vulpes,* I, 33. Le lion a mangé un cadavre de brebis. Il demande à l'âne ce qu'il pense de son haleine. L'âne lui dit que sa gorge sent horriblement mauvais. Le lion referme ses mâchoires et lui brise le crâne. Le loup dit que son haleine sent la cannelle. Le lion le tue pour flatterie. Vient le renard : « Un rhume de cerveau me serre les pores de l'odorat de sorte que l'odeur ne traverse pas mes narines. » Le lion l'engage à se chercher un médecin de crainte que le catarrhe ne lui tombe sur la poitrine.

Date : déjà connue de Mme de Sévigné le 22 mai 1674.

2. L'empreinte du *sceau* rend un acte authentique et exécutoire.

3. « Les rois tenaient autrefois leur *cour plénière,* quand ils mandaient les principaux de leur État auprès d'eux. » (Fur.)

4. *Fagotin :* un singe (ou une dynastie de singes ?) savant qu'exhibait un montreur de marionnettes, Brioché.

5. « *Louvre :* palais où demeure le Roi. Il s'est dit premièrement du palais magnifique, qui est à Paris. Depuis il s'est dit des autres maisons royales quand le roi y demeure effectivement. » (Fur.)

6. « *Charnier :* galerie qui est ordinairement autour des cimetières, au-dessus de laquelle on mettait autrefois les os décharnés des morts. » (Fur.) (Voir actuellement à Rouen l'aître Saint-Maclou.)

7. *Succès :* résultat.

8. A la mort de sa sœur, l'empereur Caligula (41 après J.-C.) faisait mettre à mort les courtisans qui ne pleuraient pas; et ceux qui pleuraient, ne comprenant pas qu'elle était devenue une déesse.

9. « On dit qu'un homme répond en Normand lorsqu'il ne dit ni oui ni non, qu'il a crainte d'être surpris, de s'engager. » (Fur.)

Page 187

VII. LES VAUTOURS ET LES PIGEONS

1. Source : Abstemius, fable 96, *Les vautours ennemis réconciliés par les colombes.* Les vautours ennemis se livraient des combats quotidiens; occupés par leurs haines, ils ne nuisaient pas du tout aux autres oiseaux. Les colombes prenant part à leurs

peines leur envoyèrent des délégués qui les réconcilièrent. Mais devenus amis, ils ne cessaient de faire du mal aux oiseaux plus faibles, et surtout aux colombes. Et les colombes de se dire : « Comme la discorde des vautours nous était plus utile que leur concorde ! » — La fable nous avertit qu'il vaut mieux nourrir les discordes intestines des méchants plutôt que de les apaiser; ainsi, tandis qu'ils se battent entre eux, il est permis aux bons de vivre dans la tranquillité.

2. *Émute :* même forme X, III, v. 19. Peut-être graphie et prononciation provinciale. — L'émeute : l'agitation, l'émotion populaire.

3. « Un Rossignol... Le héraut du Printemps. » *Fables,* IX, XVIII, v. 4-5.

4. Le char de Vénus est attelé de colombes.

5. *Retors :* crochu.

6. Un vautour rongeait éternellement le foie de Prométhée, enchaîné à un rocher du Caucase. Il pouvait espérer la mort du dernier vautour et la fin de son châtiment.

7. « *Épris :* qui est agité d'une violente passion. » (Fur.)

8. Je comprends ainsi ces vers auxquels les commentateurs ne se sont guère attachés : « Chaque élément (terre, eau, air) contribue à peupler les régions infernales correspondantes. » (Les oiseaux morts peuplent les cieux infernaux, les poissons morts les eaux infernales...) L'idée a déjà été exprimée par La Fontaine : les grenouilles craignent d'aller peupler les eaux du Styx (VI, XII, v. 14-17). Elle le sera de nouveau : les arbres morts iront border les rivages infernaux (XII, XX, v. 18). — Cette idée est diffuse à travers la littérature latine (Virgile, *Énéide,* VI, 650. Les héros grecs ont aux Enfers leurs chars et leurs chevaux. Dans le *Culex* une âme de moucheron est reçue aux Enfers. Les épitaphes d'animaux par Ovide ou Catulle reposent sur la même croyance.) Mais il me semble que ces vers de La Fontaine doivent avoir une source directe : leur obscurité même me paraît indiquer qu'ils sont une traduction plus ou moins libre d'un texte que je n'ai pas pu déterminer.

9. « *Chamailler :* se battre contre un ennemi armé de toutes pièces, frapper réciproquement sur les armes les uns des autres. Ces deux chevaliers ont longtemps chamaillé l'un contre l'autre. » (Fur.)

Page 189

VIII. LE COCHE ET LA MOUCHE

1. Sources : La Fontaine a uni des idées empruntées à Phèdre (III, 6) et à Abstemius (I, 16, *La mouche qui, perchée sur un quadrige, disait qu'elle soulevait de la poussière*). — Abstemius : des quadriges couraient dans le stade. Une grande poussière était soulevée

et par les pieds des chevaux et par le mouvement des roues. La mouche disait : « Quelle puissante poussière j'ai soulevée ! » — Cette fable s'en prend à ceux qui, tout insignifiants qu'ils soient, essaient d'annexer par leurs propos pompeux la gloire d'autrui.

2. « *Coche :* voiture posée sur quatre roues, qui est en forme de carrosse, à la réserve qu'il est plus grand et qu'il n'est point suspendu. On s'en sert pour aller de ville en ville. Il y a des coches de Paris à Lyon, Rouen, Bordeaux et toutes les grandes villes de commerce. » (Fur.)

3. En 1671, le vers 11 commençait par : « Fait à fait que le char... » Sens : à mesure (Fur.). La locution serait picarde (Walckenaer). La Fontaine l'a déjà employée (*O.D.*, p. 484).

4. « Sergent major ou sergent de bataille est un grand officier dans un régiment d'infanterie, qui sert à cheval, qui a soin de faire faire exercice à son corps, de former le bataillon, de le rallier dans une déroute, et d'en avoir soin à toutes occasions. » (Fur.)

5. Voir dans *L'Impromptu de Versailles* l'intervention de « nécessaires » de Cour.

Page 190

IX. LA LAITIÈRE ET LE POT AU LAIT

1. Source : Bonaventure Des Périers, *Nouvelle XIV : Comparaison des alquemistes à la bonne femme qui portait une potée de lait au marché.* « Elle la [la potée de lait] vendrait deux liards; de ces deux liards elle en achèterait une douzaine d'œufs, lesquels on mettrait couver et en aurait une douzaine de poussins; ces poussins deviendraient grands et les ferait chaponner; ces chapons vaudraient cinq sols la pièce; ce serait un écu et plus dont elle achèterait deux cochons, mâle et femelle, qui deviendraient grands et en feraient une douzaine d'autres qu'elle vendrait vingt sols la pièce après les avoir nourris quelque temps; ce serait douze francs, dont elle achèterait une jument qui porterait un beau poulain, lequel croîtrait et deviendrait tant gentil; il sauterait et ferait : « hin. » Et en disant « hin », la bonne femme, de l'aise qu'elle en avait en son compte, se prit à faire la ruade que ferait son poulain et, en ce faisant, sa potée de lait va tomber et se répandit toute. Et voilà ses œufs, ses poussins, ses chapons, ses cochons, sa jument et son poulain tous par terre. »

2. « *Cotillon :* petite cotte ou jupe de dessous. On le dit particulièrement de celles des enfants, des paysannes ou des petites gens. » (Fur.) — *Souliers plats :* souliers robustes, sans doute à talons plats, ou bien sans ornements (cf. pied-plat).

« On a de gros souliers de vache pour la fatigue, des souliers plats à trois semelles, des souliers de paysan. » (Fur.)

3. « *Dame*... marque seigneurie, domination, autorité. Cette veuve est dame d'un tel château, d'un tel bourg, d'un tel marquisat. » (Fur.)

4. Cette farce n'a pas été conservée. Mais peut-être n'avait-elle même jamais pris forme écrite et était-elle jouée sur leurs tréteaux par les comédiens au service d'opérateurs, vendeurs d'orviétan, dont La Fontaine a sans doute été bien des fois le spectateur. Ou bien La Fontaine se borne à suivre Rabelais : « Cette entreprinse sera semblable à la *farce du pot au lait*... » (*Gargantua,* XXXIII.)

5. *Picrochole, Pyrrhus.* Picrochole rêvait de conquérir le monde entier (cf. Rabelais, *Gargantua,* XXXIII). Pyrrhus avait fait le même projet : Plutarque, *Vie de Pyrrhus,* chap. XIV.

6. *S'écarter :* s'éloigner, s'égarer.

7. « *Sophi :* qualité qu'on donne au roi de Perse. » (Fur.)

8. « *Jean,* nom propre que le peuple a mis en usage dans la langue, en le joignant abusivement à plusieurs mots injurieux. » (Fur.)

Page 191

X. LE CURÉ ET LE MORT

1. Source : Une aventure réelle. Cf. Mme de Sévigné : « M. de Boufflers a tué un homme après sa mort. Il était dans sa bière et en carrosse; on le menait à une lieue de Boufflers pour l'enterrer; son curé était avec le corps. On verse; la bière coupe le cou au pauvre curé. » (26 fév. 1672.) — Le 9 mars, La Fontaine a déjà écrit sa fable que Mme de Sévigné envoie à sa fille.

Les poètes du XVIIe siècle faisaient parfois imprimer à petit nombre d'exemplaires des copies des œuvres qu'ils voulaient soumettre à leurs amis. Une copie du *Curé et le Mort* a été conservée. Elle représente donc l'édition originale de la fable (une plaquette de 4 pages). Les variantes ont été données d'après le collationnement de M. P. Clarac. (*La Fontaine,* p. 179.)

On notera que *La Laitière et le Pot au lait* et *Le Curé et le Mort* se font pendant comme *Le Héron* et *La Fille.* Mais La Fontaine n'a pas cette fois jumelé les deux historiettes en une fable unique. Souci de bienséance ?

2. Les *leçons* sont lues par le prêtre; les *versets* et *répons* sont chantés. Ces *psaumes* sont sans doute les psaumes de la pénitence.

3. Messire est le titre que les actes notariés donnent aux gens d'Église. Le nom même de Jean Chouart vient de Rabelais;

il est employé après lui par les conteurs libres. « Tenez (montrant sa longue braguette) voicy maistre Jean Chouart qui demande logis », dit Panurge (*Pantagruel,* chap. XXI). — On voit l'intention de La Fontaine choisissant pareil nom pour son curé.

4. *Propret, proprete :* ce mot se dit des personnes et signifie qui a une propreté étudiée. (Abbé propret. Elle est proprette.) (Rich.) Pro*p*ette par dissimilation sans doute familière. — *Assez propette :* qui aimait la toilette.

5. « *Cercueil :* vaisseau de *plomb* propre pour transporter et enterrer les hommes morts. Quand il est de bois on l'appelle bière. » (Fur., à *cercueil.*) — « Plomb se dit proverbialement en ces phrases : Cet homme est en *plomb* pour dire il est mort, il est en un cercueil de plomb. » (Fur., à *plomb.*)

Page 192

XI. L'HOMME QUI COURT APRÈS LA FORTUNE ET L'HOMME QUI L'ATTEND DANS SON LIT

1. Source : Inconnue. La Fontaine a composé une manière de comédie sur le proverbe : La fortune vient en dormant; en se souvenant, peut-être, pour tous ces voyages à la poursuite des mirages orientaux, des voyages de Bernier. (Cf. Roche, *Vie de La Fontaine,* p. 272.)

2. Des papes ont été fils de mendiant, ou de pêcheur, ou de savetier, ou de berger; aucun jardinier.

3. La Fortune est traditionnellement représentée les yeux bandés.

4. Les épicuriens font consister le repos des dieux dans leur calme imperturbable : cf. Lucrèce, II, 646-647; cf. aussi La Fontaine, prologue de *Daphné,* écrit en 1674 :

> « Ce qui fait le bonheur des Dieux,
> C'est de n'avoir aucune affaire,
> Ne point souffrir,
> Ne point mourir,
> Et ne rien faire. »

Quant à ces réflexions désabusées sur la papauté, elles s'expliquent par les difficultés que connaissait le pape régnant, Innocent IV (1671-1689) en conflit violent avec Louis XIV.

5. *Avare :* au sens latin de *avarus :* avide.

6. *Ce* dit-il, *ce* fit-il; normal au XVIIe siècle. *Ce* résume ce qui a été dit ou ce qui va l'être.

7. *Surate :* depuis 1669, un comptoir fondé par Colbert à Surate (côte ouest de l'Inde) était le débouché de l'empire mogol vers l'Occident.

8. Traduction d'Horace; *Odes,* I, III, 9-12. « Il avait une triple épaisseur de chêne et de bronze autour de la poitrine, celui qui eut l'audace, le premier, de confier à la mer sauvage une fragile embarcation. »

9. « Ce que les mariniers craignent le plus en mer, ce sont les calmes qui durent longtemps. » (Fur.)

10. Le Mogol, les Indes, empire du grand Mogol. Surate y donne accès.

11. Cette sagesse s'accorde avec la vie que La Fontaine menait. Elle est aussi un thème littéraire traité par Virgile, Claudien, Racan, etc. Régler ses désirs (cf. v. 77) c'est-à-dire les modérer est la condition du bonheur épicurien. — Sagesse gassendiste également : cf. Jasinski, *Sur la philosophie de La Fontaine* (*Rev. Hist. Philosophie,* 15 juil. 1934, pp. 223-224).

12. Ouï dire et ouïr dire coexistent au XVIIe siècle. Ouï dire semble familier (cf. Rich.). Furetière ne connaît qu'ouïr dire.

13. Ayant pris cette résolution (conseil) pour se garder des tracas causés par la fortune.

Page 195

XII. LES DEUX COQS

1. Source : Ésope, *Les deux coqs et l'aigle.*

2. Mars et Vénus furent blessés par Diomède (*Iliade,* V, 330). — Un combat met aux prises tous les dieux (XXI, 387 sqq). Le Xanthe ou Scamandre arrosait la plaine de Troie où se livraient les combats.

3. *Hélène au beau plumage :* parodie des épithètes homériques.

4. *Objet :* jeu de mots; objet à la fois au sens philosophique et au sens amoureux.

5. *Coquet :* jeu de mots sur l'étymologie de coquet : petit coq.

Page 196

XIII. L'INGRATITUDE ET L'INJUSTICE DES HOMMES ENVERS LA FORTUNE

1. Source : Abstemius, f. 199 : *L'homme qui disait qu'il était la cause de son bonheur, et la Fortune cause de son malheur.* Un avare, qui entendait dire que rien n'est plus lucratif que le commerce, vendit son patrimoine et se mit à naviguer. La Fortune lui fut favorable et en peu de temps il amassa de très grandes richesses. Comme un ami lui demandait comment en si peu de temps il avait entassé tant de biens : « Par mon habileté », dit-il. Mais non content de tant de richesses, il voulait s'enrichir encore. Il fit deux ou trois fois naufrage, perdit ses richesses

et tomba dans la plus grande indigence. On lui demanda pourquoi, riche comme il l'était auparavant, il était tombé dans une telle pauvreté ? « C'est la Fortune », répondit-il. La Fortune entendant cela en fut vivement peinée, et l'appela ingrat, lui qui voulait être lui-même la cause de son bonheur et que la Fortune fût cause de son malheur. — La fable montre qu'agissent mal ceux qui attribuent leur bonheur à leur propre industrie, l'adversité à la Fortune.

2. *Atropos :* la Parque qui coupait le fil de la vie.

3. « Facteur : commissionnaire de marchand, celui qui achète pour d'autres marchands des marchandises ou les vend en leur nom. » (Fur.)

4. *Fidèle :* honnête. Cf. *Les Femmes savantes:* d'une servante qu'on chasse le maître demande : « L'avez-vous surprise à n'être pas fidèle ? »

5. « *Cannelle :* drogue aromatique qui vient de Ceylan. » (Fur.) « *Porcelaine :* espèce de poterie fine et précieuse qui vient de la Chine... Il est constant par les dernières relations des voyageurs qu'elles [les porcelaines] se font d'une terre fossile, laquelle ne se trouve qu'en la province de Kiangsy dans la Chine; encore c'est dans un seul bourg de cette province qu'on fait la belle porcelaine dont on fournit le reste du monde. » (Fur.) — On voit que le commerce du trafiquant se fait avec les Indes occidentales (cf. fable XI du même livre) et que la porcelaine, produite uniquement en Chine, était un luxe et une folie. (V. 29.) — La ponctuation de La Fontaine (pas de virgule après *canèle*) engage à comprendre « ce qu'il voulut » : le prix qu'il voulut.

6. « *Doubles ducats :* espèce d'or d'Espagne qui, au temps de Henri III, valait six livres quatre sous... Sous le règne de Louis XIII, il y avait une autre sorte de double ducat,... qui valait dix livres. » (Rich.) — La lecture de Richelet et Furetière semble faire entendre que l'alliage dont étaient faites ces pièces étrangères était coté très haut.

7. *Mal frété :* le fret, à l'origine: le prix du transport; d'où par extension la cargaison. Deux sens possibles à mal frété : la cargaison est mal arrimée, ou plus général : vaisseau mal équipé.

Page 197

XIV. LES DEVINERESSES

1. Source : Le procès de la Brinvilliers (1676) a attiré les attentions sur toute une faune de devineresses, d'empoisonneuses et sur la crédulité de leur clientèle. Peu après cette fable, le procès de la Voisin (1679-1680) devait montrer la profondeur du mal, provoquer la création d'une chambre

ardente, mettre en cause la maîtresse en titre, Mme de Montespan, amener devant les enquêteurs la protectrice de La Fontaine, la duchesse de Bouillon, provoquer son exil. (Voir F. Funck-Brentano, *Le Drame des poisons,* et Ravaisson, *Archives de la Bastille.*) — On observera que La Fontaine s'en tient au mode ironique : à un endroit seulement (v. 11) se devine le crime. Il conte une anecdote plaisante — la foule accourant dans tel galetas achalandé par sa précédente occupante — dont la source n'a pas été retrouvée. Était-ce un fait réel ? Cette modération s'explique sans doute d'une part par son humeur : il était peu disposé à la crédulité, peu porté donc à admettre une emprise de l'irrationnel si profonde et si criminelle. D'autre part, les autorités cachaient l'étendue du mal pour ne pas favoriser sa diffusion (les procédures devaient rester en bonne partie secrètes) et tâchaient de ridiculiser la crédulité (cf. note 4).

2. *Prévention :* idée préconçue. — *Cabale :* la partie secrète dans la théologie des Hébreux. D'où ici doctrine à laquelle on s'attache aveuglément, sans effort critique. — « *Entêtement :* prévention. » (Fur.) — *Justice :* exercice du jugement.

3. « *Pythonisse :* femme sorcière et devineresse qui prédit les choses par la suggestion de l'esprit malin. » (Fur.)

4. Les devineresses annonçaient l'avenir, mais aidaient aussi à ce qu'il fût ce que souhaitait leur clientèle : elles faisaient trafic de philtres et de poisons.

5. Cette explication rationnelle des succès des pythonisses devait être répandue dans le public par une pièce de circonstance, que Donneau de Visé fut encouragé à écrire par le lieutenant de police La Reynie lui-même : *La Devineresse ou les faux enchantements* (1679). *Almanach de la divineresse* (1680) imprimait : « Le hasard fait la plus grande partie du succès de ce métier. Il ne faut que de la présence d'esprit, de la hardiesse, de l'intrigue, savoir le monde, avoir des gens dans les maisons, tenir registre des incidents arrivés. » La Fontaine devance cette campagne officielle.

6. Vingt-trois carats (23 vingt-quatrièmes d'or pur pour un carat de cuivre) est pratiquement le plus haut titre de l'or. « Les monnayeurs ont fixé à 24 carats le plus haut titre ou la plus grande perfection de l'or. Cependant, quelque soin qu'ils prennent,... ils ne peuvent jamais l'y faire arriver. » — « Proverbialement : un homme est sot à 24 carats..., il est parvenu au plus haut point de sottise. » (Fur.)

7. « *Office,* charge de judicature et de police. Office de président, de conseiller, de greffier, de procureur, de notaire. » (Fur.)

8. *Sibylle :* une sibylle était une prophétesse inspirée. Celle de Cumes surtout était célèbre grâce à Virgile. (*Énéide,* IV, 2.)

9. « *Femelle :* ce mot se dit en burlesque et signifie fille ou

femme. » (Rich.) — *Achalander :* acquérir une clientèle. — La première pythonisse a mis le galetas à la mode. La clientèle, malgré son départ, continue d'y affluer. La nouvelle occupante est contrainte, en dépit de ses protestations (v. 33), de devenir à son tour pythonisse (v. 35) et riche (v. 36-37). Cependant la première pythonisse ne voit venir aucun client dans sa nouvelle installation (v. 45).

10. « *Devin,* fém. devineresse. » (Fur.) — Devine est sans doute créé par la femme ignorante.

11. « *Croix de par Dieu* est une croix qui est au-devant de l'alphabet du livre où l'on apprend aux enfants à connaître leurs lettres. On le dit aussi de l'alphabet même et du livre qui le contient. » (Fur.)

12. « *Équipage :* tout ce qu'il faut à une personne pour l'équiper et l'ajuster afin de paraître selon son rang dans le monde. » (Rich.)

13. « *Sabbat...* l'assemblée nocturne des sorciers le samedi où on dit que le diable paraît en forme de bouc... Les vieilles croient aller au sabbat sur un manche de balai [cf. v. 39]. » (Fur.) — Les traités de démonologie expliquent comment les sorciers et sorcières se changent en divers animaux (« métamorphose »).

14. Une chambre revêtue de tapisseries était un luxe : « il n'y a pas longtemps que toutes les chambres des maisons n'étaient tapissées que de nattes. » (Fur.)

15. *Chalandise :* clientèle.

16. *Écoutants :* « On appelle au palais des avocats escoutants ceux qui n'ont point de pratique [clientèle], qui ne plaident point » (Fur.) et font cortège aux maîtres du barreau.

Page 198

XV. LE CHAT, LA BELETTE, ET LE PETIT LAPIN

1. Source : Pilpay, *Le Livre des lumières ou la conduite des roys,* 1644, pp. 251-253.

2. « On dit qu'il faut *déloger sans trompette,* quand on chasse quelqu'un, quand on l'oblige à s'enfuir avec précipitation. » (Fur.) — L'origine de l'expression est militaire : une troupe qui lève le camp sans faire de bruit.

3. Les belettes et les rats sont ennemis. Cf. IV, VI, *Le Combat des rats et des belettes* et la note sur la *Galéomyomachie.*

4. « Les biens qui n'ont point de maitre sont par nature au *premier occupant.* » (Fur.) La belette estime qu'elle a trouvé un terrier abandonné, susceptible donc d'occupation par elle, qui devient première occupante.

5. *La coutume et l'usage.* Ne pas penser, selon nous, à l'expression us et coutumes : « manière d'agir ordinaire qui a passé en force de loi » (Fur.). Donner plutôt à usage le sens de : « jouissance, possession ». Le lapin répond à l'argument du premier occupant : il est propriétaire de son terrier en vertu d'abord de la loi (« la coutume »), ensuite parce qu'il l'occupe effectivement : il en a « l'usage ».

6. *Leurs lois :* les « commandements » (Fur.) de la coutume et de l'usage.

7. *Se rapporter :* convenir d'un juge. *Arbitre* (v. 35) : « un juge convenu par les parties » (Fur.).

8. *Raminagrobis* est chez Rabelais un vieux poète; chez Voiture le prince des chats. « C'est un vieux mot français. » (Fur.) Doit venir de la tradition des conteurs populaires.

9. « *Chattemite :* qui fait l'humble, le dévot, l'hypocrite pour tromper les autres. » (Fur.)

10. *Bien fourré,* cf. v. 38. Souvenir de Rabelais : les chats fourrés sont les juges. — *Grippeminaud* (v. 39) est l'archiduc des chats fourrés, chez Rabelais.

Page 200

XVI. LA TÊTE ET LA QUEUE DU SERPENT

1. Source : Ésope, *La queue et le corps du serpent.* La morale peut venir de Plutarque qui applique cet apologue aux méfaits de la « témérité populaire », de la démagogie. *(Vie d'Agis et de Cléomène.)*

2. La tête et la queue du serpent ont une grande renommée (« nom fameux ») auprès des Parques, parce que toutes deux contribuent à tuer (cf. v. 21). Les naturalistes du XVIe siècle croyaient encore que le venin se formait dans la queue (cf. *in cauda venenum*) et gagnait ensuite les dents.

3. « *Le pas :* un certain point d'honneur qu'on observe pour la marche entre ceux qui ont quelque prééminence l'un sur l'autre. » (Fur.)

4. *Je suis son humble servante :* ne pas voir là une plainte, mais un refus d'accepter plus longtemps la seconde place. « Serviteur se dit proverbialement et ironiquement en cette phrase : Je suis votre serviteur, pour dire : Je ne suis pas de votre avis, je ne ferai pas ce que vous proposez. » (Fur.)

5. *Un poison prompt... :* cf. note 2.

6. *La guide :* emploi normal du féminin. « Ce mot signifiant celui qui conduit est masculin, signifiant celle qui conduit, féminin. » (Rich.)

Page 201

XVII. UN ANIMAL DANS LA LUNE

1. Source : Pour ridiculiser la Société royale de Londres, l'écrivain Butler avait composé un poème burlesque, *L'éléphant dans la lune*. Le poème n'était pas encore imprimé; mais La Fontaine pouvait en avoir eu connaissance par ses amis d'Angleterre, Saint-Évremond par exemple.

2 et 3. Un Philosophe... Un autre Philosophe : les annotateurs se transmettent l'idée qu'il s'agit de Démocrite et d'Héraclite. Ils citent Montaigne : « Sur ce même fondement qu'avait Heraclitus et cette sienne sentence que *toutes choses avaient en elles les visages qu'on y trouvait,* Democritus en tirait une toute contraire conclusion, c'est que *les sujets n'avaient du tout rien de ce que nous y trouvions.* » (II, XII.)

Je croirais très volontiers que La Fontaine pense surtout, ou pense aussi, à des philosophes beaucoup plus récents. Ce problème — valeur de la connaissance sensible — avait sa place dans la philosophie cartésienne, comme dans la pensée gassendiste. Gassendi déclarait : *Sensus nunquam fallitur* (*Philosophiae Epicuriae Syntagma,* 1649, III, p. 5 a). D'autre part, une critique méthodique des erreurs des sens venait d'être faite par le cartésien Malebranche. Sa *Recherche de la vérité* (1674 et 1675) se proposait de « faire sentir à l'esprit sa servitude et la dépendance où il est de toutes les choses sensibles ». Parmi les erreurs de sens, il citait celles-ci : « Nos yeux nous représentent le soleil et la lune de la largeur d'un ou de deux pieds, mais il ne faut pas nous imaginer, comme Épicure et Lucrèce, qu'ils n'aient véritablement que cette largeur », p. 85. (Cf. La Fontaine, v. 16.) « Nous voyons le soleil et la lune et les autres corps sphériques éloignés de nous comme s'ils étaient plats et comme des cercles », p. 93. (Cf. La Fontaine, v. 21.)

Au reste, par besoin de clarté, La Fontaine a durci les doctrines adverses, qui nuançaient beaucoup. Malebranche en effet notait que « l'erreur ne se rencontre pas dans nos sensations mais seulement dans nos jugements » (titre du chapitre I, IX); et Gassendi estimait que toute sensation était vraie, mais en tant que sensation : elle est le signe à interpréter et non la chose même.

Avec cette fable, La Fontaine dit ainsi son mot dans un débat éternel de la philosophie, en reprenant des arguments et des exemples déjà utilisés bien des fois (cf. Sextus Empiricus, Montaigne, Descartes, la Logique de Port-Royal); mais un débat auquel la *Recherche de la vérité* vient de redonner de l'actualité.

4. *J'en dirai les raisons :* La Fontaine a été toute sa vie tenté par la poésie philosophique : le poème du *Quinquina* (1682), les *Discours* à Mme de la Sablière, à La Rochefoucauld, de nom-

breuses fables attestent l'orientation de son esprit vers la réflexion scientifique et philosophique. Mais la promesse d'un « ample » poème philosophique n'a pas été tenue.

5. *L'œil de la nature :* le soleil œil de la Nature, l'expression est courante; mais sur le sens du vers deux explications ont été proposées. 1° que = si ce n'est. « Que serait le soleil, si ce n'est l'œil de la nature ? » 2° « Que serait l'œil de la nature [le soleil] si je le voyais de près ! » — Mais est-il nécessaire d'approcher le soleil pour s'aviser qu'il est « l'œil de la nature » ? La première explication nous paraît donner un sens à la fois prétentieux et banal. La deuxième, quoique exprimant une idée sans originalité saisissante, paraît plus satisfaisante et s'accorde mieux avec le contexte.

6. *Ma main :* la mensuration du diamètre du soleil était alors d'actualité. Sur l'état de cette question au temps de La Fontaine, voir Bailly, *Histoire de l'astronomie moderne*, 1782, t. II, pp. 160-234. Trois méthodes sont alors employées. Vendelinus (« qui a fleuri depuis 1626 jusqu'à 1643 ») opère de façon indirecte par l'examen des phases de la lune en reprenant la méthode d'Aristarque. Mouton utilise en 1659 et 1661 la méthode du pendule. Gassendi reprend le procédé d'Archimède : « Deux petites planches inégales, enfilées sur une verge... peuvent glisser, et on les dispose de manière que les rayons partis des deux bords du soleil enferment une ombre triangulaire. L'angle du sommet est la mesure du diamètre du soleil. » (P. 172.) — L'expression même de La Fontaine (« ma main ») implique qu'il évoque ici la méthode de Gassendi.

7. *Sa machine :* la machine qu'est la terre. Je rejette le témoignage des sens à propos de la forme et du mouvement de la « machine ronde ».

8. *Une tête de femme... :* l'idée est exposée et critiquée par Plutarque, *De la face qui apparaît dans le rond de la lune*. « Agésianax le poète la dépeignant ne dit pas mal : De feux luisants elle est environnée | Tout alentour, la face enluminée | D'une pucelle apparaît au milieu, | De qui l'œil semble être plus vert que bleu, | La joue un peu de rouge colorée. » (Ch. II.) — « Et quant à cette face qui nous apparaît [dans la lune] tout ainsi comme cette terre, sur laquelle nous sommes, a de grandes sinuosités de vallées, tout aussi est-il probable que celle-là est ouverte et fendue de grandes baricaves [fondrières], ès quelles il y a de l'eau, ou bien de l'air obscur, au fond desquelles la clarté du soleil ne peut atteindre ne pénétrer, ains y défaut et en renvoie ici-bas la réflexion. » (Ch. LI.) — Les taches de la lune recevaient une explication très analogue dans Bernier, *Abrégé...* (Cf. Jasinski, *Philosophie de La Fontaine,* in *Rev. Hist. Phil.*, juillet 1934, p. 221.)

9. Charles II (1660-1685) avait fondé la Société royale de

Londres, qui est une académie des sciences. La Fontaine lui donne le beau rôle : le roi a découvert ce qui avait échappé à une assemblée de savants : la cause d'une erreur scientifique.

10. Louis XIV, et sans doute l'opinion française, espéraient que la guerre de Hollande serait vite terminée. Elle s'éternise. En France, la lassitude se fait jour. L'hostilité du peuple anglais à une collusion entre Charles Ier et Louis XIV a obligé Charles Ier à quitter l'alliance française (février 1674 : paix séparée entre l'Angleterre et les Pays-Bas). En 1677, une alliance dynastique sera conclue entre la famille royale d'Angleterre et Guillaume d'Orange. La fable pourrait bien être de 1675, date à laquelle la France et les Pays-Bas ont accepté la médiation anglaise (cf. v. 67). Avec le souci de ne pas montrer la France épuisée (v. 61-63), avec des éloges à la gloire de Louis XIV, la fable manifeste un vif désir de paix et suggère au roi que la gloire procurée par une politique de restauration de l'État (« la carrière d'Auguste ») vaut bien celle que peuvent acquérir les aventures extérieures (« les exploits du premier des Césars »).

LIVRE HUITIÈME

Page 205

I. LA MORT ET LE MOURANT

1. Source : Abstemius, 99. *Le vieillard qui voulait remettre sa mort à plus tard.* Un vieillard demandait à la mort, venue l'arracher à la vie, de remettre un peu, jusqu'à ce qu'il eût fait son testament et préparé tout ce qu'il faut pour un si grand voyage. La mort lui dit : « Pourquoi n'as-tu pas déjà fait tes préparatifs, toi que j'ai souvent averti ? » Le vieillard répliqua qu'il ne l'avait jamais vue. Elle répondit : « Lorsque chaque jour je ravissais non seulement tes contemporains, déjà presque tous disparus, mais encore des jeunes gens, des enfants, des bébés, ne t'avertissais-je pas que tu étais mortel ? Lorsque tu sentais tes yeux perdre de leur vigueur, ton ouïe diminuer, tous tes autres sens s'émousser chaque jour, ton corps s'alourdir, ne te disais-je pas que j'approchais ? Et tu dis n'avoir pas reçu d'avertissement ? Voilà pourquoi l'on ne peut différer plus longtemps. — Cette fable montre qu'il faut vivre comme si nous voyions la mort constamment présente.

Un article de King (*Publications of the Modern Language Association,* vol. 52, pp. 1101-1113) s'est efforcé de relever des dettes de La Fontaine envers Montaigne. Au vrai il semble plutôt qu'ils ont traité l'un et l'autre parallèlement des lieux communs sur la mort.

2. C'est au XVIIe siècle un devoir religieux, et pour les médecins une obligation légale, d'*avertir* les malades en danger de mort. Le sage de La Fontaine n'a que faire de ces avertissements. Orgueil stoïcien ? Matérialisme épicurien ? Irréligion ?

3. « Moment : instant, petit espace de temps tel un clin d'œil. » (Fur.)

4. « *Tribut :* contribution personnelle que les Princes lèvent sur leurs sujets. » (Fur.) — Le tribut *fatal* est à payer au Destin *(fatum)*. — « *Domaine :* se dit quelquefois d'un droit seigneurial sans propriété. » (Fur.)

5. *Tout à l'heure :* sur-le-champ.

6. *Au pied levé :* « sur-le-champ, sans donner le loisir de se reconnaître. » (Fur.)

7. *Un arrière-neveu :* un arrière-petit-fils.

8. *Les esprits* « vitaux et animaux qui enflent les muscles pour soutenir les corps et les faire mouvoir ». (Fur.) (Cf. « la cause du marcher et du mouvement ».)

9. *Le sentiment* : les sensations. (Cf. « plus de goût, plus d'ouïe ».)

10. Imitation de Lucrèce : « Pourquoi ne te retires-tu pas comme un convive rassasié de la vie ? » (III, 951.) L'ensemble des vers 51-60 est inspiré du *De Natura rerum* (III, 951-65).

Page 207

II. LE SAVETIER ET LE FINANCIER

1. Source : La Fontaine semble avoir fondu deux histoires. Le savetier Blondeau (Bonaventure Des Périers, *Nouvelle* XXI) était heureux jusqu'à ce qu'il eut trouvé dans un vieux mur un pot plein de pièces antiques. Il cesse de chanter, craignant toujours qu'on ne lui dérobe son pot. Enfin, revenu à la sagesse, il jette son pot dans la rivière. — L'orateur Philippe voit un certain Volteius Mena, crieur public, particulièrement calme. Il en fait son ami. Par dérision, il lui donne de quoi acheter un petit domaine. Volteius Mena est accablé de soucis. Il demande enfin à Philippe qu'il le rende à sa première existence. (Horace, *Épîtres,* I, VII, 46-95.) Une anecdote analogue dans l'Arétin, *Ragionamenti* (éd. G. Apollinaire, Paris, 1912, p. 167.)

2. « Passage, en termes de musique se dit des intervalles ou consonances qui étant agréablement disposés forment une bonne harmonie. » (Fur.)

3. Les Sept Sages de l'antiquité (Thalès, Bias, Solon, etc.) unissaient la science et l'art de vivre. Plutarque les faisait converser dans son *Banquet des Sept Sages*. G. Guéret, un ennemi de La Fontaine, avait composé *Le Caractère de la sagesse païenne dans la vie des Sept Sages* (1661).

4. *Rieur :* « Le sieur de la Rapinière était lors le rieur de la ville du Mans. Il n'y a point de petite ville qui n'ait son rieur. » Scarron, *Roman comique*, I, II.

5. *Que :* complément d'objet direct de chommer.

6. Réduire le nombre des fêtes chômées était une des préoccupations de Colbert. Après une suppression de 17, il en restait encore 38 en 1666, en plus des dimanches.

Page 208

III. LE LION, LE LOUP, ET LE RENARD

1. Source : Ésope, *Le lion, le loup et le renard.*

2. *Abus* : sens juridique : le fait qu'une juridiction entreprend sur les compétences d'une autre. Contre les empiètements des tribunaux ecclésiastiques sur le pouvoir temporel, celui-ci fait « appel comme d'abus ».

3. *De tous arts :* qui pratiquent toutes les médecines, y compris la médecine non officielle (cf. note 4). De quelle espèce était le médecin

> « Qui vous a visité ? Était-il dogmatique,
> Était-il méthodique, était-ce un empirique ? »
> Montfleury, *La Dame médecin,* II, 5.

4. « Recette : se dit aussi des petits secrets que plusieurs particuliers et surtout les charlatans se vantent d'avoir pour guérir quelque maladie. » (Fur.)

5. *Dauber* : médire. (Fur.)

Page 209

IV. LE POUVOIR DES FABLES

1. Source : Ésope, *L'orateur Démade.*

2. M. de Barillon, ambassadeur auprès de Charles Ier d'Angleterre (sept. 1677 à 1688). Il avait à maintenir Charles Ier dans l'alliance française et à l'empêcher au moins de se joindre à la coalition animée par la Hollande (v. 11 : « Toute l'Europe sur les bras »). Les Communes anglaises étaient très hostiles à l'alliance avec la France (cf. v. 14-15). Elles avaient obligé Charles II, d'abord allié de Louis XIV, à traiter avec la Hollande (1674). Charles II garde la neutralité pendant quatre ans. (Cf. VII, XVII, v. 54-55 : La Fontaine envie l'Angleterre qui est en paix.) La pression de son peuple l'obligera à s'allier avec la Hollande (traité du 10 janvier 1678). — La fable est donc écrite à la fin de 1677 ou au début de 1678.

3. *Hydre :* sur l'hydre de Lerne de nouvelles têtes remplaçaient les têtes coupées. Hercule en vint à bout.

4. La fable, présentant un orateur qui conquiert l'attention d'une assemblée distraite, convient à Barillon, chargé de persuader un roi et une nation.

5. Ces « figures violentes » sont les figures de passion : ironie, exclamation, etc. La prosopopée fait « parler les morts » (v. 42), les absents, les objets inanimés.

6. Horace disait du peuple romain : monstre aux multiples têtes. (*Épîtres,* I, 1, 76.)

7. La déesse protectrice d'Athènes est Pallas (Minerve); mais Déméter (Cérès) avait été accueillie par les habitants de l'Attique auxquels elle avait appris à cultiver le blé. Elle était honorée à Éleusis.

8. Ce mouvement d'indignation est imité de Démosthène, *Première Philippique :* « Chacun ira-t-il encore çà et là dans la place publique, faisant cette question : « N'y a-t-il aucune nouvelle ? » Eh ! que peut-il y avoir de plus nouveau que de voir un homme de Macédoine qui dompte les Athéniens et qui gouverne toute la Grèce ? »

9. Aux contes transmis par la tradition, et à *Peau-d'Ane* notamment, Perrault devait donner forme écrite un peu après La Fontaine, en 1694.

Page 211

V. L'HOMME ET LA PUCE

1. Source : Ésope, *La puce et l'athlète.*

2. *Intriguer* : mettre dans l'embarras. « On dit qu'un homme est bien intrigué pour dire qu'il est bien embarrassé. » (Fur.)

3. Dans la guerre de Troie, les dieux (« citoyens de l'Olympe ») avaient pris parti pour les Troyens ou pour les Grecs.

4. *Tu devais* : tu aurais dû.

Page 212

VI. LES FEMMES ET LE SECRET

1. Source : Abstemius, fable 129. *L'homme qui disait à sa femme qu'il avait pondu un œuf.* Voulant voir si sa femme pouvait garder un secret, un homme dit à sa femme : « Femme, il m'est arrivé cette nuit un grand miracle (il lui disait cela tandis qu'il était couché à côté d'elle) et digne d'être caché, que je te conterais, si je pensais que tu ne le divulgueras pas. Mais je n'ose pas : l'on me dit que les femmes sont pleines de fentes et qu'elles perdent de tous côtés. » A quoi la femme répondit : « Tu ne me connais pas, pour me juger d'après les autres. Je supporte-

rais la mort plutôt que de rapporter quelque chose contre ta volonté. » Et elle appuyait ses propos d'un serment. Le mari alors, comme confiant dans ses paroles : « J'ai pondu, dit-il, cet œuf (en allant se coucher en effet il avait apporté l'œuf avec lui). Mais prends garde, si tu m'aimes, à ne dire cela à personne. Tu sais bien quelle honte ce serait pour moi, si l'on disait que j'ai été changé d'homme en poule. » La femme trouva que la nuit s'écoulait bien lentement. A peine l'aurore eut-elle brillé, qu'elle joint sa commère et lui conte que son mari a pondu deux œufs. Et la commère conte à une autre femme que son compère est accouché de trois œufs. Bref, avant le coucher du soleil, il se publiait par toute la ville que l'homme avait pondu quarante œufs. — La fable montre qu'il ne faut confier à aucune femme ce que nous voulons taire.

2. « *Indiscret :* celui qui ne sait pas garder un secret. » (Fur.)

Page 213

VII. LE CHIEN QUI PORTE A SON COU LE DINÉ DE SON MAITRE

1. Source : Brossette, le commentateur de Boileau, assure que La Fontaine, étant allé à Lyon, eut connaissance de la fable d'un certain du Puget, qui critiquait la gestion des magistrats municipaux lyonnais en usant de cet apologue. (*Correspondance Brossette-Boileau,* édition Laverdet, 1858, pp. 234-236.) Mais Brossette, toujours sujet à caution, a pu en cette circonstance vouloir donner l'initiative à un compatriote, par esprit de clocher. On pourrait tout aussi bien penser que Puget a imité La Fontaine.

Des sources diverses ont été proposées. H. Busson a découvert à peu près certainement la bonne : Samuel Sorbière, *Troisième discours sceptique,* 1656. [Un chien est dressé à aller seul à la boucherie. Un jour des dogues l'attaquent. Il se bat vaillamment, puis se résigne à prendre sa part.] « Si un homme prudent et sage se trouve dans un Etat où tout est en désordre et où la perversion des mœurs est si générale qu'il n'y ait quasi point moyen d'y subsister par les maximes ordinaires de l'honneur et de la vertu, il doit s'accommoder au temps, se laisser emporter au torrent, relâcher quelque chose de son ordinaire sévérité, faire comme les autres et tâcher de se sauver par la même voie que tout le monde prend. » (Voir Busson, *Trois fables anglaises de La Fontaine,* in *Europe,* mai-juin 1959.)

On notera aussi que cette histoire avait été contée par Juste Lipse, *Ad Belgas,* p. 44.

2. « *Atourner :* vieux mot qui signifiait autrefois orner et parer une dame. Il est hors d'usage dans le sérieux. » (Fur.)

3. « Mâtins sont chiens de garde qu'on laisse dans les basses-cours pour aboyer. » (Fur.)

4. La ponctuation de La Fontaine : » ; Et lui sage : il leur dit... » invite à comprendre : [« Notre chien... voulut avoir sa part.] Il fut sage. Il leur dit : ... »

5. « A Paris il y a quatre *échevins* et un *prévost des marchands...* Aux autres villes il y a un maire et des échevins. » (Fur.) — « *Faire sa main :* faire un gain, un profit injuste dans quelque emploi ou commission. » (Fur.) — Les administrations municipales du XVIIe siècle étaient très décriées.

Page 214

VIII. LE RIEUR ET LES POISSONS

1. Source : Abstemius, fable 118, *L'homme qui interrogeait les petits poissons sur la mort de son père.* Un savant avait été invité au dîner d'un prince et placé au bas bout de la table. On apportait aux autres convives de gros poissons, à lui de tout petits et il ne mangeait pas. Il les approchait un à un de sa bouche, puis de son oreille, comme pour les interroger, puis il les posait de nouveau intacts dans le plat. Le maître du repas lui demanda pourquoi cette conduite. « Mon père, dit-il, a péri dans un naufrage il y a deux ans dans cette région et je n'ai pu savoir ce qu'il est advenu de son cadavre. Je demandais donc à ces petits poissons s'il en savaient quelque chose. Mais ceux-ci disent qu'ils n'étaient pas encore nés. Il faudrait en interroger de plus grands. » Le prince comprit un propos si plaisant. Il ordonna qu'on présentât au savant les gros poissons aussi et par la suite le plaça toujours parmi les convives de distinction. — La fable montre que chez les ignares les facéties et joyeux devis sont plus utiles aux savants que la science.

2. Être rieur est une vocation, presque un métier (« art »), cf. VIII, II, *Le Savetier et le Financier,* n. 4.

3. *Méchants :* mauvais, dépourvus du « suprême mérite » nécessaire dans leur « art ».

4. Cela provoqua l'étonnement et l'attention.

5. *Les grandes Indes :* les Indes occidentales, l'Amérique.

Page 215

IX. LE RAT ET L'HUITRE

1. Source : une épigramme de l'*Anthologie palatine* (IX, 86). La Fontaine a pu la connaître par Alciat qui en avait tiré un de ses emblèmes. Alciat a eu un nombre important d'éditions et de traductions. Voici celle de B. Aneau :

« Le captif pour sa gourmandise.
Le rat régnant au cellier, rongeant tout,

Des huîtres vit bâillantes par un bout,
Sa barbe y mit, et faux os il attrape,
Lesquels touchés firent tomber la trappe,
Et le larron en prison ont tenu
Qui par soi-même en sa fosse est venu. »

Emblèmes d'Alciat de nouveau translatés en Français vers pour vers jouxte les Latins, Lyon G. Rouille, 1549, p. 116.

2. « *Saoul :* se dit aussi de ce qui rassasie l'esprit... Les ambitieux ne sont jamais saouls de gloire ni de flatterie. » (Fur.)

3. « Le mot *case* en français ne signifie qu'une méchante petite maison. » (Rich.) « Une petite maison de paysan fermée seulement de haies. » (Fur.)

4. Imitation de Rabelais, *Gargantua* I, 33. L'armée de Picrochole a, en imagination, traversé le désert : « Mais nous ne bûmes point frais. »

Page 216

X. L'OURS ET L'AMATEUR DE JARDINS

1. Source : Pilpay, *Livre des lumières,* pp. 135-137.

2. « C'est une erreur populaire de croire que l'ours n'est qu'une masse de chair informe quand il vient au monde et que ce n'est qu'à force de le lécher qu'il se perfectionne. » (Fur.)

3. Bellérophon, haï des dieux, errait « rongeant son âme, évitant les traces des hommes. » (*Iliade,* VI, 200-202.)

4. Prêtre de Flore et de Pomone : il cultivait fleurs, légumes et fruits.

5. « Gascon, fanfaron, hâbleur, querelleur. » (Fur.) « Gasconnade : bravoure en paroles, fanfaronnade. » —. D'où ici : affecter l'assurance (cf. v. 29).

6. Émoucheur est créé par La Fontaine.

Page 218

XI. LES DEUX AMIS

1. Source : Pilpay, *Livre des lumières*, pp. 224-226.

2. Le Monomotapa était un empire de l'Afrique australe, peuplé de Cafres. C'est loin, d'où le sens de pays chimérique. C'est là que se peut rencontrer l'amitié véritable.

3. *S'occupait au sommeil* :

Dans un cloître éloigné, Malc s'occupe au silence.
La Fontaine, *Saint Malc,* v. 513.

Page 219

XII. LE COCHON, LA CHÈVRE ET LE MOUTON

1. Source : Ésope, *Le cochon et le renard* (Nevelet, p. 235). La version *Le cochon et les moutons* est un peu différente.

2. « *Charton :* vieux mot qui signifiait autrefois un cocher ou celui qui menait un char ou une charrette. » (Fur.)

3. Tabarin était un comédien, associé à l'opérateur (médecin empirique) Mondor. Ses prologues attiraient la foule autour de leurs tréteaux. A l'un d'eux La Fontaine doit *Le Gland et la Citrouille.* Ils ont été plusieurs fois édités au XVIIe siècle et réédités au XIXe. *Œuvres complètes de Tabarin...* Paris, Jannet, 1858.

4. « Honnête, qui a pris l'air du monde, qui sait vivre. » (Fur.)

Page 220

XIII. TIRCIS ET AMARANTE

1. Source : Le seul trait de ce fragment de pastorale pour lequel puisse se poser la question de source est la pointe finale. La trouverait-on dans les recueils poétiques de l'époque ? Mais pourquoi ne pas faire crédit à La Fontaine et ne pas supposer qu'il en est l'inventeur ?
Date : Walckenaer a eu entre les mains un manuscrit daté : 11 décembre 1674.

2. Mlle de Sillery (1649-1732) était nièce de La Rochefoucauld. Elle devait se marier en 1675.

3. La Fontaine après les six premiers livres de *Fables* (1668) n'avait plus publié que huit fables nouvelles (*Fables nouvelles et autres poésies,* 1671). Il avait, par contre, publié de nouveaux contes dont, tout récemment et de façon semi-clandestine, une quatrième partie des *Contes,* dont le lieutenant de police devait interdire la vente.

4. *Le haut bout* : la place d'honneur à table, d'où le premier rang.

5. Une jeune fille se doit de déclarer obscurs des contes qui, trop vite compris, effaroucheraient sa pudeur.

6. La Fontaine va composer dans la présente fable une pastorale; il reviendra ensuite aux héros habituels de la fable (v. 29).

7. *Près un :* l'omission du *de* est du style familier. (Acad., 1718.)

8. *Font le marché d'autrui :* font les affaires d'autrui.

Page 222

XIV. LES OBSÈQUES DE LA LIONNE

1. Source : Abstemius, fable 148, *Le lion irrité contre le cerf joyeux de la mort de la lionne.* Le lion avait invité tous les quadru-

pèdes à honorer les obsèques de sa défunte femme. Tous donc manifestaient une indicible douleur de la mort de la reine. Seul le cerf à qui elle avait ravi ses fils n'éprouvait aucune douleur et ne versait point de larmes. Voyant cela, le lion appelle le cerf pour le tuer. Il lui demande pourquoi il ne pleurait point comme les autres la mort de la reine. « Je l'aurais fait, répondit-il, si elle ne me l'avait interdit. Comme je venais en effet, son âme bienheureuse m'apparut qui se rendait aux champs-élysiens. Il ne fallait pas, disait-elle, pleurer son trépas : elle s'en allait vers les agréables ombrages des forêts bienheureuses et leur riant séjour. » En entendant ces propos, le lion plein de joie pardonna au cerf. — Cette fable signifie qu'il est parfois d'un homme prudent de feindre et de se protéger de la fureur des puissants par une honnête excuse.

2. « *Prévot* est aussi un grand officier dans les ordres militaires, qui a le soin des cérémonies. » (Fur.)

3. *Peuple caméléon* : depuis l'antiquité, le caméléon suscitait les curiosités (cf. Furetière, *Dictionnaire*). — « On dit figurément qu'un homme est un caméléon quand il change d'avis ou de résolution, de parti. » (Fur.)

4. Allusion à la théorie cartésienne des animaux-machines qui sera longuement discutée au livre suivant *(Discours à Mme de La Sablière)*.

5. « Tel le rugissement du lion, telle la colère du roi. » *Proverbes,* XX, 2.

6. *Suivre :* imiter, suivre l'exemple de.

7. Souvenir de *L'Ecclésiaste,* III, 4 ? « Il y a le moment pour tout ... un temps pour pleurer et un temps pour rire, un temps pour gémir et un temps pour danser. »

Page 223

XV. LE RAT ET L'ÉLÉPHANT

1. Source : A l'origine Phèdre, I, 29, *Asinus irridens aprum.* L'âne appelle le sanglier « mon frère ». Fureur du sanglier, devant cette familiarité. Il demande où est la ressemblance. Alors l'âne, *demisso pene,* déclare : Tu ne veux pas que je sois semblable à toi ? En tout cas ceci ressemble à ton groin. — Le Maître de Sacy, éditant les fables de Phèdre pour les écoliers de Port-Royal, ne pouvait laisser passer pareille gaudriole. Il remplace l'âne et le sanglier par un rat et un éléphant. Le rat dresse la queue et fait savoir que par ce membre au moins il ressemble beaucoup à l'éléphant. — La version de Sacy est reprise par Pierre de Saint-Glas, abbé de Saint-Ussans, qui publie des fables en 1670. — La Fontaine ne pouvait pas ne pas le connaître; mais il connaissait sans aucun doute aussi l'édition Sacy de Phèdre. [G. Delassault, *Le Maître de Sacy et La Fontaine tra-*

ducteurs de Phèdre, Revue des Sciences humaines, 1952, pp. 281-294.]

2. « Bourgeois se dit quelquefois en mauvaise part par opposition à un homme de la cour. » (Fur.)

3. *Mal françois :* cf. Furetière : « *Mal de Naples,* c'est le nom qu'on donne en France à la grosse vérole... les Italiens l'appellent au contraire le *mal françois...* On l'appelle aussi le *vilain mal* ou la *maladie vénérienne.* »

4. « *De haut parage :* de très haute parenté et extraction. » (Fur.)

5. *A triple étage :* expression proverbiale. Cf. Furetière : « Un homme est sot, fou *à triple étage :* excessivement, au dernier. » L'expression reprend ici sa valeur concrète et devient comique.

6. *Sa vieille :* sa dame d'honneur.

7. « *Grain :* le plus petit des poids dont on se sert pour peser les choses précieuses. » (Fur.)

Page 224

XVI. L'HOROSCOPE

1. Source : Dans Nevelet, la fable n° 268 (pp. 301-302) *L'enfant et son père.* — L'histoire d'Eschyle et de la tortue se trouve chez Valère Maxime, Pline, G. Cousin.

2. « On dit figurément : les *bouillons* de la colère. » (Fur.)

3. « Ressorts se dit encore des causes inconnues par lesquelles la nature agit. » (Fur.)

4. *Sut* : ironique.

5. « *Justifier,* absoudre d'une accusation ». (Fur.) Justification ironique et accablante.

6. « *Conjoncture :* assemblage de plusieurs circonstances. » — « *Conjonction :* En astronomie [et en astrologie] on appelle la conjonction des astres lorsqu'ils se rencontrent dans le même degré du Zodiaque. » (Fur.)

7. Ce vers exprime un propos, ou au moins la pensée, d'un faiseur d'horoscopes. La Fontaine va ensuite opposer ses objections (v. 68-82).

8. La Fontaine a déjà fait allusion à la guerre générale en Europe (cf. VIII, IV). Les astrologues n'avaient pas été capables de prédire un événement si considérable.

9. Vers 79-82 : nouvelle objection à l'astrologie divinatrice : la distance des astres, la vitesse avec laquelle changent les « conjonctions » des astres, la mobilité même de l'âme humaine empêchent la prévision. — *Point :* la place des astres dans le ciel. « Le point, et sa vitesse » : la vitesse avec laquelle le « point » change.

10. Comme au vers 67, La Fontaine exprime la pensée des astrologues : « Notre sort [selon eux] en dépend. » — Puis il présente sa réfutation : l'influence astrale a un cours irrégulier (*Entre-suivie :* entrecoupée. « Ce discours n'est pas bien lié et les paroles ne s'entresuivent pas. » (Rich.)

11. *Au compas :* la gravure de Chauveau pour II, XIII, montre l'astrologue qui se laisse tomber dans un puits tenant d'une main une sphère céleste, de l'autre un compas.

Page 226

XVII. L'ANE ET LE CHIEN

1. Source : Abstemius, fable 109, *Le chien qui n'a pas secouru l'âne contre le loup, parce qu'il ne lui avait pas donné de pain.* Un molosse capable de vaincre non seulement les loups mais encore les ours avait fait une longue route avec un âne qui portait des sacs pleins de pain. L'appétit vint chemin faisant. L'âne trouvant un pré s'emplit largement le ventre d'herbes verdoyantes. Le chien demandait à l'âne de lui donner un peu de pain pour qu'il ne mourût pas de faim. Et celui-ci non seulement ne donnait pas de pain, mais se moquait du chien et lui conseillait de manger de l'herbe en sa compagnie. Cependant l'âne vit un loup s'approcher et pria le chien de venir à son secours. Alors le chien : « Tu m'as conseillé de manger des herbes contre la faim. Et moi je te conseille de te défendre du loup avec tes sabots ferrés. » Ceci dit, il partit, laissa son compagnon ingrat, l'abandonna en plein combat pour servir bientôt de pâture à son ravisseur. — Cette fable montre que celui qui n'apporte pas son aide à qui la lui demande est abandonné par les autres à son tour en cas de nécessité.

2. *Mot :* phrase elliptique. Pas un mot.

3. *Le Roussin d'Arcadie :* cf. VI, XIX, v. 17.

Page 228

XVIII. LE BASSA ET LE MARCHAND

1. Source : On n'en a pas trouvé. Anecdote contée par Bernier ou inspirée de ce que Bernier pouvait dire de l'administration en pays turc ? Rappelons aussi que Mme de La Sablière appartenait à une famille de banquiers-armateurs qui trafiquaient avec le Levant et pouvaient connaître de telles difficultés. Enfin la nécessité d'avoir un protecteur ne s'imposait pas seulement en Orient. Voir dans le livre excellent de Germain-Martin et Besançon, *Le Crédit public sous Louis XIV*, Paris, 1913, ce qui est dit des affairistes, notamment de la Rosemain.

2. *Bacha, Bassa* ou *Pacha :* un gouverneur de province en Turquie.

3. « *Support :* ce qui donne de l'appui, du secours, de la protection. » (Fur.)
4. *Les prévenant :* les devançant.
5. Alexandre avait été prévenu que son médecin devait l'empoisonner. Confiant, il but le remède, en tendant au médecin la dénonciation. (Plutarque, *Vie d'Alexandre,* XIX.)
6. « Dogues sont chiens de combat qui servent à assaillir les grosses bêtes, comme des taureaux, des lions, etc. » — « Mâtins sont chiens de garde qu'on laisse dans les basses-cours pour aboyer. » (Fur.)
7. « Ménage : l'épargne. » (Fur.)

Page 229

XIX. L'AVANTAGE DE LA SCIENCE

1. Source : Abstemius, fable 145, *Le riche ignare et le pauvre savant.* Un homme riche, mais ignare, raillait un savant pauvre : « il avait par sa propre industrie amassé beaucoup de richesses; l'autre, si savant, était en proie à la pire indigence. » Le savant répondit : « Rien d'étonnant; tu t'es attaché à amasser des richesses et moi à acquérir la science qui l'emporte de beaucoup sur les richesses. » De là naquit une discussion entre le riche et le lettré : qu'est-ce qui valait le mieux, la science ou la richesse ? On ne pouvait conclure : l'une et l'autre avaient de nombreux partisans, mais la richesse surtout. Cependant la supériorité de la science sur la richesse fut décidée de la façon suivante : les guerres civiles obligèrent les deux hommes à quitter leur pays. Sans rien pouvoir emporter de leurs biens, ils gagnèrent une autre ville. Là le lettré fut engagé pour enseigner moyennant un haut salaire. Mais celui qui avait été riche fut contraint par l'indigence de mendier son pain et confessa qu'il s'était trompé. — La fable signifie que les biens de fortune, qui passent de l'un à l'autre, sont de beaucoup surpassés par les biens de l'esprit qui sont pour toujours acquis à leur propriétaire.

2. « On dit absolument qu'un homme tient table quand il a à son ordinaire plusieurs couverts pour les étrangers et écornifleurs. » (Fur.)

3. *Chambre :* le contexte impose le sens d'étage. Sens ancien ? ou populaire ? Il n'est pas donné par les lexicographes contemporains de La Fontaine.

4. Le débat sur le luxe et son utilité pour la circulation et la production des richesses est proposé périodiquement à l'attention du public par les mesures gouvernementales (les édits somptuaires), par les réflexions des penseurs et des économistes (*Le Mondain* de Voltaire). Au temps de La Fontaine, le faste des traitants, la magnificence royale et, en contraste, les embarras du Trésor et la politique d'économies de Colbert,

qui, d'ailleurs, voulait opposer aux produits de luxe importés des produits nationaux, donnaient au débat de l'actualité.

5. Ces mots pour le lecteur moderne, et peut-être celui du XVIIe siècle aussi, rappelaient la plus illustre de ces dédicaces : celle de *Cinna* à Montauron. Mais l'obligation pour un écrivain non fortuné de subir le mécénat des financiers était générale. Cf. les réflexions de Furetière dans sa *Somme dédicatoire* (*Roman bourgeois,* 2e partie). — La Fontaine place malignement, et peut-être avec quelque amertume secrète, l'homme de savoir à côté de la demi-mondaine entretenue par le financier.

Page 230

XX. JUPITER ET LES TONNERRES

1. Source : Sénèque (*Questions naturelles,* II, XLI) distingue *trois* espèces de foudres. Lancée par Jupiter seul, c'est un avertissement salutaire; par Jupiter avec l'avis des douze grands dieux, elle a d'heureux effets, mais cause des dégâts; par Jupiter avec l'avis des dieux supérieurs et voilés, elle ravage. — La Fontaine a renoncé à faire intervenir les dieux supérieurs et voilés que la mythologie avait peu popularisés; il ramène donc les foudres à deux variétés. Il fait de ces deux foudres l'emblème de l'amour du roi pour ses sujets (le roi ne pratique que des corrections paternelles). La sévérité des ministres pour les peuples est bien autre : elle ravage. La Fontaine respecte ainsi une vieille tradition royaliste des Français jugeant, ou plutôt refusant de juger leur roi : ils innocentent le souverain dont ils ont à se plaindre en assurant que les ministres sont les inspirateurs de ses fautes et appellent du roi mal informé au roi mieux informé. (Cf. Corneille, *Pompée,* II, 1, 370-376.) — Le thème apparaît souvent dans la littérature politique de la Fronde. Il réapparaît sourdement au moment où Louis XIV règne personnellement et se rencontre par exemple dans *Othon.* — C'est dire que la fable de La Fontaine n'est sans doute pas exempte de sous-entendus politiques.

2. Les Furies (cf. v. 8).

3. *Fière :* fière et féroce en même temps.

4. *L'assembleur de nuages* : formule homérique. — Le serment par le Styx est le plus terrible des serments des dieux.

5. « *Carreau :* autrefois de grosses pierres qu'on jetait dans les villes assiégées avec des mangonneaux. — Aussi une arme de trait ou flèche carrée qu'on tire avec une arbalète. » (Fur.)

Page 232

XXI. LE FAUCON ET LE CHAPON

1. Source : Pilpay, *Livre des lumières,* p. 112, *Fable d'un faucon et d'une poule.*

2. « On dit d'un homme peu complaisant qui ne fait rien de ce qu'on désire que c'est un chien de Jean de Nivelle, qui s'enfuit quand on l'appelle. » (Fur.) Jean de Nivelle, insulteur de son père, refusait de comparaître devant le Parlement.

3. Les chapons du Mans étaient célèbres au XVIIe siècle.

4. Les Normands déjà ont la réputation d'être méfiants. Le Manceau l'est plus encore.

5. *Appeau :* deux sens possibles. « Appeau : vieux mot du palais qui signifiait autrefois appel. » (Fur.) — Le « leurre » avec lequel on rappelle le faucon est nommé quelquefois *appel.* (Fur. au mot leurre.)

Page 233

XXII. LE CHAT ET LE RAT

1. Source : Le P. Poussines, *Specimen sapientiae Indorum veterum,* 1666, p. 608.

2. La Fontaine a traduit ce nom du *Specimen sapientiae.* Il trouvait aussi dans la *Batrachomyomachie* et dans la *Galéomyomachie* des rats « Mange-fromage » et « Vole-fromage » — « Corsage : terme populaire... la taille. Cette paysanne est d'un beau corsage. » (Fur.)

3. Dissoudre, au sens de dénouer, rompre, est un latinisme.

4. « Les ducs, les chats-huants et les chouettes sont des espèces de hibou. » (Fur.)

5. La Fontaine adopte la graphie qui rappelle l'étymologie italienne. Furetière écrit déjà alerte à la moderne.

Page 235

XXIII. LE TORRENT ET LA RIVIÈRE

1. Source : Abstemius, fable 5, *Le paysan qui devait passer une rivière.* Un paysan devait traverser un torrent gonflé par les pluies et cherchait un gué. Il essaya d'abord la partie du courant qui lui paraissait la plus calme et la plus paisible et la trouva plus profonde qu'il ne l'avait pensé. En revanche, il découvrit un passage plus rapide et plus sûr là même où le courant s'écoulait avec le plus de bruit. Il se dit alors : « Comme il est plus sûr de confier notre vie aux eaux bruyantes qu'aux eaux calmes et silencieuses ! » — Cette fable nous avertit de craindre moins les gens qui parlent et menacent beaucoup que les gens calmes.

Page 236

XXIV. L'ÉDUCATION

1. Source : Non Ésope *(Les deux chiens)* mais Plutarque, *Œuvres morales,* I, 5, *Comment il faut nourrir les enfants.* Lycurgue

prend deux jeunes chiens de même père et de même mère et « les nourrit si diversement qu'il en rendit l'un gourmand et goulu ne sachant faire autre chose que mal et l'autre bon à la chasse et à la queste. » [Il s'adresse ensuite aux Lacédémoniens.] « C'est chose de très grande importance, Seigneurs Lacédémoniens, pour engendrer la vertu au cœur des hommes, que la nourriture, l'accoutumance et la discipline, ainsi comme je vous ferai voir et toucher au doigt tout à cette heure. En disant cela, il amena devant toute l'assistance les deux chiens, leur mettant au-devant un plat de soupe et un lièvre vif. L'un des chiens s'en courut incontinent après le lièvre et l'autre se jeta aussitôt sur le plat de soupe. Les Lacédémoniens n'entendaient point encore où il en voulait venir, jusques à ce qu'il leur dit : « Ces deux chiens sont nés de même père et de même mère; mais ayant été nourris diversement, l'un est devenu gourmand et l'autre chasseur. »

2. « Nourriture se dit figurément en morale de l'éducation. » (Fur.)

3. *Laridum* (le lard) se prononce alors à la française laridon (on dit un té déon).

4. *Sanglier* : 2 syllabes.

5. « *Tournebroche*..., un nom qu'on donne à un chien qu'on a dressé à tourner une roue dont le mouvement sert à tourner la broche. » (Fur.)

Page 237

XXV. LES DEUX CHIENS ET L'ANE MORT

1. Source : Ésope, *Les chiens affamés*.
2. « Outrer : porter les choses trop loin, au delà de la mesure raisonnable. » (Fur.) Les chiens se sont gonflés d'eau, comme des *outres*. Jeu de mots sur outrer et outre ?

Page 238

XXVI. DÉMOCRITE ET LES ABDÉRITAINS

1. Source : Les lettres, apocryphes, d'Hippocrate (lettre du Sénat et du peuple d'Abdère à Hippocrate pour lui demander de venir guérir Démocrite; lettre d'Hippocrate racontant ses entretiens avec Démocrite). La Fontaine les avait lues soit dans le texte grec soit dans sa traduction latine, soit dans les *Conférences d'Hippocrate et de Démocrite, traduites du grec en français avec un commentaire* (1632) par le médecin Bompart.

2. Imitation d'Horace, *Odes*, III, 1 : *Odi profanum vulgus et arceo.*

3. *Téméraire :* d'une hardiesse imprudente.

4. *Faux milieux :* Milieu au sens des physiciens et plus exactement au sens de l'optique (cf. VII, XVII, v. 10). Faux : qui fausse. Le vulgaire interpose entre la réalité (« la chose ») et lui-même le verre déformant des préjugés.

5. *Le maître d'Épicure :* « Leucippe et Démocrite [ve siècle avant J.-C.] ont été les premiers philosophes qui ont établi la doctrine des atomes qui a été depuis renouvelée par Épicure et Lucrèce et fort bien expliquée en nos jours par l'illustre Gassendi et par Bernier son traducteur et abréviateur. » (Fur. au mot atome.)

6. [Démocrite] « dit quelquefois qu'il voyage dans l'infinité et qu'il rencontre partout un nombre infini de Démocrites, qui lui sont semblables; enfin il est perdu de corps et d'esprit. » Trad. Bompart, I, p. 2.

7. « Accorder : mettre la paix, l'union. » (Fur.) « Débat : contestation en matière civile. » (Fur.) Cf. le rôle du juge arbitre, « appointeur de débats » (XII, XXIX). — Il peut s'agir aussi des débats politiques de la cité.

8. *Labyrinthes :* les circonvolutions cérébrales. Pas dans Furetière avec ce sens. Sens figuré créé par La Fontaine ?

9. *Attaché :* absorbé.

Page 239

XXVII. LE LOUP ET LE CHASSEUR

1. Source : Pilpay, *Livre des lumières,* p. 216.

2. *Point* : sens dérivé du sens géométrique : quelque chose qui n'a pas de dimension, pas d'importance.

3. « *Modeste :* qui a de la modération, de la sagesse. » (Fur.)

4. La Fontaine aurait-il joint deux expressions : se prendre à plusieurs fois et reprendre l'heure fatale, c'est-à-dire reprendre l'heure [la vie] au sanglier.

5. « *Faiseur :* artisan qui fait quelque ouvrage qui ne donne point de nom à sa vacation. » (Fur.) — « Faiseur de conquêtes » est ainsi péjoratif; le conquérant : un manœuvre non spécialisé.

6. *Sagette :* flèche (mot vieux, cf. Fur.). — *Arc :* on observera que cet arc, qui reste tendu après la mort de l'archer, est en réalité une arbalète, avec une corde en boyau. La gravure qui illustre cette fable représente en effet une arbalète.

7. « *Texte :* un passage singulier et choisi par un orateur pour être le sujet d'un discours, d'un sermon. Les prédicateurs choisissent un texte, un passage de la Bible sur lequel ils prêchent. » (Fur.)

LIVRE NEUVIÈME

Page 243

I. LE DÉPOSITAIRE INFIDÈLE

1. Source : Pilpay, *Livre des lumières,* pp. 137-140, ou Camerarius, *Le bronze mis en dépôt* (*Fabulae aesopicae,* Lyon, 1571, pp. 367-368, fable 384.) La Fontaine suit le récit de Pilpay ou de Camerarius, sans qu'on puisse savoir duquel il s'inspire, en l'agrémentant à sa manière. — L'histoire de l'homme au chou peut venir de la tradition orale ou de quelque livret populaire.

2. Les Muses.

3. En vers.

4. Salomon : « Tout homme est menteur. » (*Psaumes,* CXV, 11.)

5. *Aucunement* : en quelque façon.

6. Cent livres.

7. Au besoin.

Page 245

II. LES DEUX PIGEONS

1. Source : Pilpay, *Livre des lumières*, pp. 19-27. Le texte de Pilpay comporte bien des longueurs. La Fontaine l'a vigoureusement élagué, mais en conservant l'essentiel. Voici un exemple de cet élagage : « J'ai ouï dire qu'il y avait deux pigeons qui vivaient heureux dans leurs nids, exempts de toutes les injures du temps et contents de leurs petites provisions. L'un se nommait l'Aimé, l'autre, l'Aimant. Un jour l'Aimé eut envie de voyager; il communiqua son dessein à son compagnon : « Jusques à quand, dit-il, serons-nous enfermés dans un trou ? Pour moi j'ai pris la résolution de rôder quelques jours par le monde, parce que dans les voyages on voit tous les jours des choses nouvelles, on fait beaucoup d'expériences et les grands ont dit que les voyages sont des moyens pour acquérir des victoires; si l'épée ne sort de son fourreau, elle ne peut montrer sa valeur, et si la plume ne fait sa course sur l'étendue de la page des cahiers, elle ne montre point son éloquence... »

2. « Courage... résolution pleine de cœur. » (Rich.)

3. « Zéphir se dit poétiquement des vents doux et agréables et de ceux qui viennent au printemps. » (Fur.) — Attendez le printemps.

4. Le piège est constitué par un ou plusieurs lacets montés au bout d'une branche courbée qui fait ressort. Ce doit être la « reginglette » dont parle la fable I, VIII v. 41. Les victimes sont attirées par « du blé répandu » (v. 37) qui recouvre le lacet, et par un pigeon (v. 38) qui sert d'appelant.

5. *Lier :* « On dit qu'un oiseau de proie lie le gibier pour dire qu'il l'arrête avec sa serre. » (Acad.)

6. *Quelquefois :* le sens de une fois était déjà archaïque (il n'est pas dans Furetière et Richelet). Le vers 77 engage pourtant à le préférer au sens : plusieurs fois.

7. La Fontaine reprend ce vers d'une lettre qu'il a adressée à la duchesse de Bouillon en juin 1671 :

« *Peut-on s'ennuyer en des lieux*
Honorés par les pas, éclairés par les yeux
D'une aimable et vive princesse... »

Il ajoutait : « Pour moi, le temps d'aimer est passé, je l'avoue. »

8. Le fils de Cythère est l'Amour. Cythère désigne ordinairement l'île, parfois la déesse Vénus.

9. La Fontaine publie cette fable à 68 ans.

Page 247

III. LE SINGE ET LE LÉOPARD

1. Source : Ésope, *Le renard et la panthère.* La Fontaine, amateur sans doute de spectacles populaires, a placé cette rivalité à la foire.

2. *Manchon :* « Les manchons n'étaient autrefois que pour les femmes. Aujourd'hui les hommes en portent... Les manchons de campagne des cavaliers sont faits de loutre, de tigre. » (Fur.)

3. Souvenir de Rabelais : la jument de Grandgousier arrive « en trois carraques et un brigantin. » (*Gargantua,* I, 16.)

4. Baller et danser ne sont pas synonymes. Baller : participer à un ballet. Dans un ballet, les danseurs « représentent par leurs pas et posture quelque chose naturelle ou quelque action ou contrefont quelques personnes ». (Fur.) Une scène de ballet ressemble ainsi à une comédie muette. (Voir une scène jouée, selon nous, par des singes dans *Le Singe,* XII, XIX : un singe contrefait le mari ivrogne qui bat sa femme.) — Comprendre donc : il sait danser, et, *mieux encore,* baller.

5. Six blancs valent deux sous et demi.

Page 249

IV. LE GLAND ET LA CITROUILLE

1. Source : Comme la précédente, cette fable s'inspire des boniments de la foire. Cette facétie a en effet son origine dans

une comédie italienne (publiée en italien à Paris en 1582; imitée en français en 1633). Elle a été reprise par l'illustre « opérateur » Tabarin, dans ses *Rencontres, fantaisies et coq-à-l'âne facétieux du baron de Grattelard* (nombreuses éditions entre 1622 et 1644); puis republiée avec les parades d'un autre « opérateur », Desiderio Descombes, 1671.

« GRATTELARD : En me promenant... dans le jardin, j'ai aperçu une grosse citrouille (par ma foi c'était un vrai tambour de Suisse) qui était pendue en l'air. J'admirais comme la nature avait eu si peu d'esprit de dire qu'un si gros fruit fût soutenu d'une si petite queue qui, au moindre vent, pouvait se rompre. — LE MAITRE : Tu accusais la nature sur ce sujet. — GRATTELARD : Je l'accusais d'indiscrétion, comme de vrai il doit y avoir une proportion *inter sustinens et sustentum*. Mais quand j'ai été plus avant dans le bois qui est à l'autre extrémité du jardin, j'ai bien changé d'avis et d'opinion. — LE MAITRE : Tu as reconnu enfin que la nature ne produit rien qu'avec grande considération. — GRATTELARD : Par la morguienne ! J'étais perdu si elle eût fait autrement; car en passant par-dessous un grand chêne, j'entendais chanter un oiseau qui par son doux ramage m'arrêta tout court, et, comme je voulais regarder en haut, un gland me tomba sur le nez. Je fus contrains alors d'avouer que la nature avait bien fait; car, si elle eût mis une citrouille au sommet du chêne, cela m'eût cassé le nez. »

2. Le nom vient du *Pédant joué* de Cyrano de Bergerac.

Page 250

V. L'ÉCOLIER, LE PÉDANT, ET LE MAITRE D'UN JARDIN

1. Source : Inconnue. Anecdote véritable ?
2. De son chef.
3. « Mal appris, qui est incivil et grossier. » (Acad.)

Page 251

VI. LE STATUAIRE ET LA STATUE DE JUPITER

1. Source : Les éditeurs se transmettent l'idée que la source est Avianus, *Le statuaire*. [Un marchand vend un Bacchus. Un noble veut l'acheter pour le placer dans un tombeau. Un autre acheteur veut le mettre dans un temple, pour s'acquitter d'un vœu. Le marchand s'adresse donc à Bacchus : « Fais un présage... Libre à toi de préférer que je te remette aux morts ou aux dieux; selon que tu voudras être l'ornement d'une tombe, ou bien être un dieu... » Cet apologue convient à ceux qui ont la possi-

bilité de vouloir se rendre utiles, ou bien de nuire.] — Fausse source, on le voit.

Les sources véritables : Des suggestions de trois provenances ont été unies par la réflexion de La Fontaine.

I. *Des suggestions classiques.* Dans Horace, un arbre parle : « J'étais jadis un tronc de figuier, bois inutile, quand l'artisan, ne sachant s'il ferait un escabeau ou un Priape, préféra créer un dieu. » (*Satire VIII,* 1-3.) (Cf. La Fontaine, str. 1.) — Dans Ovide, Pygmalion fabrique une statue et il en devient amoureux. (*Métamorphoses,* X, 243-297.) (Cf. La Fontaine, v. 31-32.)

II. *Une idée à la fois philosophique et poétique.* Le poète est le créateur des mythes et des dieux. Idée déjà exprimée par La Fontaine. Dans la *Vie d'Ésope :* Homère est le père des dieux et des bons poètes (*Vie d'Ésope,* début). Dans *Le Songe de Vaux,* la muse de la poésie, Calliopée, estime qu'elle a créé les dieux. (*O. D.*, p. 94.) (Cf. La Fontaine, v. 19.) Cette idée me paraît venir d'Hérodote, très librement interprété, et dans un sens qui grandit l'influence des poètes : « Homère et Hésiode... dans leurs poèmes ont fixé pour les Grecs une théogonie, attribué aux dieux leurs qualificatifs, partagé entre eux les honneurs et les compétences, dessiné leurs figures. » (Hérodote, II, 53.)

III. *Une influence chrétienne.* L'idée que les dieux païens, pures créations humaines, n'étaient que des idoles matérielles s'exprime chez Isaïe, Baruch, Prudence, Minutius Felix, etc. La Fontaine était lecteur de Baruch; sa lettre de Jérémie aux captifs qui partent pour l'exil à Babylone les met en garde contre les idoles qu'ils vont voir. (Cf. La Fontaine, v. 27.) — Holckot avait repris le thème dans *Super sapientiam Salomonis,* lectis CLIII (1489, in-4°) : un sculpteur cuit du pain avec une pièce de bois; dans le reste du bois, il taille un dieu, se prosterne devant lui et l'adore. Ainsi font les Chananéens, qui vivent comme des enfants dénués de raison. « Les enfants démunis de raison se font en effet des *poupées* et jouent avec elles. » (Cf. La Fontaine, v. 21-24.) — La Fontaine avait-il lu Holckot pendant son séjour à l'Oratoire ?

L'ensemble de ces suggestions aboutit à une manière d'hymne à l'imagination créatrice, dont l'importance est grande pour comprendre la pensée de La Fontaine.

2. La langue contemporaine de La Fontaine établit déjà entre artiste, artisan, ouvrier les distinctions actuelles. La Fontaine ne les respecte pas : il s'agit, en effet, de montrer comment façonner la matière et former l'idée sont une même chose.

3. *N'en dut guère :* ne le cède guère. — Ce poète créateur des dieux est soit *les* poètes, soit *le* poète par excellence, Homère (cf. note sur les sources).

4. *Pygmalion :* cf. ci-dessus note sur les sources.

Page 252

VII. LA SOURIS MÉTAMORPHOSÉE EN FILLE

1. Source : Pilpay, *Livre des lumières,* p. 279.

2. *Bramin :* « C'est un prêtre de la religion des Indiens [Hindous] idolâtres. » (Fur.)

3. *Froissée :* « Froisser, briser... Il a eu une côte froissée, enfoncée. » (Fur.)

4. Selon les néo-platoniciens, le philosophe grec Pythagore (VIe siècle avant J.-C.) aurait rapporté d'un voyage aux Indes plusieurs éléments de sa doctrine, dont la métempsycose.

5. Pâris, fils de Priam, avait enlevé la grecque beauté Hélène, d'où la guerre de Troie.

6. *L'éteuf :* la balle du jeu de paume. L'éteuf passe au mont : c'est à lui de jouer. Mais par une confusion plaisante, l'éteuf est la fille renvoyée comme une balle de l'un à l'autre.

7. « *Damoiselle :* vieux mot qui signifie fille noble. Il ne se dit plus qu'en termes de pratique [du droit]. On dit maintenant demoiselle. » (Fur.)

8. Jeu de mots sur circulaire : 1° Argument circulaire puisqu'il part du soleil et revient au soleil. 2° Mais en même temps un *cercle,* ou un cercle vicieux, en logique est celui qui « suppose le principe qu'on doit prouver ». (Fur.)

9. « Prendre droit... s'en rapporter à. » (Fur.) Donc : Je m'en rapporte aux exemples ci-dessus; ils me fournissent des arguments pour contredire le bramin même.

10. *Organe :* organisme, corps, cf. « organisé » (v. 71).

11. *Sa fin :* ce pour quoi l'être a été créé.

Page 254

VIII. LE FOU QUI VEND LA SAGESSE

1. Source : Abstemius, fable 185, *Le fou qui vend la sagesse.* Un fou parcourait les rues d'une ville en disant qu'il avait de la sagesse à vendre. Quelqu'un lui donna de l'argent en lui demandant la sagesse. Il lui donna un coup de poing et un long fil en lui disant : « Tu seras sage si tu t'éloignes des déments et des fous furieux de la longueur de ce fil. » — La fable montre qu'il ne faut avoir aucun commerce avec les insensés.

2. *Quelque trait :* quelque attaque satirique.

Page 255

IX. L'HUITRE ET LES PLAIDEURS

1. Source : La fable avait été entendue par le père de Boileau; elle venait d'une ancienne comédie italienne (témoignage de

Brossette). Boileau, partisan de la brièveté ésopique, et qui paraît avoir déjà voulu rivaliser avec La Fontaine à propos de la fable ésopique *Le Vieillard et la Mort* (cf. note des fables I, XV et XVI) a composé sur ce sujet une fable très sèche. (1ere épître dans l'édition de 1669. — 2e épître à partir de 1672.) Dans l'intention sans doute de montrer la supériorité de la fable « égayée », La Fontaine a repris le sujet pour en tirer cette petite comédie devant laquelle l'apologue de Boileau paraît d'une affligeante pauvreté.

La Fontaine l'avait envoyée à Maucroix avec ces mots : « Mets cette fable dans ton recueil et fais-en ton profit... J'ai trois autres fables sur le chantier. J'ai refait *Le gland et la citrouille.* De La Fontaine. » (*O. D.*, 587.)

2. « *Amasser* signifie aussi lever de terre ce qui y était tombé. » (Fur.)

3. *Gobeur* : création de La Fontaine probablement.

4. Perrin Dandin était un juge, bénévole, chez Rabelais; juge de métier dans *Les Plaideurs* de Racine.

5. Le juge est nécessairement le gagnant de tous les procès : il emporte l'enjeu ne laissant aux joueurs que les quilles et leur sac. — Un jeu de mots en plus sur sac : des sacs en toile servaient à contenir les pièces des procès.

Page 256

X. LE LOUP ET LE CHIEN MAIGRE

1. Source : Ésope, *Le chien endormi et le loup.*

2. La Fontaine renvoie à sa fable *Le Petit Poisson et le Pêcheur*, V, III.

3. « On dit mettre de l'argent *à la grosse aventure* pour dire le mettre à profit [à rapporter] sur le négoce de mer et sur la quille du vaisseau où on risque le naufrage, et la prise des corsaires. » (Fur.)

4. « *Jà,* vieux mot au lieu duquel on se sert de *maintenant* ou de *déjà.* » (Fur.)

5. *Expédier en forme :* langage du Palais, régler les affaires selon toutes les règles de la procédure.

Page 257

XI. RIEN DE TROP

1. Source : Abstemius, fable 187, *Les moutons qui tondaient les moissons de façon immodérée.* — Un paysan se plaignait de ce que les moutons dévastaient toute sa moisson. Jupiter leur prescrivit de paître avec modération. Comme ils n'obéissaient

pas à ses prescriptions, il fut enjoint au loup de punir les moutons avec mesure. Mais comme le berger se plaignait que tout le troupeau de moutons avait été tué par le loup, Jupiter en colère ordonna au chasseur de tuer le loup. Ce dont il s'acquitta activement. — La fable montre qu'aucun manque de mesure ne dure longtemps.

Rien de trop, *Ne quid nimis,* μηδὲν ἄγαν : c'était la formule de la sagesse, inscrite au fronton du temple de Delphes.

2. « Tempérament : modération, adoucissement. » (Rich.) — La Fontaine reprend la sagesse d'Horace : « *Est modus in rebus.* » (*Satire,* I, 106.)

3. Ce blé a poussé tout en herbe, au détriment du grain (« ôte à son fruit l'aliment »). C'est dans ce cas que Virgile conseille de faire brouter par des moutons les jeunes blés (*Géorgiques,* I, 111). Précepte dont La Fontaine s'est sans doute souvenu en écrivant son vers 14.

4. *Luxe :* exprime l'idée du latin *luxuries,* le mot luxuriance n'existant pas au XVIIe siècle.

Page 258

XII. LE CIERGE

1. Source : Abstemius, fable 54, *La cire qui cherchait à durcir.* La cire se plaignait d'être molle et faite de telle sorte que le coup le plus léger la pénétrait. Elle voyait que les briques, faites d'une argile beaucoup plus molle qu'elle, parvenaient grâce à la chaleur du feu à une dureté qui leur permettait de durer plusieurs siècles. Elle se jeta donc dans le feu, pour acquérir la même dureté. Mais elle fondit aussitôt et se consuma. — Nous sommes avertis par cette fable de ne pas rechercher ce qui nous est refusé par la nature.

2. Les anciens estimaient que les abeilles possédaient une part de l'intelligence divine (Virgile, *Géorgiques,* IV, 219-221).

Page 259

XIII. JUPITER ET LE PASSAGER

1. Source : Ésope, *Le trompeur.*

2. Passé le péril, on se moque du saint. (Proverbe italien.)

3. Le talent a beaucoup varié selon les lieux. Le talent attique pesait 31 livres. Il s'agirait donc de 1500 kg d'or, en tout cas d'une somme fabuleuse.

Page 260

XIV. LE CHAT ET LE RENARD

1. Source : Soit Camerarius, fable 239, soit Jacques Régnier, *Apologi Phaedrii,* I, 28, soit G. Cousin, p. 97.

Cousin : « Un jour le renard, s'entretenant avec le chat, se vantait de posséder des stratagèmes variés, au point qu'il avait un bissac tout plein de ruses. Le chat au contraire répondait qu'il en avait une, ni plus ni moins, mais à laquelle il se fiait en cas de danger. Pendant qu'ils causaient, on entend le tumulte d'une meute qui accourt. Le chat bondit sur un arbre très élevé, tandis que le renard cerné par la bande des chiens est pris. » (Trad. Radouant.)

2. « Molière a enrichi la langue de ce mot par une excellente comédie à qui il a donné ce nom. » (Fur.)

3. Ce superlatif de Patelin semble créé par La Fontaine.

4. « On appelle un hypocrite, un traître, patte-pelue, qui fait comme le loup qui montrait une patte de brebis pour tromper l'agneau. » (Fur.)

5. La meute (v. 20) est composée de chiens courants. Brifaut est sans doute la « clef de meute ». Une fois le renard enterré, la meute devenue impuissante, on l'enfume (v. 30) ou bien on fait appel aux bassets. Les bassets « ou chiens de terre entrent dans les tanières des renards... Ils attaquent tout ce qui s'enterre, comme blaireaux, renards... » (Fur.)

Page 261

XV. LE MARI, LA FEMME, ET LE VOLEUR

1. Source : Soit Pilpay, *Livre des lumières,* pp. 259-260, soit Camerarius, *Le vieillard et sa jeune femme,* fable 387. — Pilpay : « D'un marchand, de sa femme et d'un voleur. Un marchand riche, mais laid et fort désagréable de sa personne, avait une femme belle et vertueuse. Il l'aimait passionnément et elle, au contraire, le haïssait de manière que ne pouvant le souffrir elle faisait lit à part. Une nuit il entra un voleur dans leur chambre. Le mari était endormi, mais la femme qui ne l'était pas, apercevant le voleur, fut saisie d'une telle crainte qu'elle courut embrasser son mari. Il se réveilla et fut si transporté de joie de voir ce qu'il aimait dans ses bras qu'il s'écria : « Miséricorde ! A qui dois-je un bonheur si rare ? J'en voudrais bien savoir l'auteur pour le remercier. » A peine eut-il prononcé ces mots qu'il vit le voleur. « Oh, que tu sois le bienvenu, dit-il ! Prends tout ce qui te plaira : je ne saurais assez te payer le bon service que tu viens de me rendre. »

2. Le mari usait des droits du mariage (« jouissant »); mais s'il avait de surcroît reçu quelque marque d'amour, il aurait été heureux comme les dieux. — Le participe *déifiant* a la valeur d'un conditionnel.

3. « Faire sa main : se dit de celui qui pille quand il en a l'occasion. » (Acad.)

4. Les extravagances qu'inspirèrent l'amour au comte de Villa Mediana ont été souvent contées au XVIIe siècle, par Tallemant des Réaux notamment *(Historiette de Villa Mediana)* : le comte faisait jouer une pièce de sa composition, dans sa maison. La reine y tenait un rôle : « Par une galanterie bien espagnole, il fit mettre le feu à la machine où était la reine afin de pouvoir l'embrasser impunément. En la sauvant, comme il la tenait dans ses bras, il lui déclara sa passion et l'invention qu'il avait trouvée pour cela. » — Par jalousie, le roi fit tuer Villa Mediana (1621).

Page 262

XVI. LE TRÉSOR ET LES DEUX HOMMES

1. Source : Guéroult, *Premier livre des emblèmes,* pp. 14-17, ou G. Cousin, pp. 97-98. — Cousin : Du Pauvre et du Riche. Un pauvre ne pouvant supporter la pauvreté et prenant la vie en haine, songeait à se pendre. Par hasard, il trouva à l'endroit même un trésor qu'un autre y avait caché. Il laissa là sa corde, convaincu qu'il allait jouir d'une longue vie dans un bonheur sans mélange. Celui, au contraire, qui avait caché là son or y étant venu, s'aperçut qu'on le lui avait pris et voyant une corde à la place du trésor, dans l'excès de son chagrin, il s'étrangla.

2. L'expression peut venir d'un conte de Saint-Gelais : un charlatan promet qu'il fera voir le diable. Il présente aux curieux une bourse vide.

« Et c'est, dit-il, le diable, oyez-vous bien ?
Ouvrir sa bourse et ne voir rien dedans. »

3. *Qui ne duit pas :* qui ne convient pas. « Il est bas. » (Acad.)

4. *Goûter le trépas :* L'expression vient de l'Évangile selon saint Jean (VIII, 52). Elle devait avoir passé de là dans les traités de la bonne mort, les « Faut mourir », si nombreux au XVIIe siècle.

5. « Licou, ou licol, se dit aussi de la corde qui sert à étrangler les pendus. » (Fur.)

Page 263

XVII. LE SINGE ET LE CHAT

1. Sources : Il paraît impossible de décider entre : *Les jours caniculaires* de S. Maioli (traduit par F. de Rosset, Paris, 1610, t. I, p. 325). — Noël du Fail, *Contes d'Eutrapel,* n° 7, *D'un singe et d'un petit chat.* — J. Régnier, *Apologi Phaedrii,* 1643, II, 28. — Dans les trois auteurs, le singe s'empare de la patte du chat,

dont il se sert, de force, pour retirer les marrons du feu. Chez La Fontaine, le singe use de persuasion : le moraliste sait bien qu'en faisant appel à la vanité on fait agir les gens tout aussi bien que par la contrainte.

2. « *Commensal :* c'est une épithète qui se donne aux officiers du roi qui ont bouche [qui sont nourris] à la Cour. » (Fur.)

3. « On dit ironiquement quand on voit deux ou trois personnes ensemble de même génie et qui ne valent pas grand-chose, *voilà un bon plat.* » (Acad.)

4. *Y craignaient :* Y représente l'idée de méfait contenue dans malfaisant : Pour ce qui est de mal faire, ils ne craignaient aucun rival.

Page 264

XVIII. LE MILAN ET LE ROSSIGNOL

1. Source : Ésope, *Le rossignol et l'épervier.*

2. « Main en termes de fauconnerie se dit proprement du faucon... pour les autours, les éperviers, mouchets et piesgrièches on dit le pied et non pas la main. » (Fur.)

3. Le roi de Thrace, Térée, s'était pris de passion (« son envie ») pour sa belle-sœur Philomèle. Il l'outragea, lui coupa la langue. Progné, sœur de Philomèle, la délivra et la vengea en donnant à manger à Térée leur propre fils Itys. Ils furent métamorphosés : Progné en hirondelle, Térée en huppe, Philomèle en rossignol (cf. Ovide, *Métamorphoses,* VI, et La Fontaine, III, xv).

Page 265

XIX. LE BERGER ET SON TROUPEAU

1. Source : Abstemius, fable 127, *Le berger qui exhortait son troupeau à résister au loup.* Un berger possesseur d'un grand troupeau de chèvres et de moutons voyait son troupeau servir chaque jour de pâture au loup et diminuer. Réunissant moutons et chèvres, il les exhorte par un long discours à ne pas craindre le loup : ils étaient plus nombreux et de plus armés de cornes, que le loup ne possédait pas. Il fallait que tous ensemble, s'aidant mutuellement, ils se défendissent de ses attaques et de sa férocité. Il garantissait que lui-même ne les abandonnerait pas. Les animaux, rendus courageux par ce discours, promettent et jurent de ne pas céder devant le loup. Mais comme peu après l'on annonçait la venue du loup, ils furent pris d'une telle terreur qu'aucune parole du berger ne put les empêcher de fuir. Et le berger de se dire : « Impossible de changer la nature. » —

La fable signifie que des lâches et des couards sont terrorisés non seulement par la vue de l'ennemi, mais même par sa seule réputation et qu'aucun discours de chef ne saurait leur donner du courage. »

2. « *Imbécile :* faible, sans vigueur. »(Fur.)

3. *Robin :* le nom vient de Rabelais (IV, 6).

4. *Un terme :* une borne au coin d'un champ qui en Italie représentait le dieu Terme.

5. « Encombre : vieux mot et hors d'usage : obstacle, empêchement, embarras. » (Fur.)

6. « Rage : effort qu'on fait pour servir quelqu'un en s'y employant avec chaleur. » (Rich.)

Page 266

DISCOURS A MADAME DE LA SABLIÈRE

1. Source : Des sources partielles multiples ont été relevées dans l'édition de ce *Discours* procurée par Busson et Gohin (1938 et 1950) : les idées exprimées par La Fontaine l'étaient déjà à bien des endroits et ses exemples et arguments étaient traditionnels. Mais la source véritable, le texte où le plus grand nombre d'arguments se trouvent réunis et utilisés dans l'esprit qui est le sien, a été découverte et étudiée avec beaucoup de méthode par R. Jasinski, *Sur la philosophie de La Fontaine* dans la *Revue d'histoire de la philosophie et d'histoire générale de la civilisation* (1935-1936). C'est cet article-là qui a véritablement éclairé le *Discours à Madame de la Sablière* et qui fournit l'essentiel de son commentaire.

« Discours... il se dit tant des discours oratoires que des entretiens familiers. » (Fur.) Ici : entretien familier, mais raisonné.

Mme de la Sablière, femme d'un ancien ami de La Fontaine, le « grand madrigalier » La Sablière, séparée de lui, a donné à La Fontaine l'hospitalité depuis 1673, semble-t-il, jusqu'à une date mal déterminée (1686, dit Roche). Elle tenait un salon où l'on était curieux de toutes les nouveautés. Il est hors de doute que La Fontaine a dû beaucoup à la fréquentation de ce salon. A Mme de la Sablière, La Fontaine a adressé un autre *Discours* encore, lu lors de sa réception à l'Académie (*O.D.*, pp. 644-646). Le premier Discours, paru dans le livre IX des *Fables,* traitant de l'âme des bêtes, expose aussi par comparaison les idées du poète quant à l'âme humaine. Le second est un portrait du poète par lui-même, l'aveu de son inconstance, de son inquiétude, de son manque de sagesse. Deux œuvres majeures, méditées et confiantes à la fois, sont le splendide remerciement du poète pour celle à qui il avait voué un peu plus que de l'amitié. — Sur Mme de la Sablière, voir P. Clarac, *La Fontaine,* pp. 112-114, et, si l'on est curieux de précisions biographiques, Menjot d'Elbène, *Mme de la Sablière,* in-8°, Paris, 1923, et L. Petit, *Mme de la Sablière et François Bernier* (*Mercure de France,* 1er avril 1950).

2. Nous poètes, membres du « peuple rimeur ». Cf. déjà v. 2 : « notre encens. »

3. *Récompensent :* d'autres sujets de conversation compensent l'absence de louange.

4. *Jusque-là que :* au point que.

5. Mme de la Sablière n'avait pas que des amis. On lui avait fait une réputation de femme savante. La *Satire X* de Boileau l'attaquait (v. 426). Elle n'a été publiée qu'après sa mort (1694). Mais l'hostilité de Boileau avait pu se manifester, de vive voix, et d'autres aussi avaient pu railler Mme de la Sablière.

6. La « bagatelle », opposée à la science et aux « chimères » (les spéculations philosophiques ou métaphysiques), désigne la littérature et sans doute plus précisément la poésie.

7. Cette philosophie « nouvelle » (par rapport à l'aristotélisme), subtile, séduisante [« engageante »] est le cartésianisme (cf. v. 53 sqq). La Fontaine expose (v. 29-68) puis critique une des théories cartésiennes, celle des animaux-machines (cf. v. 30).

8. *Ils :* les tenants de la « philosophie nouvelle ».

9. Le choix est le résultat du libre arbitre. Les bêtes n'ont pas le libre arbitre : elles sont soumises à la mécanique du déterminisme, aux « ressorts »; elles ne sont que matière (v. 31).

10. Un ensemble de rouages (« maintes roues ») produit les mêmes effets que toute l'intelligence imaginable (« tout l'esprit du monde »).

11. Objet a son sens philosophique : ce qui frappe les sens et produira « l'impression » (v. 44).

12. La suite des idées dans les vers 29-53 et le sens de « selon nous » me paraissent avoir été souvent mal compris parce qu'on ne s'est pas avisé que *trois* interlocuteurs intervenaient : les cartésiens, La Fontaine et Iris. (Je rejette ainsi l'explication de Régnier et celle de Busson et Gohin.) Je comprends et je ponctue (La Fontaine n'utilisait ni les guillemets, ni le tiret) de la façon suivante :

1° vers 29-38. Sous forme de discours indirect, les cartésiens exposent la théorie des animaux-machines :

[Les cartésiens] « *disent donc :*
Que la bête est une machine...
... elle sonne à la fin. »

Ce discours indirect glisse au reste, comme il arrive souvent chez La Fontaine, au discours direct : le *que* disparaît.

2° La Fontaine, craignant que le lecteur n'ait oublié qui tenait ces propos, rappelle que ce sont les cartésiens :

V. 39 : « *Au dire de ces gens* [les cartésiens], *la bête est toute telle.* » [Totalement semblable à la montre.]

3° V. 40-44. Les cartésiens reprennent la parole, en discours direct, pour préciser leur explication du mécanisme de la sensation chez la bête :

« *L'objet* [disent-ils] *la frappe en un endroit ;*
Ce lieu frappé s'en va tout droit,
Selon nous [cartésiens], *au voisin en porter la nouvelle.*
Le sens de proche en proche aussitôt la reçoit.
L'impression se fait. »

4° Le dialogue se poursuit entre Iris et La Fontaine, qui répond en se faisant provisoirement le porte-parole des cartésiens :

Iris : « *Mais comment se fait-elle ?*
La Fontaine : — *Selon eux* [cartésiens], *par nécessité ;*
Sans passion, sans volonté :
L'animal se sent agité
De mouvements que le vulgaire appelle
Tristesse, joie, amour, plaisir, douleur cruelle,
Ou quelque autre de ces états.
Mais ce n'est point cela ; ne vous y trompez pas.

Iris : — *Qu'est-ce donc ?* — La Fontaine : *Une montre.* — Iris : *Et nous ?* — La Fontaine : *C'est autre chose. Voici de la façon que...* »

On pourra objecter que cette interprétation oblige à modifier la ponctuation de La Fontaine. « *L'impression se fait, mais comment se fait-elle ?* » devient : « *l'impression se fait. — Mais comment...* » — Je pourrais me retrancher derrière Régnier ou Radouant, amenés à couper comme je le fais. Citons plutôt La Fontaine (*Le Loup et le Chasseur,* VIII, XXVII, v. 9) comme exemple des habitudes de ponctuation du XVIIe siècle et encore du XVIIIe.

Jouis : Je le feray. Mais quand donc ? dès demain.

Il faut, selon les usages modernes, ponctuer ainsi :

Jouis. — Je le ferai. — Mais quand donc ? — Dès demain.

13. *Nécessité :* qui se fait par causes nécessaires. — Nécessairement opposé à librement : « les hommes agissent librement et les bêtes nécessairement. » (Fur.)

Par nécessité reprend sans choix (v. 31) et l'idée de mécanisme.

14. *Sans passion :* « Passion, les diverses agitations de l'âme. » (Fur.) L'animal est agité de « mouvements » (v. 48) purement matériels dans lesquels l'âme n'intervient pas; puisqu'ils n'en possèdent pas. C'est par un anthropomorphisme vulgaire que l'on voit passion (« tristesse », etc.) là où il n'y a que « mouvement » (action des ressorts).

15. *Voici de la façon que :* voici de quelle façon. Descartes expose cela (la distinction entre homme et bête).

16. Épicure, dont Descartes est le « rival » (v. 138) était traité en dieu par Lucrèce : « *Deus ille fuit, deus...* » (*De Natura rerum,* III, 8.)

17. *Nos gens :* (ne pas comprendre : nos domestiques. Pourquoi, en effet, cette morgue chez La Fontaine ?) — Mais cf. *Préface* des *Fables :* « Lorsque *nos gens* ont travaillé (aux Fables). » *Clymène :* « Nos gens ont du feu. » — *Les Troqueurs :* « Nos gens sont grands troqueurs. » — Nos = *nostri* en latin : nos compatriotes. — Ici sens assez différent. Je comprends : nos gens = nos semblables, les autres hommes. « Entre l'homme et l'esprit » existe le génie (Descartes). Entre l'animal le plus fruste, l'huître, et l'homme se placent des variétés de l'homme, intellectuellement inférieures; comparables aux animaux, peut-être inférieures à certains animaux (cf. v. 111-113).

La réflexion sur l'huître et l'homme peut venir de Bernier (*Abrégé,* VI, 7) qui compare l'imagination de l'huître et celle du singe.

18. *Sur :* le don de penser... qui me rend supérieur à tous les animaux.

19. De science certaine.

20. Réfléchir, réflexion ont leur sens philosophique : une pensée capable de revenir sur elle-même, de savoir qu'elle pense (cf. v. 60). — La bête, même si elle pensait (v. 62), ne penserait pas qu'elle reçoit des sensations (« l'objet ») et qu'elle pense (« sa pensée »).

21. *Vous n'êtes point embarrassée :* vous ne voyez pas d'objection à concéder à Descartes que les bêtes n'ont ni la réflexion, ni même la pensée simple. **L'articulation centrale du Discours est là. Comme séduit par la logique prenante cartésienne** (« philosophie engageante », v. 27) **La Fontaine a accepté la théorie des animaux-machines.**

« *Cependant...* » **l'acceptation n'est que provisoire :** La Fontaine quitte maintenant le plan des belles constructions dogmatiques, pour se transporter sur celui des faits et de l'observation. À l'aide d'exemples (le cerf, la perdrix, les castors, les boubacks, les deux rats), **il va saper la théorie cartésienne. Puis il lui substituera, pour conclure, la théorie de Gassendi** (v. 199-237).

22. *La voie :* l'endroit où le gibier a passé, se dit particulièrement du cerf; pour toutes les autres bêtes on dit piste. (Fur.)

23. *Vieux Cerf :* « A la sixième année on l'appelle *cerf de dix cors jeunement ;* la septième *cerf de dix cors ;* la huitième, on l'appelle *grand cerf ;* la neuvième, *grand vieux cerf ;* après lequel temps sa tête n'augmente plus. » (Fur.)

24. *Suppose :* met à sa place. Qu'un cerf traqué dans une chasse à courre essaie d'égarer la meute sur la piste d'un autre, le fait était bien connu des veneurs. Cf. Furetière, au mot change : « Un vieux cerf donne le change et laisse son écuyer à sa place. » (« Écuyer de cerf : un jeune cerf en compagnie d'un vieil. »)

25. « *Change* en terme de vénerie se dit quand des chiens qui poursuivaient un cerf ou quelque gibier le quittent pour courir après un autre. » (Fur.)

26. *Plume :* plumage.

27. « Si l'oiseleur va droit au nid de la perdrix, elle se présentera à lui et contrefera l'arrénée [esréné : qui a les reins brisés] et boiteuse et se lançant comme pour faire grand vol, se laissera tout à coup tomber, comme si elle n'en pouvait plus, afin que le chasseur, s'amusant après elle et croyant qu'il la pourra aisément prendre, soit diverti de rencontrer ses petits hors du nid; puis, comme il l'a quelque temps suivie, et qu'il cuide l'attraper, elle prend l'air et s'échappe. » Saint François de Sales, *Traité de l'amour de Dieu,* VIII, 12 (cité par A. Chérel, *R.H.L.*, 1912, p. 899).

28. *Piller :* l'acte du chien qui se jette sur le gibier.

29. *Non loin du Nord :* (du pôle Nord). Il s'agit du Canada. Un long passage est consacré aux castors, à leur « industrie » par N. Denys, *Description géographique et historique des côtes de l'Amérique septentrionale,* 1672, et par le *Journal des Savants,* 1674, pp. 82-83. (Voir édition du *Discours à Madame de La Sablière*, par Busson et Gohin, pp. 101-105.) Bernier a également parlé des castors dans son *Abrégé de la philosophie de Gassendi.* (Cf. article de R. Jasinski cité ci-dessous, n. 62.)

30. « *Maître des œuvres :* un architecte ou officier préposé pour avoir inspection sur les bâtiments de la ville. » (Fur.)

31. « On dit qu'un homme en mène un autre le bâton haut... pour dire qu'il lui commande avec autorité et vigueur ou qu'il lui fait faire quelque chose par force. » (Fur.)

32. Platon avait établi dans *La République* le projet d'un état communautaire idéal où chacun se dévouait à la collectivité. — Même cette cité idéale aurait encore des leçons à recevoir (« apprentie ») de la cité amphibie des castors.

33. *Nos pareils :* les sauvages. (Cf. nos gens, v. 57.)

34. Sobieski, élu roi de Pologne en 1674, ne paraît pas avoir résidé à Paris passé 1646-1647. Il n'a pu rencontrer La Fontaine chez Mme de la Sablière (elle avait 16 ans) comme on l'a dit. La Fontaine l'avait-il vu dans quelque libre compagnie où fréquentaient de jeunes officiers ? Mais Sobieski avait épousé une Française. Peut-on supposer qu'un commerce de lettres s'était établi entre la reine de Pologne, soucieuse de garder le contact avec la vie intellectuelle française, et quelqu'un de l'entourage de La Fontaine, Mme de la Sablière peut-être ? On a signalé aussi que Chaulieu avait fait partie de la suite du marquis de Béthune, envoyé par Louis XIV pour féliciter Sobieski de son accession au trône de Pologne (1674). A son retour Chaulieu s'était lié avec La Fare chez Mme de la Sablière (Adam, *Littérature française,* IV, 62 n.)

35. *Son nom seul est un mur à l'empire Ottoman :* son renom suffit à contenir la poussée des Turcs. Sobieski a déjà repoussé les Turcs en 1673; il allait le faire de nouveau en les obligeant à lever le siège de Vienne (1683).

36. Un menteur : celui qui dit « des choses flatteuses et des imaginations fabuleuses ». (Fur.)

37. Ces animaux sont les bobaques ou boubacks. La Fontaine connaissait leurs mœurs par les récits du roi Sobieski. Mais déjà un voyageur avait parlé d'eux. G. Le Vasseur, sieur de Beauplan (*Description d'Ukraine,* Rouen, 1560, Paris, 1561), montrait les bobaques faisant leurs provisions, plaçant des sentinelles pendant qu'ils paissent, faisant coucher l'un des leurs sur le dos pour s'en servir comme d'un chariot. (Cf. *Les Deux Rats, le Renard, et l'Œuf.*) — Les récits de Sobieski étaient parvenus aussi à Furetière, par l'intermédiaire d'un ami : « Un de mes amis a ouï conter plusieurs fois au roi de Pologne qu'il y a sur les confins de ses États, vers la Moscovie, un petit espace de terre d'environ sept lieues, où il y a des animaux appelés boubaks, qui, quoique d'un même genre, sont de deux espèces, les uns de la couleur et de la grandeur des blaireaux, et les autres de celle des renards. Ils ont une antipathie invincible les uns pour les autres, de sorte qu'ils se font une guerre continuelle et à la manière même des hommes. Ils ont des sentinelles avancées; ils donnent des combats, et ils font des prisonniers qu'ils traitent en véritables captifs. Ils les font coucher sur le dos, les pattes en haut, et en cette situation qui ressemble à une espèce de traîneau, ils les chargent de paille et d'autres provisions dont ils ont besoin. »

38. *Germains :* frères de père et de mère... se dit aussi des cousins. — « On le mettait autrefois substantivement pour dire frère, et on le met quelquefois encore dans la haute poésie. » (Acad.)

39. « *Vedette :* sentinelle à cheval. On met des vedettes avancées pour découvrir l'ennemi. » (Fur.)

40. « Parti, un petit corps de cavalerie ou d'infanterie, commandé pour entrer dans le pays ennemi et y faire des prisonniers. » (Rich.)

41. Descartes est le rival d'Épicure à un double titre : en prestige, mais surtout comme créateur d'un système philosophique auquel s'oppose cet épicurisme rénové qu'est le gassendisme.

42. *Ces exemples-ci :* les exemples ci-dessus (cerf, perdrix, castors, boubacks). — Ces exemples ont établi que les animaux disposaient de « bon sens » et d'« expérience » (v. 135), donc de la mémoire.

La Fontaine s'était déjà fait l'interprète de Descartes pour donner de la perception chez les animaux une explication conforme à la théorie des animaux-machines (v. 40 sqq). Il va expliquer que pour la mémoire, il en est de même. « Aux bêtes » (chez les...) les ressorts à eux seuls (« les seuls ressorts ») expliquent la mémoire. La mémoire est « corporelle ». Son existence n'implique pas l'existence de la pensée. L'objection que l'existence de la mémoire chez les animaux pouvait constituer à la théorie des animaux-machines est détruite.

43. *Événement :* résultat. Le mécanisme de la mémoire est le suivant : dans le « magasin » de la mémoire (« son »), les « images » des objets sont tracées. Le retour de l'objet (« l'objet, lorsqu'il revient ») provoque le retour de l'image (v. 147-148) et avec l'image reviennent aussi les réactions jadis provoquées par l'objet, ces réactions toutes mécaniques qu'une vue superficielle et non cartésienne croirait être « sentiment... âme » (v. 32), « passion... volonté » (v. 46), « tristesse, joie, amour, plaisir, douleur cruelle » (v. 49), « pensée » (v. 150). — Avec cet automatisme des réactions animales, La Fontaine décrit quelque chose qui ressemble fort aux réflexes conditionnés.

44. Opposition très forte marquée par l'asyndète : « Nous, hommes, par contre... »

45. Ce n'est ni une réaction mécanique provoquée de l'extérieur par quelque objet, ni une force interne inconsciente (« l'instinct ») qui nous fait agir (« nous détermine »), mais la volonté, consciente d'elle-même.

46. *Agent :* faculté d'agir.

47. *Ma machine :* la machine que je suis.

48. Les vers 158-159 reproduisent exactement Descartes : « ...l'âme est entièrement distincte du corps et même qu'elle est plus aisée à connaître que lui. » (*Discours de la méthode,* IV.)

49. Le « principe intelligent » décide souverainement (« arbitre suprême ») de toutes les manifestations corporelles et spirituelles.

50. *Entend :* ne pas donner ici à entendre le sens de comprendre, mais un sens proche de obéir. Cf. Richelet : « entendre, consentir ». Comment le passage de la volonté à l'exécution par le corps se fait-il ? — Là est la difficulté « Point : l'endroit où consiste la difficulté. » (Fur.) — Le problème de l'action de l'âme sur le corps est examiné, et finalement déclaré humainement insoluble dans les vers 162-171.

51. L'idée que les anges, entre autres fonctions, dirigent la marche des astres est ancienne (saint Jean Chrysostome; voir Vacant-Mangenot, *Dictionnaire de Théologie catholique, Ange,* p. 1214.) Au XVIIe siècle, elle est exprimée par le Père Yves de Paris : « Les Anges qui roulent et font aller comme ils veulent les sphères célestes. » (Bremond, *Humanisme dévot,* p. 484.)

52. L'homme est pour une part « ressorts » comme les bêtes; mais en plus « esprit ».

53. *L'impression se fait :* reprise du vers 44. « Impression : qualité qu'une chose communique à une autre quand elle agit sur elle. » (Rich.) — « L'impression se fait » a donc pour sens à peu près celui-ci : le résultat se produit. Le résultat est l'action de la matière sur l'esprit dans la perception (v. 44); l'action de l'esprit sur le corps produisant les « mouvements » (v. 167).

54. « *Nous sommes tous égaux :* aucun système, selon La Fontaine, ne rend compte de l'action de l'esprit. Descartes, vivant, l'ignorait. Il a fallu qu'il meure et soit transporté au sein de la Divinité pour le savoir.

55. « Temple : se dit figurément des corps humains. Les Chrétiens sont les temples vivants du Saint-Esprit, dit saint Paul. » (Fur.)

56. La Fontaine exprime ici rapidement une idée traditionnelle : « L'âme végétative est dans les plantes, la sensitive dans les bêtes, et l'âme raisonnable et spirituelle est dans les hommes. » (Fur. au mot âme.) — Le « point », la caractéristique, de l'animal est de posséder âme végétative et âme sensitive.

57. La source de cette historiette ? Le voyageur Beauplan et Sobieski contaient tous deux comment les bobaques utilisaient le corps de l'un des leurs comme chariot (cf. n. 37). — Le même procédé était attribué aux castors par G. Sagard, *Le Grand Voyage au pays des Hurons,* 1632, p. 319, et par Charles Spon

aux marmottes (Busson, *Revue d'Alger,* 1944, n° 5, p. 77). La Fontaine n'a plus eu qu'à broder en faisant intervenir ses héros familiers, un renard, des rats.

58. *Invention :* Cette invention particulière de deux rats qui veulent se tirer d'une difficulté imprévue établit que l'animal peut être doué de la faculté d'invention. La Fontaine avait plus ou moins admis que la théorie des animaux-machines expliquait la perception chez les animaux, donc des « mouvements » qui ressemblent à la tristesse, la joie, etc. (v. 49), et de même la mémoire et par conséquent des comportements habituels (art de la guerre, art de construire (v. 127; v. 97) que l'on pourrait croire effets de l'intelligence. **Mais il gardait en réserve contre la théorie des animaux-machines une arme secrète : elle est incapable d'expliquer l'invention.** — Sur le terrain ainsi déblayé, La Fontaine va pouvoir exposer ses idées qui accordent à l'animal de l'esprit. Ses idées sont celles de Gassendi, vulgarisées par un familier de Mme de la Sablière, le voyageur Bernier, dans son *Abrégé de la philosophie de Gassendi* (1ere édition en un volume, 1674; une édition en 8 volumes, 1678, puis 1682). Pour le commentaire de cet exposé gassendiste, voir R. Jasinski, *Sur la philosophie de La Fontaine dans les livres VII à XII des Fables,* p. 327 et suiv. (in *Revue d'Histoire de la Philosophie,* 15 décembre 1933).

59. « *Écornifler :* aller dîner chez autrui sans y être invité. » (Fur.)

60. L'enfant pense avant de réfléchir.

61. Notre manière à nous, hommes adultes.

62. *Subtiliser :* au sens propre et technique de la distillation. « L'esprit-de-vin se *subtilise* à force d'être rectifié ou distillé plusieurs fois. » (Fur.) — « *Quintessence :* ce qu'il y a de plus exquis, de plus subtil et de plus pur dans les corps naturels, extrait par l'art de chimie. » (Fur.) — V. 206-213 : Tout cela vient de Bernier, *Abrégé de la philosophie de Gassendi :* « Que l'âme [commune aux bêtes et aux hommes] semble plutôt être quelque substance très ténue, comme qui dirait la fleur de la matière... » — « Que cette substance semble être une contexture de corpuscules très subtils et très mobiles ou actifs semblables à ceux qui font le feu et la chaleur. » — « L'âme semble par conséquent être une espèce de feu très ténu ou une espèce de petite flamme. » — « Dites-moi, de bonne foi, qui est-ce qui en considérant un tronc de bois mort et sec, noir et informe, ait jamais cru avant que d'avoir vu du feu qu'il y eût de la proportion entre ce bois et cette flamme. » (Cf. « si le bois fait la flamme ».)

63. Gassendi admet la transmutation des métaux. (Cf. Jasinski, p. 329.)

64. Le singe est capable d'un jugement sommaire mais non de cette forme complexe de pensée qu'est « l'argument ». « Argument : un raisonnement qu'on fait en posant certains principes dont on tire des conséquences. Les Logiciens divisent leurs arguments en syllogismes, enthytèmes, inductions, etc. » (Fur.) — L'idée vient aussi de Gassendi.

65. Les hommes possèdent deux âmes : une âme commune à tous les « animaux » (« Les philosophes comprennent l'homme sous le genre animal » (Fur.) : bêtes, hommes diversement doués, « sages, fous, enfants, idiots ». Elle est mortelle), une âme commune aux anges et aux hommes (elle a un commencement, mais est immortelle (v. 229). Elle n'occupe pas d'espace (v. 228 : point est pris au sens géométrique). Elle se développe à mesure que l'organisme humain (v. 234) passe de l'enfance à la perfection.)

Ces idées aussi viennent de Gassendi : l'*Abrégé* de Bernier soulignait leur conformité avec la théologie et avec l'aristotélisme. — « L'âme humaine composée de deux parties, dont l'une est raisonnable, l'autre irraisonnable. — L'âme humaine que l'on peut croire avec beaucoup de vraisemblance être comme composée de *deux parties,* l'une incorporelle qui soit particulière aux hommes, et l'autre corporelle qui leur soit *commune avec les bêtes.* » — « L'homme, en tant qu'il vit ou qu'il est animé, est par une sienne partie *fort peu au-dessous des anges et subsistant après le trépas.* » — [L'homme est dit] « selon la première vivre une *vie intellectuelle et angélique,* et selon la dernière une vie animale et pareille à celle des bêtes ».

LIVRE DIXIÈME

Page 275

I. L'HOMME ET LA COULEUVRE

1. Source : Pilpay, *Livre des lumières,* pp. 204-209. Analyse : Un homme a sauvé d'un feu de broussailles une couleuvre en lui jetant un sac dans lequel elle est entrée. La couleuvre a voulu tuer son sauveur. L'homme l'accuse d'ingratitude. Elle proteste. On demande son avis à la vache. « Comment faut-il reconnaître un bienfait ? — Par son contraire, répondit la vache, selon la loi des hommes, et je sais cela par expérience. J'appartiens, ajouta-t-elle, à un homme qui tire de moi mille profits. Je lui donne tous les ans un veau, je fournis sa maison de lait, de beurre et de fromage, et à présent que je suis vieille et que je ne suis plus en état de lui faire du bien, il m'a mise dans ce pré pour m'engraisser, dans le dessein de me faire couper la gorge par un boucher à qui il m'a déjà vendue. » L'homme

récuse le témoignage de la vache. L'arbre est amené à se prononcer. « Parmi les hommes, les bienfaits ne sont récompensés que par les maux et je suis un triste exemple de leur ingratitude. Je garantis les passants de l'ardeur du soleil. Oubliant toutefois bientôt le plaisir que leur a fait mon ombrage, ils coupent mes branches, en font des bâtons et des manches de cognée et, par une horrible barbarie, ils scient mon tronc pour en faire des ais. N'est-ce pas là reconnaître un bienfait reçu ? » L'homme demande un troisième juge. Un renard qui passe s'étonne que la couleuvre ait pu tenir dans un si petit sac. La couleuvre accepte d'entrer de nouveau dans le sac. L'homme alors, sur le conseil du renard, « lia le sac et le frappa tant de fois contre une pierre qu'il assomma la couleuvre. »

2. Sens religieux : les œuvres pies et méritoires.

3. « Se rapporter : déférer au jugement de quelqu'un, en convenir... On dit aussi absolument : S'il est vrai, je m'en rapporte. » (Fur.)

4. Les fruits de le terre sont donnés libéralement à l'homme par Cérès, la déesse de l'agriculture, mais chèrement payés par les animaux qui peinent.

5. « Loyer... salaire : ce qui est dû à un serviteur, à un ouvrier pour ses services, son travail... En ce sens il vieillit. » (Acad.)

6. « Émonder : couper les menues branches d'un arbre, soit pour en ôter le bois nuisible et superflu, soit pour en faire des fagots pour brûler. » (Fur.)

7. *De son tempérament :* grâce à...

Page 277

II. LA TORTUE ET LES DEUX CANARDS

1. Source : Pilpay, *Livre des lumières,* pp. 124-126.

2. « Pèlerin, qui voyage par la campagne... se dit plus ordinairement de ceux qui font des voyages par dévotion. » (Fur.)

3. « Indiscrétion : imprudence, action d'étourdi. » (Fur.)

4. « Parentage : il vieillit et ne s'emploie guère qu'en vers. » (Acad.)

5. « Lignage : parenté issue d'une même souche. » (Fur.)

Page 278

III. LES POISSONS ET LE CORMORAN

1. Source : Pilpay, *Livre des lumières,* pp. 92-95. Son récit comportait une fin morale, par la punition du méchant : une écrevisse, méfiante, se fait elle aussi transporter par le cormoran; mais elle l'étrangle de ses pinces.

2. « Pourvoyeur : Celui qui a soin de pourvoir une maison de vivres. » (Fur.) Les grands seigneurs du XVIIe siècle passaient des marchés avec des pourvoyeurs qui se chargeaient de fournir tous les vivres nécessaires à leur maison. Ils évitaient ainsi les vols de leurs maîtres d'hôtel. (Cf. un de ces « marchés de pourvoierie » dans Magne, *Images de Paris sous Louis XIV*, p. 197 et pp. 164-166.)

3. Furetière et Richelet ne connaissent que la forme émeute : « sédition populaire, alarme ». (Fur.) L'ancien français a les formes esmote, esmuete. Émute serait-il dialectal ?

Page 280

IV. L'ENFOUISSEUR ET SON COMPÈRE

1. Enfouisseur : création de La Fontaine ?

2. Source : Abstemius, fable 169, *L'homme qui avait caché un trésor au su de son compère.* Un personnage fort riche avait enfoui un trésor dans une forêt, sans que personne le sût que son compère, en qui il avait la plus grande confiance. Mais peu de jours après, comme il était allé voir son trésor, il trouva qu'il avait été déterré et enlevé. Il soupçonna la vérité : qu'il avait été enlevé par son compère. Il alla le voir et lui dit : « Compère je voudrais enfouir encore mille pièces d'or à l'endroit où j'ai caché mon trésor. » Le compère, désireux de s'enrichir encore, remit le trésor à sa place. Lorsque le véritable propriétaire, un peu plus tard, l'eut trouvé, il l'emporta chez lui, alla voir son compère et lui dit : « Ami déloyal, ne prends pas inutilement la peine d'aller au trésor. Tu ne le trouveras plus. » — La fable montre qu'il est aisé de tromper un homme avide par l'appât des richesses.

3. *Pinsemaille :* (Fur. : pincemaille) : avare, qui serre même la plus petite des pièces de monnaie, la maille. Le mot vient de Marot.

4. *Objet :* sens philosophique : ce qui tombe sous le sens de la vue, qui est sous les yeux.

5. Fatalement (« il faudra ») le tas d'or diminuera (« s'altère »).

6. Ce vers est prononcé par le poète, qui proteste.

7. *Gage :* ici, dépôt.

Page 281

V. LE LOUP ET LES BERGERS

1. Source : Plutarque (*Le Banquet des Sept Sages,* paragraphe 13) rapporte en quelques lignes les réflexions d'un loup qui voit des bergers mangeant un mouton : « Si moi j'avais fait cela,

quel scandale ! » Thème repris par Camerarius, fable 349. Abstemius a transposé : ses personnages sont un renard et des femmes qui mangent une poule. — Dans Marie de France *(Dou lox qui jura par serement* alias *D'un leus qui devint prodhomme)*, le loup a fait serment de ne pas manger de viande pendant le carême. Il voit un mouton, regrette son serment et déclare : « Je le mangerai comme saumon. » Ce serment d'abstinence et le mot *prodhomme* auraient-ils inspiré La Fontaine ? Connaissait-il cette fable de Marie de France ? N'est-ce pas plutôt une rencontre ?

2. Le roi Edgar avait remplacé au xe siècle le tribut en argent payé par les princes gallois par trois cents têtes de loups. Les loups disparurent donc massacrés.

3. *Tels bans :* des proclamations analogues à celles faites en Angleterre.

4. La rogne : une espèce de gale.

5. Le pourri est une maladie des moutons, analogue à la clavelée. — Archaïque.

6. Thibault est le nom du berger dans la farce de Pathelin.

7. Passera par mes mâchoires.

8. Les hommes de l'âge d'or étaient végétariens. (Cf. Ovide, *Métamorphoses,* I, 103.)

9. Le croc auquel est pendue la viande mise en réserve.

Page 282

VI. L'ARAIGNÉE ET L'HIRONDELLE

1. Source : Abstemius, fable 4, *L'araignée et l'hirondelle.* L'araignée furieuse contre l'hirondelle qui lui prenait sa nourriture, les mouches, avait suspendu ses filets dans l'ouverture d'une porte par où passait constamment l'hirondelle. Celle-ci dans son vol emportait le filet avec la fileuse. Alors l'araignée suspendue dans les airs et comprenant qu'elle allait bientôt périr : « Ma peine est bien juste. Moi qui ne pouvais qu'à grand-peine capturer les plus petits insectes, j'ai cru pouvoir prendre de si grands oiseaux ! » — Par cette fable nous sommes avertis de ne pas tenter d'entreprise au-dessus de nos forces.

2. Jupiter avait un tel mal de tête qu'il pria Vulcain (d'autres disent Prométhée) de lui fendre le crâne d'un coup de hache. Pallas en sortit tout armée.

3. Pallas, jalouse de l'habileté d'Arachné à tisser et broder, la métamorphosa en araignée.

4. Progné et Philomèle étaient sœurs. Elles avaient été changées en hirondelle et en rossignol. — Cf. une évocation plus complète de leur légende dans III, xv.

Page 283

VII. LA PERDRIX ET LES COQS

1. Source : Ésope, *Les coqs et la perdrix.*

2. « Honnêteté : civilité, manière d'agir polie, civile et pleine d'honneur. » (Rich.)

3. « Mesnagerie : lieu destiné à nourrir des bestiaux et à faire le mesnage de la campagne. Il ne se dit qu'à l'égard des châteaux des princes et des grands seigneurs. » (Fur.) « Lieu bâti près d'une maison de campagne pour y engraisser des bestiaux, des volailles... Il nous a fait manger des poules de sa ménagerie. » (Acad.)

4. « Tonnelle : une espèce de chasse qu'on fait avec un bœuf ou un cheval de bois peint, que le chasseur pousse devant lui vers les perdrix pour les faire entrer dans un filet qui a 15 pieds de queue. » (Fur.)

Page 283

VIII. LE CHIEN A QUI ON A COUPÉ LES OREILLES

1. Source : Sans doute les observations et réflexions personnelles de La Fontaine, qui était chasseur. De plus, il avait succédé à son père dans la capitainerie des chasses du duché de Château-Thierry. N'avait-il pas quelque contrôle à exercer sur les meutes ?

2. « Moufle : terme populaire qui signifie un gros visage et trop plein. » (Fur.)

3. « Piller [*canem excitare*]... Il l'a fait piller à son chien, c'est-à-dire qu'il l'a fait mordre. » (Rich.)

4. « Munir en termes de guerre signifie fortifier une place... Se dit aussi des choses dont on se pourvoit pour se défendre contre les autres sortes d'attaques. » (Fur.)

5. « Esclandre : vieux mot qui signifiait autrefois un accident fâcheux. » (Fur.)

6. La pièce de l'armure qui protège la gorge; pour le chien, un collier fortement clouté.

Page 284

IX. LE BERGER ET LE ROI

1. Source : 1° Pour l'ensemble de la fable, *Les Six Voyages de J.-B. Tavernier,* Paris, 1676, t. I, pp. 99-102. (Voir H. Busson, *Revue d'Alger,* 1944, n° 5, p. 69.) [Cha Abbas a distingué un berger, il en fait le grand maître de sa maison. Sous son successeur, le berger est calomnié par les courtisans : « Il faisait bâtir en son nom plusieurs beaux caravanseras, des ponts et des digues, et pour soi-même une maison magnifique qui méritait que Sa Majesté la vît; il ne pouvait faire tous ses grands ouvrages

sans une notable diminution des deniers publics dont il avait la garde... » Le berger est invité à rendre des comptes : le roi trouve le Trésor en ordre et la maison du berger très modérément pourvue. Reste au bout d'une galerie une porte fermée par trois cadenas. Le roi la fait ouvrir : « Il fut étrangement surpris de n'y trouver que les quatre murailles sans autre ornement que de la houlette de Mohamed qui reposait sur deux clous, de sa besace..., de son outre... de sa flûte et de son habit de berger. »]

2° L'ermite et l'apologue du serpent proviennent de Pilpay, *Livre des lumières,* p. 152. Un ermite est devenu conseiller du roi. Il s'amollit dans la vie de cour. Un de ses confrères vient le voir, lui remontre le danger de la vie qu'il mène et lui conte l'histoire de l'aveugle qui prit un serpent pour un fouet et en mourut. L'ermite-courtisan, un moment touché, revient à ses intrigues, et finit misérablement.

2. « Certains esprits ou génies. » (Fur.)

3. La raison a normalement pour patrimoine la vie humaine : la vie devrait être gouvernée par elle.

4. *En bon corps :* cf. en bon point. « Une nourriture fait bon corps, rend sain et... vigoureux. » (Fur.)

5. « Gens : peuples ou nations. » (Fur.) — Pasteur de peuples ou de gens : formule des temps patriarcaux (cf. la Bible et Homère).

6. *Louanges :* apposition à médiocrité. La modération (« médiocrité ») du juge constitue le témoignage élogieux de la formation donnée par sa vie pauvre dans la solitude.

7. *Machineur :* créé par La Fontaine ?

8. « Jupon : une espèce de grand pourpoint ou de petit justaucorps, qui a de longues basques et qui n'a point de busquière, qui ne serre point le corps et qui est une espèce de veste propre pour l'été. » (Fur.)

9. « Ce qui sert aux bergers et bergères pour mettre leur pain... Elle est faite comme une fronde et ils la portent en écharpe. » (Fur.)

10. *Gages :* au sens exact un objet déposé comme garantie. Ici sens plus vague : témoins de sa condition passée.

11. *Grain :* la plus petite des unités de poids.

Page 286

X. LES POISSONS ET LE BERGER QUI JOUE DE LA FLUTE

1. Source : Ésope, *Le pêcheur qui joue de la flûte.* — La transformation de la fable en pastorale, par l'intervention d'une bergère et de l'amour, est de La Fontaine seul.

2. L'expression est imitée d'Homère. Mais le mot miellé pourrait être une création de La Fontaine : il manque aux dictionnaires contemporains.

Page 287

XI. LES DEUX PERROQUETS, LE ROI, ET SON FILS

1. Source : P. Poussines, *Specimen sapientiae Indorum veterum,* pp. 609-611.

2. « Nourrir signifie encore élever, instruire. » (Fur.)

3. La Parque est prise ici pour le Destin.

4. Le père perroquet.

5. Il est dans la barque infernale de Charon, il est mort.

6. Que l'oiseau ne parle plus fait que...

7. Dans les airs.

8. Le roi parle en profane, selon le perroquet, en donnant la direction du monde au sort, et en niant la Providence.

9. *Le fatal objet :* la cécité du prince.

10. Un syllogisme est condensé dans ce vers : la vengeance est le plaisir des dieux, les rois sont des dieux; la vengeance est donc morceau de roi.

11. « Appareil : en terme de chirurgie se dit de la première application d'un remède sur une plaie qu'on panse. » (Fur.)

Page 289

XII. LA LIONNE ET L'OURSE

1. Source : P. Poussines, *Specimen sapientiae Indorum veterum,* pp. 618-619.

2. « Fan : le petit d'une biche, ...quelquefois d'un éléphant. » (Fur.) Le mot ne s'emploie normalement pas pour un lionceau.

3. « Misérable : qui est dans la douleur, la pauvreté, l'affliction. » (Fur.)

4. Hécube, veuve de Priam, avait vu la ruine de sa ville, la mort de son mari, de ses fils et elle était devenue esclave.

Page 290

XIII. LES DEUX AVENTURIERS ET LE TALISMAN

1. Source : Pilpay, *Livre des lumières,* pp. 62-66. Je condense : [Deux voyageurs, Ganem et Salem, s'assoient au bord d'une

fontaine. Une inscription sur une pierre blanche dit ceci : « Voyageurs ! Nous vous avons préparé un excellent festin pour votre bienvenue, et un présent très agréable, mais il faut se jeter dans cette fontaine, sans crainte, et passer de l'autre côté, où vous rencontrerez un lion d'une pierre blanche, lequel vous prendrez sur vos épaules et le porterez tout d'une course au haut de cette montagne, sans craindre la rencontre et poursuite des bêtes féroces qui vous aborderont, ni les épines poignantes qui vous piqueront, parce que aussitôt que vous serez en haut, vous posséderez toute sorte de bonheur. Si on ne marche, on n'arrive point au gîte, et, si on ne travaille, on n'a jamais ce qu'on désire. » Salem trouve de sages raisons pour ne rien faire. Ganem tente l'aventure et se plonge dans la fontaine : « *Il trouva que c'était un abîme,* mais ayant toujours bon courage, à force de nager, il se mit à bord. Il prit un peu haleine et vint au lion de pierre, le leva de toute sa force et, d'une course, le porta au sommet de la montagne, non sans grand-peine. Étant là il aperçut une fort belle ville, et bien située, laquelle pendant qu'il considérait, tout d'un coup sortit de ce lion de pierre un cri si effroyable qu'il fit trembler la montagne et les campagnes d'alentour. » Les citoyens du royaume viennent et proclament Ganem roi. On lui explique l'affaire : les sages du pays « ont fait un talisman » dans la fontaine et dans le lion. Lorsque leur roi meurt, son successeur est choisi de la façon dont lui-même vient de l'être.].

2. « *Talisman*... certaines figures gravées... auxquelles des Astrologues et Charlatans attribuent des vertus merveilleuses et de pouvoir attirer les influences célestes. » (Fur.) — La Fontaine étend le sens du mot à l'inscription portée sur le poteau.

3. Les deux chevaliers errants voyagent de concert. L'audacieux entre dans un monde enchanté, « au pays des Romans », quand il a décidé de se lancer dans l'aventure.

4. « On dit proverbialement qu'un homme saigne du nez lorsqu'il manque de résolution lorsqu'il faut exécuter quelque entreprise, par timidité, quoiqu'il ait promis de le faire. » (Fur.)

5. Le sage qui a machiné cet enchantement.

6. « Figure se dit ... des représentations qui se font par des corps solides, comme sont les statues. Des figures de bronze, de marbre, de stuc, de plâtre. » (Fur.)

7. Phrase elliptique : « où est l'honneur... »

8. De façon à pouvoir en définitive accepter.

9. Sixte Quint, pendant le conclave, avait feint l'extrême décrépitude, pour rassurer ses concurrents et leur faire croire qu'un nouveau conclave aurait bientôt lieu. Une fois élu pape, il avait joyeusement jeté ses béquilles.

10. On reconnut que ses résistances pour accepter la couronne n'étaient que pour la forme.

Page 291

XIV. DISCOURS
A MONSIEUR LE DUC DE LA ROCHEFOUCAULT

1. Source : Aux croquis de lapins s'égayant dans la bruyère et de chiens étrangers poursuivis par les chiens du pays, il n'y a pas à chercher de source. Ce Discours s'organise autour de l'idée que les hommes se comportent entre eux comme les bêtes entre elles : aussi incapables que les lapins de tirer profit de l'expérience, aussi âpres à défendre leurs intérêts que des chiens à se disputer un os. La Fontaine tient cette idée de La Rochefoucauld. Il le dit (v. 70). Est-ce d'une conversation ? Ce peut être aussi d'un texte. Les *Réflexions diverses* de La Rochefoucauld contiennent un essai *Du rapport des hommes avec les animaux.* Le moraliste montre les hommes semblables aux chiens, aux singes, aux perroquets, aux lapins « qui s'épouvantent et se rassurent en un moment. » Texte composé à une date inconnue; mais selon toutes probabilités avant cette fable (moins d'un an s'écoule entre la publication de la fable et la mort de La Rochefoucauld). Texte non publié du vivant de La Rochefoucauld; mais La Fontaine était assez lié avec La Rochefoucauld pour que celui-ci lui ait communiqué un texte qui exprimait si nettement la parenté de leurs deux visions du monde.

2. Sur cette doctrine, voir *Discours à Madame de la Sablière.*

3. La Fontaine demandait à Gourville, intendant de Condé, l'autorisation de chasser sur les terres du prince.

4. « Détroit : une étendue de pays soumise à la juridiction temporelle ou spirituelle d'un ou plusieurs juges. » (Fur.)

5. Le voisinage du mot Gouverneur indique qu'il s'agit d'une province.

6. Piller se dit d'un chien qui se jette sur un animal ou un homme.

7. La politique des dames est de « faire la guerre aux survenantes comme à celles qui leur ôtent, pour ainsi dire, le pain de la main. Je ne saurais vous assurer bien précisément si elles tiennent cette coutume-là des auteurs ou si les auteurs la tiennent d'elles. » (La Fontaine, *Psyché,* II.)

8. « On dit proverbialement et figurément *C'est le droit du jeu* pour dire c'est l'ordre, l'usage. » (Acad.)

9. *L'affaire :* l'occupation importante.

10. La fable I, XI a été dédiée à La Rochefoucauld.

Page 293

XV. LE MARCHAND, LE GENTILHOMME, LE PATRE ET LE FILS DE ROI

1. Source : P. Poussines, *Specimen sapientiae Indorum veterum,* p. 616.

[Le fils de roi, chassé par un frère cadet, le marchand qui, son vaisseau brisé, s'est avec peine sauvé à la nage, le paysan qui cherche du travail, le jeune gentilhomme décident d'unir leurs sorts. Ils discutent de leur chance. Le paysan dit : « Vous faites des prédictions lointaines et incertaines. Et pendant ce temps la faim presse... *(Vos incerta et longinqua vaticinamini. Atqui urget esuries...)* Il fait des fagots. Puis le beau jeune noble reçoit les largesses d'un sénateur auquel il a plu. Le marchand gagne gros en s'entremettant dans une affaire. Le prince est choisi par roi par les habitants de la ville.] — On notera que La Fontaine a eu la malice de terminer sa fable avant le moment où le marchand, le noble, le prince aient pu contribuer au salut commun.

2. Sens astrologique : « Le point de la nativité, c'est le degré ascendant sur l'horizon à la naissance de quelqu'un. » (Fur.) De là le sens de sort, condition de fortune. — Si on entend par point région de la terre, comme certains commentateurs, on ne peut guère expliquer « sous ». Surtout l'intérêt de l'aventure est d'avoir assemblé des gens de conditions sociales différentes, et non d'origines géographiques diverses. La Fontaine reconstitue une société après avoir procédé au nivellement des conditions sociales. Il annonce ainsi une méthode de critique politique appelée à faire fortune au XVIIIe siècle.

3. Immédiatement.

4. L'Amérique s'appelait encore les Indes occidentales.

5. Dans le royaume des morts.

LIVRE ONZIÈME

Page 297

I. LE LION

1. Source : Plutarque, *Vie d'Alcibiade,* XXVII (traduction Amyot) :

> « Le mieux serait pour la chose publique
> Ne nourrir point de lion tyrannique;
> Mais puisqu'on veut le nourrir, nécessaire
> Il est qu'on serve à ses façons de faire. »

Ces vers reprenaient un propos d'Aristophane, *Grenouilles,* 1431 :

« Surtout il ne faut pas élever un lion dans la cité ; sinon, une fois élevé, il faut se prêter à son caractère. »

Régnier, puis Gohin, ont vu une allégorie politique dans cette fable : le lionceau. Louis XIV a eu « plus d'une affaire » pendant sa minorité (La Fronde, la guerre interminable qu'a enfin réglée le traité des Pyrénées). Il a crû. Les coalitions maintenant ne peuvent rien contre lui : l'Angleterre (représentée par le léopard qui figure dans ses armes) s'est alliée (janvier 1678) à la Hollande et autres coalisés (Espagne, princes allemands). Vainement. Louis XIV reste le plus fort; les traités de Nimègue vont se signer (août 1678-février 1679), suivis par ceux de Saint-Germain et de Fontainebleau avec l'électeur de Brandebourg et le roi de Danemark. La Fontaine écrit, à notre avis, pendant que se négocient ces accords et suggère que les ennemis de Louis XIV doivent se résigner à des sacrifices.

2. *Aubaine :* l'héritage d'un étranger non naturalisé, qui revient au roi.

3. « *Il en prit mal :* mal leur en prit. » (Il : impersonnel.)

4. *Craître :* graphie et prononciation anciennes.

Page 298

II. LES DIEUX VOULANT INSTRUIRE UN FILS DE JUPITER

1. Source : On n'en a pas trouvé. Mais ce genre d'allégorie est si familier à l'art officiel qu'une tapisserie, ou un tableau, peut avoir inspiré La Fontaine, qui peut tout aussi bien l'avoir inventée.

2. Le duc du Maine (né en 1670) a neuf ans quand la fable est imprimée. Fils de Louis XIV et de Mme de Montespan, il est le plus brillant des bâtards royaux, un enfant prodige. Auteur, déjà : les *Œuvres diverses d'un enfant de sept ans* ont été imprimées luxueusement (1677). Il suggérera en 1685 qu'il succéderait volontiers à l'Académie au bonhomme Corneille. A cet enfant précoce, La Fontaine a déjà été associé : en 1675 on lui avait offert un jouet ingénieux, la Chambre du sublime : des poupées en cire de grands seigneurs et de dames lettrées et d'écrivains. La Fontaine figurait dans la Chambre du sublime. (Voir *Fables*, VII, *A Madame de Montespan,* n. 1, et G. Couton, *Politique de La Fontaine,* p. 122.) Dans le recueil de 1678-1679, dédié à la maîtresse régnante, Mme de Montespan, La Fontaine, qui courtisait la favorite et sa sœur Mme de Thiange (cf. *O.D.,* p. 615) se devait de faire figurer l'enfant bel esprit.

3. Asyndète : « L'enfance n'aime rien : celle du duc du Maine *au contraire...* »

4. On voit d'ordinaire dans les vers 10-11 une allusion au

goût (non autrement attesté) du jeune prince pour la botanique, ou encore à quelque amourette avec une jeune fille qui aimait les fleurs. — Je comprends autrement : Mignard a peint Mme de Montespan et son fils en Flore et Zéphyre (musée Calvet, Avignon, reproduit par J. Estarvielle, *Monsieur de Montespan,* 1929, p. 96). La Fontaine fait allusion à ce travesti : le duc du Maine fut d'abord amoureux de sa maman. Le ton des lettres du duc à sa mère confirme cette interprétation.

5. Les lettres du duc du Maine à Mlle de Vilette (6 ans), à Mlle de Thiange, qui va se marier, à Mme de Foix, qui est mariée, sont fort tendres.

6. « Transport : le trouble ou l'agitation de l'âme par la violence des passions. » (Fur.)

7. Inversion : les transports qui renaissent comme des hydres. — « Hydre, monstre fabuleux que les poètes feignent avoir plusieurs têtes... à la place de celle qui était coupée il en renaissait plusieurs autres. La défaite de l'Hydre [de Lerne] est mise au rang des travaux d'Hercule. » (Fur.)

8. Il apprendra les sentiers peu battus et deviendra ennemi des plaisirs amollissants.

9. La fable se termine par un compliment discret aux parents du jeune prince : de Jupiter et de Mme de Montespan, il tient l'esprit et l'art de plaire : tout.

Page 300

III. LE FERMIER, LE CHIEN, ET LE RENARD

1. Source : Abstemius, fable 149, *Le père de famille en colère contre son chien à cause de l'enlèvement de ses poules.* Un père de famille avait oublié de clore l'abri dans lequel ses poules passaient la nuit. En se levant le matin, il vit que le renard les avait toutes tuées et emportées. Indigné contre son chien, mauvais gardien de ses biens, il le couvrait de coups. Le chien lui dit : « Si toi, pour qui les poules produisaient œufs et poulets, as été négligent à fermer ta porte, quoi d'étonnant que moi, plongé dans un profond sommeil, je n'aie pas entendu venir le renard; aussi bien les poules ne me rapportent rien. » — Cette fable veut dire qu'on ne saurait espérer aucune diligence des serviteurs, lorsque le maître de la maison est négligent.

2. « Travailler : on le dit aussi avec le pronom personnel. Faut-il tant se travailler, se donner de la peine... » (Fur.)

3. *Monnoie :* graphie et prononciation qui au XVIIe siècle vieillissaient.

4. « Croc : ustensile de cuisine qui a plusieurs pointes recourbées où on attache de la viande. Le croc d'un juge de campagne est toujours bien garni de volaille, de gibier. » (Fur.) —

Même : qu'un paysan fût assez riche pour manger de sa volaille était remarquable.

5. C'est le grand serment qui lie Jupiter de façon inéluctable.

6. « Les poètes disent : *les pavots du sommeil* pour dire l'assoupissement, le sommeil même. » (Acad.)

7. Lorsque Atrée avait servi à Thyeste le corps de ses deux fils, le Soleil déjà avait rebroussé chemin pour plonger de nouveau dans l'océan (« le manoir liquide »).

8. Agamemnon, le « fier Atride », avait refusé de rendre sa captive Chryseis à son père Chrysès, prêtre d'Apollon. Le dieu frappa donc l'armée (« l'ost ») des Grecs de ses flèches. (*Iliade,* chant I.)

9. Ajax, fou de rage parce que les armes d'Achille ont été attribuées à Ulysse et non à lui, a égorgé des troupeaux croyant égorger Ulysse et les chefs grecs. (Sophocle, *Ajax.* — Ovide, *Métamorphoses,* XIII, 1-398.) — *A l'âme impatiente :* traduction d'Ovide : *impatiens irae.*

10. « Drille : méchant soldat. Il se dit par mépris et par raillerie. » (Fur.)

11. *Père de famille :* au sens latin, maître de la maison.

12. « Procureur, qui est chargé de la procuration d'autrui, qui traite en son nom. » (Fur.)

Page 301

IV. LE SONGE D'UN HABITANT DU MOGOL

1. Source : Les réflexion morales sont inspirées de Virgile, *Géorgiques,* II, 458. — L'historiette vient du poète persan Sadi, *Gulistan ou l'Empire des Roses,* traduit par A. du Ryer, 1634 : « Un Dervis vit un jour en songe un Roi qui était en Paradis, et un Religieux qui était en Enfer, dont il fut tout étonné, croyant que le Religieux devait être en Paradis, et le Roi en Enfer, et fit son pouvoir pour savoir le sujet du malheur de l'un et du bonheur de l'autre. Ce Roi, lui dit-on, est allé au Paradis, parce qu'il avait créance aux Religieux, et ce Religieux est allé en Enfer, parce qu'il avait créance aux Rois. Le Roi est heureux, qui fréquente les couvents des Religieux et le Religieux devient méchant, qui fréquente la Cour. » — Les lecteurs de La Fontaine voyaient naturellement en cet ermite qui faisait sa cour aux ministres et en ce vizir qui cherchait la solitude, les prélats de cour d'une part, les hommes politiques qui périodiquement « faisaient retraite » dans quelque maison religieuse, d'autre part.

2. Mogol désigne, chez La Fontaine, à la fois le pays et ses

habitants. — Furetière réserve le nom au souverain. Ici il paraît s'agir d'un homme du commun.

3. Le plus célèbre des trois juges infernaux.

4. *L'ombre et le frais :* Virgile, *Bucoliques,* I, 53, *frigus opacum.* — Ces développements sur la solitude sont un thème familier à la poésie au début du XVIIe siècle : Racan, *Stances sur la retraite* et *Ode à Bussy ;* Maynard, *Ode à Alcipe,* Saint-Amant, *Ode à la solitude.* La Fontaine l'a traité lui-même dans *Psyché,* dans *Le Songe de Vaux,* dans l'*Élégie* à Fouquet.

5. « Arrêter : faire demeurer, retenir. » (Rich.) On peut comprendre *qui* comme un neutre, moins probablement, comme un masculin ou féminin : « Quelle chose me retiendra dans la solitude ? Quel être, homme ou femme ? »

6. La tentation de la poésie scientifique paraît avoir été constante chez La Fontaine : *Discours à Madame de la Sablière,* poème du *Quinquina,* de nombreuses fables, dont *Un Animal dans la lune* où le vers 14 promet un poème didactique.

7. « Planète : étoile qu'on surnomme *errante,* parce qu'on la voit en plusieurs points du ciel. » (Fur.) — La Fontaine, qui a refusé à l'astrologie toute réalité au cours d'une discussion sérieuse (VIII, XVI, *L'Horoscope*), l'accepte ici à titre de thème poétique.

8. N'ourdira point *avec* des filets d'or. — *Ourdir :* disposer sur le métier la chaîne de la toile à tisser. — *Filets* (nous écrivons aujourd'hui filés : des filés de coton) me paraît être ici le terme technique : fil préparé pour le tissage. — Le sort (représenté par la Parque d'ordinaire filandière, ici tisseuse) n'accordera pas au poète la richesse.

Page 303

V. LE LION, LE SINGE, ET LES DEUX ANES

1. Source : L'adage *Asinus asinum fricat* a fourni le thème des vers 35-59. Le reste de la fable annonce ou commente la partie centrale.

2. « Maître ès arts : celui qui ayant fait son cours de Philosophie en une Université et qui ayant été examiné sur la Philosophie et sur quelques Auteurs latins d'humanité a reçu des lettres de cette Université, qui marquent sa capacité et qui lui donnent permission d'enseigner la Philosophie et les Humanités. » (Rich.)

3. « Régent : professeur qui enseigne une classe dans quelque collège. » (Rich.)

4. « Mouvement se dit des différentes impulsions, passions, ou affections de l'âme. » (Acad.)

5. L'espèce des singes.

6. « Sot, qui n'est pas sage. » (Rich.)

7. « Argumenter... tirer des conséquences. » (Fur.) — Langage du collège, précise Richelet. *Ce que dessus* : même langage.

8. Philomèle avait été changée en rossignol.

9. Lambert, chanteur, compositeur, maître de musique de la Chapelle du Roi (1610-1696). L'admiration de La Fontaine pour lui s'est déjà exprimée dans *Le Songe de Vaux* (*O. D.*, 98).

10. *Asinus asinum fricat.* « On dit qu'un âne gratte l'autre et en latin *Mulus mulum fricat,* quand deux personnes de peu de mérite se louent réciproquement. » (Fur.)

11. « Ceux qui possèdent les premières dignités de l'État, et alors il est toujours au pluriel. » (Acad.)

12. « Excellence, titre d'honneur qu'on donne particulièrement aux ambassadeurs et autres personnes qu'on ne peut pas traiter d'Altesse parce qu'ils ne sont pas Princes et qu'on veut pourtant élever au-dessus des autres grandeurs. » (Fur.) — « Majesté : le titre qu'on donne aux rois. » (Fur.) — Ces « puissances » ont sans doute droit à l'Excellence; elles ne se contentent pas d'Altesse et ambitionnent du coup Majesté.

13. Le singe a annoncé un cours en deux points (v. 19) : l'amour-propre engendre ridicule et injustice. Il traite le premier point, peu compromettant. Reste le second : peut-on enseigner la justice à un roi ? Le problème du machiavélisme surgit à cet endroit du cours; il est délicat; mieux vaut interrompre le cours *sine die*.

14. « Fat : sot, sans esprit. » (Fur.)

Page 305

VI. LE LOUP ET LE RENARD

1. Source : Une fausse source à écarter : Verdizotti, *Le loup et le renard* ressemble beaucoup à *L'Enfant et le Maître d'école* et pas du tout à la présente fable. — La source véritable ? Les éléments qui composent la fable se trouvent dispersés. La comparaison de la lune avec un fromage (La Fontaine, v. 33) est dans Marie de France (fable 49). Le système des deux seaux, dont l'un descend quand l'autre monte est dans un épisode du *Roman de Renart : Si comme Renart fit avaler Ysengrin dedans le puits*. Mais si La Fontaine l'avait connu, sans doute aurait-il fait son profit de bien des détails pittoresques du *Roman de Renart*. — On a pensé aussi à Jacques Régnier, *Apologi Phaedrii,* 1643, I, 18 : Le renard poursuit une poule, il tombe avec elle dans un puits, mange la poule, puis attire le loup dans le puits en lui montrant quelle bonne chère on y fait. — Je serais assez

disposé à penser que la source de la fable, encore à trouver, pourrait bien résider dans une tradition orale venue du *Roman de Renart*.

2. *Matoiserie :* fourberie.

3. « *Orbiculaire :* de figure ronde et sphérique. » (Rich.)

4. Le dieu Faune, dieu des bois, a déjà figuré dans *Le Songe de Vaux*.

5. *Io :* Io avait été aimée de Jupiter, mais la jalouse Junon l'avait métamorphosée en génisse.

6. *Reguinder :* élever une seconde fois.

Page 306

VII. LE PAYSAN DU DANUBE

1. Source : Cette histoire apparaît d'abord dans Guevara, *Marco Aurelio con el Relox de Principes,* 1529. Cette *Horloge des Princes* traduite en français a beaucoup de succès pendant tout le XVIe siècle. La Fontaine pouvait bien connaître cette traduction; il y trouvait tous les éléments de sa fable. (Voir dans l'édition de 1565, revue par Herberay des Essarts, l'éditeur des *Amadis,* les folios 180-185.) Mais cette histoire du paysan du Danube avait été reprise par Cassandre, *Parallèles historiques*. [Ils ont certes été publiés en 1680, un an après *Le Paysan du Danube*. Mais Cassandre était une vieille connaissance de La Fontaine : tous deux avaient appartenu à l'Académie des Jeudis (cf. B.N. manuscrit français 19142 des échanges de vers entre Cassandre, Maucroix, Pellisson). La Fontaine pouvait donc connaître ses travaux avant leur publication.] Une ressemblance plus précise sur certains points fait penser que La Fontaine a suivi Cassandre plutôt que la traduction d'Herberay des Essarts.

Sens de la fable : cf. G. Couton, *Politique de La Fontaine,* pp. 92-95.

2. VI, v, *Le Cochet, le Chat, et le Souriceau.*

3. La laideur de Socrate est bien connue (cf. son portrait par Alcibiade dans *Le Banquet* de Platon). Ésope était difforme (cf. sa *Vie* et les illustrations des livres de fables des XVIe et XVIIe siècles, Baudoin, par exemple).

4. Dans *L'Horloge des Princes* de Guevara, l'histoire du paysan du Danube est mise dans la bouche de Marc Aurèle. Rien de tel n'existe dans les œuvres conservées de Marc Aurèle.

5. « Il avait le visage petit et basané, de grosses lèvres, les yeux enfoncés dans la tête et presque tout cachés sous ses sourcils, une grande barbe épaisse, les cheveux hérissés, l'estomac et le cou velus comme un ours; du reste la tête nue, un bâton à la main, des souliers de cuir de porc-épic et pour habit un saye

de poil de chèvre, lié d'une ceinture de joncs marins. » Cassandre, p. 434. — « Saie : vieux mot qui signifiait autrefois une casaque. » (Fur., qui ne donne pas sayon.)

6. *Avarice : avaritia :* avidité.

7. « Je demande auparavant cette grâce aux dieux immortels de régler ma langue de sorte que je ne puisse rien dire qui ne soit utile à mon pays et ne vous serve à bien gouverner la République. » Cassandre, p. 436.

8. « Ne vous imaginez pas, Romains, à cause que vous vous êtes rendus maîtres de notre Germanie que ç'ait été par votre valeur et pour n'avoir pas vos pareils à la guerre, car je vous déclare que vous n'êtes ni plus courageux, ni plus hardis, ni plus vaillants que nous; mais bien, comme nous avions offensé nos dieux et qu'ils voulaient nous châtier, par un jugement qui nous est caché, ils ordonnèrent que vous seriez nos cruels bourreaux... Et pour dire la vérité ce ne furent point les armes de Rome qui vous firent avoir la victoire, mais les torts de la Germanie. Je tiens pour certain, vu les cruautés que vous nous avez fait souffrir, que vous les paierez tôt ou tard; et en ce cas, il pourrait arriver que vous, qui à présent nous traitez d'esclaves, à votre tour vous nous reconnaissiez comme maîtres. » Cassandre, p. 451.

9. Aux arts mécaniques.

10. « Converser : vivre familièrement avec quelqu'un. » (Fur.)

11. « Nous avons fait serment de ne plus habiter avec nos femmes, afin de ne plus mettre au monde de malheureux. » Cassandre, p. 461.

12. Dans les lois.

13. « Il demeura ainsi à terre tout couché une bonne heure. » Cassandre, p. 469.

14. « Il fut créé patrice avec pension publique. » Cassandre, p. 470. En fait le patriciat a été institué seulement par Constantin.

Page 308

VIII. LE VIEILLARD ET LES TROIS JEUNES HOMMES

1. Source : Abstemius, fable 168, *Le vieillard décrépit qui greffait des arbres*. Un jeune homme raillait un vieillard décrépit : il était fou de greffer des arbres dont il ne verrait pas les fruits. « Toi non plus, peut-être, tu ne cueilleras pas les fruits des arbres que tu t'apprêtes à greffer. » Il ne fallut pas attendre longtemps : le jeune homme tomba d'un arbre sur lequel il était monté pour couper des greffons et se rompit le cou. — Cette

fable enseigne que la mort est commune à tous les âges. — Ce texte bref a été enrichi de suggestions dues à Sénèque (*A Lucilius,* 86. — Cf. R.H.L.F., XII, pp. 227-229) et aussi semble-t-il au *De Senectute* (VII, 24) de Cicéron. Des souvenirs également de Virgile et d'Horace.

2. La gravure de Chauveau engage à comprendre « faisait planter ». Le titre d'Abstemius *(Le vieillard... qui greffait)* autorise à voir le vieillard plantant lui-même.

3. Souvenir d'Horace, *Odes,* I, IV, 15 : *Vitae summa brevis* spem *nos vetat inchoare* longam.

4. « Établissement : fortune,... un bon établissement à la cour..., une belle charge..., un mariage avantageux. » (Fur.)

5. *Les Parques blêmes :* cf. Horace, *Odes,* I, IV, 13 : *Pallida mors.*

6. L'idée vient de Virgile : *Géorgiques,* II, 58 : « L'arbre qui fera de l'ombre à de lointains neveux » [descendants]. Ce vers a été traduit par Malherbe : Il « réserve tardif son ombrage aux neveux ».

Page 309

IX. LES SOURIS ET LE CHAT-HUANT

1. Source : Bernier, *Abrégé de Gassendi,* Lyon, 1678, p. 674. Des curieux ont déniché un hibou dans un arbre creux. L'ayant ouvert, ils trouvèrent dedans soixante ou quatre-vingts souris toutes vives, et des épis de blé pour remplir deux ou trois chapeaux, mais toutes ces souris avaient les cuisses rompues. Ces souris devaient être apparemment la provision du hibou qui leur avait apporté des épis de blé pour les nourrir quelque temps, cependant qu'il les mangerait l'une après l'autre.

2. Atropos est l'une des Parques. Elle n'avait pas pour emblème le hibou, mais La Fontaine se fait l'écho de la crédulité populaire qui estime que le cri du hibou annonce la mort.

3. *Mue :* une cage obscure où l'on met les oiseaux à l'engrais.

Page 311

ÉPILOGUE

1. Source : L'épilogue de Virgile, *Géorgiques,* chant IV.

2. *La langue des Dieux :* le vers. Cf. IX, 1, v. 5 :

« *Le Loup en langue des Dieux*
Parle au Chien dans mes ouvrages. »

3. Louis XIV a établi son hégémonie sur l'Europe par les traités de Nimègue imposés à la Hollande, à l'Espagne, au Saint-Empire.

LIVRE DOUZIÈME

Page 315

A MONSEIGNEUR LE DUC DE BOURGOGNE

1. Le duc de Bourgogne a 12 ans. La Fontaine a composé en l'honneur de sa naissance deux ballades (*O. D.*, 635-637). Il est le fils du Grand Dauphin, dédicataire du premier recueil. Son précepteur, Fénelon, lui donne comme canevas à développer en prose latine des fables de La Fontaine et lui propose ensuite des corrigés faits par lui. (Cf. les fables du jeune prince dans B.N. manuscrits latins 8551 et les corrigés de Fénelon dans ses *Lettres et opuscules inédits,* 1850.)

2. Cf. les fables V et IX du présent livre.

3. Au moment où ce livre XII sort des presses (1er sept. 1693) La Fontaine a 73 ans. Il a bien cru mourir, a abjuré ses erreurs passées, désavoué ses *Contes*. Puis il a retrouvé une activité physique et intellectuelle dont témoigne sa lettre à Maucroix du 26 octobre 1693.

4. Le traité de Ryswick devait être signé trois ans plus tard; mais déjà se faisaient des sondages.

Page 317

I. LES COMPAGNONS D'ULYSSE

1. Source : Le mythe de Circé apparaît dans Homère, *Odyssée,* X, 135-399. Il a été repris bien souvent. Mais l'idée de faire préférer par les victimes de Circé leur condition animale à leur condition humaine apparaît pour la première fois dans Plutarque, *Œuvres morales, Que les bêtes brutes usent de raison,* Dialogue de Gryllus, transformé en porc, et d'Ulysse. Elle est reprise par Gelli, *Circé* (Florence, 1549, traduction par du Parc, 1550), et par Machiavel, *L'Ane d'or*. La Fontaine connaissait sans aucun doute Plutarque; très probablement Machiavel; il a bien pu connaître Gelli. On notera que Th. Corneille et de Visé avaient fait jouer en 1674 leur opéra de *Circé*.

2. Le Dauphin, père du duc de Bourgogne, s'est rendu « maître et vainqueur du Rhin » (v. 14) en un mois (campagne de 1688; prise de Heidelberg, Mayence, Trèves, Philippsburg, etc.). Depuis ces conquêtes ont été évacuées; l'armée française est sur la défensive à la frontière : « Quelque Dieu » (c'est-à-dire Louis XIV) retient le Dauphin, qui laissé à lui-même prendrait volontiers l'offensive et forcerait la victoire (v. 10). Il est hardi en effet; La Fontaine l'a félicité d'avoir mérité ce surnom (*O. D.*, 679).

3. Sens étymologique : enchantements.

4. Circé est la grande enchanteresse de l'antiquité. Elle réside au mont Circeo sur la côte du Latium. (Cf. Virgile, *Énéide,* VII, 10-20, et *Odyssée,* X, 234.)

5. Dans Homère ces animaux sont tous des porcs. La Fontaine a adopté la version de Plutarque, Gelli, etc., et peut ainsi organiser une comédie à personnages variés.

6. *Exemplum, ut talpa :* formule de la grammaire latine qui donne *talpa* comme exemple de mots à la fois masculin et féminin de la 1re déclinaison. Plaisanterie de La Fontaine à l'adresse d'un écolier qui a encore en main la grammaire de Despautère.

7. « Tout plat... sans déguisement et sans détour. » (Rich.)

8. Le loup a lu Hobbes, *De cive : Homo homini lupus*, ou Bossuet, *Politique,* VIII, IV, 2e proposition : « Les hommes, naturellement loups les uns aux autres. »

9. « Semonce... terme vieux et burlesque et qui n'entre que dans le style bas, comique, et satirique... sollicitation, invitation. » (Rich.)

10. *Lôs :* louange. Vieux mot qui est soit noble, soit teinté de burlesque, suivant le contexte. Ici, coloris épique.

Page 320

II. LE CHAT ET LES DEUX MOINEAUX

1. Source inconnue.

2. « Discret. : formule de notaire, un titre d'honneur qu'ils donnent aux curés et aux graduez et principalement aux supérieurs des couvents. » (Fur.) — « Sage : qualité du titre d'honneur que les notaires donnaient aux gens d'Église ou de Robe dans les contrats. » (Fur.)

3. « Au sens de livre, volume, œuvre est masculin ou féminin. » (Rich.)

Page 321

III. DU THÉSAURISEUR ET DU SINGE

1. Source : Straparole, *Les Facétieuses Nuits* (VIIIe nuit, fable 4). — Tristan, *Le Page disgracié* (II, 41).

2. On observera que toutes les monnaies de cette fable sont des pièces étrangères : ducats italiens, pistoles italiennes et espagnoles, doublons espagnols, ducatons milanais ou flamands, jacobus et nobles à la rose anglais. Leur valeur correspond à peu près à celle du louis.

3. Amphitrite est la déesse des eaux. L'avare habite une île en mer.

4. Avec une volupté.

5. Le singe Bertrand déjà dans IX, XVII.

Page 323

IV. LES DEUX CHÈVRES

1. Source : Une courte composition latine du duc de Bourgogne conte cette aventure. Si elle était la source de La Fontaine, le fabuliste n'aurait pas manqué de le faire savoir. La fable de La Fontaine est donc la source de la composition du jeune prince. — Pline l'Ancien (VIII, 76) conte comment deux chèvres se sont rencontrées sur un pont très étroit. Elles se tirent du mauvais pas par leur intelligente entente : l'une se couche et l'autre marche sur elle. La Fontaine a pu s'inspirer de Pline, mais il a changé son dénouement pour en faire un exemple des excès où pouvait aller le souci des préséances, si vif au XVIIe siècle. Une aventure réelle, probablement assez récente, peut l'avoir inspiré et ce serait la source véritable : Mme de Beringhen et la duchesse de Brissac-Saint-Simon s'étant rencontrées « dans une rue fort étroite où leurs carrosses ne pouvaient passer... restèrent paisiblement cinq heures, l'une alléguant sa housse, l'autre le carrosse du roi dont elle se servait par la charge de son mari ». Le beau-père, M. de Beringhen, alla semoncer sa belle-fille pour la faire reculer. (Saint-Simon, édition des Grands Écrivains, I, 373.)

2. Dans l'île des Faisans, au milieu de la Bidassoa, s'étaient rencontrés les rois de France et d'Espagne pour le mariage de Louis XIV et de l'infante Marie-Thérèse et la signature de la paix des Pyrénées (1659).

3. De l'amour du cyclope Polyphème pour la nymphe Galatée conté dans Théocrite et Ovide. La Fontaine en a déjà fait le sujet d'un opéra, inachevé, *Galatée* (publié en 1685).

Page 325

V. LE VIEUX CHAT ET LA JEUNE SOURIS

1. Source : La Fontaine peut avoir transposé Abstemius, fable 151, *Le renard qui voulait tuer la poule couveuse*. Une renarde entrée dans la maison d'un paysan trouva au nid une poule qui couvait ses œufs. La poule priait ainsi la renarde : « Ne me tue pas maintenant, je te prie : je suis maigre. Attends un peu, que mes poussins naissent; tu pourras les manger bien tendres et sans te faire mal aux dents. » La renarde répondit : « Je ne mériterais pas d'être comptée parmi les renardes, si maintenant que j'ai

faim je laissais échapper une nourriture toute prête dans l'espoir de petits qui ne sont pas nés. J'ai des dents solides, habituées à broyer la viande la plus coriace. » Ce disant, elle dévora la poule. — La fable montre que c'est folie de lâcher un bien présent dans l'espoir d'un plus grand.

2. « Filandières, terme poétique que nos vieux poètes donnaient pour épithète aux Parques. » (Fur.)

Page 326

VI. LE CERF MALADE

1. Source : Une fable de Lokman que La Fontaine pouvait connaître par la traduction latine d'Erpenius (1615), ou par la traduction en vers latins de Tanaquil Faber, *Fabulae ex Locmanis arabico latinis versibus redditae,* Saumur, 1673, ou par l'adaptation en vers français de Desmay, *Le Cerf malade ou la grande alliance nuisible* dans *L'Ésope du temps,* 1677 (2e section du volume, fable 5).

On se rappellera qu'en décembre 1692, La Fontaine, tombé malade, a reçu les médecins du corps ; celui de l'âme aussi : l'abbé Pouget, qui le ramène à Dieu, lui fait abjurer ses *Contes* devant une délégation de l'Académie (12 février 1693). En octobre 1693, La Fontaine, rétabli, fait gaillardement cinq lieues à pied dans sa journée. Cette fable marquerait-elle sa convalescence désargentée et quelque peu ingrate ?

2. Cet emploi de pays au pluriel serait du langage de la vénerie.

Page 327

VII. LA CHAUVE-SOURIS, LE BUISSON ET LE CANARD

1. Source : Ésope, *La chauve-souris, la ronce et la mouette.*

2. *Mise :* dépense. « Les deux parties d'un compte sont la mise et la recette. » (Fur.)

3. Un débiteur insolvable peut éviter la prison pour dettes en faisant cession, c'est-à-dire en abandonnant ses biens à ses créanciers et en portant le bonnet vert. (Cf. Fur. à cession et bonnet.)

4. « Sort en terme de jurisprudence est le capital d'une somme qui porte intérêt. » (Fur.)

5. *Sergents :* huissiers.

6. « Plongeon : oiseau qui approche du canard. » (Fur.)

7. Detteur semble une création de La Fontaine. Le mot a-t-il une valeur comique : celui qui fait métier de contracter des dettes ?

8. Souris-chauve paraît être un terme dialectal.

Page 328

VIII. LA QUERELLE DES CHIENS ET DES CHATS ET CELLE DES CHATS ET DES SOURIS

1. Source : Haudent, II, 61, *La guerre des chiens, des chats et des souris.* [Les chiens ont confié aux chats un papier précieux; les souris le mangent. De là une double guerre : « Incontinent que les chiens entendirent | Iceulx propos, dès lors guerre mortelle | Contre les chats mouver ils prétendirent. | Mesme les chats pour cause et raison telle | Contre souris meurent guerre, laquelle | On voit encore jusqu'à ce jour durer, | Voire si aspre, importune et cruelle | Qu'à chacun coup leur font mort endurer. »] — Quant au prologue philosophique de neuf vers, il exprime la doctrine d'Empédocle. Après La Fontaine il est vrai, Moreri dans son *Dictionnaire* l'exposait ainsi : « Ses opinions étaient qu'il y a quatre éléments; qu'il y a entre eux une liaison qui les unit et une discorde qui les divise; il ajoute qu'ils sont dans une perpétuelle vicissitude et que jamais ils ne se détruisent. » Par où La Fontaine connaissait-il Empédocle ? Par son cours de philosophie ? Par ses lectures des Anciens, dont Plutarque (*Vie de Démétrios*, ch. VI) ?

2. Cf. VI, xx, *La Discorde.*

3. *Tributaire :* qui paye tribut à un prince étranger, donc lui obéit.

4. Les quatre éléments : le feu, l'air, l'eau, la terre.

5. « Ils sont appointés contraires : façon de parler proverbiale tirée du Palais. C'est-à-dire que les personnes à qui on applique ce proverbe sont brouillées ensemble. » (Rich.)

6. « Solennel : au Palais signifie authentique, revêtu de toutes les formalités. » (Fur.)

7. « Potage : viande ou volaille bouillie, servie avec les légumes et le bouillon. » (Fur.)

8. Faire connaître au juge : porter plainte.

9. Altercas est vieux selon Furetière.

10. « Narquois, filou adroit et rusé qui trompe les autres. » (Fur.)

11. « Main-basse est un terme de guerre qui signifie Point de quartier, qu'il faut passer tout au fil de l'épée. » (Fur.)

12. *Barbacole :* maître d'école. C'était le nom propre d'un maître d'école dans un ballet de Lulli.

Page 330

IX. LE LOUP ET LE RENARD

1. Source : Une rédaction latine du duc de Bourgogne. Mais où Fénelon en avait-il pris le sujet ? On l'ignore. De cette rédac-

tion latine, le début seul a été conservé. « Un renard, dégoûté de son métier, parce que le fermier voisin adroitement diminuait chaque jour sa chance de rapiner, décida de s'initier au métier de loup... »

2. La première strophe est imitée d'Horace, *Satire I*, 1, 1-12.

3. Dans l'imitation que le poète La Fontaine fait de la fable du prince.

4. La trompette, instrument noble, fera retentir les futurs hauts faits guerriers du prince.

5. Homère, *Iliade,* XVI.

6. L'armée du peuple qui bêle. *Au :* façon au XVIIe siècle ancienne, de nos jours populaires, de construire le complément de nom.

Page 332

X. L'ÉCREVISSE ET SA FILLE

1. Source : Ésope, *L'écrevisse et sa mère.*

2. « Accessoire : ce qu'on ajoute, et qui arrive comme par surcroît à la chose principale. » (Rich.)

3. La ligue d'Augsbourg unit de 1686 à la paix de Ryswick (1697) à peu près toute l'Europe contre la France («Ligue à cent têtes »). A la fin de 1688, les troupes françaises ont fait une poussée sur la rive droite du Rhin. En 1689 et 1690, les plans français ont changé : défensive sur le front terrestre pour pouvoir attaquer l'Angleterre. La fable doit avoir été écrite lors du repli des troupes françaises en 1689 ou 1690 (« marchent à reculons »).

4. Le « secret » de Louis XIV a fait l'admiration de son époque.

Page 333

XI. L'AIGLE ET LA PIE

1. Source : Abstemius, fable 26, *L'aigle et la pie*. La pie priait l'aigle de la recevoir parmi ses familiers et ses commensaux : elle le méritait aussi bien par la beauté de son corps que par sa facilité de parole quand il s'agissait de faire les commissions. L'aigle répondit : « Je le ferais, si je ne craignais que par ta loquacité tu n'ailles conter partout ce qui se passe à la maison. » — Cette fable avertit qu'il ne faut pas garder chez soi des bavards.

2. *Agasse :* nom dialectal de la pie, notamment champenois.

3. C'est le nom d'une poule dans *La Comédie des proverbes,* III, 1 (1636).

4. Le crieur public dont on s'amuse dans Horace, *Épîtres,* I, 7, 70-72.

5. *A travers champs :* hors des chemins, d'où sens figuré : au hasard.

6. « On dit de deux choses dépariées qu'on porte ensemble qu'elles sont de deux paroisses. » (Fur.)

Page 334

XII. LE MILAN, LE ROI, ET LE CHASSEUR

1. Deux états du texte : 1694 p. p. La Fontaine et *Œuvres posthumes*, p. p. Mme Ulrich. Le texte publié par La Fontaine me paraît avoir été édulcoré quant au sens, retravaillé quant à la forme.

Date : Le début de la fable est un épithalame. François-Louis de Bourbon, prince de Conti, neveu de Condé, épouse Marie-Thérèse de Bourbon, petite-fille de Condé, le 29 juin 1688. Pour les jeunes époux La Fontaine a composé un autre épithalame (*O.D.*, p. 696).

Conti a été en 1685 au centre d'un scandale. Sa correspondance a été saisie; elle contenait des propos très durs contre le roi. Les Bouillon ont été envoyés sur leurs terres, Conti a été disgracié. A la prière de Condé mourant, le roi vient de pardonner à Conti du bout des lèvres. La Fontaine célèbre la clémence royale; avec sans doute quelques sous-entendus malicieux. Ainsi ces vers (dans les *Œuvres posthumes,* supprimés dans l'édition du XIIe livre) : « C'est à cette licence Que je dois l'acte de clémence... » Il a donc fallu, pour obtenir un acte de clémence, que le poète truquât les faits ! — Voir un commentaire de cette fable dans G. Couton, *Politique de La Fontaine,* pp. 132-134.

Source : La fable est de l'invention de La Fontaine; c'est par une supercherie, dont il déclare dans le texte des *O.P.* qu'il pourrait la commettre, et qu'il commet effectivement dans le texte de 1694, qu'il l'attribue à Pilpay (cf. v. 75).

2. Cf. Montaigne. « Les Princes... me font assez de bien quand ils ne me font point de mal. » (III, IX.)

3. Le dieu du mariage.

4. « Leurre : morceau de cuir rouge... garni de bec et d'ongles et d'ailes... dont les fauconniers se servent pour réclamer [rappeler] leurs oiseaux. On y attache souvent de quoi paître l'oiseau. » (Fur.)

5. Pour qu'il vienne s'y poser.

6. « Régaler... faire de petits présents. » (Fur.)

7. Pythagore, lui-même, prétendait avoir été jadis Euphorbe, un guerrier troyen.

8. *Après :* à la suite de. Plus exactement, dans IX, VII, La Fontaine a fait des Indiens les initiateurs de Pythagore à la métempsycose.

9. « Parangon : vieux mot qui ne peut aujourd'hui entrer que dans le comique et qui veut dire modèle achevé. » (Rich.)

10. Une sonnette était attachée au cou ou au pied des oiseaux de chasse.

11. Laissé.

12. Pour le rire plaisir des dieux, cf. La Fontaine : « Les dieux ne pleurent ni d'une façon ni d'une autre, reprit Gelaste. Pour le rire, c'est leur partage... Homère dit en un autre endroit que, quand les bienheureux Immortels virent Vulcain qui boitait dans leur maison, il leur prit un rire inextinguible : par ce mot d'inextinguible, vous voyez qu'on ne peut trop rire, ni trop longtemps; par celui de bienheureux que la béatitude consiste au rire. » (*Psyché,* I.)

Page 338

XIII. LE RENARD, LES MOUCHES ET LE HÉRISSON

1. Source : Cette fable a ses quartiers de noblesse : Aristote la donne comme un exemple de l'utilisation de la fable par les orateurs. (*Rhétorique,* II, 20. — Cf. La Fontaine, v. 27.) — La confrontation entre le texte de 1694 et le manuscrit publié par Walckenaer donne un très bon exemple des méthodes de travail de La Fontaine. Voir Couton, *Poétique de La Fontaine,* p. 35.

2. « Fange : ce mot se dit proprement de la bourbe des chemins de campagne. » (Rich.)

3. « Affliger : causer de la douleur. » (Rich.)

4. « Commun : peuple, multitude. » (Rich.)

Page 340

XIV. L'AMOUR ET LA FOLIE

1. Source : Un très long *Débat de Folie et d'Amour,* agrémenté de discours, plaidoyers, dialogues, figure dans les œuvres de Louise Labé. Il n'est pas impossible que La Fontaine ait connu Louise Labé. Mais il est bien certain qu'il a connu le Père Commire, qui publie dans ses *Carmina,* 1681, p. 239, une pièce en vers latins *Dementia amorem ducens.* La source de La Fontaine me paraît être cette pièce latine.

2. *Son Enfance :* le fait qu'il est représenté sous les traits d'un enfant.

3. La déesse de la vengeance.

4. L'intérêt général auquel veille le ministère *public*.

5. « Ce qui résulte, ce qui s'ensuit d'une délibération, d'une conférence, d'une assemblée. » (Acad.)

Page 341

XV. LE CORBEAU, LA GAZELLE, LA TORTUE ET LE RAT

1. Source : Pilpay, *Livre des lumières*, pp. 226-232. La Fontaine a élagué ce long texte en conservant son déroulement.

Le sens de la fable : La « douce société » (v. 54-57) serait le cercle des intimes de Mme de la Sablière, la gazelle. Le chasseur serait La Fare qu'elle aima ardemment; le corbeau un ami qui apprit à Mme de la Sablière les infidélités de La Fare; le rat celui qui l'aida à rompre ses liens; la tortue La Fontaine, gauche et plein de bonnes intentions. L'explication est possible. En tout cas la fable me paraît certainement exiger une explication allégorique; celle-ci ou quelque autre : la vie de Mme de la Sablière présente trop de mystères pour qu'on puisse jamais donner une explication certaine; dans ses rapports avec son mari elle a aussi fait figure de gibier traqué. (Cf. Roche, p. 239.)

2. Ce bel art (la poésie) et la réputation (le « nom ») de Mme de la Sablière auraient assuré au temple l'éternité.

3. Iris est le nom de Parnasse de Mme de la Sablière.

4. L'Iris messagère des dieux est la servante de Junon. Iris-Sablière aurait les dieux pour serviteurs.

5. Ce style allégorique se traduit sans peine : les admirateurs de Mme de la Sablière sont des bourgeois (« des mortels »), des princes (« des demi-Dieux »), des rois même (« des Dieux »). Quant à mettre des noms propres, sous tous ces mots, malgré l'étude de Menjot d'Elbène sur *Mme de la Sablière*, nous le pouvons mal. La Fontaine, Bernier, les Vendôme et les Conti peut-être. Mais les dieux ? On a dit Sobieski : mais sa présence à Paris n'est attestée que pour 1646 et 1647; Mme de la Sablière avait 16 ans et ne tenait pas salon. Sobieski était-il aux pieds d'Iris « par correspondance », si nous osons nous exprimer ainsi ? (Cf. note 34 au *Discours à Madame de la Sablière*, livre IX.) A mon sens, « les Dieux » peut bien désigner les Vendôme et les Conti, qui sont de sang royal.

6. *Mettre :* (en jeu).

7. *S'écrie :* se récrie.

8. Allusion à la fable *L'Enfant et le Maître d'école*, I, XIX.

9. La tortue a une démarche lente et grave d'infante espagnole.

10. Chacun à sa place.

11. La Fontaine répond en Normand et entend faire comprendre que chacun des amis a montré tout le cœur possible : ils sont égaux.

Page 345

XVI. LA FORÊT ET LE BUCHERON

1. Source : L'idée morale est déjà exprimée par Ésope, *Les chênes et Zeus* et *Les bûcherons et le pin*. Mais la source de La Fontaine est Verdizotti, fable 68, *La forêt et le vilain*. [Le vilain pénétra dans la forêt] « et d'une voix flatteuse, avec les mots les plus convenables, il la pria de bien vouloir lui prêter un des jeunes arbres qui poussaient en abondance chez elle : il voulait en faire un manche pour sa cognée et pouvoir, rentré chez lui, terminer certain ouvrage ». [La forêt consentit.] « Le vilain façonna son manche, puis se mit à ravager toute la forêt, grâce à ce morceau de bois prélevé précisément à ce grand corps. Ainsi le méchant ingrat la coupa-t-il à blanc en peu de temps. » [On a à regretter de se montrer généreux envers les méchants.]

Page 346

XVII. LE RENARD, LE LOUP, ET LE CHEVAL

1. Source : Mathurin Régnier, *Satire III*, 217-252.

2. *Venelle :* petite rue. N'est plus employé au XVIIe siècle que dans l'expression « enfila la venelle » : prendre la fuite. Populaire (Fur.). Burlesque (Rich.).

3. « Desserrer, décocher. En ce sens il est beau et poétique. » (Rich.) Mais employé aussi dans le burlesque (Scarron).

4. « On dit de ceux qu'on fait partir brusquement : buvez un coup et haut le pied. » (Fur.)

5. « Gâter : endommager, mettre en mauvais état. » (Acad.)

Page 347

XVIII. LE RENARD ET LES POULETS D'INDE

1. Source : H. Busson (*Trois Fables anglaises de La Fontaine*, in *Europe*, mai-juin 1959) a montré que cet exemple d'intelligence animale passe de l'un à l'autre des auteurs qui s'intéressent au problème de l'âme des bêtes. On peut donc hésiter, quant à la source, entre Digby, *Demonstratio immortalitatis animae rationalis* (1644, 1651, 1655); Willis, *De anima brutorum*, 1672; Du Hamel, *De corpore animato*, 1673; A. Legrand, *De carentia sensus*

in brutis (1675); et aussi Denys, *Description... des côtes de l'Amérique septentrionale.*

2. *Harlequin :* un des valets de la comédie italienne. Il est sans doute fait allusion à une pièce dans laquelle Arlequin changeait très vite de costume. Mais elle n'est pas connue.

Page 348

XIX. LE SINGE

1. Source : Inconnue. — Je suppose qu'il s'agit d'une petite comédie jouée par des singes : un singe bat une guenon, qui contrefait la morte; le petit singe manifeste sa douleur, le vieux singe sa joie. Des singes savants donc, comme celui qui dans *Le Singe et le Léopard* (IX, III) vante ses talents, ou comme le célèbre Fagotin que le roi Lion doit faire jouer devant sa cour (*La Cour du Lion,* VII, VI). La petite histoire du XVIIe siècle a gardé le souvenir de quelques-uns de ces singes. Fagotin, singe du montreur de marionnettes Brioché, était grand comme un petit homme, portait chapeau, fraise, pourpoint, baudrier et petite épée; il savait se mettre en garde et porter quelques bottes. Un livret populaire conte le *Combat de Cyrano de Bergerac avec le singe de Brioché.* La première édition doit être de peu après 1655; la première conservée de 1704; réimprimée par E. Fournier, *Variétés historiques et littéraires,* MDCCCLV, t. I, p. 277.) La toute petite guenon Marie d'Angole savait signer son nom. (Sauval, *Antiquités de Paris,* II, 545.)

Quant à l'attaque de La Fontaine contre le « Peuple imitateur », à qui s'adresse-t-elle ? Rien ne permet de le dire avec certitude. A l'un des fabulistes que son exemple avait fait naître ? Peut-être. On observera aussi que *Le Singe* paraît pour la première fois en juillet 1685 dans les *Ouvrages de prose...* au moment où l'Académie est déchirée par l'affaire Furetière. Furetière vient d'être exclu (janvier 1685) : il compose un dictionnaire qui fait une concurrence déloyale à celui que lentement élabore l'Académie. La Fontaine a été amené à prendre parti contre son vieux camarade Furetière qui l'a maltraité cruellement dans son *Second Factum* (mars 1685). La guerre se poursuivra jusqu'à un *Troisième Factum* (1687). Le singe de la pire espèce, le singe-auteur, serait-il Furetière ?

Page 348

XX. LE PHILOSOPHE SCYTHE

1. Source : Aulu-Gelle, *Nuits attiques,* XIX, XII. (Imité par G. Cousin, p. 85.) « Un Thrace de la plus grande barbarie, inexpert à la culture de la terre, souhaitant une existence plus

humaine, avait émigré vers des régions mieux cultivées; il acheta un domaine planté de vignes et d'oliviers. Lui qui ne connaissait presque rien de la culture de la vigne et des arbres, voit par hasard un voisin couper les ronces qui couvraient son champ, tailler les frênes jusqu'à leur sommet, couper les rejetons des vignes qui couvraient la terre, enfin émonder les pommiers et les oliviers. Il approche et demande pourquoi un tel abattis de bois et de branchages. Le voisin répond : « Pour que le champ soit plus propre et plus net, la vigne et les arbres plus productifs. » Le Thrace quitte son voisin en le remerciant, joyeux et se croyant expert en agriculture. Il prend la serpe et la hache; le malheureux sans expérience tronque tous ses ceps et tous ses oliviers, coupe les frondaisons les plus florissantes des arbres, les plus beaux sarments des vignes. Les branches fruitières et les rameaux, propres à porter une récolte de fruits, il les enlève tout comme les broussailles et les ronces, pour nettoyer son champ... De même, les partisans de l'insensibilité [les stoïciens] qui veulent paraître tranquilles, sans peur, sans émotions, en supprimant désir, douleur, colère, joie ont amputé l'âme de ses sentiments les plus vifs et vieillissent dans un corps dont la vie est ralentie et pour ainsi dire sans nerf. » — G. Cognatus s'est contenté de reproduire Aulu-Gelle et les autres sources citées par Régnier me paraissent sans intérêt.

2. Un philosophe voyageur scythe était resté célèbre : Anacharsis.

3. Le vieillard des bords du Galèse (*Géorgiques,* IV, 125-133).

4. *Ébrancher :* tailler les branches. « Émonder : couper les menues branches. On émonde les arbres fruitiers quand ils jettent trop de bois. » (Fur.)

5. « Payer avec usure c'est rendre un service qui vaut bien plus que celui qu'on a reçu. » (Fur.)

6. Les rivages des Enfers.

7. « Profiter : prendre de l'accroissement. » (Fur.)

8. *Indiscret :* sans discernement. — L'idée que la passion est un « ressort » nécessaire se rencontre chez Sénèque, chez Montaigne, II, XII : « Les cupidités émurent Thémistocle, émurent Démosthène et ont poussé les philosophes aux travaux, veillées et pérégrinations; nous mènent à l'honneur, à la doctrine, à la santé, fins utiles. » Elle concorde avec tout l'art de vivre de La Fontaine. (Cf. *Filles de Minée,* pp. 488-492.) — Derrière les stoïciens, La Fontaine voyait sans doute des moralistes aussi rigoureux qu'eux, les jansénistes. Il devait, deux ans après la publication du *Philosophe scythe*, exprimer son regret que l'on voulût en France des moralistes plus sévères que Saint-Évremond et lui-même; que les leçons « un peu tristes » des jansénistes fussent en faveur. *(A Mme la duchesse de Bouillon, O.D.*, 669.)

Page 349

XXI. L'ÉLÉPHANT ET LE SINGE DE JUPITER

1. Source : Pline l'Ancien (*Histoire naturelle,* VIII, 1-33), dans une longue description des mœurs de l'éléphant, insiste sur la parenté de ses sentiments et de ceux de l'homme, sa mémoire, son intelligence, sa passion de la gloire, son amour-propre chatouilleux aussi. Il parle de ses combats avec le dragon et aussi avec le rhinocéros (71), « second ennemi naturel de l'éléphant; il aiguise sa corne contre les pierres et dans le duel vise au ventre ». (Cf. Gohin, *Revue universitaire,* 1932, pp. 41-44.) La Fontaine a écrit sa fable à partir de ces suggestions, en faisant une seconde fois appel au singe ambassadeur qui figurait dans IV, XII.

2. *Pas* : préséance.

3. Les lettres de créance qui l'accréditent comme ambassadeur.

4. « Cousin : terme d'honneur que les rois donnent aux Cardinaux, aux Princes de leur sang et à des Princes étrangers et aux principales personnes de leurs États qu'ils veulent honorer. » (Fur.). Par l'emploi de ce mot, l'éléphant se place au-dessus de Jupiter même.

5. Élephantide et Rinocère sont les noms, imaginaires, des deux capitales.

Page 351

XXII. UN FOU ET UN SAGE

1. Source : Phèdre, III, 5. — Une note manuscrite ancienne sur un exemplaire des *Ouvrages de prose...* disait : « Cette fable fut faite contre le sieur abbé du Plessis, une espèce de fou sérieux, qui s'était mis sur le pied de censurer à la cour les ecclésiastiques et même les évêques et que M. l'Archevêque de Reims fit bien châtier. » (Walckenaer.)

2. « Loier : prix et récompense; plus en usage en vers qu'en prose. » (Rich.)

3. « Estafier : une sorte de valet de pied. Se prend d'ordinaire en mauvaise part. » (Rich.)

Page 351

XXIII. LE RENARD ANGLAIS

1. Source : A été découverte par H. Busson, *Trois Fables anglaises de La Fontaine,* in *Europe,* mai-juin 1959, dans Digby, *Demonstratis immortalitalis animae rationalis* (publié en anglais : Paris, 1644; puis en latin : Paris, 1651 et 1655). La page de

Digby reprise textuellement dans A. Legrand, *De carentia sensus in brutis,* 1675. — Un renard entre dans une basse-cour, voit une potence où sont pendus les cadavres de bêtes nuisibles et va pour se cacher se pendre au milieu d'eux.

2. Mme Harvey était veuve de l'ambassadeur d'Angleterre à Constantinople, sœur de l'ambassadeur d'Angleterre à Paris. Elle était venue à Paris en 1683. La Fontaine avait pu la connaître chez la duchesse de Bouillon.

3. Elle était restée l'amie de Mme de Mazarin disgraciée par Jupiter-Louis XIV, et aussi sans doute de la duchesse de Bouillon qui a été inquiétée lors de l'Affaire des poisons, exilée sur ses terres et qui a fini par se réfugier en Angleterre (1687).

4. La Fontaine a déjà signalé le progrès des sciences en Angleterre (cf. VII, XVII).

5. Les Anglais ont sélectionné une race de chiens de renard *(fox hound)*.

6. La Fontaine a abrégé l'expression « fourches patibulaires ».

7. *Ravissant :* qui enlève par force. Animal de proie.

8. Annibal échappa plusieurs fois à Fabius Cunctator.

9. « Change en terme de vénerie se dit quand des chiens qui poursuivaient un cerf ou quelque gibier le quittent pour courir après un autre... Un vieux cerf donne le change et laisse son écuyer à sa place. » (Fur.)

10. « Clef en termes de vénerie se dit des meilleurs chiens et des mieux dressés, qui servent à redresser et conduire les autres, qu'on appelle clefs de meute. » (Fur.)

11. *Rompit :* « On dit en termes de chasse *rompre les chiens* pour dire : les rappeler pour les empêcher de continuer la chasse. » (Acad.)

12. Les chiens n'appellent pas (n'aboient pas) plus loin que les fourches patibulaires.

13. *A son dam :* pour sa perte.

14. *Clabauder :* aboyer fortement.

15. Le jour où il avait utilisé la même ruse.

16. « Houseaux : bottes de fatigue. Laisser ses houseaux, vieux proverbe : mourir. » (Fur.)

17. Le nombre des suicides est grand en Angleterre. Parce que médiocrement amoureux de la vie, le chasseur anglais n'aurait pas inventé le stratagème que le renard a inventé (v. 50-51).

18. « Estrange : qui est d'un pays éloigné, qui est né sous une autre domination. » (Fur.) « Mot vieux. » (Acad.)

19. Charles II.

20. Hortense Mancini, duchesse de Mazarin, a fui son mari;

elle s'est réfugiée en Angleterre. Elle est fort courtisée : elle remplit l'Angleterre d'habitants de Cythère, d'amours.

Page 353

XXIV. DAPHNIS ET ALCIMADURE

1. Source : La Fontaine l'indique lui-même : Théocrite (XXIII).

2. Mme de la Mésangère est la deuxième fille de Mme de la Sablière. Elle est veuve d'un conseiller au Parlement de Normandie. En 1686, un an après la publication de cette fable, elle devait être la marquise des *Entretiens sur la pluralité des mondes* de Fontenelle. On a supposé que cette idylle encourageait Mme de la Mésangère à se remarier. Elle le fera en 1690.

3. *Seule :* cf. l'emploi de *unus* en latin : l'unique objet de la cour de mille soupirants.

4. *Je ne puis que... :* je ne saurais me dispenser de partager... (latinisme).

5. *Aussi :* mais en revanche.

6. « Nativité : jour de naissance, ne se dit qu'en termes de dévotion. » (Fur.) L'emploi pour anniversaire est donc un archaïsme.

7. L'Érèbe est soit une région des Enfers, soit l'ensemble des Enfers.

8. L'ombre d'Ajax refuse d'entendre Ulysse (*Odyssée,* XI, 563-564). L'ombre de Didon se détourne d'Énée (*Énéide,* VI, 450).

Page 356

XXV. PHILÉMON ET BAUCIS

1. Source : Ovide, *Métamorphoses,* VIII, 620-724.

2. Le duc de Vendôme (1654-1712) et son frère le Grand Prieur étaient arrière-petit-fils de Henri IV et de Gabrielle d'Estrées. La Fontaine a dû les connaître dès leur enfance chez leur tante, la duchesse de Bouillon. Ils sont en demi-disgrâce et mènent joyeuse vie, au Temple, à l'Hôtel du Grand Prieur ou au château d'Anet. (Cf. les pièces que La Fontaine leur adresse dans *O. D.*, pp. 694-717, et les notes de P. Clarac.)

3. Prométhée, fils de Japet, enchaîné sur le « triste sommet » du Caucase symbolise l'homme assailli de soucis pour avoir voulu adorer les dieux de l'or et de l'ambition. — Vendôme était tenu à l'écart des affaires par Louis XIV, ce qui justifie que lui soit adressé un éloge de la retraite : le château d'Anet est l'humble toit de ce sage.

4. L'idée est ancienne (Epicharme, transmis par Xénophon, Montaigne). Ce lieu commun avait encore été exprimé par Voiture : « Pour l'ordinaire elle [la Fortune] nous vend bien chèrement les choses qu'elle semble nous donner. »

5. Clotho tenait la quenouille; une autre Parque, Lachésis, faisait tourner le fuseau.

6. *Le gré :* la reconnaissance.

7. Mercure.

8. *Les dons de Cérès :* le pain.

9. Virgile, *Bucolique I. Majoresque cadunt altis de montibus umbrae.*

10. Les nuées de la tempête (« les escadrons flottants ») exécutent les ordres du dieu (« ministres »).

11. *Tous avaient dû* = tous auraient dû = tous méritaient de.

12. « Pourpris : vieux mot qui signifie enceinte. » (Fur.)

13. Les deux grands peintres de l'antiquité grecque.

14. « Habitacle : pauvre lieu où l'on demeure. » (Fur.)

15. « Hostie : victime qu'on immole en sacrifice. » (Fur.)

16. La Fontaine devait porter encore ses présents ailleurs qu'au temple de la fidélité conjugale. Il suppute l'usage qu'il fera de quelque argent que Chaulieu, intendant de Vendôme, doit lui remettre : « Le reste ira... En bas-reliefs, *et caetera.* Ce mot-ci s'interprétera | Des Jeannetons, car les Clymènes | Aux vieilles gens sont inhumaines. » (*O. D.*, 704.)

17. Clio est la muse de l'histoire. La Fontaine se la représente comme il était classique de le faire dans les arts plastiques : assise, elle écrit sur un *volumen* posé sur ses genoux (cf. v. 187). Elle corrige les vers de La Fontaine pour les rendre proches du style homérique (« à l'exemple d'Homère »).

18. Anet (près de Dreux) fut le château de Diane de Poitiers. Il appartient à Vendôme, qui y reçoit des écrivains et des artistes; on s'y croirait au Parnasse (« Le Parnasse chez les poètes est appelé le sacré valon. » (Fur.) Vendôme vient sans doute de faire faire dans le parc des plantations : puissent-elles grandir instantanément. — « Puissent » : souhait — « Pussent » (1685) : souhait dont on pense la réalisation douteuse.

19. Sourcilleux pour désigner une montagne escarpée est commun dans la poésie classique. Mais le mot sourci pour désigner le faîte du mont paraît n'avoir été employé que par Du Bellay.

Page 361

XXVI. LA MATRONE D'ÉPHÈSE

1. La source de La Fontaine est Pétrone, *Satiricon,* CXI et CXII. Mais le sujet avait été fréquemment repris par les fabulistes, les conteurs, Brantôme. On se rappellera surtout que le premier petit recueil des *Contes* (décembre 1664) joignait aux œuvres de La Fontaine *La Matrone d'Éphèse* par Saint-Évremond.

2. Elle était devenue une sainte sous le patronage de qui les belles-mères mettaient leurs brus.

3. La maison de la Prudoterie est célébrée par Molière dans *George Dandin* I, 4.

4. Les cheveux dénoués et en désordre sont une manifestation du deuil chez les femmes dans l'antiquité et en Orient.

5. Ce qui reste, l'héritage.

6. « Rengréger, augmenter le mal. Se dit figurément en morale. » (Fur.)

7. Jusqu'à l'exécution.

8. Élevée.

9. Un tel arrangement.

10. Je comprends : « L'intention des dames est de résister aux amorces; celle des hommes de les induire en tentation; il arrive que les deux sexes soient trompés par les résultats. »

11. « Goujat, valet de soldat. » (Fur.)

Page 366

XXVII. BELPHÉGOR

1. Source : Machiavel : Belphégor, archidiable envoyé par Pluton en ce bas monde avec mission d'y prendre femme. Il vient, épouse; ne peut souffrir l'orgueil de sa femme et préfère retourner en enfer que se réconcilier avec elle. (1545.)

2. Furetière assurait que Mlle de Champmeslé avait aidé à vendre les *Contes* de 1674, dont le débit était interdit par la police. De là cette dédicace.

3. La Champmeslé, par sa voix touchante, s'assurait les cœurs du public. Elle avait aussi fait le bonheur particulier de cœurs privilégiés, dont celui de Racine. Champmeslé n'était pas de ces maris soupçonneux que les *Contes* présentent volontiers.

4. Si j'avais espéré le succès de mes déclarations d'amour.

5. « Le premier tribunal de Rome et la juridiction la plus majestueuse de la cour romaine. » (Fur.)

6. Ce diable devra se marier.

7. Des lettres de change, payables à vue, chez des banquiers correspondants de l'Enfer.

8. De peine.

9. Le mot espace est pris successivement avec un sens spatial et un sens temporel.

10. Peut-être faut-il se rappeler l'expression riche homme d'Aragon; et comprendre grand personnage plutôt que homme fortuné.

11. Les poètes l'encensèrent; plaisir onéreux.

12. Dans *Pâté d'anguille. (Nouveaux Contes.)*

13. « En l'ancienne astronomie on a appelé *premier mobile* un ciel qu'on s'est imaginé être au-dessus de tous les autres qui les entraîne avec lui. » (Fur.)

14. Des registres tenus chaque jour.

15. « Repas qu'on donne hors de chez soi et particulièrement à la campagne. » (Fur.)

16. En prenant la garantie des engagements écrits, le contraire de la simple foi.

17. Pour qu'on ne doute pas qu'il n'en soit ainsi...

18. La querelle.

19. La toilette.

20. Le lit, les sièges, et l'étoffe dont on les garnit. — Une maison bien montée, au XVIIe siècle, a un ameublement, et au moins des tentures, différent selon les saisons.

21. Entendre : sa ruine, infaillible accident.

22. Belphégor a été envoyé comme ambassadeur de Satan.

23. Le corps de Belphégor n'était qu'une apparence.

24. Le condamné, avant de mourir, fait amende honorable. Il demande pardon, à Dieu, au roi, à la justice, à sa partie, en un petit discours moralisant. (Cf. La Fontaine, *L'Oraison de saint Julien* (fin), et *Fables,* VI, XIX, v. 31-34.)

25. Dans les enfers.

26. Madame Honnesta.

27. Sur le même ton.

28. « S'enfuir. Populaire. » (Fur.)

29. Les diables se relaient aux côtés des damnés.

30. Dieu avait permis à Satan d'éprouver Job. Job avait résisté aux pires épreuves sans jamais maudire le Seigneur. Mais il n'aurait pas supporté une Honnesta.

Page 374

XXVIII. LES FILLES DE MINÉE

1. Sources :

1° Le cadre, l'histoire des filles de Minée, vient d'Ovide, *Métamorphoses,* IV, 1-145.

2° Les histoires contées par les filles de Minée ont des provenances diverses :

a) Celle de Pyrame et Thisbé figure déjà dans le récit d'Ovide; La Fontaine l'a conservée à sa place. — Elle avait déjà été popularisée par le théâtre. (Théophile, 1617; Puget de La Serre, 1663; Pradon, 1674.)

b) L'histoire de Céphale et Procris vient aussi d'Ovide, mais d'un autre endroit. (*Métamorphoses,* VII, 890-982, et *Art d'aimer,* III, 686-746.)

c) L'histoire de Télamon et Cloris a été empruntée à un érudit de la fin du XVIe siècle, J.-J. Boissard, *Antiquités romaines,* 1598, t. II, p. 49. Boissard assurait qu'elle figurait sur une inscription de Solignac (arrondissement de Limoges). Dès 1707 l'inscription était considérée comme apocryphe. (Gruter, *Inscriptions antiquae...* 1707, II, xv, 8.) — Est-ce lors de son voyage en Limousin que J.-J. Boissard a été signalé à la curiosité du poète, qui a traduit de lui une autre inscription encore ? (Cf. *O. D.*, p. 769 et notes.)

d) L'histoire de Zoon et d'Iole vient de Boccace, *Décaméron,* V, 1.

Publication :

Avant de prendre place dans le livre XII, ce poème avait déjà été publié dans les *Ouvrages de prose et de poésie* (1685), t. I, avec un avertissement : « *Un des quatre récits que j'ai fait faire aux filles de Minée contient un événement véritable, et tiré des Antiquités de Boissard. J'aurais pu mettre en la place la métamorphose de Céix et d'Alcione, ou quelque autre sujet semblable. Les critiques m'allégueront qu'il le fallait faire et que mon ouvrage en serait d'un caractère plus uniforme. Ce qu'Ovide conte a un air tout particulier ; il est impossible de le contrefaire. Mais après avoir fait réflexion là-dessus, j'ai appréhendé qu'un poème de six cents vers ne fût ennuyeux, s'il n'était rempli que d'aventures connues. C'est ce qui m'a fait choisir celle dont je veux parler...* »

Date de composition :

L'épisode des filles de Minée dans Ovide a attiré depuis longtemps l'attention de La Fontaine. En effet une des filles de Minée dans Ovide contait l'aventure de Mars et de Vénus. Or La Fontaine voulait insérer cette aventure dans *Le Songe de Vaux*. Ce projet abandonné après la chute de Fouquet, il publie les amours de Mars et de Vénus dans les *Contes* dès 1665. — Faut-il imaginer que tout ou partie des *Filles de Minée* remonte également à une date aussi ancienne, au temps où La Fontaine s'exerçait à la poésie « héroïque » ? Ce n'est pas impossible, mais on ne saurait préciser.

2. Pallas excellait au tissage et à la broderie.

3. *Se faire reconnaître :* faire reconnaître son pouvoir par les hommes.

4. *Marche en triomphe :* pour la fête des Ambarvales le peuple faisait le tour des terres labourées et ensemencées en l'honneur de Cérès.

5. Bacchus était fils de Jupiter et de Sémélé.

6. Les plaintes des trois sœurs, païennes, contre la multiplication des fêtes font écho aux doléances du savetier, bon catholique, mais qui se plaint. « On nous ruine en Fêtes. » (*Fables,* VIII, II.) Dans le *Dictionnaire philosophique* (art. Fêtes) et dans son conte, *Les Filles de Minée,* Voltaire insistera sur cette signification du conte.

7. Alcithoé a admis les fêtes en l'honneur des travaux d'Hercule; mais Bacchus, le dieu du vin, ne provoque que des malheurs.

8. Solliciter quelqu'un de quelque chose semble être du haut style.

9. *Des soins de ma pudeur :* je comprends : du souci que *vous* avez de ménager ma pudeur. (Cf. plus haut : « Votre amour étant pure ».)

10. « *Terme :* une espèce de poteau ou de colonne ornée par en haut d'une figure ou tête de femme... qui sert d'ornement dans les jardins ». (Fur.) La Fontaine se représente, semble-t-il, ce terme posé sur un socle de plusieurs marches.

11. *Tu devais :* tu aurais dû.

12. *Prévient :* devance.

13. Clotho, la Parque, accorde à Pyrame un dernier instant de lucidité.

14. *Incertaine :* hésitante.

15. *Aure :* divinité de l'air.

16. La rivalité de Neptune et de Minerve et la création du cheval et de l'olivier viennent d'Ovide.

17. *L'autre état :* le mariage, Hymen, qui exige une dot, un douaire.

18. « *Zéphir :* se dit poétiquement en vers des vents doux et agréables. » (Fur.)

19. Presque comme ils arrivaient.

20. « Avoir l'avantage du vent, *le dessus du vent,* lorsque le vent porte un vaisseau sur un autre. » (Fur.)

21. Une tout autre fortune.

22. *Sa fortune :* sa condition véritable.

23. « Les poètes se servent quelquefois de zèle pour signifier l'amour... En ce sens il vieillit. » (Fur.) L'amour de Damon est devenu amitié.

24. Quoique blessé légèrement.

25. Interprète a parfois un sens très large de conteur : cf. Richelet : « Celui qui explique, exprime et déclare ».

26. « *Développer :* se dit aussi chez les artisans quand ils dégrossissent du bois ou de la pierre pour leur donner la taille ou la disposition nécessaire... » (Fur.)

27. « *Nouveau :* Ce dont on n'a pas ouï parler; ce qu'on n'a jamais vu. » (Rich.)

28. Le mot rappelle au lecteur le monde romanesque du *Grand Cyrus*.

29. Même si Pallas les défend... — L'égide est le bouclier de Pallas : il est couvert de la peau de la chèvre Amalthée. — La Fontaine serait-il le premier à avoir francisé le mot ? Littré ne donne pas d'exemple de son emploi antérieur à ce texte.

Page 387

XXIX. LE JUGE ARBITRE, L'HOSPITALIER ET LE SOLITAIRE

1. **Source :** Arnauld d'Andilly, *Les Vies des saints Pères des déserts...*, 1647-1653, II, 496. *Que le repos de la solitude rend les hommes capables de connaître leurs péchés.* Trois jeunes hommes qui étudiaient ensemble et étaient extrêmement amis s'étant rendus solitaires, l'un choisit de s'employer à réconcilier ceux qui auraient quelque différend, suivant cette parole de l'Évangile : « Bien heureux sont les pacifiques. » L'autre résolut de s'occuper à visiter les malades. Et le dernier se retira dans la solitude pour y demeurer en repos. Le premier travaillant à ce que j'ai dit et voyant qu'il ne pouvait rien gagner sur l'esprit de la plupart de ceux qu'il exhortait à vivre en paix avec leur prochain, il en conçut un tel déplaisir qu'il se retira vers celui qui assistait les malades : mais il le trouva aussi tout découragé de ce que son dessein ne réussissait pas mieux qu'à lui. Enfin ils s'en allèrent voir celui qui était dans le désert, et, lui ayant raconté leurs peines, le prièrent de leur dire de quelle sorte lui avait succédé son entreprise. Avant que de leur répondre, il mit de l'eau dans un verre et puis leur dit : « Considérez cette eau, je vous prie ». Ce qu'ayant fait ils voient qu'elle était trouble. Quelque temps après, il leur dit : « Regardez maintenant comme elle est claire ». Ils la regardèrent et se virent dedans ainsi que dans un miroir. Alors il ajouta : « Celui qui demeure parmi la multitude ressemble à cette eau, car l'agitation et le trouble l'empêchent de voir ses péchés. Mais lorsqu'il se tient en repos, et principalement dans la solitude, il se rend capable de les discerner et de les connaître. »

Histoire du texte et date :

Mi-décembre 1692 : La maladie, la conversion, la confession générale.

12 février 1693 : La séance publique de désaveu des *Contes*. Au printemps, La Fontaine est convalescent.

Juin : La fable est publiée par le Père Bouhours dans son *Recueil de vers choisis*.

1er septembre 1693 : Achevé d'imprimer du livre actuellement numéroté XII, contenant *Le Juge arbitre*...

1696 : Dans les *Œuvres posthumes*, procurées par Mme Ulrich, un texte très semblable à celui du Recueil Bouhours. Peut-être antérieur cependant, moins élaboré. (Cf. vers 21, supprimé comme inutile dans Recueil Bouhours et Livre XII.)

Date de la fable : elle est un testament spirituel (« Cette leçon sera la fin... »). Son ton et son contenu engagent donc à la dater du printemps de 1693.

Le texte des *Œuvres posthumes ?* Mme Ulrich paraît avoir fait son édition avec des copies que La Fontaine lui avait données de ses œuvres. Faut-il penser que le poète, qui maintenant portait cilice, avait remis deux copies de cette fable discrètement favorable à Port-Royal : l'une au Père Bouhours, jésuite, critique attitré de la Compagnie; l'autre à une pécheresse non repentie, à Mme Ulrich, une demi-mondaine ?

2. Juge arbitre. La durée et le coût des procédures étaient tels au XVIIe siècle que des initiatives officieuses et officielles ont voulu instituer une justice plus rapide et gratuite. En 1670, l'Assemblée du Clergé invite les évêques à établir dans les paroisses des « bureaux pour les accords » composés « d'arbitres charitables ». Nous connaissons bien l'activité de la Compagnie du Saint-Sacrement de Marseille en cette occasion. (Voir R. Allier, *La Compagnie du Très Saint-Sacrement de l'Autel à Marseille,* Paris, 1909.) 1671 : La Compagnie propose « quatre personnes de la Compagnie pour accommoder les différends et procès qui arrivent en cette ville aussi bien que pour assoupir les injustices et discords ». Ce « bureau des inimitiés » était composé d'ecclésiastiques, d'avocats, de bourgeois, de gentilshommes. — Mais les membres de la Compagnie du Saint-Sacrement ne paraissaient jamais qu'à titre privé. La Fontaine n'a peut-être pas vu en son « arbitre-né » un confrère du Saint-Sacrement.

3. Ces réflexions sur l'humeur des malades sont-elles un retour de La Fontaine convalescent sur lui-même ? L'attendrissement sur le sort fâcheux des hospitaliers est-il un souvenir pour Mme de la Sablière, qui a passé les dernières années de sa vie à soigner aux Incurables les plus repoussants des malades, et qui vient de mourir ?

4. *Exercice :* au sens religieux, occasion de pratiquer les vertus chrétiennes.

5. *Appointeur de débats :* « Débat : contestation en matière civile. » (Fur.) — « Appointeur : se dit quelquefois de ces gens

qui s'empressent à faire toutes sortes d'accommodements. » (Fur.)

6. « Connais-toi toi-même » est le premier précepte de la sagesse delphique.

7. Les mots désert et Solitaire évoquent pour nous Port-Royal et ses Messieurs. Pour La Fontaine aussi sans doute, puisque c'est à l'œuvre d'un des Messieurs qu'il emprunte le sujet de sa fable. Mais Solitaire et désert pouvaient tout aussi bien engager ses lecteurs à penser aux Chartreux, ou aux Trappistes. Mme de la Sablière était en correspondance avec Rancé, abbé de la Trappe, et La Fontaine lui-même paraît avoir eu un temps la curiosité de visiter au moins la Trappe. (Cf. *Introduction,* p. XXIX.) — On remarquera aussi que dans la gravure qui illustre la fable, le Solitaire porte un costume monastique; ce que ne faisaient pas les Messieurs de Port-Royal. Le Solitaire est sans doute à la fois un trappiste et le représentant de tous les contemplatifs amis de la retraite.

FABLES NON ADMISES PAR LA FONTAINE DANS LE LIVRE DES *FABLES*

Page 393

LE SOLEIL ET LES GRENOUILLES

La tension entre la France et la Hollande (1672) avait donné l'occasion au Père Commire d'écrire sa fable *Sol et Ranae* imprimée sur une feuille volante. La Fontaine publia son imitation du Père Commire dans les mêmes conditions (1672, chez F. Muguet, 3 pages signées D.L.F.). Elle fut réimprimée par le Père Bouhours, *Recueil de vers choisis,* 1693, avec le nom de La Fontaine. — Lui-même ne l'a jamais reprise dans ses *Recueils*. Il n'était sans doute que modérément satisfait de cette œuvre belliqueuse de circonstance. — Date de la fable : la campagne de Hollande pas encore commencée; donc extrême fin de 1671 ou premiers mois de 1672.

1. *L'oubli des bienfaits :* la France avait fait reconnaître l'indépendance des États de Hollande au traité de Westphalie.

Page 394

LA LIGUE DES RATS

Date : Les éditeurs modernes rapportent cette fable à la même tension avec la Hollande qui avait donné l'occasion de la fable précédente. Nous ne le pensons pas : la fable a paru pour la première fois dans le *Mercure galant,* décembre 1692. Au traité de Vienne, les Provinces-Unies ont conclu une alliance avec l'Empire; le roi d'Espagne et le duc de Savoie ont donné leur adhésion. Le chat a grondé : Louis XIV a pris Namur (été 1692). La fable, selon nous, a trait à la situation de 1692; non de 1672. Pourquoi La Fontaine aurait-il attendu vingt ans avant de publier une fable relative à la première campagne de Hollande ? — Mme Ulrich a publié dans les *Œuvres posthumes* un texte légèrement différent. — La Fontaine n'avait pas repris sa fable dans le recueil de 1694, pour les mêmes raisons sans doute qui lui avaient fait éliminer la fable précédente.

1. La dévastation qu'ils avaient la prétention de faire.

FABLES RESTÉES INÉDITES DU VIVANT DE LA FONTAINE

1. De toutes les fables attribuées à La Fontaine par Paul Lacroix dans ses *Œuvres inédites de La Fontaine*, Paris, 1863, une est certainement de lui; deux méritent considération; quant aux autres l'attribution est tout à fait incertaine.

Page 399

LE RENARD ET L'ÉCUREUIL

Texte : manuscrit Conrart (Arsenal, manuscrit 5418, page 533) dans un groupe de dix fables dont neuf ont pris place dans les livres I et III. L'authenticité me paraît certaine. Le sujet a sans doute été inventé par La Fontaine. L'écureuil figurait dans les armoiries de Fouquet. La fable est d'une époque où les partisans de Fouquet pouvaient croire qu'il ne serait pas condamné, ou qu'il serait gracié (cf. v. 19). Elle peut donc dater du temps du procès ou de plus tard : le bruit de la grâce de Fouquet et même de son retour aux affaires ayant couru plusieurs fois. (Cf. *Introduction,* p. XII.) Quant à la raison qui fait que La Fontaine ne l'a pas livrée au public, elle se voit sans peine : une défense de Fouquet contre Colbert pouvait malaisément être imprimée.

1. La Fontaine a repris les vers 1-4 en tête de V, XVIII, *Le lièvre et la Perdrix*.

2. *Se gabait :* se moquait — archaïsme.

3. *Gobet :* deux sens : un sens précis en fauconnerie : « une manière de chasser ou voler les perdrix avec l'autour et l'épervier » (Fur.). — Un sens dérivé dans l'expression populaire : prendre au gobet : prendre au gosier, au collet, emprisonner.

LA POULE ET LE RENARD

Cette fable figure, mais sans nom d'auteur et isolée parmi des pièces d'une autre nature, dans un des manuscrits de Conrart (Recueil in-folio, t. IX, p. 1071). — Elle est aussi dans le manuscrit Y f 8 in-4° de la Bibliothèque Sainte-Geneviève. Rien dans ce manuscrit ne permet de le dater solidement, ni de déterminer qui l'a écrit; cependant les quinze fables qu'il contient sont très probablement parmi les premières que le poète ait composées. Il a repris les quatorze autres (livre I, fables II, III, VI, X, XV. — II, II, III, XVII. — III, XIV. — IV, IX, XIII, XVIII. — V, XIII. — VI, VIII). Qu'il n'ait pas repris celle-ci, sa médiocrité pourrait l'expliquer.

Le problème, pour cette fable, est donc à peu près le même que pour *Le Renard et l'Écureuil,* sauf qu'elle figure dans un recueil moins autorisé que le recueil Conrart. On ne voit cependant pas pourquoi l'anonyme auteur du recueil de Sainte-Geneviève aurait transcrit en tête des fables authentiques de La Fontaine une œuvre d'une autre provenance et cela à une époque où personne d'autre que La Fontaine, semble-t-il, n'écrivait de fables. — L'authenticité n'est donc pas impossible.

1. « Le Grand Seigneur [le Sultan] jette son mouchoir à celle de ses sultanes qu'il veut favoriser. » (Fur.)

Page 401

L'ANE JUGE

Histoire de la fable :

En 1681, pour la première fois à notre connaissance, le Père Commire fait imprimer dans ses *Poemata* (B.N. Yc 8177), pp. 252-253, une fable qu'il attribue à Ésope, mais qu'il nous paraît avoir inventée : *Asinus judex.*

En 1704, dans les *Opera posthuma* (p. 211) du même Père Commire, sont, pour la première fois, croyons-nous, publiés cinq vers latins : « *Remerciement au très célèbre M. de la Fontaine qui a traduit en vers français très élégants la fable latine, l'Ane juge. — Quel est ce prodige ? un âne au poil bourru, à l'air paysan est venu du pays latin. Mais dès qu'il eut respiré l'air de Paris, dès qu'il eut été aspergé de l'eau de la fontaine française, il est devenu soudain un âne d'or et lui qui savait seulement braire, s'est mis à parler en beau langage.* »

Cette traduction du Père Commire par La Fontaine, dont l'existence est ainsi attestée de façon certaine, n'a pas été publiée du vivant du poète. En 1818 une traduction attribuée à La Fontaine était publiée. C'était une supercherie (voir édition de La Fontaine par Marty-Laveaux, V, pp. 230-231.) — Puis en 1862, un bibliothécaire d'Angoulême, E. Castaigne, trouvait un Ésope grec et latin, imprimé à Leyde en 1632, et qui avait fait partie du « cabinet des livres de M. de Pontchartrain ». On avait transcrit à la fin du volume *L'Ane juge* avec la souscription : « Par feu mons^{r} de La Fontaine ».

E. Castaigne a publié sa trouvaille en une plaquette, *Une fable inédite de La Fontaine, découverte, annotée et publiée par un bibliophile de province* (Angoulême, Nadaud, 1862, 20 pages). La fable a été ensuite réimprimée par P. Lacroix, *Œuvres inédites de La Fontaine,* 1863, pp. 45-46.

Dans la mesure où ses autres travaux nous le font connaître, E. Castaigne ne peut guère être soupçonné de supercherie. Reste à faire cependant une observation : le nom de « Sire Goupillet » ne se trouve nulle part chez La Fontaine. Surtout sont inquiétantes les impropriétés : « concile » et « Votre Altesse » quand on songe avec quel soin le poète veille à l'exactitude des termes. — Faut-il donc retirer cette fable médiocre à La Fontaine ? On observera que les fables du Père Commire ont eu du succès. Certaines ont été mises en français par trois traducteurs différents. Aurions-nous ici, non la traduction de La Fontaine — qui a sans aucun doute existé — mais celle d'un de ses émules ?

TABLE ALPHABÉTIQUE DES FABLES

TABLE DES ILLUSTRATIONS

TABLE DES MATIÈRES

LIVRE DEUXIÈME

LIVRE TROISIÈME

LIVRE QUATRIÈME

LIVRE CINQUIÈME

LIVRE SIXIÈME

LIVRE SEPTIÈME

LIVRE HUITIÈME

LIVRE NEUVIÈME

LIVRE DIXIÈME

LIVRE ONZIÈME

FABLE

LIVRE DOUZIÈME

Fables publiées du vivant de La Fontaine, mais non admises par lui dans le livre des *Fables*

Fables restées inédites du vivant de La Fontaine

ACHEVÉ D'IMPRIMER
PAR L'IMPRIMERIE TARDY QUERCY S.A.
A BOURGES
LE 25 FÉVRIER 1983

Numéro d'éditeur : 3296
Numéro d'imprimeur : 10985
Dépôt légal : Février 1983

Printed in France

ISBN 2-7050-0007-0